Oggi in Italia

NYU EDITION

EIGHTH EDITION

Franca Celli Merlonghi | Ferdinando Merlonghi |
Joseph A. Tursi | Brian Rea O'Connor

Parole Per Oggi

Supplementary material by the Department of Italian Studies at NYU
(New York and Florence campuses)

Project Director, Nicola Cipani
General Editor, Renata Carloni
Editors in New York, Chiara Marchelli, Roberto Scarcella Perino

Contributors: Massimo Avuri, Laura Bresciani, Carlo Bagnoli, Silvia Chegia,
Valentina Contini, Marco Del Rocca, Chiara Marchelli, Caterina Sani,
Roberto Scarcella Perino, Mara Simonti, Silvia Sozzi, Elena Visconti di Modrone

Illustration, Jordan Worley
Design, Jason Ramirez

CENGAGE
Learning™

Australia • Brazil • Japan • Korea • Mexico • Singapore • Spain • United Kingdom • United States

CENGAGE
Learning™

Oggi in Italia
NYU EDITION, EIGHTH EDITION

Franca Celli Merlonghi | Ferdinando Merlonghi
Joseph A. Tursi | Brian Rea O'Connor

Executive Editor:
Maureen Staudt
Michael Stranz

Senior Project Development Manager:
Linda de Stefano

Marketing Specialist:
Sara Mercurio

Senior Production/Manufacturing Manager:
Donna M. Brown

PreMedia Supervisor:
Joel Brennecke

Rights & Permissions Specialist:
Kalina Hintz
Todd Osborne

Cover Designer: Jason Ramirez

Parole per oggi

Project Director: Nicola Cipani
General Editor: Renata Carloni
Editors in New York: Chiara Marchelli,
Roberto Scarcella Perino

Contributors: Massimo Avuri, Laura Bresciani,
Carlo Bagnoli, Silvia Chegia,
Valentina Contini, Marco Del Rocca, Chiara
Marchelli, Caterina Sani, Roberto Scarcella
Perino, Mara Simonti, Silvia Sozzi, Elena
Visconti di Modrone

Illustration, Jordan Worley
Design, Jason Ramirez

OGGI IN ITALIA: A FIRST COURSE IN ITALIAN, EIGHTH EDITION
Franca Celli Merlonghi | Ferdinando Merlonghi |
Joseph A. Tursi | Brian Rea O'Connor
Copyright © 2007 Cengage Learning. All rights reserved.
Credits for texts, photographs, realia, and illustrations are found following the index at the back
of the book.

OGGI IN ITALIA STUDENT ACTIVITIES MANUAL, EIGHTH EDITION
Franca Celli Merlonghi | Ferdinando Merlonghi |
Joseph A. Tursi | Brian Rea O'Connor
Copyright © 2007 Cengage Learning. All rights reserved.

All Illustrations by Tim Jones; menu on p. 62 by Anna Veltfort.

For product information and technology assistance, contact us at
Cengage Learning Customer & Sales Support, 1-800-354-9706

For permission to use material from this text or product,
submit all requests online at **cengage.com/permissions**
Further permissions questions can be emailed to
permissionrequest@cengage.com

This book contains select works from existing Cengage Learning
resources and was produced by Cengage Custom Solutions for collegiate
use. As such, those adopting and/or contributing to this work are responsible
for editorial content, accuracy, continuity and completeness.

Compilation Copyright © 2009 Cengage Learning

ISBN-13: 978-0-547-00455-6

ISBN-10: 0-547-00455-9

Cengage Learning
5191 Natorp Boulevard
Mason, Ohio 45040
USA

Cengage Learning is a leading provider of customized learning solutions
with office locations around the globe, including Singapore, the United
Kingdom, Australia, Mexico, Brazil, and Japan. Locate your local office at:
international.cengage.com/region

Cengage Learning products are represented in Canada by
Nelson Education, Ltd.

For your lifelong learning solutions, visit **www.cengage.com/custom**

Visit our corporate website at **www.cengage.com**

Printed in the United States of America

To the Student

Welcome to the study of Italian and welcome to *Oggi in Italia*! Learning a foreign language can be an enjoyable and a stimulating experience, especially if you think of it as learning a way to communicate with other people. As you develop your skills in listening, speaking, reading, and writing in Italian, remember that you will also be learning about Italy, its people, and its culture.

Read the Overview of Your Textbook's Main Features to familiarize yourself with the chapter organization and refer to the list of Student Components to learn about some of the resources available to you.

Tips for Learning with *Oggi in Italia*

- **Have a positive attitude.** Concentrate on what you are learning and don't be frustrated by what you do not know how to say; use what you *do* know.

- **Study frequently.** Regular and consistent practice is the key to learning a language. Try to do some studying every day instead of cramming before a test or assignment due date. The end results will be more long-lasting.

- **Go to class prepared.** If you have taken the time to study the material to be covered before going to class, class time can be better used in practice and reinforcement.

- **Participate in class.** Do not be afraid of making mistakes or pronouncing words incorrectly; the important thing is to speak. Many of the activities in *Oggi in Italia* are designed to be done in pairs and small groups to give you maximum communicative practice. Take advantage of this opportunity to use your new skills to communicate in Italian with your classmates.

- **Use downtime to study Italian.** The more time you spend reviewing, the more Italian you will retain. Use otherwise nonproductive times to practice current or previously studied material. When learning numbers, for example, say your friends' phone numbers in Italian before dialing them. When learning a past tense, say what you did during the day or describe what happened on a television show.

- **Have fun.** Learning a language takes work and practice, yet it should also be an enjoyable experience. As you learn the language, you will also be learning about Italians and Italian culture. By making the most of your learning, you will find that you can get along quite well the first time you have a conversation with a native Italian speaker or when you step off a plane in Rome or Milan and enter today's Italy.

An Overview of Your Textbook's Main Features

Oggi in Italia consists of a preliminary lesson and eighteen regular lessons, each of which is organized around a theme, such as school, food, shopping, sports, politics, cinema, or ecology. The themes are designed to introduce you to everyday language, aspects of life relevant to young people, and basic concepts of Italian culture.

Each lesson opens with a photo related to the lesson theme and a statement of the communicative objectives for the lesson to orient you to what you will be learning.

Accessible, contextualized language provides a focus for learning

The opening lesson dialogue, monologue, or interview presents new grammar structures and vocabulary within a context or situation that illustrates how to use the language. In this way, you see examples of the language as it is used to communicate with others.

Related comprehension, personalized, and guided interview questions help you practice the new material and prepare you for the vocabulary and grammar sections that follow.

Annotations, boxed and located in the margins of the textbook, highlight word usage, practical cultural information, important grammar points, and study tips.

Emphasis on culture promotes awareness of self and others

The **Finestra culturale** reading is related to the lesson theme. In Italian beginning in *Lezione 5*, these readings reflect diverse aspects of contemporary Italian culture. Questions at the end of the readings are included to encourage you to compare Italian culture with your own so that you'll become aware of differences as well as similarities between cultures.

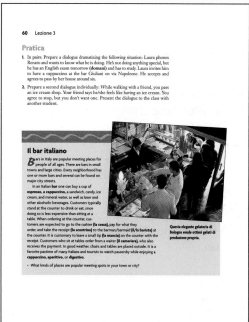

Practical aids improve fluency using Italian

The **Vocabolario** list contains the new words and expressions presented in the opening dialogue or monologue and in the accompanying activities.

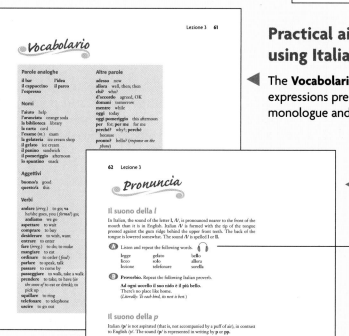

Pronuncia provides explanations and practice of Italian sounds to help you develop proper pronunciation early on.

The audio icon signals that the practice exercises are recorded on the In-Text Audio CD packaged with your textbook so that you can practice outside class. These exercises are also available for listening on the *Oggi in Italia* Companion Website, and additional pronunciation practice for each lesson is provided on the SAM Audio CDs that correlate to the Student Activities Manual.

Focus on practical language fosters communication skills

The **Ampliamento del vocabolario** section in each lesson presents words in thematic groups, along with a series of activities designed to help you build your vocabulary. Often illustrations are used to convey the meaning of new words so that you immediately associate an object with its Italian word.

Many of the activities are for pairs or groups, providing numerous opportunities to practice speaking Italian.

Struttura ed uso sections contain three to four topics per lesson. Many topics are illustrated by a cartoon to help you remember how the structure is used. Charts highlighting key information serve as a handy reference for review.

Clear, easy-to-follow grammar explanations in English include examples showing you how to use the structure presented.

A variety of guided exercises and communicative pair and group activities gives you necessary practice for reinforcement of the topics presented.

Web and CD-ROM icons serve as reminders of the additional resources available to you for reinforcement and review. You can also view the video that accompanies each lesson and reinforce your learning by doing the related practice activities.

Speaking practice and reading further fluency and cultural knowledge

The **Parliamo un po'** section includes a variety of creative, interactive pair and group activities as well as illustration-based activities that integrate what you have learned in the lesson and in previous lessons. The primary aim of the section is to give you the chance to put everything together and practice speaking in a personalized way.

Short reading passages in the **Conoscere l'Italia** section relate to various aspects of Italian culture and introduce you to the diverse cities and regions of Italy.

Pre-reading exercises develop your readings skills and help prepare you for reading, while post-reading exercises check your comprehension.

Parliamo un po'

A Cosa desideri fare? In pairs: Interview your partner to find out some of the things he/she wants to do someday. Then tell your partner about what you want. Ask about:

- la città che lui/lei desidera visitare
- dove desidera abitare
- quale persona famosa desidera incontrare
- quale automobile desidera guidare
- dove desidera lavorare
- se desidera avere figli (quanti?)

B Presentare amici. In groups of three: You are with two friends who have never met before. Create a conversation in which you introduce your two friends to each other. They should ask each other a few questions, and then you suggest that you all go somewhere together.

S1: (Pietro), ti presento un mio amico ...
S2: Piacere.
S3: Il piacere è mio. Pietro, tu studi ... ?

Alcuni studenti si scambiano idee e opinioni davanti all'università.

C Com'è la tua città? You receive the following e-mail from a student in Italy. Write an answer in which you give some information about the city or town you live in.

Ciao _____. Come stai?

Tutto bene qui a Lucca. Lucca non è una grande città ma ci sono molte cose interessanti da visitare: chiese, palazzi, teatri. C'è anche una piazza (chiamata piazza dell'Anfiteatro) che ha la forma di un anfiteatro romano. Dove abiti tu? Com'è la tua città? È grande o piccola? Che cosa c'è da visitare? È una città interessante per un turista? Ci sono molti ristoranti? Musei? Che altro?

A presto
Mauro

Conoscere l'Italia

A Vocabolario. Before reading the passage, study the following vocabulary. Then choose an appropriate word to complete each sentence.

gli abitanti inhabitants	**la fontana** fountain	**la panchina** bench	**il tavolino** table
la bellezza beauty	**la gente** people	**il ruolo** role	**il valore** value
bere to drink	**il palazzo** palace, building	**il salotto** living room	**la vita** life

1. "_____ è bella" è il titolo di un film di Roberto Benigni.
2. Il sinonimo di *le persone* è _____.
3. Una parola che si associa con *caffè* è _____.
4. Le persone che abitano in un paese o in una città si chiamano _____.
5. Quando abbiamo sete desideriamo _____ qualcosa.
6. _____ è parte di una casa.
7. L'aggettivo *bella* è associato al nome _____.

Le piazze italiane

La piazza ha un ruolo molto importante nei paesi e nelle città d'Italia. In paesi piccoli e grandi è il centro della vita degli abitanti. Bar, ristoranti, negozi, la chiesa e la banca sono spesso situati nella ...

Veduta parziale della stupenda Piazza del Campo a Siena con il Palazzo Pubblico e la Torre.

78 Lezione 3

B Domande. Answer the following questions based on the preceding passage.

1. Perché la piazza ha un ruolo importante nei paesi d'Italia?
2. Che cosa è situato spesso nelle piazze dei paesi d'Italia?
3. Come si chiamano due belle piazze di Roma?
4. Dov'è Piazza San Marco? E Piazza del Campo?
5. Perché alcune piazze delle città d'arte sono come salotti?
6. Cosa ammirano le persone che frequentano le piazze delle città d'arte?

A Vocabolario. Match each definition with a word from the list in the right-hand column. There are two extra words in the list.

1. una persona con molti dollari
2. un caffè, un cinema, un ristorante
3. la persona che scrive libri
4. non italiano
5. una bella caratteristica

a. straniero (*foreign*)
b. lo scrittore (*writer*)
c. vedere (*to see*)
d. fascino (*charm*)
e. ricca (*rich*)
f. un locale (*place*)
g. meta (*destination*)

Student Components

Student Textbook

This textbook is your primary resource for learning Italian. It contains cultural information, vocabulary and grammar presentations and practice, and activities to help you develop listening, speaking, reading, and writing skills in Italian.

In-Text Audio CD

Packaged with your textbook, the audio CD contains recordings of the lesson pronunciation exercises so that you can practice on your own.

Student Activities Manual (SAM):
Workbook/Lab Manual

The Workbook section of the SAM provides a variety of practice to reinforce the vocabulary and grammar presented in each chapter and to help you develop your reading and writing skills. The Lab Manual section includes pronunciation explanations and practice and a variety of listening activities to develop your listening comprehension skills so that you gradually understand spoken Italian more and more easily. Answer Keys may be made available to you for self-correction at the discretion of your instructor.

SAM Audio CDs

The SAM Audio CDs contain the recorded material that coordinates with the Lab Manual portion of the Student Activities Manual to reinforce pronunciation and listening skills.

E-SAM Powered by Quia

This online version of the Student Activities Manual contains the same content as the print version, plus the material recorded on the SAM Audio CDs, in an interactive environment that provides immediate feedback for many activities so you can monitor your progress.

Oggi in Italia Video

This new video, filmed in Italy especially for *Oggi in Italia*, contains eighteen situational scenes that feature a group of friends as they go about everyday activities, such as making plans, shopping at a market, celebrating a birthday, or getting together at their favorite café. Each lesson concludes with interviews of Italian speakers. The video focuses on the themes and language presented in the textbook lessons in order to reinforce your learning and improve your listening skills as you learn about Italian culture. Your instructor may provide activities designed to guide your viewing, and you can also do the video activities on the Student CD-ROM and website.

Student CD-ROM

This multimedia CD-ROM helps you practice each chapter's vocabulary and grammar, and provides immediate feedback so that you can check your progress. Each chapter includes games, art- and listening-based activities, video activities, and the opportunity to record selected responses. As you work, you can access a grammar reference, an Italian-English glossary, and a progress report. It also allows you to link directly to the *Oggi in Italia* Website.

Student Companion Website

The website for *Oggi in Italia* includes a variety of activities and resources to help you practice vocabulary and grammar, review for quizzes and exams, and explore Italian-language websites. The site also has electronic flashcards for practice of vocabulary and verb conjugations and MP3 files of the In-Text Audio CD. The website is accessible at www.cengage.com/italian.

Contents

Lab Manual   LM-1

Supplementary Material
Parole per oggi
NYU Edition

Acknowledgments

The authors and publisher would like to express their appreciation to the many instructors teaching with *Oggi in Italia* who have offered their feedback on the program. We also extend a special word of thanks to the following reviewers for their ideas and recommendations for this revised edition.

Antonina Farrell, *Addison Trail High School*
Andrea Fedi, *University of Stony Brook*
Cosetta Gaudenzi, *University of Memphis*
Sara Gelmetti, *University of Wisconsin–Madison*
Nanette Granuzzo, *Middlesex County College*
Richard B. Hilary, *Florida State University*
Michael L. Mazzola, *Northern Illinois University*
Cinzia Donatelli Noble, *Brigham Young University*
Chad W. Shorter, *University of Virginia*
Patrick L. Vivirito, *University of Notre Dame*

Our appreciation also goes to Elissa Tognozzi and the instructors at the University of California, Los Angeles, who provided feedback and suggestions for changes; to Tiziana Serafini (UCLA) for revising the testing program; and to Joseph G. Tursi, East Islip (Long Island) High School for trying out selected material in his classes.

We wish to thank all the people at Cengage Learning who have contributed to publishing the Eighth Edition of *Oggi in Italia*, particularly Glenn Wilson in the World Languages Department. We also thank Sandra Guadano, our development editor, and Rosemary Jaffe, Steve Patterson, Lisa Jelly Smith, Linda Rodolico, and the many other people who helped with the design, production, and art of this new edition.

Franca and Ferdinando Merlonghi
Joseph Tursi
Brian O'Connor

Lezione preliminare

Studenti e studentesse vanno a lezione all'Università di Milano.

Il saluto

Communicative Objectives

- Greet others and say good-bye (or take leave) using the appropriate level of formality
- Express how you're feeling
- Express what you like
- Talk about some classes and people
- Give some street addresses and zip codes

Buon giorno! Lei come si chiama?

	lei = you, formal

Il professore e lo studente

PROFESSOR LANDINI:	Buon giorno.
	Sono Giovanni Landini.
	Sono il professore d'italiano.
	Lei come si chiama?
MAURIZIO:	Buon giorno, professore.
	Mi chiamo Maurizio Ferroni.

La professoressa e la studentessa

PROFESSORESSA VENTURI:	Buon giorno.
	Sono la professoressa d'italiano.
	Mi chiamo Luciana Venturi.
	E lei come si chiama?
SIMONA:	Buon giorno, professoressa.
	Mi chiamo Simona Barbieri.

Buona sera! Come sta?

Il signor Carboni e il dottor Salvini

SIGNOR CARBONI:	Buona sera, dottor Salvini.
	Come sta?
DOTTOR SALVINI:	Bene, grazie, e lei?
SIGNOR CARBONI:	Molto bene, grazie. ...
	Arrivederla, dottore.

La signora Masetti e la signorina Polidori

SIGNORINA POLIDORI:	Buona sera, signora Masetti.
	Come sta?
SIGNORA MASETTI:	Abbastanza bene, e lei?
SIGNORINA POLIDORI:	Bene, grazie. ... A più tardi, signora.

Pratica

1. Introduce yourself to four or five classmates, asking each person his/her name.

   ▶ — Buon giorno. Mi chiamo (Giorgio Lotti). E lei, come si chiama?
   — Mi chiamo (Gabriella).

2. Find out from three or four classmates how they are feeling.

   ▶ — Buon giorno, (Roberto). Come sta?
   — Bene (Abbastanza bene/Non c'è male), grazie. E lei?
   — Molto bene.

Levels of formality

*I*n Italian, as in English, speakers use different levels of formality, depending on the situation and to whom they are speaking. For example, in Italy, you might use **ciao** or **salve** (*hello*) as a greeting, and **ciao** or **arrivederci** as a farewell to a friend or a member of the family. In a more formal situation, speaking to a stranger or an acquaintance, you might use **buon giorno** or **buona sera** as a greeting and **arrivederla** as a farewell.

In English, speakers always use the pronoun *you* when addressing another person. In Italian, there are two ways of expressing *you* when addressing another person. **Tu** is used with someone you know on a first-name basis, such as a child, friend, classmate, or member of your family. **Lei** is used with a stranger, an acquaintance, an older person, or someone in a position of authority.

— **Ciao, Giovanni, come stai?**
— **Non c'è male, grazie. E tu?**

• What greetings do you use in English in formal and informal situations?

Ciao! Come ti chiami?

Anna Melani e Paolo Salvatori

PAOLO: Ciao! Come ti chiami?
ANNA: Io? Mi chiamo Anna. E tu, come ti chiami?
PAOLO: Paolo.

Silvia Bellini ed Enrico Genovesi

SILVIA: Tu ti chiami Paolo Salvatori?
ENRICO: No, mi chiamo Enrico Genovesi.
SILVIA: Piacere, Enrico. Io mi chiamo Silvia Bellini.

tu = you, informal

Come stai?

Patrizia Moro e Rosanna Peroni

ROSANNA: Ciao, Patrizia, come stai?
PATRIZIA: Non c'è male. E tu?
ROSANNA: Benissimo! ... Arrivederci.
PATRIZIA: A domani, Rosanna.

Luigi Rinaldi e Marcello Bottino

LUIGI: Salve, Marcello. Come stai?
MARCELLO: Bene, grazie. E tu, come stai?
LUIGI: Mah, così così. ... A presto, Marcello.
MARCELLO: Ciao!

Pratica

1. Find out the names of four or five classmates.

   ▶ — Tu, come ti chiami?
   — Mi chiamo (Susanna/Mario).

2. Greet a friend and ask how he/she is. Then exchange roles.

   ▶ — Ciao (Renata), come stai?
   — Molto bene (Benissimo/Non c'è male/Così così/Male), grazie.

3. You're leaving class. Say good-bye to four or five classmates.

   ▶ — Ciao (Luigi), arrivederci.
   — A domani (A presto/Ci vediamo domani).
   — Ciao, (Vittoria).

— **Ciao, Silvia. Hai lezione adesso?**
— **Sì, e sono in ritardo. Ci vediamo più tardi.**

Use of courtesy and professional titles

*T*he use of first names among adults is less frequent in Italy than in the United States. In the workplace, in informal situations people usually call or refer to their colleagues or co-workers by using only their last name without any title. The courtesy titles **signore, signorina,** and **signora** can be used in place of a name. In contrast to English usage, professional titles such as **dottore, avvocato** (*lawyer*), and **ingegnere** (*engineer*) are commonly used with or as substitutes for names. Notice that the titles ending in **-re** (**signore, dottore, professore,** and **ingegnere**) drop the final **-e** when they precede a name:

Giovani studenti parlano con la professoressa dopo una lezione.

>   **Buon giorno,** *professore.*   **Buon giorno,** *professor* **Dini.**
>   **Buon giorno,** *dottore.*   **Buon giorno,** *dottor* **Paolini.**

Signore, signora, and **signorina** usually are not capitalized in Italian, except in their abbreviated forms (**Sig., Sig.ra,** and **Sig.na**), which are used mainly in letter writing.

Che peccato!

Giulia Campo is walking through Piazza San Marco on her way to class when she meets her friend Giacomo Mannini. They shake hands and chat for a minute.

	GIULIA:	Ciao, Giacomo, come stai?
	GIACOMO:	Non c'è male, grazie, e tu?
	GIULIA:	Bene, grazie. ... Ah, ecco il professor Renzi. Buon giorno, professor Renzi.
5	PROFESSOR RENZI:	Buon giorno, signorina Campo. Buon giorno, signor Mannini.
	GIACOMO E GIULIA:	Buon giorno, professore.

The professor continues on his way.

	GIACOMO:	Hai lezione d'italiano con il professor Renzi?
10	GIULIA:	Sì, fra cinque minuti.
	GIACOMO:	Ti piace l'italiano?
	GIULIA:	Sì, mi piace molto. Scusa, Giacomo, ma sono in ritardo.
	GIACOMO:	Che peccato! Arrivederci, Giulia, buona giornata!
15	GIULIA:	Grazie! Ciao, Giacomo. A presto.

> *La lezione* means "lesson" or "class," as in "to have a class." *La classe* (*d'italiano*) can refer to the (Italian) classroom or the group of students in it.

Pratica

1. You're between classes. Ask a classmate if he/she has class tomorrow. Then switch roles.

    ▶ — Hai lezione domani?
    — Sì, ho lezione d'italiano (d'inglese/di matematica/di storia).

2. Find out from a classmate if he/she has a class with a specific teacher whom you know. Then switch roles.

    ▶ — Hai lezione con (il professor Montini/la professoressa Corvari)?
    — No, ho lezione con il professor … (la professoressa …).

3. Ask a classmate if he/she likes certain academic subjects.

    ▶ — Ti piace (l'italiano/l'inglese/la matematica/la storia)?
    — Sì, mi piace. (Sì, mi piace molto./No, non mi piace.)

4. You see a friend hurrying along a hallway. Find out if he/she is late.

    ▶ — Ciao, Monica, sei in ritardo?
    — No, non sono in ritardo (sono in anticipo/sono puntuale).

I nomi italiani (maschili e femminili)

Some Italian names are similar to English first names, with slight spelling changes, while others have no English equivalent. Note that many masculine first names ending in **-o** have an equivalent feminine first name ending in **-a.**

Listen and repeat each name after your instructor. Look for the Italian equivalent of your name and the names of family members, friends, and acquaintances. If no Italian equivalent of your name is listed, ask your instructor if there is one.

> Italians frequently use the diminutive forms of names: *Antonio = Toni* or *Tonio*; *Giovanni = Gianni* or *Vanni*; *Giuseppe = Beppe, Peppe,* or *Pino*; *Luigi = Luigino* or *Gino*; *Giulia = Giulietta*; *Elisabetta = Betta, Bettina,* or *Elisa*; *Giovanna = Gianna* or *Vanna*, etc.

nomi maschili		nomi femminili	
Alberto	Marcello	Angela	Giulia
Antonio	Mario	Anna	Lisa
Carlo	Massimo	Antonella	Loretta
Emilio	Michele	Bettina	Luisa
Enrico	Paolo	Carla	Maria
Franco	Pietro	Caterina	Marisa
Giacomo	Renato	Daniela	Paola
Giorgio	Roberto	Elena	Patrizia
Giovanni	Stefano	Elisabetta	Rosanna
Giuseppe	Tommaso	Franca	Silvia
Lorenzo	Valerio	Francesca	Teresa
Luigi	Vittorio	Giovanna	Valeria

Customary greetings

*I*n Italy it is customary to shake hands when greeting good friends as well as acquaintances, regardless of age. Italians (and many other Europeans) shake hands with only one or two short up-and-down motions, not a series of them as Americans do. Close friends who have not seen each other in a long time tend to greet each other with a light kiss on both cheeks, and not on one cheek only as Americans do in similar circumstances.

— **Arrivederci, Anna.**
— **Ciao, a domani.**

- When do you shake hands with someone?

- Whom do you greet with a kiss?

L'alfabeto italiano

The Italian alphabet consists of twenty-one letters and five additional letters that appear only in foreign words. Accent marks (´ and `) occur on the vowels **a, e, i, o,** and **u** under certain circumstances.

Listen and repeat each letter of the Italian alphabet. 🎧

> The grave accent (`) is more common than the acute accent (´) in Italian. The latter is generally used to indicate the closed sound of /e/ in words such as *perché, ventitré, benché,* etc.

Italian alphabet			foreign letters	capital and lowercase letters	accents and punctuation
a a	**h** acca	**q** cu	**j** i lunga	**C** ci maiuscola	´ accento acuto
b bi	**i** i	**r** erre	**k** cappa	**c** ci minuscola	` accento grave
c ci	**l** elle	**s** esse	**x** ics		. punto
d di	**m** emme	**t** ti	**y** ipsilon		, virgola
e e	**n** enne	**u** u	**w** vu doppia		? punto interrogativo
f effe	**o** o	**v** vu			! punto esclamativo
g gi	**p** pi	**z** zeta			

A You are at a hotel in Venice. Spell your name for the receptionist who is looking for your reservations.

▶ Jodie Fowler   Jodie: i lunga, o, di, i, e
Fowler: effe, o, vu doppia, elle, e, erre

B You are in Italy trying to get the phone number of a friend from the operator. Spell out your friend's name and city. (See page 14 for some names of Italian cities.)

▶ Marco Giuliani   Marco: emme, a, erre, ci, o
Giuliani: gi, i, u, elle, i, a, enne, i
Forlì   Forlì: effe, o, erre, elle, i

I suoni delle vocali

Because English and Italian have their own sets of sound-spelling correspondences, the pronunciation sections of this text use a few of the special symbols developed by the International Phonetic Association to represent sounds. Each symbol, given between slash lines (for example, /a/), represents a specific sound. A complete list of symbols, together with the Italian spelling correspondences, appears in Appendix A.

There are five basic vowel sounds in Italian. The sounds /a/ (spelled **a,** as in **Anna**), /i/ (spelled **i,** as in **Milano**), and /u/ (spelled **u,** as in **studente**) are stable; they are always pronounced the same. The sounds /e/ (spelled **e,** as in **bene**) and /o/ (as in **sono**) may vary slightly.

C Listen and repeat the following words to practice the vowel sounds.

americana	bene	minuti	sono	Ugo
Anna	come	italiano	Torino	studente
matematica	lezione	signore	Roberto	università

D **Proverbio.** Listen and repeat the following Italian proverb.

Un bel gioco dura poco.
Fun doesn't last long.

I numeri da 0 a 20

Listen and pronounce the numbers from 0 to 20 **(da zero a venti).**

0 = **zero**			
1 = **uno**	6 = **sei**	11 = **undici**	16 = **sedici**
2 = **due**	7 = **sette**	12 = **dodici**	17 = **diciassette**
3 = **tre**	8 = **otto**	13 = **tredici**	18 = **diciotto**
4 = **quattro**	9 = **nove**	14 = **quattordici**	19 = **diciannove**
5 = **cinque**	10 = **dieci**	15 = **quindici**	20 = **venti**

E In pairs: What are your reasons for learning Italian? Rate on a scale from 0 to 10 **(da zero a dieci)**, how important it is for you to do the following. Compare your responses with those of your partner.

▶ speak Italian when you visit Italy   dieci

1. read Italian newspapers or magazines
2. understand printed signs when you are in Italy
3. order food in an Italian restaurant in this country
4. learn more about Italian culture
5. cook lasagna from an Italian recipe
6. understand what the characters in Italian movies are saying
7. read literary classics in Italian
8. sing Puccini's *Madama Butterfly* in Italian

F In pairs: Exchange addresses with a classmate. Say your street number and zip code as in the model.

▶ Via Manzoni, diciotto (18)

zero, zero, uno, nove, sette (00197) Roma

Parole analoghe

Learn to recognize cognates to help you understand Italian more easily.

Italian is a Romance language, which means that it derives from Latin, the language of the ancient Romans. Other Romance languages are French, Portuguese, Spanish, Romanian, Catalan, and Provençal. English is a Germanic language, but it contains thousands of words derived from Latin that resemble their Italian equivalents. These words are called *cognates* **(parole analoghe)**. Most cognates are easily recognizable in print, though their pronunciation may be different. For example:

studente student	**possibile** possible	**studiare** to study
professore professor	**famoso** famous	**arrivare** to arrive
lezione lesson	**interessante** interesting	**entrare** to enter

Other cognates form groups of words with easily recognizable patterns. For example:

-tà *-ty*	*-ale* *-al*	*-zione* *-tion*
città city	**nazionale** national	**informazione** information
difficoltà difficulty	**originale** original	**stazione** station
università university	**speciale** special	**tradizione** tradition

Luckily, there are relatively few false cognates in Italian. False cognates resemble English words, but their meanings are different. An example of a false cognate is **collegio,** which generally means *boarding school,* not *college.* Context will usually help you recognize false cognates.

G Complete the sentences, choosing from the following list of cognates.

città
speciale
interessante
lezione
possibile
studente

1. Giacomo studia la _____ due.
2. Venezia è una bella _____ .
3. La lingua italiana è _____ .
4. Lo _____ arriva all'università.
5. Non è _____ entrare.

L'Italia nell'Europa

Carta dell'Unione Europea

Italy, located in southern Europe, is a peninsula stretching into the Mediterranean Sea. Rome is its capital, and Italian is the language spoken by more than 57 million people living in Italy.

Italian is also spoken by residents of the Canton Ticino in Switzerland, by many Ethiopians, and by Italians around the world. In the United States and Canada, for example, there are millions of American and Canadian citizens who speak Italian as a first or second language and who retain close ties with their relatives in Italy.

Carta fisica d'Italia

H Many geographical terms are cognates. Pronounce after your instructor each of the terms listed below. Note that **il, la, l', lo, gli,** and **le** all mean *the.*

le Alpi   the Alps
gli Appennini   the Apennines
la baia   the bay
la capitale   the capital
  (*of a country*)
il capoluogo   the capital (*of a region*)
la catena di montagne   the mountain
  range
la città   the city
il fiume   the river
il golfo   the gulf
l'isola   the island
il lago   the lake

il mare   the sea
la montagna   the
  mountain
il paese   the country;
  the small town
la penisola   the
  peninsula
il Po   the Po (River)
il porto   the port
la provincia   the
  province
la regione   the region
lo stretto   the strait

---

la capitale vs. **il capoluogo**
Note that: *Roma è la capitale d'Italia* and that *Napoli è il capoluogo della Campania.*

Learn the eight points of the compass shown below. Note how closely they resemble their English cognates. Listen to your instructor pronounce each one, paying particular attention to the difference between **est** and **ovest.**

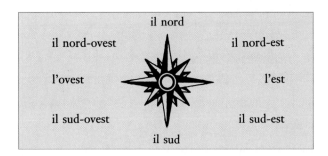

Complete the following statements in Italian, using the points of the compass and the map of Europe on page 11. Note that **al** means *to the.*

1. La Svizzera è al _____ dell'Italia.
2. La Grecia è al _____ dell'Italia.
3. La Germania è al _____ dell'Italia.
4. La Gran Bretagna è al _____ dell'Italia.
5. La Francia è al _____ dell'Italia.

Positano: pittoresco paese sul mare vicino a Napoli.

Carta politica d'Italia

K Repeat after your instructor the names of the Italian regions listed below. Then locate each one on the map on page 14.

l'Abruzzo (gli Abruzzi)
la Basilicata
la Calabria
la Campania
l'Emilia-Romagna
il Friuli-Venezia Giulia
il Lazio
la Liguria
la Lombardia
le Marche
il Molise
il Piemonte
la Puglia
la Sardegna
la Sicilia
la Toscana
il Trentino-Alto Adige
l'Umbria
la Valle d'Aosta
il Veneto

regione abruzzo

mare...
monti...

parco
nazionale

Be sure you know the meaning and use of the following words and expressions before you proceed to **Lezione 1.**

Greetings

buon giorno   hello, good morning
buona sera   good evening
ciao   hi (*informal*)
salve   hello

Farewells

arrivederci   good-bye
arrivederla   good-bye (*formal*)
a più tardi   till later
a domani   till tomorrow
a presto   see you soon
buona giornata   have a good day
ci vediamo domani   see you
   tomorrow
ciao   bye (*informal*)

Asking and giving names

come si chiama lei?   what's your
   name? (*formal*)
come ti chiami?   what's your
   name? (*informal*)
mi chiamo ...   my name is . . .

Expressions involving time

fra cinque minuti   in five minutes
fra poco   soon
sono in ritardo   I'm late
sono puntuale   I'm on time
sono in anticipo   I'm early

Names of courses

l'inglese English
l'italiano Italian
la matematica mathematics
la storia history

Numbers (see p. 9)

Geographical terms (see p. 12)

Asking how someone is

come sta? how are you? (*formal*)
come stai? how are you? (*informal*)
bene, grazie fine, thanks
benissimo! just great!
molto bene very well
abbastanza bene quite well
così così so-so
non c'è male not too bad
male bad

Persons

il dottore (male) doctor
la dottoressa (female) doctor
il professore (male) professor
la professoressa (female) professor
lo studente (male) student
la studentessa (female) student

Courtesy titles

signore sir; **signor** + *last name* Mr.
signora ma'am; **signora** + *last name* Mrs.
signorina Miss; **signorina** + *last name* Miss

Names of languages are not capitalized in Italian.

Other words and expressions

che peccato! what a shame! too bad!
con with
di (d' before vowels) of, from
domani tomorrow
e and
ecco there is, there are
grazie thanks, thank you
hai lezione? do you have a class?
io I
lei you (*formal*)
ma but
mah oh
molto a lot, a great deal
no no
piacere to like, to be pleasing;
  mi piace ... I like ...;
  non mi piace ... I don't like ...;
  ti piace ... ? do you like ...?
piacere! how do you do!
scusa excuse me (*informal*)
sì yes
sono I am
tu you (*informal*)

Mi (Ti) piace + singular noun or infinitive

Lezione 1

Alessandra e Francesco
hanno diciassette anni e
frequentano il liceo.

Lei come si chiama?

Communicative Objectives

- Describe yourself and others by age and place of origin
- Talk about likes and dislikes
- Make negative statements
- Indicate possession (of basic objects)

Two Italian students introduce themselves.

Ciao, mi chiamo Marco Casciani e sono italiano.
Sono di Verona.
Ho venti anni e sono uno studente universitario.
Frequento l'università di Roma e studio medicina.
Ho un fratello e una sorella.
Mi piace lo sport, ma mi piace anche viaggiare.

Salve, mi chiamo Lucia Savini e anch'io sono italiana.
Sono di Roma e ho sedici anni.
Sono una studentessa liceale.
Frequento il liceo scientifico.
Non ho un fratello, ma ho una sorella.
Mi piace molto la musica e mi piace anche ballare.

Domande

1. Marco Casciani è italiano? (Sì, Marco è …)
2. Marco Casciani è professore? (No, Marco non è …)
3. Marco frequenta l'università di Bari? (No, Marco non frequenta …)
4. Marco studia medicina o legge? (Marco studia …)
5. Marco ha venti anni? (Sì, Marco ha …)
6. Marco è di Verona o di Roma?
7. Marco ha un fratello? Ha una sorella?
8. A Marco piace lo sport o la musica? (A Marco piace …)
9. A Marco piace viaggiare? (Sì, a Marco …)
10. Lucia Savini è italiana o americana?
11. Lucia frequenta il liceo o l'università?
12. Quanti anni ha Lucia?
13. Lucia ha un fratello o una sorella?
14. A Lucia piace la musica? (Sì, a Lucia …)
15. A Lucia piace ballare o viaggiare? (A Lucia …)

Domande personali

1. Lei come si chiama, signore/signora/signorina?
2. Lei è studentessa, signora/signorina?
3. Lei è una professoressa italiana, signora/signorina?
4. Lei è uno studente americano, signor (Brown)?
5. Lei frequenta il liceo o l'università?
6. Lei studia medicina?
7. Quanti anni ha lei?
8. Di dov'è lei?
9. Lei ha un fratello o una sorella?
10. A lei piace lo sport?
11. A lei piace anche la musica?
12. A lei piace viaggiare? e ballare?

Situazioni

1. In groups of three: Find out how old some of your classmates are.

   ▶ — Quanti anni hai?
   — Ho (diciotto) anni.

   > Sit. 1: *Quanti anni hai?*: informal

2. In groups of three: Ask the same classmates where they are from.

   ▶ — Di dove sei?
   — Sono di (Columbus/Dallas/Boston).

   > Sit. 2: *Di dove sei?*: informal

3. In groups of three: Find out what the same classmates like to study.

   ▶ — Che cosa ti piace studiare?
   — Mi piace studiare medicina (legge/matematica/italiano/inglese/storia).

   > Sit. 3: *Che cosa ti piace?*: informal

Pratica

1. In pairs: Introduce yourself in Italian to another student, and say where you are from. Then ask him/her for the same information.

   ▶ — Ciao, mi chiamo … . Sono di Bologna. E tu, come ti chiami?
   — Mi chiamo … e sono di … .

2. In pairs: You are at a party and are meeting another guest. Shake hands, then ask what his/her name is, if he/she attends the university or the **liceo,** whether he/she is Italian or American, where he/she is from, and if he/she likes the party **(la festa).** Then trade roles.

You will find the rest of the lesson easier if you learn the **Vocabolario** before proceeding.

Parole analoghe

la medicina
la musica
scientifico/a
lo sport
l'università
universitario/a

Nomi

l'anno   year
il fratello   brother
la legge   law
il liceo   high school (*see cultural note, p. 21*)
la sorella   sister

Verbi

avere   to have
ballare   to dance
essere   to be
frequentare   to attend
studiare   to study
viaggiare   to travel

Aggettivi

americano/a   American
italiano/a   Italian
liceale   high school

Altre parole ed espressioni

a (*frequently* **ad** *before a vowel*)   at, to
anche   also, too
anch'io   I too, me too
e (*frequently* **ed** *before a vowel*)   and
o   or
a lei piace … ?   do you like … ? (*formal*)
a lui/a lei piace …   he/she likes . . .
a lui/a lei piace … ?   does he/she like . . . ?
avere + … anni   to be . . . years old; **ho venti anni**   I'm twenty years old; **ha sedici anni**   he/she is sixteen years old; you (*formal*) are sixteen years old
che cosa?   what?
di dov'è?   where is he/she from? where are you (*formal*) from?
di dove sei?   where are you (*informal*) from?
quanti anni ha?   how old is he/she? how old are you (*formal*)?
quanti anni hai?   how old are you (*informal*)?

> *A lui/A lei piace +* singular noun or infinitive.

> Adjectives of nationality are not capitalized in Italian.

La scuola in Italia

After years of debates and discussions both in Parliament and among the people directly involved with the issue, Italians have begun the process of renewing their educational system. In order to institute a system similar to that of other western European countries, many drastic changes were introduced in the school reform law in 2001. To reduce its impact on students, teachers, and school administrators, the reform is being implemented gradually.

With the new system, compulsory education **(scuola dell'obbligo)** lasts from age six to sixteen, and Italian students graduate at age eighteen just like their European counterparts. Italian schools are now divided into two cycles. The primary cycle includes grades one through eight, and before entering the next cycle, students have to pass a state examination. As they enter the second cycle, students may choose either the **liceo** or the professional training school. The **liceo** is a high school that in five years prepares students for university studies and ends with a state examination. The professional training school, on the other hand, lasts three years and prepares students for the work world.

* How is the Italian system the same as in your country? How is it different?

Giovani studenti di Torino aspettano l'inizio delle lezioni davanti al liceo.

Pronuncia

Sillabazione (*Syllabication*)

Most Italian syllables end in a vowel sound. A syllable usually contains one or more consonants plus a vowel sound. Grammatically, the division of a word into syllables follows these rules:

1. A single consonant between two vowels belongs with the following vowel or diphthong (two vowels pronounced as a single syllable).

Ca-ro-li-na	stu-dia-re	ma-te-ma-ti-ca
le-zio-ne	co-me	Mi-la-no

2. Double consonants are always divided.

cit-tà	Mar-cel-lo	dot-to-re	pro-fes-so-re

3. A combination of two different consonants belongs with the following vowel, unless the first consonant is **l, m, n, or r.** In this case the two consonants are divided.

so-pra	pre-sto	si-gno-ra	li-bro
But: fre-quen-ta-re	gior-no	ar-ri-ve-der-ci	tar-di

4. When three consonants are combined, the first belongs with the preceding syllable, except **s,** which belongs with the following syllable.

al-tro	en-tra-re	in-gle-se	sem-pre
But: mi-ni-stro	e-spres-sio-ne	ma-e-stro	a-stro-nau-ta

5. Unstressed **i** and **u** are not separated from the vowel they combine with.

uo-mo	pia-no	Gio-van-ni	Eu-ro-pa	
But: mi-o	zi-o	po-e-si-a	far-ma-ci-a	pa-**u**-ra

Accento tonico (*Stress*)

1. Italian words are usually stressed on the second-to-last syllable. Most of the exceptions are stressed on the third-to-last syllable.

stu-den-**tes**-sa	cul-tu-**ra**-le	**dia**-lo-go
a-me-ri-**ca**-no	**a**-bi-to	be-**nis**-si-mo

2. Words stressed on the last syllable have a written accent mark on the final vowel.

u-ni-ver-si-**tà**	pos-si-bi-li-**tà**	at-ti-vi-**tà**	cit-**tà**

3. A few words (mostly verb forms) are stressed on the fourth-from-last syllable.

te-**le**-fo-na-no	**a**-bi-ta-no	de-**si**-de-ra-no

A Listen and repeat the following words. Be sure to stress the correct syllable.

pe-**ni**-so-la	cit-**tà**	an-**ti**-ci-po
Mar-co	mi-**nu**-ti	To-**sca**-na
co-**sì**	stu-**den**-te	fre-**quen**-ta
mi-**ni**-stro	si-gno-**ri**-na	pro-fes-**so**-re

B Listen to each word and underline the stressed syllable. Then divide each word into syllables.

arrivederla	benissimo	cinque
università	presto	grazie
abbastanza	golfo	signorina
legge	scientifico	ritardo

C **Proverbio.** Listen and repeat the following Italian proverb.

Tutte le strade portano a Roma.
All roads lead to Rome.

I numeri da 21 a 100

21 = **ventuno**	31 = **trentuno**	50 = **cinquanta**
22 = **ventidue**	32 = **trentadue**	60 = **sessanta**
23 = **ventitré**	33 = **trentatré**	70 = **settanta**
24 = **ventiquattro**	34 = **trentaquattro**	80 = **ottanta**
25 = **venticinque**	35 = **trentacinque**	90 = **novanta**
26 = **ventisei**	36 = **trentasei**	100 = **cento**
27 = **ventisette**	37 = **trentasette**	
28 = **ventotto**	38 = **trentotto**	
29 = **ventinove**	39 = **trentanove**	
30 = **trenta**	40 = **quaranta**	

> *Tre* always has a written acute accent when added to another number: *ventitré, settantatré.*

The numbers **venti, trenta, quaranta,** etc., drop the final vowel (**-i** or **-a**) when combined with **uno** and **otto: ventuno, ventotto, trentuno, trentotto, quarantuno, quarantotto,** etc.

A Read aloud the following groups of numbers.

▶ 2/20/22   due/venti/ventidue

1. 3/30/33	3. 5/50/55	5. 7/70/77	7. 9/90/99
2. 4/40/44	4. 6/60/66	6. 8/80/88	8. 1/10/100

B Read these numbers and then give the numbers that precede and follow each one.

▶ 37   trentasette, trentasei, trentotto

1. 47   4. 72   7. 98
2. 53   5. 29   8. 81
3. 34   6. 66   9. 77

Soccorso pubblico	=	Police
Carabinieri	=	Gendarme (police)
Emergenza sanitaria	=	Medical emergency
Vigili del fuoco	=	Fire department
Soccorso stradale	=	Road assistance

C In pairs: Take turns asking the ages of the following people. Make educated guesses.

▶ il professore/la professoressa

— Quanti anni ha il professore/la professoressa?
— Ha trentotto anni.

1. Matt Damon   5. il presidente degli Stati Uniti
2. Gwyneth Paltrow   6. il rettore (*president*) dell'università
3. Britney Spears   7. Howard Stern
4. Tiger Woods   8. Diane Sawyer

D In pairs: You are in Rome and need some telephone numbers. Call the operator and ask for the numbers of each of the following places.

▶ dell'aeroporto Leonardo da Vinci/06.65951

— Qual è il numero (di telefono) dell'aeroporto Leonardo da Vinci?
— È 06.65951.

Places	*Numbers*
1. dei Musei Capitolini	06.48.80.530
2. del Museo Keats-Shelley	06.67.84.235
3. del Teatro dell'Opera	06.481.601
4. della Stazione Termini	06.44101
5. dell'Alitalia	848865641
6. dell'Università di Roma	06.49.911
7. dello Stadio Olimpico	06.32.00.562
8. dell'Ambasciata degli Stati Uniti	06.46.741

Italian phone numbers start with the area code, which must always be dialed, even when calling within the area itself. Rome's area code, 06, precedes all the numbers in this exercise except for Alitalia.

Musei Capitolini: Museum of ancient Roman art
Stazione Termini: the main train station in Rome

NUMERI UTILI

POLIZIA MUNICIPALE ....
POSTE E TELECOMUNICAZIONI 055.32831
RADIO TAXI 160
INFORMAZIONI TURISTICHE ......055.4242 - 055.4390 - 055.4798
AUTO RIMOSSE ....055.290832 - 055.290833
OGGETTI SMARRITI 055.308249
AEROPORTO 055.367947
FERROVIE DELLO STATO 055.30615
TRASPORTI PUBBLICI 055.288785
....055.580528

Cose utili

un libro

un quaderno
e un foglio di carta

un CD (ciddì)

un calendario

una rivista

un giornale

un televisore

una penna

una matita

un motorino

un lettore DVD
un registratore DVD
un DVD

un lettore ed
un'audiocassetta

una calcolatrice

una radio con
registratore

un orologio

una sedia

un tavolo

un computer

uno stereo

un telefonino
un cellulare

un telefono

uno zaino

una bicicletta

E In pairs: Ask another student if he/she has these objects in his/her room.

▶ giornale   — Hai un giornale?
               — Sì, ho un giornale.
                   No, non ho un giornale.

1. una calcolatrice
2. uno zaino
3. un lettore DVD
4. un telefonino
5. un motorino
6. una penna
7. una radio
8. un cellulare

F Name the objects you associate with the following.

▶ PC, Macintosh   un computer

1. 18 marzo
2. *Time* and *Newsweek*
3. 20 + 50; 79 − 33; 18 × 3
4. *Oggi in Italia*
5. 1-800-785-3799
6. musica
7. NBC, CBS, ABC
8. 9:45 A.M.

> Laptop is called *laptop* in Italian.

Struttura ed uso

Pronomi personali

— **Voi** siete americani?
— **Lui** sì, ma **io** no.

1. A personal or subject pronoun **(un pronome personale)** is used as the subject of a verb and refers to the person or thing doing the action. The following chart shows the forms of the subject pronouns in Italian.

singular		plural	
io	I	**noi**	we
tu	you (*informal*)	**voi**	you (*informal*)
lui	he	**loro**	they (*m.* or *f.*)
lei	{ she { you (*formal*)		{ you (*formal*)

> When you are speaking to an Italian and aren't sure whether to use *tu* or *lei*, use the latter. If the person says, *Puoi darmi del tu!* or *Diamoci del tu!*, that means you may use the informal *tu*.

2. When speaking to someone in Italian, there are four ways to express the English *you*, according to how many people are being addressed (singular or plural) and the level of formality.

   a. Use **tu** when addressing a member of your family, a friend, a child, or in general, a person of your own age in an informal setting.

   b. Use **voi** when addressing more than one person except in very formal situations.

   c. Use **lei** when addressing a person you do not know well, or a person to whom you wish to show respect or courtesy.

   d. Use **loro** when speaking to more than one person to whom you wish to show respect.

A Which subject pronoun would you use to talk *about* the following?

   1. what school you attend
   2. what your teacher's name is
   3. how your parents are feeling
   4. how old your brother is
   5. what you and your friends did last night
   6. why your friend Anna is late for class

B Which pronoun meaning "you" would you use to speak *directly to* the following people? More than one answer could be appropriate in some of these situations.

   1. your father
   2. your mother and father
   3. your father's boss
   4. your doctor
   5. your doctor's assistant
   6. your doctor and his/her assistant together
   7. another student in your class
   8. your teacher

C Determine who is being asked the following questions, choosing from the possibilities indicated in parentheses.

1. Ho venti anni, e tu?
   (Sandra, Sandra e Marina, Enzo e Massimo)
2. Lei come si chiama?
   (la sorella, la mamma, una professoressa)
3. Di dove sono loro?
   (un professore, una signorina, due signori)
4. Io frequento l'università di Bologna, e voi?
   (un dottore, una studentessa, due studenti americani)

Presente di *essere*

— Ciao, mamma. *Sono* io.
— Ma Ilaria, dove *sei*?
— *Sono* in biblioteca (*library*), mamma!

1. **Essere** (*to be*) is one of the most commonly used verbs in Italian. **Essere** is an infinitive, the form that tells the meaning of a verb. Italian infinitives end in **-are, -ere,** or **-ire.**

studiare	to study
essere	to be
finire	to finish

2. The conjugated forms of a verb give more specific information about the verb, including *who* is doing the action and when. The following chart shows the conjugated present tense forms of **essere.**

essere	*to be*				
singular			**plural**		
io	**sono**	I am	noi	**siamo**	we are
tu	**sei**	you (*informal*) are	voi	**siete**	you (*informal*) are
lui/lei	**è**	he/she is	loro	**sono**	they are
lei	**è**	you (*formal*) are			you (*formal*) are

3. In Italian, the subject pronoun can be omitted from a sentence. The pronoun is generally used only for stress or clarity.

Marco Casciani è italiano. Ha venti anni e studia medicina. Ha una sorella e anche **lei** è studentessa.

4. To make a sentence negative, use the word **non** before the verb.

— Siete di Milwaukee?
— No, **non** siamo di Milwaukee, siamo di Madison.

— *Are you from Milwaukee?*
— *No, we're not from Milwaukee, we're from Madison.*

D Replace the subject of each sentence with the new subjects indicated in parentheses. Be sure to use the correct form of the verb with each new subject.

1. Noi siamo di Bologna. (Antonella e Laura / tu / la signora Ermini /Emilio)
2. Io sono all'università. (voi / la professoressa / lo studente / noi)
3. Sei in ritardo? (io e Tina / tu e Giovanna / Marcella / Marcella e Luisa)

E How would the following paragraph be different if you were talking (1) about yourself instead of Lorenzo? (2) about yourself and some friends? (3) about Lorenzo and Pina? Change the sentences to agree with the new subjects.

> Ex. E: Remember: a subject pronoun is usually unnecessary since the verb form tells you *who*.

Lorenzo è di Reggio Calabria. È studente all'università di Padova, ma adesso (*now*) non è all'università. È in ritardo.

Io ...

F With a partner: Take turns reading the following sentences. If the sentence is true, go on to the next one. If you disagree, make the sentence negative with the word **non**.

▶ David Letterman è professore d'italiano. No, non è professore d'italiano. (Sì, è professore d'italiano.)

1. *Oggi in Italia* è un libro di matematica.
2. Io sono uno studente del liceo classico.
3. Il professore/la professoressa è italiano/a.
4. La Sicilia è una città.
5. Gli Appennini sono montagne.
6. Cristoforo Colombo è spagnolo (*Spanish*).
7. Jim Carrey è presidente degli Stati Uniti.
8. Queen Latifah e Oprah sono studentesse liceali.

G Interview three or four other students in your class. Find out if they are Italian, where they are from, and if they are freshmen **(del primo anno).** Pay attention to the answers you hear and be ready to tell in Italian what you have learned about your classmates.

Presente di *avere*

••

1. You are already familiar with some of the present tense forms of the verb
avere (*to have*). Here is a chart showing all the forms.

avere *to have*			
singular		**plural**	
io **ho** I have		noi **abbiamo** we have	
tu **hai** you (*informal*) have		voi **avete** you (*informal*) have	
lui/lei **ha** he/she has		loro **hanno** { they have	
lei **ha** you (*formal*) have		{ you (*formal*) have	

> The *h* that begins several forms of *avere* is always silent.

— **Avete** lezione oggi?

— Sì, **abbiamo** lezione di fisica
più tardi. E tu?

— No, io non **ho** lezione.

— *Do you have class today?*

— *Yes, we have physics class*
later. How about you?

— *No, I don't have class.*

2. The verb **avere** indicates possession. It also means *to be* in many idiomatic
expressions such as **avere ... anni** (*to be . . . years old*). You will learn other
expressions of this type in **Lezione 3.**

Pietro **ha** solo sette anni e **ha**
un cellulare!

Pietro is only seven years old and
he has a cell phone!

H Say that the people in column A have one of the things listed in column
B but not another.

▶ Marco e Lucia hanno una radio ma non hanno uno stereo.

A	*B*
mia sorella	un lettore DVD
gli studenti	un CD
voi	un computer
io e Lucia	un motorino
Marco e Lucia	un giornale
tu	un televisore
il professore	una penna
	uno stereo
	una rivista
	un telefonino
	una radio

I In pairs: Look at the drawing of Marco's bedroom. Take turns talking about some of the things Marco has in his room. Then find out if your partner has them.

La camera di Marco

▶ S1: Marco ha un calendario. Anche tu hai un calendario?
S2: Sì, anch'io ho un calendario. / No, io non ho un calendario.
    E tu?

J In groups of three or four: Take turns asking each other who has some of the objects shown on page 25. When you ask a question, keep track of the answers so you can report this information to the class.

▶ S1: Chi ha uno zaino?
S2: Io ho uno zaino.
S3: Io non ho uno zaino.
What to report: Dave e io abbiamo uno zaino. Stacy non ha uno zaino.

K In pairs: Ask a partner how old the following Italians and Italian-Americans are. The right-hand column shows the year each person was born.

▶ Bernardo Bertolucci   1940
S1: Quanti anni ha Bernardo Bertolucci?
S2: Ha sessantasei anni.

1. James Gandolfini   1961
2. Sophia Loren   1934
3. Madonna Ciccone   1958
4. Robert De Niro   1943
5. Sylvester Stallone   1946
6. Roberto Benigni   1956
7. Monica Bellucci   1968

L With a partner: Make a list of items you could use in the following situations. Then tell each other which items you have and which you don't have.

▶ You want to write a letter.
  List: una penna, una matita, un foglio di carta
  S1: Ho una penna e un foglio di carta. Non ho una matita.
  S2: Ho una penna ma non ho un foglio di carta.

1. You need to take some notes in class.
2. You need to finish a research paper that is due tomorrow.
3. You are having a party and need some music.
4. You want to find out the results of last night's game.
5. You need to contact a friend who lives two miles away.

Genere dei nomi e l'articolo indeterminativo

— Ma Rinaldo, è una domanda difficile!

1. Italian nouns are either masculine or feminine. Generally, nouns ending in **-o** or a consonant are masculine, and those ending in **-a** are feminine. Nouns ending in **-e** can be either masculine or feminine and should be memorized as you learn them.

masculine	feminine
tavolo	penna
computer	studentessa
registratore	lezione

Most nouns ending in *-ore* are masculine: *signore, registratore.* Most nouns ending in *-ione* are feminine: *lezione, regione.* Nouns ending in consonants are of foreign origin and are generally masculine: *un bar, uno sport.*

2. The indefinite article, which means *a* or *an*, has different forms in Italian according to the sound that follows and the gender of the noun modified. Here are the forms of the indefinite article in Italian.

masculine		feminine
un	libro orologio	**una** rivista
uno	stereo zaino	**un'**università

Uno is used to avoid a group of too many consonant sounds and for more flowing pronunciation. *Un'* is used to avoid too many vowel sounds together.

a. **Un** is used with a masculine noun beginning with most consonants or with a vowel.

b. **Uno** is used with a masculine noun beginning with **s** + *a consonant,* or **z.**

c. **Una** is used with a feminine noun beginning with a consonant.

d. **Un'** is used with a feminine noun beginning with a vowel.

M Provide the correct form of the indefinite article.

1. Lucia Savini ha _____ fratello ma non ha _____ sorella.
2. Nella classe ci sono _____ studentessa e _____ studente.
3. A casa ho _____ televisore e _____ videoregistratore, ma non ho _____ stereo.
4. Nella mia città ci sono _____ università e _____ museo.
5. Marco frequenta _____ università americana e Lucia frequenta _____ liceo privato a Bari.
6. Luigi non ha _____ motorino; ha _____ bicicletta.

N In pairs: You are in a **cartoleria** (*stationery store*). With your partner playing the salesperson, ask for the items from the list below.

▶ dizionario   S1: Un dizionario, per favore.
                  S2: Ecco un dizionario.

1. matita	3. libro d'inglese	5. penna	7. zaino
2. quaderno	4. calcolatrice	6. calendario	

O In pairs: Take turns asking each other what the following things are. If the answer you receive is wrong, correct your partner.

Ex. O: Refer to the maps in the *Lezione preliminare* if needed.

▶ il Po   S1: Che cos'è il Po?
             S2: È una città.
             S1: No, non è una città; è un fiume.

1. Capri	4. il Tevere	7. Bari
2. la Francia	5. il Garda	8. Genova
3. la Sicilia	6. il Mediterraneo	9. la Lombardia

P **Un gioco circolare.** In small groups and with your books closed, take turns pointing out any object in the room that you know how to say in Italian, using **Ecco una/un.** The game ends when no one can think of any more words.

For further practice of lesson topics, log on to the *Oggi in Italia* website and/or do the CD-ROM activities. You can also view the lesson video segment on the CD-ROM.

Parliamo un po'

A **Come ti chiami?** Introduce yourself to at least two classmates you haven't met yet and find out the following information. Write down the information you learn so that you can tell your instructor or another student about at least one person you talked to.

+ his/her name
+ how he/she is
+ how old he/she is
+ where he/she is from
+ if he/she has a brother or a sister
+ if he/she likes Italian

B **Una lettera.** You are going to spend a semester studying in Italy. Write a short letter to your host family giving them as much information about yourself as you can in Italian. You might want to ask them some questions too. Begin your letter with **Gentili signori** and close it using **Cordiali saluti.**

Dopo le lezioni all'università alcuni studenti passeggiano e mangiano il gelato.

C **Quattro amici, un appartamento.** Daniele, Davide, Dario, and Donato have decided to share an apartment while studying at the **Università di Reggio Calabria.** Each young man is a different age, each one studies a different subject, each is from a different Italian city, and each brought a different piece of electronic equipment to the apartment. Read the clues to find out the age, major, hometown of each, and the electronic equipment each person owns. Then write the information in the chart below.

1. Lo studente con il lettore DVD ha venti anni; lo studente con il computer ha ventun' anni.
2. Davide ha un televisore, ma non è lo studente che studia medicina.
3. Daniele è di Messina e Dario è di Napoli. Donato non è di Bari.
4. Lo studente di Torino ha ventidue anni. Non ha un computer.
5. Dario studia chimica e ha un lettore DVD.
6. Lo studente di medicina ha uno stereo.
7. Lo studente di storia non è lo studente che ha ventitré anni.
8. Una persona studia musica.

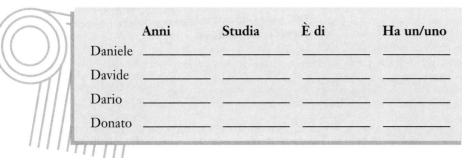

	Anni	**Studia**	**È di**	**Ha un/uno**
Daniele	_____	_____	_____	_____
Davide	_____	_____	_____	_____
Dario	_____	_____	_____	_____
Donato	_____	_____	_____	_____

D **Un titolo appropriato.** Read the following description and then choose an appropriate title from the list that follows.

Mario Corsetti e Gabriella Armani sono due studenti italiani. Mario ha ventidue anni ed abita a Salerno, in via Mazzini 12. Ha un fratello e tre sorelle. Frequenta l'Università di Napoli e studia legge. Gabriella è di Napoli ed abita in via Caracciolo 34. Ha diciassette anni e frequenta il liceo scientifico. A Gabriella piace viaggiare.

1. Napoli e Salerno
2. Due studenti italiani
3. Due città italiane

E **Sul treno.** In groups of three: You are on a train going from Naples to Rome. Mario Corsetti and Gabriella Armani are sitting across from you in the compartment. Introduce yourself and find out as much as you can about them. Two other students will play Mario and Gabriella.

Conoscere° l'Italia

To know

A **Un po' di geografia.** Refer to the maps on pages 14 and 37 while doing this exercise.

1. Il _____ è una regione d'Italia. (nord, Bologna, Lazio)
2. Roma è la _____ d'Italia. (capitale, città, regione)
3. Roma è nella regione _____. (Lombardia, Lazio, Toscana)
4. Il Colosseo è a _____. (Torino, Firenze, Roma)
5. Il Lazio è nel _____ d'Italia. (nord, centro, sud)

Read the following brief passage.

Roma è una città ricca di fontane artistiche. Questa è la splendida fontana di Trevi.

ROMA

La capitale d'Italia è nella regione Lazio, al centro del paese. La città eterna è chiamata anche con il nome latino di "caput mundi"[1]. A Roma ci sono monumenti antichi, chiese[2], piazze, fontane e palazzi molto belli[3]. Il Colosseo, il Pantheon, la Basilica di San Pietro, Piazza di Spagna e Piazza Navona, con le splendide fontane del Bernini, sono alcuni luoghi[4] caratteristici di questa città. Molti turisti italiani e stranieri[5] visitano Roma per ammirare le sue bellezze[6].

1. center of the world   2. churches
3. very beautiful   4. places   5. foreign
6. beauties

Il Colosseo è sempre una grande attrazione per i turisti che visitano Roma.

Gian Lorenzo Bernini (1598–1680) was an Italian sculptor, painter, and architect of the Baroque period. He also designed the colonnade in St. Peter's Square in Rome. (The definite article is used when referring to artists and authors by their last names only: *il Bernini, del Bernini*.)

B **Domande.** In pairs: Ask your partner the first three questions, and your partner then will ask you the last three questions. Two- or three-word answers are acceptable. If your partner makes a mistake, give the correct answer.

1. Che cosa è il Lazio?
2. Qual è il nome latino di Roma?
3. Dov'è Roma?
4. Come si chiamano tre luoghi caratteristici di Roma?
5. Quali sono due piazze famose di Roma?
6. Chi visita Roma?

C **A Roma.** Look at the map of Rome and answer the following questions.

1. Come si chiama il fiume che passa per Roma?
2. Quale monumento importante dell'antica Roma è vicino a Piazza Navona?
3. Quale monumento famoso è vicino all'Arco di Costantino?

Lezione 2

A queste due donne professioniste piace lavorare nel mondo della moda.

Presentazioni

Communicative Objectives

- Give some personal information
- Talk about likes and dislikes
- Tell time (and tell at what time events take place)
- Talk about course subjects
- Express possession

Two professionals introduce themselves.

Buon giorno, sono Raffaele Ferroni.
Ho quarantasette anni.
Sono sposato e ho un figlio.
Sono professore di informatica e insegno
  all'università di Bologna.
Abito con mia moglie e mio figlio in una piccola
  villa fuori città.
Abbiamo anche due cani e un gatto.
Mi piacciono molto gli animali.

Io mi chiamo Lisa Ferroni Melani.
Sono la sorella di Raffaele.
Ho trentadue anni.
Anch'io sono sposata, ma non ho figli.
Sono architetto e lavoro con mio marito.
Abito in un appartamento al centro di Bologna.
Mi piace abitare in città.
Ma non mi piacciono i rumori e il traffico.

Domande

1. Quanti anni ha Raffaele? È sposato o non è sposato?
2. Quanti figli ha?
3. Che cosa insegna? Dove?
4. Dove abita Raffaele?
5. A Raffaele piacciono o non piacciono gli animali?
6. Come si chiama la sorella di Raffaele? Quanti anni ha?
7. Quanti figli ha Lisa?
8. Lisa è architetto o dottoressa? Lavora con il fratello o con il marito?
9. Dove abita Lisa?
10. A Lisa piace abitare in città?
11. A Lisa piacciono i rumori e il traffico?

Domande personali

1. Quanti anni ha lei?
2. Lei lavora o studia?
3. A lei piace abitare in città o fuori città?
4. Abita in una villa, in una casa o in un appartamento? È grande o piccolo/a?
5. Abita con la famiglia o abita da solo/a?
6. Ha un cane o un gatto? Come si chiama?
7. A lei piacciono gli animali?

> Remember that *lei* means both "she" and "you" (formal). In questions like *A lei piacciono?*, context and gestures make the meaning clear.

Situazioni

1. In groups of three: Find out where your classmates live, if they live alone, and if they like living as they do.

   ▶ — Dove abiti?
      — Abito a (San Francisco).
      — Abiti da solo/a?
      — Sì, abito da solo/a. No, abito con (mia madre/mio padre/un amico/un'amica).
      — Ti piace abitare da solo/a (con tua madre/con tuo padre/con un amico/con un'amica)?
      — Sì, mi piace. (No, non mi piace.)

> Remember that *piace* is used with a singular noun or an infinitive. In this lesson you will also practice *piacciono* + plural noun: *Mi piacciono gli animali.*

2. In groups of three: Ask your classmates if they like dogs or cats, if they have a dog or a cat, and what its name is.

   ▶ — Ti piacciono i cani o i gatti?
      — Mi piacciono i cani (i gatti).
      — Hai un cane (un gatto)?
      — Sì, ho un cane. (No, non ho un cane.)
      — Come si chiama?
      — Si chiama (Nero).

Pratica

1. In pairs: You have just met Raffaele Ferroni at a party in Bologna. Introduce yourself and ask him if he is a professor and what he teaches. Also find out if he is married, if he has children, where he lives, and if he likes living there.

2. In pairs: You are conversing with Lisa Ferroni Melani at the same party. She asks how old you are, whether you work or study, where and with whom you are living, and if you like living there. Respond appropriately.

L'università italiana

*I*taly has few private universities. The handful that exist are excellent, expensive, and competitive. The most prestigious are the Bocconi and the Cattolica in Milan and the Luiss in Rome. Recently, several new private universities were created and more are being organized, but the majority of Italian universities remain public. All students with a **diploma di maturità** (equivalent to a high school diploma) can be admitted to a public university.

Italy is making strides in upgrading and modernizing its university system and making it more similar to its counterparts in the European Union. The first important change is the **autonomia universitaria**, which gives each public university the power to operate independently and the freedom to seek cooperation and financial support from public organizations and private companies. The second major change is the recent implementation of the university reform. Its main objectives are to reduce the number of years required to obtain the undergraduate degree **(la laurea)** from four to three, and to offer all students a general education plus specific professional knowledge. This allows young people to enter the workforce earlier and to better face its demands.

There are two more levels of education after the **laurea:** the **laurea specialistica** and the **dottorato di ricerca.** These degrees correspond to the American M.A. and Ph.D. degrees. The reform has also introduced a system of academic credits similar to the one used in American universities.

L'università è anche un piacevole luogo d'incontro per gli studenti italiani.

• What makes the university system in your country similar to or different from that in Italy?

Vocabolario

Parole analoghe

l'animale
l'appartamento
l'architetto
il traffico

Nomi

l'amica   (female) friend
l'amico   (male) friend
il cane   dog
la casa   house
la città   city
la famiglia   family
i figli   children
il/la figlio/a   son/daughter

Figli also means "sons."

Aggettivi

grande   big
mio/a   my
piccolo/a   small
sposato/a   married
tuo/a   your

il gatto   cat
l'informatica   computer
   science
la madre   mother
il marito   husband
la moglie   wife
il padre   father
il rumore   noise
la villa   country house

Verbi

abitare   to live
insegnare   to teach
lavorare   to work

Altre parole ed espressioni

a lei piacciono ...   she likes .../
   you like ...
a lei piacciono ... ?   does she
   like ... ? / do you like ... ?
mi piacciono ...   I like ...
da solo/a   alone
dove?   where?
al centro   downtown
all'università   at the university
fuori   outside
in   in

Pronuncia

Il suono della *t*

In English, the sound /*t*/ is aspirated, that is, it is pronounced with a little puff of air, which you can feel on the back of your hand as you say /**t**/. In Italian, /**t**/ is never aspirated. The tip of the tongue is pressed against the back of the upper front teeth. Compare the /**t**/ in the English and Italian words *too* and **tu**, *telephone* and **telefono.** The sound /**t**/ is represented in writing by **t** or **tt.**

 Listen and repeat the following words.

telefono	italiano	se**tt**e
Toscana	ven**t**i	**t**ren**tott**o
Teresa	abi**t**are	ga**tt**o

 Proverbio. Repeat the following Italian proverb.

Chi trova un amico, trova un tesoro.
A friend in need is a friend indeed.
(*Literally: Find a friend and you find a treasure.*)

Il suono della *d*

The sound of the letter **d** in Italian, /d/, is pronounced more delicately than in English. The tip of the tongue touches the edge of the gum ridge just behind the upper front teeth, instead of being pressed against the back of the upper front teeth. The sound /d/ is spelled **d** or **dd**.

 Listen and repeat the following words.

di	ma**d**re	fre**dd**o
dieci	stu**d**iare	a**dd**izione
domani	me**d**icina	ci**dd**ì

 Proverbio. Listen and repeat the following Italian proverb.

Dimmi con chi vai e ti dirò chi sei.
Tell me who your friends are and I will tell you who you are.

Ampliamento del vocabolario

Materie d'insegnamento

Here is a list of some courses of study at the **liceo** or **università**. As you can see, they are mostly cognates, and thus easy to remember, although their pronunciation differs from English.

> Practice the vocabulary as you go to your classes: *Ho lezione di biologia (storia, ecc.)*.

l'antropologia	anthropology	**il giapponese**	Japanese
l'architettura	architecture	**l'inglese** (*m.*)	English
l'arte (*f.*)	art	**l'italiano**	Italian
la biologia	biology	**il russo**	Russian
la chimica	chemistry	**lo spagnolo**	Spanish
l'economia	economics	**il tedesco**	German
la filosofia	philosophy	**la matematica**	mathematics
la fisica	physics	**la musica**	music
la geologia	geology	**la psicologia**	psychology
l'informatica	computer science	**le scienze naturali**	natural science
la letteratura	literature		
le lingue straniere	foreign languages	**le scienze politiche**	political science
il cinese	Chinese	**la sociologia**	sociology
il francese	French	**la storia**	history

A number of Italian nouns ending in **-ia** have English equivalents ending in -*y*, as in **biologia** (*biology*). Note that the letters *ph* in some English words become the letter **f** in their Italian counterparts, as in *philosophy* (**filosofia**).

A Judging from the content of their courses, guess what subject each professor teaches.

▶ la professoressa Giuliani: le poesie di Petrarca e la *Divina Commedia*
Insegna letteratura.

1. il professor Fraschi: le sculture di Michelangelo e i dipinti (*paintings*) di Raffaello
2. la signora Papini: numeri, divisioni, addizioni ed equazioni
3. il professor Gaetani: le teorie di Freud e di Jung
4. la professoressa Sansoni: Platone, Aristotele, San Tommaso d'Aquino, Kant e l'esistenzialismo
5. il dottor Manna: i prodotti, il mercato e il capitalismo
6. il signor Scalari: vocabolario (nomi, aggettivi e verbi) e grammatica

B Give the English equivalent of the following Italian nouns.

1. astronomia	4. anatomia	7. fotografia
2. cardiologia	5. filosofia	8. criminologia
3. ecologia	6. antropologia	9. astrologia

> Ex. B: Learn to recognize suffixes such as *-ia* to help you when reading and learning vocabulary.

C What subjects does a person who is preparing for the following professions study?

▶ psichiatra   Studia biologia e psicologia.

1. dottore in medicina
2. interprete alle Nazioni Unite
3. ingegnere civile
4. programmatore di computer
5. direttore d'orchestra
6. professore d'inglese
7. farmacista

Che ora è? Che ore sono?

È l'una.

Sono le tre.

Sono le dieci.

È l'una e un quarto.
È l'una e quindici.

Sono le quattro e venti.

Sono le undici e mezzo.
Sono le undici e trenta.

Sono le sei meno un quarto.

Sono le otto meno cinque.

È mezzogiorno.
È mezzanotte.
Sono le dodici.

1. **Che ora è?** and **Che ore sono?** (*What time is it?*) are used interchangeably. **Sono le** + *the number of hours* is used to tell what time it is.

Che ora è? Sono le due.	*It's two o'clock.*
Che ore sono? Sono le dieci.	*It's ten o'clock.*

But:

È l'una.	*It's one o'clock.*
È mezzogiorno.	*It's noon.*
È mezzanotte.	*It's midnight.*

> Practice telling time as you do different things throughout the day. For example, as you shower, *Sono le sette e cinque.*

2. For fractions of an hour, Italian uses **e** + *minutes.*

Sono le due **e venti.**	*It's twenty after two.*
Sono le tre **e quaranta.**	*It's three-forty.*

Times after the half-hour are usually expressed by subtracting minutes from the next full hour, using **meno** (*minus*).

Sono le cinque **meno dieci.**	*It's ten to five.*

Un quarto (*a quarter*) and **mezzo** (*half*) often replace **quindici** and **trenta.**

Sono le nove e **mezzo.**	*It's half-past nine.*
È l'una meno **un quarto.**	*It's a quarter to one.*

3. Italians often use the twenty-four-hour clock for official times, such as schedules and appointments.

Le banche sono aperte **dalle 8.30 alle 13.30.**	*Banks are open from 8:30 A.M. to 1:30 P.M.*

The expressions **di mattina** (*in the morning*), **del pomeriggio** (*in the afternoon*), and **di sera** (*in the evening*) are sometimes used for clarity when not using the twenty-four-hour clock.

Sono le quattro **di mattina.**	*It's 4 A.M.*
Sono le quattro **del pomeriggio.**	*It's 4 P.M.*
Sono le dieci **di sera.**	*It's 10 P.M.*

4. **A che ora?** (*At what time?*) is used to ask at what time an event or action takes place. **Alle** + *time* is used in the response (**alle due, alle otto**, etc.). The only exceptions are **a mezzogiorno, a mezzanotte,** and **all'una.**

— **A che ora** arriva Anna?	— *At what time does Anna arrive?*
— Arriva **alle dieci e mezzo.**	— *She arrives at 10:30.*
— **A che ora** mangi?	— *At what time do you eat?*
— Mangio **a mezzogiorno.**	— *I eat at noon.*

D In pairs: Take turns asking and telling the time, using the clocks below.

> — Scusa, che ora è/ore sono?
> — Sono (le sette e dieci).

Italian digital clocks run on the twenty-four-hour system.

1.

2.

3.

4.

5.

6.

7.

8.

9.

10.

E In pairs: Ask another student at what time he/she does the following things. Then reverse roles.

> hai lezione d'italiano   — A che ora hai lezione d'italiano?
> — Alle dieci.

1. mangi (*eat*) la sera
2. sei all'università domani
3. studi
4. hai lezione d'inglese
5. sei a casa oggi pomeriggio

F In groups of three or four: You work at the information desk at the train station in Naples. Tell travelers at what time trains are arriving and whether each is early (**in anticipo**), on time (**puntuale**), or late (**in ritardo**).

Orario di arrivo = Scheduled arrival

> — Scusi, a che ora arriva il treno da Bari?
> — Alle undici. È puntuale.

luogo di origine	orario di arrivo	commento
Bari	11.00	11.00
Roma	7.15	7.30
Palermo	21.00	22.00
Bologna	12.00	11.45
Genova	14.00	14.00

Struttura ed uso

Plurale dei nomi

un uomo e un **piccione**   un uomo e cinquanta **piccioni**

1. Italian has different endings for plural nouns according to the final letter of the singular form. Regular nouns in Italian form their plurals as follows:

If the singular form ends in:	The plural ends in:	examples
-o	-i	tavolo → tavoli
-io	-i	calendario → calendari
-a	-e	studentessa → studentesse
-e	-i	dottore → dottori
a consonant	no change	bar → bar
an accented vowel	no change	città → città

2. Nouns that are abbreviated forms do not change in the plural.

la radio (radiofonia)	**le radio**	
la foto (fotografia)	**le foto**	
la bici (bicicletta)	**le bici**	*But:* le biciclette

3. Most nouns ending in **-co, -go, -ca,** and **-ga** add **h** in the written plural to preserve the sound of the **c** or **g. Amico** is an exception.

lago	la**gh**i		amica	ami**ch**e
tedesco	tedes**ch**i	*But:*	amico	ami**c**i

A Give the plural of the following phrases. Replace the indefinite article with any number higher than one.

▶ un'isola e una montagna   tre isole e cinque montagne

1. un dottore e un architetto
2. un fratello e una sorella
3. un cane e un gatto
4. un figlio e una figlia
5. un caffè e un cappuccino
6. un ingegnere e una professoressa
7. un calendario e un orologio
8. un computer e una calcolatrice
9. un mare e un lago
10. un liceo e un'università

B In groups of three or four: With books closed, quiz each other on plural forms. One person starts by saying a noun. The first person in the group to give the correct plural of that noun gives the next noun.

C In pairs: You and a partner are helping to take inventory in an electronics store. Count how many of each item you see in the display case.

▶ Una calcolatrice, due calcolatrici ...

D In pairs: You are going away to school and want to stock up on certain items before leaving home. Tell your partner what you will need and how many of each item. Use the phrase **avere bisogno di** (*to need*).

▶ Ho bisogno di un ... , di dieci ...

E Tell what you can buy with the following amounts of money and how many of each item. Use the verb **comprare** (*to buy*).

▶ cinque dollari   Con cinque dollari compro un quaderno e dieci penne.

1. un dollaro
2. dieci dollari
3. cento dollari
4. un milione di dollari

L'articolo determinativo

Che bella **la** natura: **le** montagne, **il** fiume, ... **gli** animali!

1. In Italian, the definite article (*the*) agrees in number and in gender with the noun it modifies. The following chart shows the singular and plural forms of the definite article.

> As with the indefinite article *uno*, *lo* is used to avoid too many consonant sounds clustered together.

singular					
masculine			**feminine**		
il	before most consonants	il dottore	**la**	before consonants	la casa
lo	before **s** + *consonant*, and **z**	lo studente, lo zaino	**l'**	before vowels	l'università
l'	before vowels	l'architetto			

plural					
masculine			**feminine**		
i	before most consonants	i gatti	**le**	before all feminine	le finestre,
gli	before **s** + *consonant*, and **z**	gli spaghetti, gli zaini		plural nouns	le amiche
gli	before vowels	gli appartamenti			

2. The definite article is used to talk about specific persons, places, or things. In a series, it is used before each noun.

> The sound at the beginning of the word *gli* is similar to the *lli* in the English *million*.

Non ho **i giornali**.   *I don't have the newspapers.*
Dove sono **il libro e la rivista?**   *Where are the book and magazine?*

3. Nouns used in a general sense also take the definite article.

L'arte è interessante, ma   *Art (in general) is interesting, but*
     mi piacciono anche **le scienze.**   *I also like the sciences (in general).*

4. The definite article is generally used with the names of languages, except after **parlare.**

Mi piace studiare **le lingue straniere,** in particolare **il russo** e **il francese.**

I like studying foreign languages, especially Russian and French.

Non parlo russo.

I don't speak Russian.

5. The definite article is used with the courtesy titles **signora, signorina,** and **signore,** and with professional titles such as **dottore** and **professore/ professoressa** when talking *about* a person. It is not used when speaking directly *to* the person.

La signora Albinone è un'amica di mia madre.

Mrs. Albinone is a friend of my mother's.

But: Buona sera, signora Albinone.

Good evening, Mrs. Albinone.

F Give the singular form of the definite article for each noun as in the example.

▶ fiume / lago   il fiume e il lago

1. città / università
2. mare / isola
3. signore / signorina
4. amico di papà / amica di mamma
5. appartamento / villa
6. montagna / casa
7. centro / scuola
8. studente / studentessa

G Read the list of nouns in Ex. F again, giving the plural form of each one. Be sure to use the correct definite article.

▶ fiume / lago   i fiumi e i laghi

H In pairs: Alternate with a partner, asking whether he/she likes the following subjects.

▶ chimica   S1: Ti piace la chimica?
            S2: Sì, la chimica mi piace.
               (No, la chimica non mi piace.)

1. informatica
2. musica
3. scienze politiche
4. storia
5. arte
6. italiano
7. matematica
8. scienze naturali
9. spagnolo
10. fisica
11. economia
12. cinese

> Remember that plural subjects (*le scienze naturali, le scienze politiche*) require the plural form of *piacere: piacciono.*

I You have just returned from Italy and are describing the family you stayed with. Complete the description with the correct forms of the definite article.

_____ famiglia Tedeschi abita in una villa fuori Bologna. _____ signor Tedeschi è avvocato e _____ professoressa Tedeschi insegna all'università. Hanno due figli, Renzo e Patrizia. _____ figli sono grandi e non abitano con _____ signori Tedeschi. Patrizia è sposata. Lei e _____ marito hanno tre figli. _____ figli si chiamano Angelo, Gianna e Daniela. Anche Renzo è sposato, ma non ha figli. _____ moglie di Renzo si chiama Rosa.

Complete the conversations with the correct definite articles where necessary.

Remember that in some cases the definite article is not used.

1. — Dove sono _____ matita e _____ quaderno?
   — Sono nello zaino.
   — E _____ libri e _____ riviste?
   — Sono sul tavolo.

2. — Che cosa studia questo semestre?
   — _____ storia orientale e _____ cinese.
   — Ah, parla _____ cinese?
   — No, non parlo _____ cinese; parlo _____ giapponese.

3. — Claudia, ti presento _____ professor Ferroni.
   — Buon giorno, _____ professor Ferroni, molto piacere.
   — E lei come si chiama?
   — Mi chiamo Claudia. Sono _____ sorella di Laura.

Aggettivi possessivi

Cara, ti presento **la mia** famiglia! Ecco **mio** padre, **mia** madre, **le mie** sorelle, **i miei** cugini ...

1. The preposition **di** + *a noun* is used to express possession or relationship.

Dov'è la radio **di Gabriele?**	*Where is Gabriele's radio?*
La capitale **d'Italia** è Roma.	*The capital of Italy is Rome.*
Sono il padre **di Gina.**	*I'm Gina's father.*
Sono le sorelle **di Giacomo.**	*They are Giacomo's sisters.*

Di + a name is equivalent to *'s* in English. Literally, *la radio di Gina* means *the radio of Gina*.

The interrogative **di chi?** means *whose?*

Di chi è l'appartamento?	*Whose apartment is it?*
Di chi sono le riviste?	*Whose magazines are they?*

2. Possessive adjectives are also used to express possession. The Italian possessive adjectives **mio** (*my*), **tuo** (*your*), **suo** (*his/her*), **nostro** (*our*), **vostro** (*your*), and **loro** (*their*) are almost always preceded by a definite article. The article and the possessive adjective agree in gender and in number with the thing possessed. Note that **loro** is invariable.

— È il quaderno di Luigi?	— Sì, è **il suo** quaderno.
— Sono le fotografie di Marilena?	— Sì, sono **le sue** fotografie.
— È il computer dei ragazzi?	— Sì, è **il loro** computer.
— E di chi è la rivista? di Elena?	— No, è **la nostra** rivista.

3. The following chart shows the forms of the possessive adjective.

masculine		feminine	
singular	**plural**	**singular**	**plural**
il **mio** amico	i **miei** amici	la **mia** amica	le **mie** amiche
il **tuo** amico	i **tuoi** amici	la **tua** amica	le **tue** amiche
il **suo** amico	i **suoi** amici	la **sua** amica	le **sue** amiche
il **nostro** amico	i **nostri** amici	la **nostra** amica	le **nostre** amiche
il **vostro** amico	i **vostri** amici	la **vostra** amica	le **vostre** amiche
il **loro** amico	i **loro** amici	la **loro** amica	le **loro** amiche

Note that, unlike English, Italian does not specify the gender of the possessor.

Marisa cerca **il suo** telefonino.   *Marisa is looking for* her *cell phone.*
Marco cerca **il suo** telefonino.   *Marco is looking for* his *cell phone.*

4. A possessive adjective referring to a relative is not preceded by a definite article when it occurs before a singular, unmodified noun.

Nostro figlio abita in Italia.   *Our son lives in Italy.*
Mia madre è professoressa.   *My mother is a professor.*
Insegna francese **tuo padre?**   *Does your father teach French?*

Plural nouns and the nouns **mamma, papà,** and **babbo** (*dad*) always take a definite article, as does **loro** + *noun*.

I nostri figli abitano in Italia.   *Our children live in Italy.*
La mia mamma è professoressa.   *My mom is a professor.*
Il loro padre insegna francese.   *Their father teaches French.*

(K) In pairs: Maria Luisa, Alessandra, and Giovanna are three students who share an apartment. Read the following description and then take turns with a partner asking and telling to whom each item belongs.

Maria Luisa ha molto talento nel campo musicale: studia musica al Conservatorio. Alessandra studia le lingue straniere e in particolare l'inglese e il tedesco. Giovanna è molto brava nella tecnologia: studia informatica e matematica.

▶ pianoforte   S1: Di chi è il pianoforte?
                   S2: È di ...

1. pianoforte
2. liste di parole in tedesco
3. libri di giapponese e di russo
4. calcolatrice
5. cassette di Pavarotti

6. computer
7. dizionario di verbi irregolari
8. chitarra
9. poster di Beethoven
10. le opere complete di Shakespeare

L From the pictures and the information given below, can you determine to whom each dog belongs?

Ex. L: Both Cesare (Caesar) and Nerone (Nero) were Roman emperors. They are also popular names for dogs in Italy.

NERONE FIDO KILLER CESARE

I cani di Sandra e Alessio hanno il collare (*collar*).
Il cane di Sandra ha un nome italiano.
Il cane di Roberta ha una macchia (*spot*).
Il cane di Giuseppe ha il nome di un dittatore romano.

▶ Nerone è il cane di ...

M Point out the people and things indicated in the sentences below as in the example.

▶ Marco ha un televisore.   Ecco il suo televisore.

1. Pietro e Dario hanno uno stereo.
2. Noi abbiamo due figli.
3. Lisa ha un appartamento.
4. Raffaele e sua moglie hanno una villa.
5. Valeria ha due biciclette.
6. Voi avete un cane.
7. Io ho una sorella.

N Form new sentences using the words in parentheses.

▶ Dov'è la mia penna? (quaderni)   Dove sono i miei quaderni?

1. Ecco la mia amica. (amico / professore / sorelle / moglie)
2. Dov'è la nostra calcolatrice? (biciclette / libri / telefonino / cane)
3. Lavora con suo marito. (moglie / fratelli / amica / amici)
4. Ecco i vostri cappuccini! (vino / spaghetti / caffè / pasta)
5. Come si chiama il tuo professore? (sorella / studenti / figlio / gatto)
6. Hanno un problema con il loro lavoro. (famiglia / università / appartamento / computer)

O Two students are talking about their families. Complete the following descriptions with the appropriate articles (where needed) and possessive adjectives.

1. Sono Luigi Castaldo e abito a Firenze. _____ madre insegna musica e _____ padre è architetto. _____ fratelli Carlo e Stefano lavorano a Roma. _____ sorella è sposata ed abita in un appartamento a Napoli con _____ marito e con _____ figli.

2. Mi chiamo Stefania Volsi e _____ famiglia abita a Bari. _____ fratello studia legge ma _____ sorella frequenta ancora il liceo. _____ famiglia abita fuori città. _____ padre e _____ madre lavorano in centro.

P In pairs: Ask your partner the names of the following people.

▶ suo padre   S1: Come si chiama tuo padre?
                 S2: Mio padre si chiama Brad.

1. sua madre
2. le sue sorelle
3. i suoi fratelli
4. il suo compagno/la sua compagna di camera (*roommate*)
5. i suoi attori preferiti
6. il suo dentista

Q In pairs: Show your partner the contents of your backpack. See how many objects you can point out.

▶ Ecco il mio zaino. Ecco il mio libro di italiano, le mie matite …

For further practice of lesson topics, log on to the *Oggi in Italia* website and/or do the CD-ROM activities.

Parliamo un po'

A **L'orario.** Ask another student what classes he/she has today and what time each class meets. Take notes and be ready to report what you find out to the class.

▶ S1: Che lezioni hai oggi?
  S2: Ho lezione di …
  S1: A che ora hai lezione di (filosofia)?
  S2: Alle (due del pomeriggio).
  S1: Oggi (Alessio) ha lezione di filosofia alle due. Ha lezione di …

Lezione _____ Ora _____
Lezione _____ Ora _____
Lezione _____ Ora _____

B All'aeroporto. In groups of three: One person works at the Alitalia flight information desk at Leonardo da Vinci Airport in Rome. The others are passengers seeking departure and arrival times of the following flights. Refer to the schedule for flight times.

▶ il volo per Bologna
S1: Scusi, a che ora parte il volo per Bologna?
S2: Parte alle nove.
S1: E a che ora arriva a Bologna?
S2: Arriva alle dieci meno cinque.
S1: Grazie.

> Act. B: Alitalia is the national airline of Italy.

1. il primo (*first*) volo per Bruxelles
2. il volo della mattina per Brindisi
3. il volo per Boston
4. l'ultimo (*last*) volo per Bologna
5. il primo volo per Bombay
6. il volo per Brazzaville

DA/FROM ROMA

Validità/Validity dal/from	al/to	Frequenza Days	Partenza Departure	Arrivo Arrival	Volo Flight
A/TO BOLOGNA - BLQ - GMT+1 ⊕ G. MARCONI KM. 6,4 Δ 25'					
		1234567	09.00	09.55	AZ 0232
		1234567	11.30	12.25	AZ 0242
		1234567	13.15	14.10	AZ 0234
		1234567	15.00	15.55	AZ 0230
		1234567	18.20	19.15	AZ 0238
		1234567	21.05	22.00	AZ 0236
A/TO BOMBAY - BOM - GMT+5.30 ⊕ SAHAR KM. 35 Δ 75'					
		3	01.00	12.50	AZ 1766
		6	18.00	09.30G1	AI 0130
		3	18.00	09.35G1	AI 0164
		7	20.55	12.30G1	AI 0152
		4 7	22.55	10.45G1	AZ 1760
A/TO BOSTON - BOS - GMT-5 ⊕ LOGAN ITL. KM. 5 Δ 60'					
		1 34 6	10.10	15.35	TW 0807
A/TO BRAZZAVILLE - BZV - GMT+1 ⊕ MAYA MAYA KM. 4 Δ 45'					
11FEB		3	22.50	06.45G1	RKAZ0055
	10FEB	3	22.50	07.45G1	RKAZ0055
A/TO BRINDISI - BDS - +1 ⊕ PAPOLA C. KM. 6 Δ 25' NAZ.30' INT.					
		1234567	11.05	12.10	BM 0402
		1234567	16.55	18.00	BM 0064
		1234567	21.10	22.15	BM 0310
A/TO BRUXELLES - BRU - GMT+1 ⊕ BRUSSELS NATIONAL KM. 12 Δ 30'					
		4	07.30	09.30	QC 0004
		5	07.50	09.50	SQ 0034
		1234567	09.10	11.15	AZ 0274
		7	10.40	12.55	SN 0816
		12 456	11.35	13.50	SN 0812
		3	11.35	13.50	SN 0812
		1234567	16.00	18.05	AZ 1274
		12345 7	19.00	21.15	SN 0814

C L'albero genealogico. With a partner: Ask who the people are in the drawings. Your partner will answer by naming as many relationships as he/she can. Switch roles for each family member.

▶ S1: Chi è Lidia?
S2: Lidia è la moglie di Raffaele, ed è anche la madre di ...

D La mia famiglia. Prepare a family tree diagram similar to the drawing on the right, showing your own immediate family. Show it to a partner, and point out each family member, telling the person's name and age.

▶ Ecco mio fratello. Si chiama Giorgio e ha quindici anni.

E Chi è? With the same partner as in Activity D: Choose one person from your partner's family tree. Find out as much information as you can about that person.

- name
- age
- where he/she lives
- if he/she is married
- if he/she has any children or pets
- one or two things he/she likes to do

Conoscere l'Italia

 Vocabolario. Study the following vocabulary. Then choose
the appropriate word to complete each sentence.

caro/a expensive
la cucina cooking
il formaggio cheese
il negozio store
il parmigiano Parmesan cheese

i portici arcades
il prosciutto cured ham
il ragù meat sauce
i tortellini type of stuffed pasta
la trattoria inexpensive restaurant

1. A Bologna ci sono molti … . (ragù, cucina, negozi)
2. Ci sono anche molte … . (trattorie, formaggio, cucina)
3. La … italiana è molto buona. (caro, tortellini, cucina)
4. Oggi mangiamo in una trattoria sotto (*under*) i … . (negozio, portici, prosciutto)
5. La trattoria non è molto … . (cucina, parmigiano, cara)
6. Io mangio i … al ragù. (formaggio, tortellini, cucina)
7. E tu mangi prosciutto e … . (trattoria, caro, formaggio)

> Locate Emilia-Romagna and Bologna on the map on p. 14.
>
> In the thirteenth century, there were about ten thousand students at the University of Bologna.

BOLOGNA

Bologna è il capoluogo dell'Emilia-Romagna. È chiamata "la dotta"[1] perché è un importante centro di studi; qui c'è una delle università più antiche d'Europa, fondata nel 1158. Bologna è una città elegante e moderna anche se[2] nella sua architettura conserva molte caratteristiche medievali. Le strade della città sono fiancheggiate[3] da portici che permettono di passeggiare[4] anche quando fa cattivo tempo[5]. I negozi di Bologna sono molto belli ma abbastanza cari. E infine, di grande importanza per la città sono i ristoranti e le trattorie, che sono rinomati[6] perché a Bologna si mangia molto bene.

1. "the learned one" 2. even if 3. flanked
4. take walks 5. it's bad weather 6. renowned

Bologna: La Torre degli Asinelli è un caratteristico monumento medievale della città.

LA CUCINA EMILIANA

L'Emilia-Romagna è una regione molto ricca e, per molti aspetti, all'avanguardia[1] nei settori sociali e culturali. Ma essa è famosa principalmente per la sua cucina. I tortellini e il ragù bolognesi sono noti a tutti. Il parmigiano, il formaggio che grattugiamo[2] sugli spaghetti o che mangiamo a tocchetti[3], è molto buono ed è conosciuto anche all'estero[4]. Un altro prodotto squisito di questa zona è il prosciutto di Parma, chiamato dolce[5] perché è poco salato[6].

Ti piace il parmigiano? Parma e tutta l'Emilia-Romagna sono zone di produzione del famoso formaggio.

> The name *parmigiano* comes from Parma, a city in Emilia-Romagna.

1. in the forefront   2. we grate
3. in small chunks   4. abroad
5. sweet   6. salty

 Vero o falso? In pairs: Take turns identifying the following statements as true (**vero**) or false (**falso**) based on the reading.

1. Bologna è il capoluogo del Lazio.
2. L'università di Bologna è molto antica.
3. Una caratteristica delle strade di Bologna sono i portici.
4. I negozi di Bologna non sono cari.
5. La cucina emiliana è molto buona.
6. Il parmigiano è un formaggio romano.

 Domande. Answer the following questions based on the preceding passages.

1. Dov'è Bologna, nel nord o nel sud d'Italia?
2. Perché Bologna è chiamata "la dotta"?
3. Quali sono tre caratteristiche della città?
4. Quali sono tre cose buone da mangiare nella cucina emiliana?

Lezione 3

Che cosa fai di bello?

Communicative Objectives

- Talk about leisure time
- Make plans to do something
- Express wants and needs
- Specify locations

Fabio Salvati ha fame e desidera mangiare qualcosa. Entra in un bar a Piazza di Spagna a Roma e ordina un panino e un'aranciata. Mentre aspetta, il suo telefonino squilla.

	FABIO:	Pronto, chi parla?
	PAOLA:	Ciao, Fabio, sono Paola. Come stai?
	FABIO:	Bene, grazie, e tu?
	PAOLA:	Non c'è male. Che cosa fai di bello?
5	FABIO:	Niente di speciale. Sono al bar a fare uno spuntino.
	PAOLA:	Senti°, domani ho l'esame di chimica e ho bisogno del tuo aiuto.
	FABIO:	Perché no! Passo da te oggi pomeriggio. Verso le sei, va bene?
	PAOLA:	Sì.
	FABIO:	Dopo se hai voglia andiamo a prendere un gelato.
10	PAOLA:	Buona idea. Andiamo alla gelateria vicino al parco, così passeggiamo un po'.
	FABIO:	D'accordo. Allora a più tardi.

Listen

Domande

1. Dove entra Fabio? Perché?
2. Che cosa ordina?
3. Chi telefona a Fabio?
4. Che cosa dice Fabio quando risponde al telefono?
5. Che cosa fa di bello Fabio?
6. Di che cosa ha bisogno Paola? Perché?
7. Dov'è la gelateria?
8. A che ora Fabio passa da Paola?

Another word for *il bar* is *il caffè*, but *il bar* is more commonly used.

Domande personali

1. Che cosa fa lei quando ha fame?
2. Lei usa spesso il telefonino? A chi telefona?
3. Quando ha gli esami, lei studia a casa o in biblioteca? Perché?
4. Che fa di bello oggi? Ha voglia di prendere un gelato?
5. Dove va lei quando ha voglia di passeggiare? Con chi va?

The *telefonino* or *cellulare* (cell phone) is a very common means of communication among young people in Italy.

Situazioni

1. You are at the bar Savoia. Order something to drink or eat from the waiter.

   ▶ — Desidera ordinare qualcosa, signorina (signora/signore)?
   — Un'aranciata (Un cappuccino/Un espresso/Un gelato/Un panino), per favore.

2. Find out what some of your classmates feel like doing now.

   ▶ — Che cosa hai voglia di fare adesso?
   — Ho voglia di uscire (andare al bar/prendere un gelato/telefonare ad un amico/un'amica).

Sit. 2: Practice *avere voglia di* when you want various things during the day: *Ho voglia di un'aranciata. Adesso non ho voglia di studiare.*

Pratica

1. In pairs: Prepare a dialogue dramatizing the following situation: Laura phones Renato and wants to know what he is doing. He's not doing anything special, but he has an English exam tomorrow **(domani)** and has to study. Laura invites him to have a cappuccino at the bar Giuliani on via Napoleone. He accepts and agrees to pass by her house around six.

2. Prepare a second dialogue individually: While walking with a friend, you pass an ice cream shop. Your friend says he/she feels like having an ice cream. You agree to stop, but you don't want one. Present the dialogue to the class with another student.

Il bar italiano

Bars in Italy are popular meeting places for people of all ages. There are bars in small towns and large cities. Every neighborhood has one or more bars and several can be found on major city streets.

In an Italian **bar** one can buy a cup of **espresso, a cappuccino,** a sandwich, candy, ice cream, and mineral water, as well as beer and other alcoholic beverages. Customers typically stand at the counter to drink or eat, since doing so is less expensive than sitting at a table. When ordering at the counter, customers are expected to go to the cashier **(la cassa),** pay for what they order, and take the receipt **(lo scontrino)** to the barman/barmaid **(il/la barista)** at the counter. It is customary to leave a small tip **(la mancia)** on the counter with the receipt. Customers who sit at tables order from a waiter **(il cameriere),** who also receives the payment. In good weather, chairs and tables are placed outside. It is a favorite pastime of many Italians and tourists to watch passersby while enjoying a **cappuccino, aperitivo,** or **digestivo.**

Questa elegante gelateria di Bologna vende ottimi gelati di produzione propria.

• What kinds of places are popular meeting spots in your town or city?

Vocabolario

Parole analoghe

il bar	l'idea
il cappuccino	il parco
l'espresso	

Nomi

l'aiuto   help
l'aranciata   orange soda
la biblioteca   library
la carta   card
l'esame (*m.*)   exam
la gelateria   ice cream shop
il gelato   ice cream
il panino   sandwich
il pomeriggio   afternoon
lo spuntino   snack

Aggettivi

buono/a   good
questo/a   this

Verbi

andare (*irreg.*)   to go; **va**
   he/she goes, you (*formal*) go;
   andiamo   we go
aspettare   to wait
comprare   to buy
desiderare   to wish, want
entrare   to enter
fare (*irreg.*)   to do; to make
mangiare   to eat
ordinare   to order (*food*)
parlare   to speak, talk
passare   to come by
passeggiare   to walk, take a walk
prendere   to take; to have (*in the sense of* to eat or drink); to
   pick up
squillare   to ring
telefonare   to telephone
uscire   to go out

Altre parole

adesso   now
allora   well, then; then
chi?   who?
d'accordo   agreed, OK
domani   tomorrow
mentre   while
oggi   today
oggi pomeriggio   this afternoon
per   for; **per me**   for me
perché?   why?; **perché**
   because
pronto?   hello? (*response on the phone*)
qualcosa   something
quando   when(ever)
verso   toward, around (*time*)

Altre espressioni

avere bisogno di   to need
avere fame   to be hungry
avere voglia di (+ *infinitive or noun*)   to feel like (doing or
   having something)
che cosa fai di bello?   what are you up to?
a chi?   to whom?
con chi?   with whom?
fare uno spuntino   to have a snack
niente di speciale   nothing special
passo da te   I'll come by your house
per favore   please
va bene?   OK? is that all right?
vicino a   near

Il suono della *l*

In Italian, the sound of the letter **l**, /l/, is pronounced nearer to the front of the mouth than it is in English. Italian /l/ is formed with the tip of the tongue pressed against the gum ridge behind the upper front teeth. The back of the tongue is lowered somewhat. The sound /l/ is spelled **l** or **ll**.

 Listen and repeat the following words.

legge	gelato	bello
liceo	solo	allora
lezione	telefonare	sorella

 Proverbio. Repeat the following Italian proverb.

Ad ogni uccello il suo nido è il più bello.
There's no place like home.
(*Literally: To each bird, its nest is best.*)

Il suono della *p*

Italian /**p**/ is not aspirated (that is, not accompanied by a puff of air), in contrast to English /*p*/. The sound /**p**/ is represented in writing by **p** or **pp**.

 Listen and repeat the following words.

padre	Alpi	giapponese
parola	Napoli	appartamento
piccolo	anticipo	cappuccino

Proverbio. Listen and repeat the following Italian proverb.

Dio li fa e poi li accoppia.
Birds of a feather flock together.
(*Literally: God makes them and then pairs them.*)

Ampliamento del vocabolario

La città

1. la stazione
2. il museo
3. la biblioteca
4. l'ospedale (*m.*)
5. la libreria
6. la chiesa
7. il teatro
8. lo stadio
9. il cinema
10. la banca
11. il negozio
12. l'albergo
13. il ristorante
14. il bar
15. l'ufficio postale
16. il mercato
17. la gelateria
18. il supermercato
19. la farmacia
20. il parco
21. il centro commerciale
22. il parcheggio
23. la discoteca

> When you go places, practice saying where they are located: *La banca è in via ...* , etc.

Gli ipermercati sono oggi molto diffusi in tutte le regioni italiane.

A In pairs: Take turns giving directions to the following places in the city on page 63. Use **tra** (*between*) to pinpoint their locations.

▶ ristorante — Dov'è il ristorante?
— È in via Nazionale. È tra il bar e l'albergo.

1. l'ospedale
2. la banca
3. la gelateria
4. la biblioteca
5. il supermercato
6. il museo

B In pairs: You are at the park shown in the drawing on page 63. Ask a passerby if the following places are nearby **(qui vicino)**.

▶ una farmacia — Scusi, c'è una farmacia qui vicino?
— Sì, c'è una farmacia in via Nazionale.

1. un ufficio postale
2. una libreria
3. uno stadio
4. un mercato
5. un bar
6. un ristorante

C In pairs: Ask another student to name the place **(luogo)** he/she associates with the following things or people.

▶ il gelato — Con quale luogo associ il gelato?
— Con la gelateria.

1. il cappuccino
2. i libri
3. il dottore
4. la medicina
5. le banane e le patate
6. gli spaghetti alla marinara
7. i dollari e gli euro
8. Sophia Loren
9. lo sport
10. ballare

Espressioni con *avere*

1. avere caldo   2. avere freddo   3. avere fame   4. avere sete   5. avere sonno

Other common expressions with **avere** are:

avere bisogno di (+ *noun or infinitive*)   to need, have need of
avere paura di (+ *noun or infinitive*)   to be afraid of
avere ragione   to be right

You have already learned **avere … anni** and **avere voglia di.**

D What would you be likely to say in the following circumstances? Use an expression with **avere**.

▶ You're looking for something to eat.   Ho fame.

1. You're putting on a heavy sweater.
2. You're turning on the air conditioner.
3. You didn't have breakfast this morning and it's almost noon.
4. You're looking for something to drink.
5. It's late and you can hardly keep your eyes open.
6. You can't sleep because you keep hearing strange noises outside your window.

E Move around the class and ask your classmates about some of their needs.

▶ calendario   — Hai bisogno di un calendario?
    — Sì, ho bisogno di un calendario. (No, ho bisogno di un orologio.)

1. calcolatrice   6. orologio
2. studiare oggi   7. andare al supermercato
3. lavorare   8. zaino
4. bicicletta   9. telefonare a tuo padre
5. registratore   10. parlare con il professore

Find out from two or three classmates if they are afraid of the following.

▶ dei cani — Hai paura dei cani?

— Sì, ho paura dei cani. (No, non ho paura dei cani; ho paura dei gatti.)

1. di abitare da solo/a
2. del professore/ della professoressa d'italiano
3. di andare al parco la sera
4. dei dottori
5. di volare (*fly*)

Struttura ed uso

Presente dei verbi regolari in *-are*

Filomena **canta** mentre le amiche **ascoltano**.

1. Italian infinitives are made up of a stem and an ending. You learned in **Lezione 1** that infinitives end in **-are, -ere,** or **-ire.**

infinitive	stem + ending	English equivalent
entrare	entr + **are**	*to enter*
prendere	prend + **ere**	*to take; to have*
sentire	sent + **ire**	*to hear; to feel*

2. Infinitives in **-are** are the most numerous. The present tense of regular **-are** verbs is formed by adding the endings **-o, -i, -a, -iamo, -ate,** and **-ano** to the infinitive stem.

parlare *to speak*			
singular		**plural**	
io parl**o**	I speak	noi parl**iamo**	we speak
tu parl**i**	you (*informal*) speak	voi parl**ate**	you (*informal*) speak
lui parl**a**	he speaks	loro parl**ano**	{they speak
lei parl**a**	{she speaks you (*formal*) speak		you (*formal*) speak

3. Here is a list of common regular **-are** verbs.

abitare	to live	**incontrare**	to meet
arrivare	to arrive	**insegnare**	to teach
ascoltare	to listen (to)	**lavorare**	to work
aspettare	to wait (for)	**mandare**	to send
ballare	to dance	**mangiare**	to eat
cantare	to sing	**pagare**	to pay (for)
cercare	to look (for)	**parlare**	to speak
chiamare	to call	**passare**	to pass; to spend (*time*)
cominciare	to begin	**pensare (di)**	to think (of)
comprare	to buy	**portare**	to bring; to wear
desiderare	to want, wish	**ricordare**	to remember
dimenticare	to forget	**studiare**	to study
entrare	to enter	**telefonare**	to telephone
frequentare	to attend; to frequent	**tornare**	to return
		trovare	to find
giocare	to play (*a game*)	**usare**	to use
guardare	to watch; to look (at)	**viaggiare**	to travel
guidare	to drive	**visitare**	to visit
imparare	to learn		

To learn this list, first find all the verbs you already know, such as *studiare* and *insegnare*. Then look for the cognates.

Note: The verbs **ascoltare, aspettare, cercare, guardare,** and **pagare** do not require a preposition after the verb as their English equivalents often do.

Ascoltano la radio.   *They are listening to the radio.*

Remember that subject pronouns are often omitted in Italian because the ending of the verb indicates the subject.

4. The present tense in Italian is equivalent to the present tense and the present progressive (*is . . . -ing*) in English.

Paola **studia** chimica e biologia.	*Paola studies chemistry and biology.*
Oggi **studia** per l'esame di chimica.	*She is studying for the chemistry exam today.*
Fabio **telefona** a Paola.	*Fabio calls (is calling) Paola.*

The present tense may also be used in Italian to express actions intended or planned for the near future.

— **Passi** da me domani?	— *Are you coming by my house tomorrow?*
— No, mi dispiace. Domani **lavoro.**	— *No, I'm sorry. I'm working tomorrow.*

5. In "double-verb constructions," the first verb is conjugated and the second is a dependent infinitive.

Desideri prendere un gelato?	*Do you want to have an ice cream?*
Non mi **piace ballare.**	*I don't like to dance.*

6. Verbs ending in **-care** and **-gare,** like **cercare** (*to look for*) and **pagare** (*to pay for*), add an **h** to the infinitive stem in the **tu** and **noi** forms so that the hard sounds of the **c** and **g** are retained.

cercare	to look for	pagare	to pay for
cerco	cerchiamo	pago	paghiamo
cerchi	cercate	paghi	pagate
cerca	cercano	paga	pagano

7. Verbs ending in **-iare,** like **cominciare** (*to begin*), **mangiare** (*to eat*), and **studiare** (*to study*), drop the **i** from the infinitive stem in the **tu** and **noi** forms.

mangiare	to eat
mangio	mangiamo
mangi	mangiate
mangia	mangiano

Ⓐ Complete the conversations using the correct verb form.

1. — Paola, dove _____ (lavorare) tuo padre?
   — _____ (insegnare) musica in una scuola privata.
   — Bello! E cosa _____ (imparare) i bambini?
   — I bambini _____ (cantare) canzoni (*songs*) e _____ (ascoltare) cassette di musica folcloristica.

2. — Massimo, che cosa fai nel corso d'italiano?
   — _____ (parlare) italiano con gli amici, e _____ (studiare) il vocabolario.
   — _____ (ricordare) i verbi regolari?
   — Sì, ma _____ (dimenticare) i verbi irregolari.

3. — A che ora _____ (cominciare) il film?
   — Alle 7.45, ma noi _____ (incontrare) gli amici al bar vicino al cinema e _____ (entrare) alle 7.15. Così _____ (trovare) buoni posti (*seats*).
   — E come _____ (arrivare) voi al centro?
   — Pietro _____ (guidare) l'Alfa Romeo di suo padre.

Ⓑ Form complete sentences using a subject from the first column, a verb from the second column, and a logical ending from the last column.

▶ La mamma aspetta una telefonata importante.

la mamma	ascoltare	una moglie italiana/un marito italiano
voi	aspettare	l'autobus numero 64
le studentesse	cercare	un film di Roberto Benigni
io	guardare	un appartamento in centro
il presidente		la radio
io ed un amico		una telefonata importante
tu		la musica di Dave Matthews
		Il Grande Fratello

Il Grande Fratello is the very popular Italian version of the reality show *Big Brother*.

C You and a friend are asked the following questions. Answer as suggested, using the **noi** form of the verb.

▶ Chi aspettate? (un amico)   Aspettiamo un amico.

1. Cercate un ristorante? (no, un bar)
2. Cosa comprate oggi? (riviste italiane)
3. Studiate insieme più tardi? (no, domani)
4. Tornate a casa adesso? (no, più tardi)
5. Pensate di andare in discoteca adesso? (no, di prendere un gelato)
6. Cosa guardate alla televisione stasera? (un film)

D In pairs: Take turns asking and answering the following questions. If your answer is negative, complete the answer in a logical way.

▶ S1: Desideri un caffè espresso?
   S2: Sì, desidero un caffè espresso. / No, desidero un cappuccino.

1. Torni a casa alle otto stasera?
2. Compri un giornale oggi?
3. Desideri ascoltare un CD di Zucchero?
4. Lavori oggi pomeriggio?
5. Telefoni a tua madre più tardi?
6. Mangi al bar oggi?
7. Parli con il professore oggi?
8. Giochi a tennis oggi?

> Zucchero (*Sugar*) is a popular Italian singer-songwriter who has also recorded with Sting and Andrea Bocelli.

Roma: I cittadini usano molto la metropolitana e il servizio di autobus.

E In pairs: On a subway in Rome, you meet an Italian university student who asks you several questions. With a partner playing the role of the Italian student, answer his/her questions with plausible responses.

▶ abitare a Roma   S1: Abiti a Roma?
                          S2: No, non abito a Roma. Abito a ...

1. frequentare il liceo o l'università
2. studiare molto
3. che lingua parlare a casa
4. imparare altre lingue
5. visitare molti musei a Roma
6. tornare in America fra poco
7. che cosa pensare di Roma
8. desiderare visitare il Colosseo con me domani

F In pairs: Find out from your partner at what time he/she does the following activities.

▶ arrivare all'università   S1: A che ora arrivi all'università?
                          S2: Arrivo alle otto e mezzo. E tu, a che ora arrivi?
                          S1: Arrivo alle dieci.

1. arrivare all'università
2. incontrare gli amici
3. mangiare
4. lavorare
5. tornare a casa
6. studiare italiano
7. guardare la televisione

G In pairs: Find out what your partner generally **(di solito)** does on Saturdays **(il sabato)** and Sundays **(la domenica).** When answering, use only verbs that you know.

▶ S1: Che cosa fai di solito il sabato?
   S2: Di solito il sabato gioco a tennis, guardo la televisione, ecc.

H In groups of three: Decide whether or not the following statements are generally true of the students at your university.

▶ Gli studenti desiderano studiare le lingue straniere.   (Non) È vero. Gli studenti (non) desiderano studiare le lingue straniere.

1. Gli studenti pagano troppo (*too much*) per frequentare l'università.
2. Gli studenti frequentano sempre (*always*) le lezioni.
3. Gli studenti trovano lavoro dopo l'università.
4. Gli studenti portano vestiti (*clothes*) eleganti.
5. Gli studenti parlano molto di politica.
6. Gli studenti mangiano molta pizza.
7. Gli studenti ascoltano la musica classica.
8. Gli studenti arrivano alle lezioni in orario.
9. Gli studenti guardano molto la televisione.

Preposizioni semplici e articolate

Dov'è la mia penna? Sul tavolo? Nello zaino? Sulla sedia?

1. A preposition is a word used before a noun or pronoun to express its relation to another word. Here are some simple (one-word) Italian prepositions, some of which you have already learned.

a	to, at, in	**fra** (or **tra**)	between, among
con	with	**in**	in, into, at
da	from, by	**per**	for
di	of, about, from	**su**	on

The preposition **di** frequently becomes **d'** before a vowel, especially **i**: Banca **d'**Italia, un corso **d'**informatica.

> *A* is used with a city or town to mean both *in* and *to*. *In* is used with larger geographical areas such as provinces, countries, etc. *In* is also used with the names of streets. *Tra* and *fra* are interchangeable.

2. Five of the most commonly used Italian prepositions combine with definite articles to form single words. These prepositions are: **a, da, di, in,** and **su.**

Fabio è **alla** gelateria.	a + la = **alla**
Telefona a Paola **dal** bar.	da + il = **dal**
Paola desidera parlare **degli** esami.	di + gli = **degli**
Marisa è **nell'**appartamento di Paola.	in + l' = **nell'**
I libri sono **sul** tavolo.	su + il = **sul**

> You will sometimes encounter contractions with the preposition *con: con + il = col; con + i = coi.* Either form is acceptable.

3. This chart shows the most common prepositional contractions.

> Notice that in most cases these contractions are a combination of the preposition and the definite article, often with a doubling of the letter *l* in the article. Only *di* and *in* change form.

preposition	article						
	singular				plural		
	il	**lo**	**l'**	**la**	**i**	**gli**	**le**
a	al	allo	all'	alla	ai	agli	alle
da	dal	dallo	dall'	dalla	dai	dagli	dalle
di	del	dello	dell'	della	dei	degli	delle
in	nel	nello	nell'	nella	nei	negli	nelle
su	sul	sullo	sull'	sulla	sui	sugli	sulle

4. The article is rarely used after the preposition **in** with place nouns such as **casa, biblioteca, chiesa, città, cucina** (*kitchen*), **ufficio** (*office*), and **banca,** unless the noun is modified with another word or expression.

— Desideri studiare **in biblioteca?**
— Sì, ma studiamo **nella biblioteca** dell'università.

— Lavora **in banca** Fabio?
— Sì, lavora **alla Banca d'Italia.**

5. Some prepositions consist of more than one word. If followed by a definite article, only the last element (**a, di, da,** etc.) contracts with the definite article.

davanti a	Incontro Paola **davanti allo** stadio.	*I'm meeting Paola in front of the stadium.*
vicino a	Lo stadio è **vicino all'**università?	*Is the stadium near the university?*
lontano da	No, è abbastanza **lontano dall'**università.	*No, it's pretty far from the university.*

Answer the questions according to what you see in the drawing below.

Marisa, è per te la telefonata.

1. Da dove telefona Fabio, da un ristorante?
2. Come si chiama la gelateria?
3. A chi telefona Fabio?
4. Con chi studia Marisa?
5. Per chi è la telefonata?
6. Di chi è il libro di economia?

J Complete the paragraph by supplying appropriate contractions where necessary.

Sono le quattro (di) _____ pomeriggio e Tommaso torna (da) _____ liceo scientifico. Entra (in) _____ casa, mette lo zaino (su) _____ tavolo e telefona subito (a) _____ suo amico Tonio. Parla anche (con) _____ sorella di Tonio, e dopo mezz'ora ha voglia di ascoltare i CD (di) _____ suo fratello Roberto. Mentre ascolta la musica, cerca il telefonino (in) _____ zaino e telefona (a) _____ amici di scuola. Poi si siede (*sits*) davanti (a) _____ televisore e guarda un programma musicale.

K In pairs: Find out where the following people are. Take turns asking and answering.

▶ S1: Dov'è la professoressa?
   S2: È all'università.

Yogi Bear	(a) università
gli atleti	(in) cucina
Emeril Lagasse	(a) libreria
la professoressa	(a) cinema
Stephen King	(a) stazione
il dottore	(a) Palazzo Buckingham
la Regina Elisabetta	(in) parco nazionale
Tom Cruise	(in) negozio
Indiana Jones	(a) stadio
	(a) ospedale
	(a) museo archeologico

L In pairs: Look at the drawing on page 63. Ask a partner if one place is near another. Your partner will tell you whether the two places are close to or far from each other.

▶ S1: Il supermercato è vicino al teatro?
   S2: No, è lontano dal teatro. / Sì, è vicino al teatro.

M In pairs: Ask each other where you do the following things. Use contracted prepositions in your answers when appropriate.

▶ comprare cose da mangiare
   S1: Dove compri cose da mangiare?
   S2: Al supermercato in via …

1. incontrare gli amici
2. lavorare
3. studiare per gli esami
4. parlare italiano
5. guàrdare la televisione
6. usare il computer
7. mangiare la pizza
8. comprare i libri
9. mandare le lettere

C'è, ci sono, ecco

— **Ci sono** ristoranti
   eleganti in questa città?
— Sì, **ecco** il mio preferito.

1. **C'è** (*there is*) and **ci sono** (*there are*) are used to talk about the existence
or presence of things or people.

C'è un telefono pubblico nel bar.   *There is a public phone in the bar.*
Ci sono venti studenti in classe.   *There are twenty students in class.*

2. **Ecco** (*here is/are, there is/are*) is used when drawing attention to or pointing
out things or people. It is often used in exclamatory statements.

Ecco un telefono pubblico.   *Here's a phone booth.*
Ecco Mario e Carlo!   *Look! It's Mario and Carlo!*

> *Ecco* generally calls for
> physical presence, signifying
> *Look at this!* or *Hear this!*

N   In pairs: Create a list of at least ten objects in your own room and specify the number of each item. Use words you have already learned in Italian. Then try to guess some things in your partner's room.

▶ S1: C'è un orologio?
   S2: Sì, c'è un orologio. / No, non c'è un orologio.

O   In pairs: Reveal to a partner some of the things that you have in your
backpack, purse, or pockets. Show each item to your partner after identifying it.

▶ Ci sono due matite. Ecco le matite!

P   In groups of three or four: Establish whether the following places are
near your university. Then decide how many there are, and what their
names are.

▶ gelateria   S1: C'è una gelateria vicino all'università?
               S2: Sì, ci sono due gelaterie. C'è la gelateria
                    Friendly's e c'è la gelateria Dairy Queen.

1. ospedale
2. cinema
3. albergo
4. ristorante
5. parco
6. museo
7. supermercato
8. chiesa
9. centro commerciale

For further
practice of
lesson
topics, log on to the *Oggi in
Italia* website and/or do the
CD-ROM activities.

Parliamo un po'

A **Cosa desideri fare?** In pairs: Interview your partner to find out some of the things he/she wants to do someday. Then tell your partner about what you want. Ask about:

- la città che lui/lei desidera visitare
- dove desidera abitare
- quale persona famosa desidera incontrare
- quale automobile desidera guidare
- dove desidera lavorare
- se desidera avere figli (quanti?)

B **Presentare amici.** In groups of three: You are with two friends who have never met before. Create a conversation in which you introduce your two friends to each other. They should ask each other a few questions, and then you suggest that you all go somewhere together.

S1: (Pietro), ti presento un mio amico …
S2: Piacere.
S3: Il piacere è mio. Pietro, tu studi … ?

Alcuni studenti si scambiano idee e opinioni davanti all'università.

C **Com'è la tua città?** You receive the following e-mail from a student in Italy. Write an answer in which you give some information about the city or town you live in.

Ciao _____. Come stai?

Tutto bene qui a Lucca. Lucca non è una grande città ma ci sono molte cose interessanti da visitare: chiese, palazzi, teatri. C'è anche una piazza (chiamata piazza dell'Anfiteatro) che ha la forma di un anfiteatro romano. Dove abiti tu? Com'è la tua città? È grande o piccola? Che cosa c'è da visitare? È una città interessante per un turista? Ci sono molti ristoranti? Musei? Che altro?

A presto

Mauro

D Dov'è Firenze?

You have just arrived in Florence and ask a passerby for directions to the following places. The passerby can refer to the map to answer your questions.

il Duomo
Piazza della Signoria
l'ufficio postale
Ponte Vecchio

la stazione dei treni
l'albergo Malaspina
il ristorante "La Pentola d'oro"

Espressioni utili: *Scusi, signore/ signora/signorina, dov'è … ? È vicino a … È tra la … e il … È in via …*

E Una telefonata.

In pairs: You are in Florence on business and call a friend who is living there. Your friend wants to meet you for dinner, but needs to know what hotel you are staying at, where it is, and the telephone number. He/She wants to take you to a restaurant that specializes in medieval and Renaissance Tuscan food. Ask about it, and agree on a time for your friend to come by your hotel. Use these two ads to give details to your conversation.

Conoscere l'Italia

A **Vocabolario.** Before reading the passage, study the following vocabulary. Then choose an appropriate word to complete each sentence.

gli abitanti inhabitants	**la fontana** fountain	**la panchina** bench	**il tavolino** table
la bellezza beauty	**la gente** people	**il ruolo** role	**il valore** value
bere to drink	**il palazzo** palace, building	**il salotto** living room	**la vita** life

1. "_____ è bella" è il titolo di un film di Roberto Benigni.
2. Il sinonimo di *le persone* è _____.
3. Una parola che si associa con *caffè* è _____.
4. Le persone che abitano in un paese o in una città si chiamano

   _____.
5. Quando abbiamo sete desideriamo _____ qualcosa.
6. _____ è parte di una casa.
7. L'aggettivo *bello* è associato al nome _____.

Le piazze italiane

La piazza ha un ruolo molto importante nei paesi e nelle città d'Italia. In paesi piccoli e grandi è il centro della vita degli abitanti. Bar, ristoranti, negozi, la chiesa e la banca sono spesso situati[1] nella piazza principale di un paese. Nelle grandi città ci sono molte piazze e nelle città

Una suggestiva veduta notturna di Piazza di Spagna a Roma con la chiesa di Trinità dei Monti, la famosa scalinata e la popolare fontana chiamata La Barcaccia.

Veduta parziale della stupenda Piazza del Campo a Siena con il Palazzo Pubblico e la Torre.

d'arte ci sono piazze molto belle che hanno grande valore artistico. Piazza di Spagna e Piazza Navona a Roma, Piazza San Marco a Venezia, Piazza del Campo a Siena e Piazza del Duomo a Firenze sono come salotti dove la gente s'incontra[2] e socializza. In queste piazze le persone passeggiano, si siedono[3] alle panchine o occupano i tavolini dei caffè all'aperto[4]. Mentre parlano o prendono qualcosa da bere o da mangiare esse ammirano le bellezze artistiche delle chiese, delle fontane e dei palazzi della piazza.

1. located 2. meet 3. they sit 4. open air

Domande. Answer the following questions based on the preceding passage.

1. Perché la piazza ha un ruolo importante nei paesi d'Italia?
2. Che cosa è situato spesso nelle piazze dei paesi d'Italia?
3. Come si chiamano due belle piazze di Roma?
4. Dov'è Piazza San Marco? E Piazza del Campo?
5. Perché alcune piazze delle città d'arte sono come salotti?
6. Cosa ammirano le persone che frequentano le piazze delle città d'arte?

. . . .

Vocabolario. Match each definition with a word from the list in the right-hand column. There are two extra words in the list.

1. una persona con molti dollari
2. un caffè, un cinema, un ristorante
3. la persona che scrive libri
4. non italiano
5. una bella caratteristica

a. straniero (*foreign*)
b. lo scrittore (*writer*)
c. vedere (*to see*)
d. fascino (*charm*)
e. ricca (*rich*)
f. un locale (*place*)
g. meta (*destination*)

Caffè famosi

In alcune[1] città d'arte italiane ci sono caffè che sono famosi perché nei secoli scorsi[2] erano locali di ritrovo[3] di artisti, scrittori e intellettuali italiani e stranieri. Ancora[4] oggi alcuni di questi caffè sono aperti al pubblico e hanno sempre un certo fascino. Spesso essi sono meta di turisti curiosi di vedere da vicino[5] questi locali ricchi di storia. A Padova c'è il Caffè Pedrocchi situato nella zona universitaria della città. Al centro di Roma, in via dei Condotti, c'è il Caffè Greco. In Piazza San Marco, a Venezia, troviamo il Caffè Florian, fondato nel 1720 (millesettecentoventi) e in Piazza della Repubblica a Firenze è situato il Caffè Giubbe Rosse.

1. some   2. in past centuries   3. meeting
4. Still   5. up close

Turisti di tutto il mondo si fermano a prendere qualcosa da bere o da mangiare nel famoso Caffè Florian in Piazza San Marco a Venezia.

B **Vero o falso?** In pairs: Take turns identifying the following statements as true or false based on the reading.

1. Nei piccoli paesi d'Italia ci sono caffè famosi.
2. Nei secoli scorsi gli artisti non frequentavano questi caffè.
3. Oggi questi caffè sono la meta di molti turisti.
4. Il Caffè Pedrocchi è a Padova.
5. Il Caffè Giubbe Rosse e il Caffè Florian sono a Roma.

C **Informazioni.** Complete the following sentences based on the Giubbe Rosse flyer **(il volantino)**. Scan it for the information requested without trying to understand every word.

1. Giubbe Rosse è un _____.
2. Sabato 21 febbraio c'è l'inaugurazione di una _____.
3. Giubbe Rosse è a Firenze in _____.
4. Tony Grancaric è un _____.
5. Grancaric è nato in _____.
6. Ha studiato (*He studied*) musica a _____.

Caffè Storico Letterario

GIUBBE **R**OSSE
Firenze

Piazza della Repubblica 13/14r – 50123 Firenze
Tel. 055.212.280   Fax 055.290.052
E-mail: giubbe.rosse@tin.it

ARTISTI E AUTORI ALLE GIUBBE ROSSE
a cura di Fiorenzo Smalzi

SABATO 21 FEBBRAIO 2004 ore 18.00

Inaugurazione della mostra di pittura

"Gli orizzonti del paesaggio"

di

Tony Grancaric

Presenta

Silvio Calzolari

"Tony Grancaric è nato nel 1949 a Zara in Croazia. Nel 1968 lascia la Croazia, e dopo un soggiorno a Parigi, si reca in Canada, a Toronto. Ha lavorato nel mondo del design-architettonico per oltre 20 anni. Ha studiato musica al conservatorio di Toronto. A Toronto è stato presente con due personali di pittura: nel 1986 e 1988. Ultimamente vive fra la Croazia e l'Italia".

Lezione 4

La piazza principale di Cefalù con la meravigliosa Cattedrale di influenza normanna, le palme e i caffè all'aperto.

Cosa prendono i signori?

Communicative Objectives

- Order a snack at a restaurant
- Talk about and make plans for specific days of the week and times of day
- Accept and refuse invitations
- Talk about a variety of activities

È giovedì pomeriggio. Lorenzo Genovesi e Bettina Marinaro sono seduti° ad un *seated*
bar all'aperto° a Palermo. Desiderano bere qualcosa di fresco. Leggono il menù *outdoor*
e decidono anche di mangiare qualcosa.

LORENZO:	Cameriere, scusi, desideriamo ordinare qualcosa.	
CAMERIERE:	Sì, subito. … Bene, che cosa prendono i signori?	
BETTINA:	Una granita° al caffè e un tramezzino al tonno.	
LORENZO:	Io invece prendo un panino al prosciutto e un tè freddo.	
5 CAMERIERE:	Molto bene. Torno subito.	
LORENZO:	Allora, Bettina, sei libera sabato sera?	
BETTINA:	Credo di sì, perché? Che si fa?	
LORENZO:	Conosci il gruppo Folclore di Sardegna?	
BETTINA:	Sì, mi piacciono molto le danze e i canti sardi.	
10 LORENZO:	Allora si va a teatro dopodomani?	
BETTINA:	Sì, se mi prometti che dopo lo spettacolo andiamo a fare quattro salti in discoteca.	
LORENZO:	Perché no. La discoteca chiude molto tardi. Intanto stasera prendiamo i biglietti.	
15 BETTINA:	Sì, è bene non perdere tempo. Ah, ecco il cameriere.	
CAMERIERE:	Signori, ecco il cappuccino e la cassata°.	
LORENZO:	Ma no! Avevamo ordinato° una granita al caffè, un tè freddo, un tramezzino al tonno e un panino al prosciutto.	
CAMERIERE:	Oh, mi dispiace, c'è un po' di confusione. Torno subito.	

A *panino* is a sandwich generally made with a roll, while a *tramezzino* is made with sliced bread cut diagonally.

ice cream with grains of frozen coffee

Sicilian ice cream with candied fruit
We asked for

Domande

1. Dove sono Lorenzo e Bettina?
2. Che cosa desiderano?
3. Che cosa ordina Bettina? E Lorenzo?
4. Perché Lorenzo domanda a Bettina se è libera sabato sera?
5. Che cosa è in programma al teatro?
6. Quando prendono i biglietti?
7. Cosa ha voglia di fare Bettina dopo lo spettacolo?
8. Cosa porta il cameriere quando torna?

Domande personali

1. Lei va spesso ad un caffè? Con chi va? Quando va: la mattina, il pomeriggio o la sera?
2. Cosa prende di solito ad un caffè?
3. Prende spesso il caffè espresso, il cappuccino o il caffè americano? O prende il tè?
4. Le piace vedere uno spettacolo di danza moderna o di danza folcloristica?
5. Dove va a ballare lei? Quando? Con chi?

Situazioni

1. Risponda ad un amico/un'amica che domanda se lei è libero/a giovedì sera. (*Answer a friend who asks if you are free Thursday night.*)

   ▶ — Sei libero/a giovedì sera?
   — Sì, perché? (No, mi dispiace./Credo di no./No, sono impegnato/a.)

2. Lei è ad un caffè all'aperto con gli amici che ordinano cose diverse. Al cameriere, che domanda se lei prende un caffè come il suo amico/la sua amica, risponda che prende un'altra cosa. (*You are at an outdoor café with friends who order various things. To the waiter, who asks if you will have coffee like your friend, answer that you will have something else.*)

   ▶ — Cosa prendono i signori (le signore/le signorine)?
   — Un caffè (una Coca-Cola/un bicchiere d'acqua/un tramezzino al tonno),
     per favore.
   — Un caffè anche per lei?
   — No, per me un'aranciata (una limonata/acqua minerale/una spremuta
     d'arancia).

3. Risponda ad un amico/un'amica che domanda che cosa si fa sabato sera. (*Answer a friend who wants to know what both of you are going to do on Saturday night.*)

   ▶ — Che cosa si fa sabato sera?
   — Si va a teatro (al cinema/a mangiare la pizza/a ballare/al bar/in discoteca).

POMODORO & MOZZARELLA

PIZZERIA

"La pizza"

V.le L. Da Vinci, 215
Tel. 065411013

I cognomi italiani

*L*ast names came into use in Italy in the ninth century, and by the time of the Renaissance they were fully established. Originally, many last names were descriptive, and a number of these names remain in use today. For instance:

names based on a family's place of origin: **Genovesi** (from Genoa), **Lombardi** (from Lombardy), **Siciliani** (from Sicily).

names drawn from an ancestor's trade or occupation: **Ferrari** (blacksmith), **Pastore** (shepherd), **Vaccaro** (cowherd), **Sarti** (tailor), **Marinaro** (sailor), **Pellegrino** (pilgrim).

names based on a father's first name, common before last names came into use: **Di Giovanni, Di Giacomo, Di Pietro.**

names that describe physical features or characteristics: **Biondi** (blond), **Calvino** (bald), **Grasso** (plump), **Mancini** (left-handed).

Until 1975, an Italian woman had to take her husband's last name when she got married. Through reforms in Italian family law, a married woman now has the right to keep her family's last name, to which she adds the husband's last name.

- Do last names in your country have particular characteristics? What are they?

Nelle città i cognomi delle famiglie che abitano negli appartamenti appaiono vicino al citofono.

Pratica

1. In groups of three: You meet a friend at a bar in Palermo. Shake hands, greet one another, and find out what your friend wants to eat or drink. Call the waiter and order for both of you.

2. Call a friend to find out if he/she is free next Saturday. Your friend is free and wants to know why. Explain that you have two tickets for the theater; invite your friend, who accepts gladly and asks what's playing. Tell him/her that the name of the play **(il dramma)** is *Il cameriere sardo*.

Parole analoghe

la confusione
la danza
decidere
il folclore
folcloristico/a
il gruppo
moderno/a
il menù
il programma

Nomi

l'acqua (minerale)   (mineral)
   water
il bicchiere   (drinking) glass
il biglietto   ticket
il caffè   café; coffee
il cameriere   waiter
il canto   song, chant
la limonata   lemon soda,
   lemonade
il panino al prosciutto   ham
   sandwich
lo spettacolo   show
la spremuta d'arancia   freshly
   squeezed orange juice
il tè   tea;   **il tè freddo**   iced tea
il tramezzino al tonno   tuna
   sandwich

Aggettivi

fresco/a   cool, fresh
impegnato/a   busy, engaged
libero/a   free
sardo/a   Sardinian

Verbi

bere   to drink
chiudere   to close
conoscere   to know
credere   to believe, think
domandare   to ask
leggere   to read
perdere   to lose
prendere   to get
promettere   to promise
vedere   to see

Altre parole ed espressioni

dopo   after
dopodomani   the day after
   tomorrow
intanto   meanwhile, in the
   meantime
invece   instead
scusi   excuse (me) (*formal*)
se   if
spesso   often
subito   right away, immediately
tardi   late
che cosa è in programma?
   what's playing?
che si fa?   what are we going to do?
credo di no   I don't think so
credo di sì   I think so
di solito   usually
fare quattro salti   to dance (a little)
giovedì pomeriggio   Thursday
   afternoon
perché no   why not
perdere tempo   to waste time
mi dispiace   I'm sorry
le piace … ?   do you like … ?
   (*formal*)
un po' di (+ *noun*)   a little bit of
sabato sera   Saturday evening
si va?   are we going?
stasera   this evening

il caffè = il bar

Fruit juice is *il succo di frutta*.
The term *la spremuta
d'arancia* (*di limone, di
pompelmo*) refers only to
freshly squeezed juice.

Pronuncia

La lettera *h*

The letter **h** is silent in Italian. It is used in some forms of the verb **avere (ho, hai, ha, hanno)** and in some interjections (such as **ah, oh,** and **eh**). It is also present, though never pronounced, in some foreign words currently used in Italian (for example, *hobby, habitat,* and *hotel*).

In **ch** and **gh,** the letter **h** helps to form the hard sound of **c** and **g** before the vowels **e** and **i** (**che, chi, analoghe, laghi**).

 Ascolti e ripeta le seguenti frasi. (*Listen and repeat the following sentences.*)

1. Quanti anni hai?
2. Oh, che peccato!
3. Dov'è l'Hotel Pilato?
4. Non ho un hobby.
5. Chiamo il cameriere?
6. Che cosa fai oggi?

Il suono della combinazione *qu*

The sound /**kw**/, as in **quando,** is usually spelled **qu.**

B Ascolti e ripeta le seguenti parole. (*Listen and repeat the following words.*)

qualcosa	**qu**attro	**qu**indici	li**qu**ido
quando	**qu**aderno	cin**qu**e	fre**qu**entare

C **Proverbio.** Ascolti e ripeta il seguente proverbio. (*Listen and repeat the following proverb aloud.*)

Quando a Roma vai, fa' come vedrai.
When in Rome, do as the Romans do.
(*Literally: When you go to Rome, do as you see.*)

Dittonghi e trittonghi

1. A *diphthong* is a combination of two vowels pronounced as a single syllable.

h**ai**   figl**io**   q**ua**le   s**ei**   p**iù**   g**ue**rra

2. A *triphthong* is a group of three vowels pronounced as a single syllable.

m**iei**   t**uoi**   g**uai**   v**uoi**

D Ascolti e ripeta le seguenti parole. (*Listen and repeat the following words.*)

graz**ie**	Pietro	Siena	v**uoi**
b**uo**no	stad**io**	fai	p**uoi**
v**uo**le	piano	s**ei**	a**iu**tare

E **Proverbio.** Ascolti e ripeta il proverbio. (*Listen and repeat the proverb.*)

Natale con i tuoi e Pasqua con chi vuoi.
Spend Christmas with your family and Easter with whomever you wish.
(*Literally: Christmas with yours and Easter with whom you wish.*)

Ampliamento del vocabolario

I giorni della settimana

The days of the week in Italian, starting with Monday, are:

lunedì	mercoledì	venerdì	domenica
martedì	giovedì	sabato	

> *Lunedì* (not *domenica*) is the first day of the week on Italian calendars.

1. The days of the week are not capitalized in Italian.

2. All the days of the week except **domenica** are masculine.

3. The definite article is used with days of the week to describe repeated occurrences (*on Mondays, on Tuesdays*). The definite article is omitted when referring to only one specific day. Contrast:

Il venerdì vado al cinema.   *On Fridays (Every Friday) I go to the movies.*
Venerdì vado al cinema.   *On (this) Friday I'm going to the movies.*

The invariable adjective **ogni** is frequently used with the days of the week in the sense of *every single*.

Ogni martedì vado al caffè.   *Every single Tuesday I go to the café.*

 In gruppi di tre o quattro: Domandi a due o tre studenti cosa fanno in un determinato pomeriggio di questa settimana. Usi la forma **io** dei verbi in **-are** a p. 67. (*In groups of three or four: Ask two or three students what they are doing on a particular afternoon this week. Use the **io** form of **-are** verbs on p. 67.*)

▶ — Che cosa fai (lunedì/mercoledì/sabato) pomeriggio?
— Lunedì pomeriggio (studio in biblioteca).

B In coppia: Domandi ad un altro studente/un'altra studentessa in quali giorni lavora o studia e qual è il suo orario. (*In pairs: Ask another student which days of the week he/she works or studies and what his/her schedule is.*)

▶ S1: In quali giorni lavori (studi)?
S2: Lavoro (Studio) (il lunedì e il mercoledì).
S1: Qual è il tuo orario?
S2: Il lunedì lavoro (studio) dalle (due) alle (sei del pomeriggio), il mercoledì dalle (quattro) alle (dieci di sera).

C In gruppi di tre o quattro: Domandi a tre o quattro studenti se fanno o desiderano fare certe cose in determinati giorni di questa settimana. (*In groups of three or four: Ask two or three students if they are doing or wish to do certain things on specific days this week.*)

▶ sabato: lavorare
— Lavori sabato?
— Sì, lavoro sempre il sabato. (No, di solito il sabato sono libero/a.)

1. lunedì: avere lezione all'università
2. martedì pomeriggio: prendere un cappuccino con me
3. domenica sera: avere voglia di mangiare la pizza con me
4. giovedì sera: pensare di andare al cinema
5. mercoledì mattina: avere lezione d'italiano
6. venerdì sera: desiderare fare quattro salti in discoteca

Alcune espressioni di tempo

Here is a list of some useful time expressions that you can use to refer to events that occur today, tomorrow, on the weekend, and in the near future.

il/la fine settimana weekend	**domani** tomorrow
oggi today	**domani mattina (domattina)** tomorrow morning
stamattina this morning	
oggi pomeriggio this afternoon	**domani pomeriggio** tomorrow afternoon
stasera this evening	**domani sera** tomorrow night
stanotte tonight	**dopodomani** the day after tomorrow
la mattina (in) the morning	
il pomeriggio (in) the afternoon	**lunedì mattina** Monday morning
la sera (in) the evening	**martedì pomeriggio** Tuesday afternoon
la notte (at) night	**mercoledì sera** Wednesday evening
	giovedì notte Thursday night

Stamattina, stasera, and *stanotte* are shortened forms of *questa mattina, questa sera,* and *questa notte.* Both forms are used.

Choose four or five time expressions and tell a classmate what you plan to do or usually do at those times. Then ask what his/her plans are for those times.

D In coppia: Spieghi ad un amico/un'amica quello che lei deve fare da oggi a dopodomani. (*In pairs: Explain to a friend all the things you have to do from today until the day after tomorrow.*)

> ► — Oggi sono molto impegnato/a.
> Stamattina ...
> Oggi pomeriggio ...
> Stasera ...
> Domani mattina ... , ecc.

E In coppia: Domandi ad un amico/un'amica cosa fa di solito nel fine settimana. (*In pairs: Ask a friend what he/she usually does on the weekend.*)

> ► — Cosa fai di bello nel fine settimana?
> — Di solito la mattina del sabato …

F Faccia le seguenti domande a due o tre studenti. (*Ask two or three students the following questions.*)

1. Come stai oggi?
2. A che ora hai lezione domani mattina?
3. Che cosa fai domani? E dopodomani?
4. Che lezione hai lunedì?
5. Hai voglia di assistere ad un concerto oggi pomeriggio?
6. Cosa guardi stasera alla televisione?
7. Che cosa fai di bello domani mattina? E domani pomeriggio?
8. Compri il giornale la mattina?

Presente dei verbi regolari in -*ere*

I turisti **leggono** la guida e non **vedono** il Colosseo.

1. The present tense of regular **-ere** verbs is formed by adding the present tense endings **-o, -i, -e, -iamo, -ete,** and **-ono** to the infinitive stem.

prendere	*to take*
prend**o**	prend**iamo**
prend**i**	prend**ete**
prend**e**	prend**ono**

> Note that the endings for the *io, tu,* and *noi* forms are the same as for *-are* verbs.

2. The following **-ere** verbs are regular in the present tense.

chiedere   to ask for
chiudere   to close
conoscere   to know (*a person or a place*); to meet
credere   to believe
decidere di (+ *infinitive*)   to decide to do something
discutere (di)   to discuss (something)
leggere   to read
mettere   to put, place

perdere   to lose
prendere   to take; to have (to eat or drink); to get
promettere   to promise
ricevere   to receive
rispondere   to answer
scrivere   to write
spendere   to spend (*money*)
vedere   to see
vendere   to sell

> *Discutere* also means "to argue."

Bettina e Lorenzo **leggono** il menù.

Bettina and Lorenzo are reading the menu.

Decidono di chiamare il cameriere.
Bettina **prende** un cappuccino.

They decide to call the waiter.
Bettina is having a cappuccino.

— Il bar **chiude** alle dieci?
— **Credo** di sì.

Does the bar close at ten?
I believe (think) so.

 Completi i dialoghi con la forma corretta dei verbi fra parentesi.
(*Complete the dialogues with the correct form of the verbs in parentheses.*)

1. — Enrico, ogni giorno io ti _____ (scrivere) uno o due messaggi elettronici, e tu non _____ (rispondere) mai. Ma non _____ (leggere) i miei messaggi?
— Sì, sì, certo che _____ (ricevere) i tuoi messaggi e li _____ (leggere) con piacere. Va bene, ti _____ (promettere) che d'ora in poi (*from now on*) ti _____ (rispondere) subito.

2. — Ciao, mamma. Vado al bar a incontrare gli amici.
— Di nuovo al bar! Ma cosa fate lì?
— Noi? _____ (prendere) il caffè o magari (*perhaps*) un gelato, e _____ (discutere) di politica o di sport.
— E _____ (spendere) soldi (*money*) e _____ (perdere) tempo anche!
— Un po' sì, è vero.

B Completi le seguenti frasi con la forma appropriata del verbo.
(*Complete the following sentences with the appropriate form of the verb.*)

▶ io / chiudere / lo zaino   Io chiudo lo zaino.

1. Marina / mettere / i suoi libri nello zaino
2. Tonio ed Alberto / conoscere / una persona famosa
3. tu / vendere / la bicicletta
4. Alba ed io / scrivere / agli amici italiani
5. il professore / rispondere / alle domande
6. voi / discutere / di sport
7. loro / decidere di / ordinare una pizza
8. io / chiedere / qualcosa al professore

C In coppia: A turno chieda e risponda a queste domande con frasi
complete. (*Take turns asking and answering the following questions with
complete sentences.*)

1. Ricevi molti messaggi elettronici? Rispondi subito?
2. Di che cosa discuti con gli amici? Di sport? Di politica? Di scuola?
3. C'è una cosa che tu perdi spesso? Che cosa?
4. Che cosa prendi di solito la mattina? Caffè? Tè? Latte?
5. Leggi molto? Che cosa leggi? Giornali? Libri?
6. Come scrivi i compiti per i corsi? Con la penna? Con il computer?
7. Vedi molti film? Dove? A casa o al cinema?
8. Conosci una persona famosa? Chi?

D Formuli frasi di senso compiuto per ogni soggetto della colonna A,
usando le parole nelle colonne B e C. (*Create coherent sentences about
each subject in column A using words from columns B and C.*)

▶ Io scrivo sul quaderno.

A	B	C
io	chiedere	due biglietti per il concerto di
i ragazzi	ricevere	Springsteen
i miei fratelli	perdere	la penna
la studentessa	leggere	al telefonino
tu	vendere	informazioni al poliziotto
io ed un'amica	rispondere	libri di fantascienza
tu e lui	spendere	Giorgio Armani
	conoscere	una telefonata dal presidente
		cento dollari a Wal-Mart

E La famiglia Giulietti è a casa martedì sera. Dica quello che fa
ognuno, usando i verbi indicati in basso. (*The Giulietti family is at home
Tuesday evening. Say what each person is doing, using the verbs listed below.*)

chiedere	leggere	rispondere	vedere
discutere	prendere	scrivere	

Formulare le domande

· ·

— **Dove** vai? **Con chi? Quando** torni?
— **Perché** tante domande?

1. Questions that can be answered *yes* or *no* often use the same phrasing and
word order as declarative sentences.

Desidera qualcosa da mangiare.	*He wants something to eat.*
Desidera qualcosa da mangiare?	*Does he want something to eat?*

There are three possible ways to signal that such sentences are questions.

a. by using rising intonation at the end of a question

Sei libera sabato sera?

Si va a ballare?

b. by adding a tag phrase like **non è vero?** or **no?**

Paola prende una spremuta d'arancia, **non è vero?**

Il bar chiude a mezzanotte, **no?**

c. by naming the subject (noun or pronoun) at the end of the question instead of in its normal position at the beginning of the sentence

Prendono qualcosa **i signori?**
Arriva anche **Bettina?**

2. Questions that ask for specific information are introduced by interrogative words. The subject, if stated, usually follows the verb.

come?	how?	**Come** stai?
che (cosa)?	what?	**Che cosa** si fa sabato sera?
chi?	who?	**Chi** va al cinema?
dove?	where?	**Dove** vai con gli amici?
quando?	when?	**Quando** comincia lo spettacolo?
quale/i?	which?	**Quale** film desideri vedere?
quanto/a?	how much?	**Quanto** costano i biglietti?
quanti/e?	how many?	**Quanti** anni hai?
perché?	why?	**Perché** non si va domani?

Che?, che cosa?, and *cosa?* are interchangeable. They all mean *what?*

3. The interrogative adjectives **quale?** and **quanto?** agree in gender and number with the nouns they modify.

Quanto tempo abbiamo?
Quante granite prendi?
Quanti studenti ci sono nella tua classe?
Quante persone ci sono nella tua classe?
Quale università frequenti?
Quali corsi segui?

(P) Trasformi ciascuna delle seguenti frasi in domande, usando gli schemi indicati. (*Transform each of the following statements into questions, using the patterns indicated.*)

▶ Maria lavora oggi.   Maria lavora oggi?
                         Maria lavora oggi, non è vero?
                         Lavora oggi Maria?

1. Franco parla con la moglie.
2. Paola e Nicola sono a Roma.
3. La discoteca chiude tardi.
4. Tina è libera oggi.
5. Sua sorella sta bene.
6. Lei è italiano.
7. Carlo e Cesira hanno lezione.

G Formuli delle domande logiche per le seguenti risposte. (*Ask logical questions for the answers below.*)

Ex. G: There may be more than one possible question for some answers.

▶ Marco va al cinema.   Dove va Marco?/Chi va al cinema?

1. Gli studenti di arte sono al museo.
2. Arrivano al museo con l'autobus.
3. Tornano dal museo più tardi.
4. Guardano le sculture medievali.
5. Uno studente compra una guida del museo.
6. La professoressa arriva alle due.
7. È in ritardo perché c'è molto traffico.
8. Parla con il direttore del museo.
9. Incontra gli studenti alla porta.
10. Discutono di arte.

H In coppia: Domandi ad un altro studente/un'altra studentessa con chi fa le seguenti cose. (*In pairs: Find out from another student with whom he/she does the following things.*)

Ex. H: If you normally do some of these things by yourself, say *Studio da solo/a.*

▶ S1: Con chi studi?
  S2: Studio con …

1. studiare per gli esami
2. giocare a tennis
3. abitare
4. discutere di sport o di politica
5. guardare la televisione
6. mangiare
7. passare le vacanze
8. parlare al telefono

I In coppia: Faccia vedere una fotografia di un/una parente o di un amico/un'amica. Risponda ad almeno sei domande sulla persona nella foto. (*In pairs: Show a photograph of a relative or friend to a partner. Your partner will ask at least six questions about the person in the photograph. Answer the questions.*)

▶ S1: Come si chiama?   S1: Dove abita?
  S2: Si chiama …   S2: Abita a …

J Risponda alle seguenti domande con frasi complete. (*Answer the following questions with complete sentences.*)

1. Qual è il suo numero di telefono?
2. Qual è il suo giorno preferito?
3. Qual è la capitale dell'Italia? E qual è la città italiana più popolata?
4. Quali lingue parlano in Svizzera?
5. Quante sono le regioni italiane? Quante sono le province?
6. Quali sono i principali fiumi italiani?
7. Quante settimane ci sono in un anno? E mesi?
8. Quanti capitoli ci sono in questo libro? Quale lezione studiate adesso?

K In coppia: Legga la cartolina scritta da un giovane americano che viaggia in Europa. Poi faccia ad un altro studente/un'altra studentessa cinque domande basate sulle informazioni scritte sulla cartolina. (*In pairs: Read the postcard below written by a young American traveling in Europe. Then ask a partner five questions about the information in the postcard.*)

Caro Giuseppe (Joe),
　　Come stai? Io sto benissimo. Ora siamo a Palermo e ti scrivo dall'ufficio postale. Sono qui con Stefano e con altri amici. Stiamo nell'Albergo Tricornia. Non è molto elegante, ma costa poco. Ogni giorno visitiamo musei, chiese, ecc. La sera frequentiamo le discoteche, perché desideriamo conoscere ragazze italiane! Domani partiamo per l'Austria. Arriviamo a Chicago l'8 agosto.

　　　　　A presto,
　　　　　Michele

€ 0,52

Joe Cardarelli
700 Plains Ave
Arlington Heights,
IL 60005

U.S.A.

Verbi irregolari: *dare, fare, stare*

1. Dare, fare, and **stare** are irregular in some forms of the present tense.

dare	to give	fare	to do; to make	stare	to stay; to be
do	diamo	**faccio**	**facciamo**	sto	stiamo
dai	date	**fai**	fate	**stai**	state
dà	**danno**	fa	**fanno**	sta	**stanno**

> Notice the patterns in the *tu* forms and in the *loro* forms: *dai, fai, stai; danno, fanno, stanno.*

— A chi **dà** il cappuccino?
— **Do** il cappuccino al signore seduto al bar.

— Che cosa **fate** stasera?
— Non **facciamo** niente di speciale.

— Come **stanno** le tue sorelle?
— Chiara **sta** molto bene, ma Mariella **sta** un po' male.

2. Fare is used in many common idiomatic expressions.

fare bel tempo to be nice (*weather*)	Oggi **fa bel tempo?**
fare caldo to be hot (*weather*)	Sì, stamattina **fa caldo.**
fare freddo to be cold (*weather*)	Ma più tardi **fa freddo.**
fare una passeggiata to go for a walk	Desideri **fare una passeggiata?**
fare due passi to go for a short walk	Bene, perché non **facciamo due passi?**
fare un giro to take a ride; to take a short walk	Hai voglia di **fare un giro** in macchina con me?
fare una gita to take a short trip	Gli studenti **fanno una gita** scolastica domani.
fare un viaggio to take a longer trip	A dicembre **fanno un viaggio** in Italia.
fare una domanda to ask a question	Lorenzo **fa una domanda** a Bettina.
fare colazione to eat breakfast (or lunch)	**Facciamo colazione** al bar?
fare una fotografia to take a picture	Sì, ma prima **faccio alcune fotografie** della piazza.

> Italians often use *due* or *quattro* to mean "a few" or "a little": *fare due passi, fare due chiacchiere, fare quattro salti.*

3. Stare in the sense of *to be* is used primarily with expressions of health.

— Come **state?**   *How are you (feeling, doing)?*
— **Stiamo** bene, grazie.   *We're fine, thank you.*

Many Italians use **stare** to mean *to be in a place.*

— Dove **sta** il papà?   *Where's Dad?*
— **Sta** ancora in ufficio.   *He's still at the office.*

4. Dare is also used in the expression **dare un esame** (*to take a test*).

— Quando **dà** gli esami?
— **Do** l'esame di storia giovedì, e **do** quello d'inglese fra due settimane.

Ⓛ Sostituisca il soggetto delle seguenti frasi con quelli indicati, coniugando il verbo nella forma appropriata. (*In the following sentences, replace the subject with those given in parentheses, changing the verb accordingly.*)

1. Che cosa fate domani? (tu / loro / la professoressa / noi)
2. Sto abbastanza bene. (il professor Massi / tu e Sergio / gli studenti / noi)
3. Diamo l'esame di storia domani. (lui / Margherita / tu / io e tu / loro)

M Guardi il disegno dei regali che Francesca riceve per il suo compleanno. Dica chi dà un regalo a Francesca. (*Look at the drawing of the gifts that Francesca is receiving for her birthday. Say who is giving a gift to Francesca.*)

▶ I nonni (*grandparents*) danno un regalo a Francesca.

N Cerchi di sapere qualcosa di un altro studente/un'altra studentessa, facendogli/le le seguenti domande. (*Find out more about your partner by asking him/her the following questions.*)

1. Fai spesso fotografie? Di che cosa?
2. Cosa fai giovedì mattina? E giovedì sera?
3. Stai a casa quando fa bel tempo?
4. Cosa dai a tua madre per il suo compleanno (*birthday*)?
5. Fai una passeggiata se fa freddo?
6. Fai una gita questo fine settimana? Con chi? Dove andate?
7. Come stai oggi? Come sta la tua famiglia?
8. Fai colazione ogni mattina? A che ora?
9. Quando dai l'esame d'italiano?

O Domandi ad un altro studente/un'altra studentessa che cosa fa quando fa bel tempo, quando fa caldo e quando fa freddo. (*Ask another student what he/she does when the weather is nice, when it is hot, and when it is cold.*)

▶ S1: Che cosa fai quando fa bel tempo?
S2: Gioco a tennis, faccio una passeggiata. …

  For further practice of lesson topics, log on to the *Oggi in Italia* website and/or do the CD-ROM activities.

Parliamo un po'

A **Un sondaggio.** In gruppi di quattro: Faccia un sondaggio su tre compagni di scuola per sapere cosa leggono. Prenda appunti e poi riferisca i risultati alla classe. (*In groups of four: Conduct a survey with three other students to find out what they read. Take notes and then report the results to the class.*)

	Studente/Studentessa		
	1	2	3
Nome	_____	_____	_____
Legge i giornali?	_____	_____	_____
Quali?	_____	_____	_____
Quante volte alla settimana?	_____	_____	_____
Riviste?	_____	_____	_____
Quali?	_____	_____	_____
Libri?	_____	_____	_____
Quanti all'anno?	_____	_____	_____
Libri scolastici o romanzi (*novels*)?	_____	_____	_____

B **Il progetto.** In coppia: Lei deve fare insieme a un compagno/una compagna di classe un progetto che richiede almeno quattro ore. Domandi al compagno/alla compagna qual è il suo orario per i prossimi sette giorni. Cercate di trovare un periodo di tempo libero per completare il progetto. (*In pairs: You and a classmate are doing a project together that will take at least four hours. Ask your classmate what his/her schedule is for the next seven days. Try to find a time when you are both free to complete the project.*)

▶ S1: Io sono libera domani mattina dalle nove all'una. E tu?
   S2: Io non sono libero. Ho lezione di chimica a mezzogiorno. E mercoledì pomeriggio che fai?
   S1: Mercoledì lavoro. E giovedì mattina?…

C **Ordinazioni per telefono.** In coppia: Telefoni al bar vicino all'ufficio dove lei lavora e ordini qualcosa da bere e da mangiare per se stesso/a e per altre due persone che lavorano con lei. Collabori con un altro studente/un'altra studentessa (il proprietario del bar) che risponde alla sua telefonata. (*In pairs: Phone the bar near the office where you work and order something to eat and drink for yourself and for two other people who work with you. Create a dialogue with another student who will play the part of the bar owner.*)

Bar pizzeria Il Gabbiano

034.94.90.78

Panini e tramezzini	€3,50
Pizzette	€2,75
Gelati cono	€1,70/2,50
Paste	€2,00
Caffè	€1,25
Cappuccino	€2,00
Granite limone/caffè	€3,30
Acqua minerale	€1,00
Succo di frutta	€1,75
Bibite in lattina[1]	€1,50

1. Drinks in a can

It is common for bars in Italian cities to deliver coffee and sandwiches to nearby workplaces. Office workers can call in their orders by telephone.

D **Dove andiamo?** In gruppi di tre: Lei è ad un caffè all'aperto con un gruppo di amici dopo le lezioni. Domandi ad ognuno degli amici cosa ha voglia di fare dopo. Tra di voi, decidete dove andare e cosa fare. (*In groups of three: You are at an outdoor café with a group of friends after classes. Ask the others what they feel like doing later. Decide together where to go and what to do.*)

Possibili attività:

vedere un film italiano   fare una passeggiata
fare quattro salti in discoteca   mangiare una pizza
ascoltare un concerto   tornare a casa
prendere qualcosa da bere

Al concerto. Questa settimana c'è una serie di concerti fantastici, e lei desidera andare ad uno degli spettacoli che seguono. Decida quale concerto preferisce vedere, e poi inviti un amico/un'amica ad andare con lei. Discutete anche quando e dove ha luogo il concerto, e se volete fare qualcosa prima o dopo il concerto. (*This week there is a series of great concerts and you would like to go to one of the following shows. Decide which concert you prefer to see, and then invite a friend to go with you. Discuss with your friend when and where the concert will take place, and if you want to do anything before or after the concert.*)

SABATO	DOMENICA	LUNEDÌ	MARTEDÌ
Edoardo Bennato *Teatro Tenda Pianeta,* *ore 21*	**883** *Teatro Tenda,* *ore 20*	**Modena City** **Ramblers** *New Age Club,* *ore 21*	**Pitura Freska** *Discoteca Mambù,* *ore 20.30*
Eiffel 65 *Teatro olimpico,* *ore 22*	**Laura Pausini** *Discoteca Ciao Ciao,* *ore 21*	**Pino Daniele** *Palasport, ore 2.30*	**Jovanotti** *Live Club,* *ore 19.30*

MERCOLEDÌ	GIOVEDÌ	VENERDÌ
Yuppie Flu *Teatro Tenda,* *ore 22*	**Articolo 31** *Palasport, ore 20*	**I Pooh** *Teatro Tenda,* *ore 19.30*
Ivano Fossati *Discoteca Grande* *Fratello, ore 19.30*	**Snaporaz** *New Age Club,* *ore 21*	**Vasco Rossi** *Discoteca Mambù,* *ore 22*

Conoscere l'Italia

A **Un po' di geografia.** Completi le seguenti frasi con una parola appropriata della lista indicata. Ci sono due parole in più nella lista. (*Complete the following passage with an appropriate word from the list. There are two extra words on the list.*)

arance	paese	greci	città
mare	storia	isola	regione

1. L'Italia è un _____ .
2. La Sardegna è un' _____ .
3. Genova è una _____ .
4. Il Mediterraneo è un _____ .
5. I _____ sono gli abitanti della Grecia.
6. L'Abruzzo è una _____ del centro Italia.

LA SICILIA

Taormina: Il teatro greco (III secolo a.C.) e sullo sfondo, l'Etna.

La Sicilia è un'isola vicino alla punta dello "stivale[1]" italiano ed è una delle più belle e pittoresche regioni del paese. Ricca[2] di storia, tradizioni e cultura, la Sicilia ha molte costruzioni artistiche di origini diverse. In questa regione ci sono anche monumenti antichi molto belli che ricordano[3] la presenza dei greci, dei romani, degli arabi e dei normanni.

Circondata dal mare Mediterraneo, la Sicilia ha spiagge[4] stupende. Le città principali della Sicilia sono Palermo, il capoluogo, Catania, Messina e Siracusa. Vicino a Catania c'è il monte Etna, uno dei tre vulcani attivi d'Italia. Grazie al suo clima mite[5], la Sicilia produce molta frutta, specialmente arance, mandarini[6], limoni e mandorle[7].

1. "boot"   2. Rich   3. call to mind   4. beaches   5. mild climate
6. tangerines   7. almonds

As you look at the map of Italy on p. 14, notice that the shape of Italy resembles that of a boot (*uno stivale*). Locate the major cities of Sicily.

The Normans were ancient Scandinavian people who settled in northern France in the tenth century and later moved on to conquer Sicily.

The other two active volcanos in Italy are Mount Vesuvius, near Naples, and Stromboli, on one of the Eolian Islands near Sicily.

B **Domande.** Risponda alle seguenti domande basate sulla lettura. (*Answer the following questions based on the reading.*)

1. Dov'è la Sicilia?
2. Di che cosa è ricca la Sicilia?
3. Che cosa ricordano i monumenti antichi siciliani?
4. Quali sono le città principali della Sicilia?
5. Che cosa è l'Etna?
6. Che cosa produce la Sicilia?

Definizioni. Prima di leggere il seguente brano, abbini le definizioni con una parola della lista a destra. Ci sono due definizioni in più nella lista. (*Before reading the following passage, match the definitions with a word from the list on the right. There are two extra definitions in the list.*)

1. l'autunno
2. sinonimo di *paese*
3. nome legato a *bello*
4. un vulcano
5. un mese dell'anno
6. un gelato particolare della Sicilia
7. è come dare un Nobel

a. l'Etna
b. la granita
c. una stagione
d. la bellezza
e. l'appuntamento
f. giugno
g. il borgo
h. i dolci
i. premiare

RIPOSTO (CATANIA)

LE GRANITE, L'ETNA E IL MARE

di Gianluca Fiorentini

I dolci[1], le granite, l'Etna alle spalle che si staglia[2] sul mare. Riposto, tra Taormina e Acireale, è un borgo marinaro di indubbia[3] bellezza. Un paese ospitale in tutti i mesi dell'anno, ma in particolare con la bella stagione, con due appuntamenti da non mancare[4]: la festa del Patrono, San Pietro, che si tiene[5] il 29 giugno e l'iniziativa Capitani Coraggiosi, prevista per il 4 settembre. Con questa manifestazione vengono premiati i migliori uomini di mare del luogo.

1. sweets   2. stands out
3. undoubted   4. not to miss
5. is held

L'APPUNTAMENTO

DOVE: PROVINCIA DI CATANIA
OCCASIONE: FESTA DEL PATRONO SAN PIETRO

Caratteristica veduta dal mare della cittadina siciliana Riposto. Sullo sfondo il vulcano Etna coperto di neve.

Throughout Italy, patron saints enjoy an important place in the life of small towns and big cities as well. On a specific day of the year, the patron saint is celebrated with religious ceremonies, processions, and other festive activities such as fairs, concerts, and other entertaining events.

B **Vero o falso?** In coppia: A turno identificate le seguenti frasi come vere o false secondo il brano precedente. Correggete le frasi false. (*In pairs: Take turns identifying the following sentences as true or false according to the preceding passage. Correct the false sentences.*)

1. L'Etna è un vulcano della regione Campania.
2. Riposto è un paese siciliano vicino al mare.
3. Il patrono di Riposto è San Paolo.
4. La festa del patrono è il 13 giugno.
5. Con la manifestazione Capitani Coraggiosi vengono premiate le migliori granite di Riposto.

> Sicilians have a very close rapport with the sea, and the fishing industry is an important economic resource of this region.

Granita al limone, latte di mandorla, succo di cocomero, spremute varie: non manca proprio niente in questo chiosco.

Una bambina in costume aspetta l'arrivo della sfilata di Carnevale nella cittadina di Scandicci vicino a Firenze.

Lezione 5

Ad un ballo in maschera

Communicative Objectives

- Talk about costumes and costume parties
- Describe people, places, and things
- Express preferences
- Talk about where you and others are going

È la settimana di Carnevale e in tutta la città c'è un'atmosfera di allegria. Giulia Magrini e Francesca Cipriani vanno in giro per le vie del centro di Perugia. Mentre guardano le vetrine dei negozi, sentono la voce del loro amico Massimo Damiani.

MASSIMO: Salve, ragazze, come mai° siete qui?   *how come*

GIULIA: Siamo qui per fare acquisti. Cerchiamo un costume originale.

MASSIMO: Venite anche voi alla festa di Roberto Santini?

5   FRANCESCA: No, non conosciamo Roberto Santini.

GIULIA: Noi andiamo al ballo in maschera all'Università per stranieri.

FRANCESCA: Ti suggeriamo di venire con noi.

MASSIMO: Preferisco veramente la vostra compagnia ma ...

10   FRANCESCA: Hai già un costume particolare°?   *special*

MASSIMO: Sì, penso di indossare un costume semplice ed economico, una bella toga romana. Capite bene che non ho voglia di spendere molto. Voi invece quali costumi avete in mente°?   *in mind*

GIULIA: Io preferisco un costume elegante. Desidero vestire come una bella donna dell'alta società dell'Ottocento°. Il pro-   *19th century*

15   blema è che il vestito è molto caro.

MASSIMO: E tu, Francesca, chi preferisci essere?

FRANCESCA: Ancora non lo so. Giulia mi suggerisce d'indossare un'uniforme militare.

20   MASSIMO: Davvero? Ti piace per caso° seguire la carriera militare?   *by chance*

FRANCESCA: No, ma per una sera posso° impartire ordini a tutti gli invitati.   *I can*

MASSIMO: Allora, agli ordini, signor generale! Ora vado ma forse ci vediamo al ballo in maschera. Ciao.

SIMBOLO E MANIFESTO UFFICIALE
DEL CARNEVALE DI FOIANO

Domande

1. Perché c'è un'atmosfera di allegria nelle vie della città?
2. Perché sono in centro le due ragazze?
3. Perché hanno bisogno di costumi i tre amici?
4. Cosa pensa di indossare Massimo per la festa di Carnevale?
5. Perché preferisce questo costume?
6. Com'è il costume che Giulia pensa di indossare?
7. Cosa pensa di indossare Francesca?

Carnevale is the week before Ash Wednesday, when Lent begins. People wear costumes and attend masked parties and balls. The word *Carnevale* comes from the Latin *carne* (meat) and *vale* (farewell); that is, "farewell to meat" during Lent.

Il mercato di Porta Portese a Roma offre un po' di tutto.

Dove fare gli acquisti

I negozi eleganti sono quasi tutti nelle vie del centro delle città italiane. Ma di solito la merce[1] è molto cara. Fino a[2] pochi anni fa[3] la maggior parte della gente faceva[4] gli acquisti nei piccoli negozi di quartiere[5], meno pretenziosi e meno cari. Ora molti di questi negozi chiudono a causa della concorrenza[6] dei centri commerciali che si trovano nelle zone periferiche delle città. La facile accessibilità con l'automobile, la possibilità di trovare parcheggio senza problemi e la grande quantità e varietà di merce a prezzi più economici attraggono sempre di più gli italiani. Molto frequentati sono anche i mercati e i mercatini specializzati all'aperto dove è possibile fare la spesa[7] e comprare prodotti personali e per la casa.

In alcune città ci sono anche i mercati dell'usato[8], come quello di Porta Portese a Roma. Situato in una zona lungo[9] il fiume Tevere, il mercato di Porta Portese prende il nome dalla Porta Portese, una delle porte esistenti[10] nelle mura che circondavano[11] la Roma antica. Questo mercato, dove è possibile acquistare a buon mercato[12] prodotti di ogni genere e oggetti d'arte e di antiquariato[13], ha luogo ogni domenica.

- Come sono i negozi dove gli abitanti della sua città fanno le spese?

- Nella sua città ci sono negozi piccoli e mercati all'aperto? Che cosa vendono?

The Tevere (Tiber) is the river that flows through Rome.

Walking along the main street (*corso*) to window-shop and to meet and chat with friends is a traditional activity in Italian cities and towns.

1. merchandise   2. Until   3. ago   4. used to make   5 neighborhood   6. competition   7. to shop for groceries
8. secondhand markets   9. along   10. existing   11. surrounded   12. inexpensive   13. antiques

Domande personali

1. Di solito lei va in giro per il centro? Quando? Con chi?
2. Di solito dove va a fare gli acquisti?
3. Lei va a balli in maschera? Quando? Dove? Con chi?
4. Lei preferisce indossare un costume tradizionale o moderno?
5. Preferisce un costume semplice ed economico o un costume caro ed elegante?

Situazioni

1. Domandi ad un amico/un'amica dove va.

   ▶ — Dove vai oggi pomeriggio?
   — Vado al centro a fare acquisti (a guardare le vetrine/a prendere un gelato con gli amici/a fare due passi).

2. Lei desidera sapere come sono i negozi vicino all'università.

   ▶ — Come sono i negozi vicino all'università?
   — Sono cari (economici/grandi/piccoli/eleganti).

> *Vado* (I go) and *vai* (you go, informal) are present tense forms of *andare* (to go).

Pratica

1. In coppia: Lei organizza una festa a casa sua. Telefoni ad un amico/un'amica e lo/la inviti. L'amico/amica desidera sapere il giorno e l'ora della festa, e domanda se lei ha bisogno di qualcosa da bere o da mangiare per gli invitati.

2. In gruppi di tre: C'è una festa di Halloween all'università. Dite quale costume indossa ciascuno (*each*) di voi e perché.

   ▶ — Io penso di indossare il costume (di Arlecchino) perché è un costume allegro. E tu?
   — Io ...

> Halloween parties are becoming very popular in Italy. Introduced by American TV and movies, Halloween offers the chance to wear costumes associated with ghosts and scary characters from horror films.

Vocabolario

Parole analoghe

l'atmosfera	elegante	originale	la società
la carriera	il generale	il problema	la toga
la compagnia	militare	romano/a	l'uniforme (*f.*)
il costume	l'ordine (*m.*)		

Nomi

l'acquisto purchase	la ragazza girl
l'allegria joy	il vestito dress
la donna woman	la vetrina store window
la festa party	la via street
l'invitato/a guest	la voce voice
l'Ottocento 19th century, the 1800s	

Verbi

capire to understand
conoscere to know
indossare to wear
preferire to prefer
seguire to follow
sentire to hear
suggerire to suggest
venire (*irreg.*) to come
vestire to dress

Aggettivi

bello/a beautiful
caro/a expensive
economico/a cheap, inexpensive
scorso/a last, past
semplice simple

Altre parole ed espressioni

ancora yet
benissimo very well
che that; who
davvero? really?
forse perhaps
già already
mentre while
molto very, much, a lot
molti/e many
qui here
tutto/a all
veramente really
andare in giro to go around
il ballo in maschera masquerade ball
fare acquisti to make purchases
impartire ordini to give orders
non lo so I don't know

I suoni della *c*

The sounds of the letters **c** and **ch** in Italian differ from English. **Ch** is always pronounced /k/, as in *chemistry*. When the letters **c** and **cc** appear before *a, o,* or *u*, they are always pronounced /k/, as in *cold*. Before *e* and *i*, however, **c** and **cc** are pronounced like the *c* in *ancient*.

> Remember: *c* and *cc* before *e* and *i* = the sound of *c* in *ancient*.

 Ascolti e ripeta le seguenti parole.

per**ch**é	**c**aro	ri**c**evere	die**c**i
mas**ch**era	pi**cc**olo	pia**c**ere	fa**c**ile
chi	Fran**c**o	li**c**eo	vi**c**ino
chiamo	**c**ostume	**c**entro	**c**appu**cc**ino
ve**cch**io	ri**cc**o	vo**c**e	fa**cc**ia

 Proverbio. Ascolti e ripeta il seguente proverbio.

In bocca chiusa non entrano mosche.
Silence is golden.
(*Literally: Into a closed mouth no flies will enter.*)

Ampliamento del vocabolario

Caratteristiche personali

Note that an adjective that ends in **-o** usually refers to a male, one that ends in **-a** to a female. An adjective that ends in **-e** may refer to either a male or a female.

Anna è **bassa.** Paola è **alta.**

Enrico è **grande.** Carlo è **piccolo.**

Laura è **divertente.** Marisa è **noiosa.**

Dino è **grasso.** Aldo è **magro.**

La signora Baschi è **ricca.**   La signorina Donato è **povera.**

Luisa è **allegra.** Giulietta è **triste.**

Il diavolo è **cattivo.**   L'angelo è **buono.**

Pietro è **giovane.** Il nonno è **vecchio.**

Giorgio è **calmo.** Alberto è **nervoso.**

Altre caratteristiche personali

bello/a beautiful, handsome	**brutto/a** ugly
dinamico/a dynamic, energetic	**pigro/a** lazy
disinvolto/a carefree, self-possessed	**timido/a** shy, timid
cortese kind, courteous, polite	**scortese** unkind, rude
ingenuo/a naive	**furbo/a** shrewd
simpatico/a nice, pleasant	**antipatico/a** unpleasant
gentile kind, courteous	**sgarbato/a** rude
onesto/a honest	**disonesto/a** dishonest
generoso/a generous	**egoista** selfish
sincero/a sincere	**falso/a** insincere
intelligente intelligent	**stupido/a** stupid
prudente careful, cautious	**audace** bold, daring

A In coppia: A turno (*In turn*) descrivete le persone rappresentate nel disegno (*drawing*). Usate almeno (*at least*) quattro aggettivi in ogni descrizione.

▶ Maria Montesi — Com'è Maria Montesi?
— È ricca, ed è anche ...

B Descriva le seguenti persone con un aggettivo appropriato.

▶ — La signora Fanti ha molti soldi e fa sempre molti acquisti.
— È molto ricca.

1. Il dottor Valenti non lavora. Ha novantadue anni.
2. Marina adora ballare e cantare.
3. Mio fratello ha quindici anni e frequenta il liceo.
4. Mia sorella guarda sempre la televisione e non studia molto.
5. Tiziana non presta i libri agli amici.
6. Luigi non offre il gelato a nessuno.
7. Sandro non ha paura di parlare in classe. Parla italiano senza esitare (*without hesitating*).

C In gruppi di tre o quattro: Domandi quali caratteristiche devono avere le seguenti persone. Usi due o tre aggettivi per persona.

▶ un amico   — Quali caratteristiche deve avere un amico?
                     — Un amico deve essere sincero, buono e generoso.

1. un dottore/una dottoressa
2. un attore/un'attrice
3. un professore/una professoressa
4. uno studente/una studentessa
5. un cameriere/una cameriera
6. un/un'atleta (*athlete*)

D In coppia: Lei cerca lavoro come animatore/animatrice (*entertainer*) in un campeggio per ragazzi. Descriva se stesso/a al direttore del campeggio, dicendo di dov'è, quale scuola frequenta, la sua età, le sue caratteristiche fisiche e alcuni aspetti della sua personalità.

▶ — Allora, signore (signorina), mi parli un po' di lei.
   — Bene, mi chiamo ...

Concordanza degli aggettivi qualificativi

1. In Italian, descriptive adjectives **(aggettivi qualificativi)** agree in number and gender with the nouns they modify. There are two main types of descriptive adjectives: those with four forms and those with two forms.

> Remember, it is the gender and number that agree, not necessarily the final letter: *una festa elegante*.

a. Adjectives whose masculine singular form ends in **-o** have four forms.

alto	*tall*	
m. sing.	alto	Quel signore tedesco è **alto**.
f. sing.	alta	Anche sua moglie è **alta**.
m. pl.	alti	I figli del signore sono **alti**.
f. pl.	alte	Anche le sue sorelle sono **alte**.

> Adjectives with four endings are more numerous, but many common adjectives, such as *giovane* and *grande*, have two endings.

Note: Adjectives ending in **-io** drop the second **i** in the masculine plural: **vecchio / vecchi.**

> The possessive adjectives that you learned in *Lezione 2* all have four forms with the exception of *loro*, which is invariable: *il loro costume, le loro amiche,* etc.

b. Adjectives whose masculine singular form ends in **-e** have two forms.

elegante *elegant*		
m. sing.	elegante	È un vestito **elegante**.
f. sing.	elegante	Ritorno da una festa **elegante**.
m. pl.	eleganti	In questa città i negozi sono **eleganti**.
f. pl.	eleganti	Mi piacciono le vetrine **eleganti**.

2. When an adjective modifies two or more nouns of different gender, the masculine plural form is always used.

Francesca e il suo ragazzo sono **simpatici**.
Francesca and her boyfriend are nice.

La signora e il signore sono molto **generosi**.
The woman and the man are very generous.

3. Adjectives of nationality may also have either four forms or two forms.

americano, -a, -i, -e	canadese, -i
australiano, -a, -i, -e	cinese, -i
italiano, -a, -i, -e	francese, -i
messicano, -a, -i, -e	giapponese, -i
russo, -a, -i, -e	inglese, -i
spagnolo, -a, -i, -e	irlandese, -i
tedesco, a, -hi, -he	

A Completi la seconda frase con un aggettivo di significato opposto a quello della prima frase.

▶ Antonella è allegra. Luigi e Filippo _____.
   Luigi e Filippo sono tristi.

1. Alberto è povero. Anna e Nino _____.
2. Laura è buona. Le sue sorelle _____.
3. Teresa è intelligente. Claudio _____.
4. Gianni è giovane. Alfredo _____.
5. Le figlie di Paolo sono piccole. I suoi figli _____.
6. Luisa è grassa. Angelo ed io _____.
7. La sorella di Elena è bella. I suoi fratelli _____.
8. Io sono alto. Tu e Riccardo _____.

B Dia la nazionalità delle seguenti persone.

▶ Céline Dion è del Canadà.
  Céline Dion è canadese.

1. David Beckham e Victoria Adams abitano in Inghilterra.
2. Il re (*king*) Juan Carlos abita in Spagna.
3. Gérard Depardieu è della Francia.
4. Chow Wan Fat è della Cina.
5. Nicole Kidman e Mel Gibson sono originari dell'Australia.
6. Sinéad O'Connor abita in Irlanda.
7. Paris e Nikki Hilton sono degli Stati Uniti.
8. L'imperatore Akihito abita in Giappone.

C In coppia: Ecco un disegno di alcune persone ad una festa veramente fantastica. Con un compagno/una compagna, descrivete le caratteristiche fisiche e personali dei partecipanti alla festa, e dite anche che cosa fanno.

D Descriva i luoghi indicati nella sua città, usando la forma appropriata di aggettivi come **nuovo, moderno, grande, vecchio, piccolo, buono,** ecc.

▶ le chiese   Le chiese della mia città sono vecchie (grandi, ecc.).

1. i ristoranti
2. l'ufficio postale
3. gli alberghi
4. l'ospedale
5. il museo
6. le scuole
7. l'università
8. i cinema

Posizione degli aggettivi con i nomi

— Guarda! Ho una **nuova macchina.**
— Scusa, ma questa non è una **macchina nuova!**

1. In Italian, most descriptive adjectives follow the noun they modify.

— Penso di indossare una **toga romana.**
— *I think I'll wear a Roman toga.*

— Ecco un **costume semplice!**
— *Now that's a simple costume!*

— Io invece porto un'**uniforme militare.**
— *I'm wearing a military uniform.*

2. Certain common descriptive adjectives, such as **bello, buono, nuovo,** and **piccolo,** ordinarily precede the noun they modify. When they follow the noun, it is usually for emphasis or contrast.

— Abitano in una **piccola villa** fuori Roma.
— *They live in a small villa outside Rome.*

— Ma non è una **villa piccola.** È grande!
— *But it's not a small villa at all. It's big!*

> Using these adjectives after the noun tends to emphasize the literal meaning of the adjective. For example, *una nuova macchina* means that the car is new to the speaker, but not necessarily new. *Una macchina nuova* means that the car is brand new.

Here is a list of some common adjectives that generally precede the noun.

altro/a	other	**grande**	large; great
bello/a	beautiful; nice	**lungo/a**	long
bravo/a	good; capable	**nuovo/a**	new
brutto/a	ugly; unpleasant	**piccolo/a**	small
buono/a	good	**stesso/a**	same
caro/a	dear	**vecchio/a**	old
cattivo/a	bad	**vero/a**	true
giovane	young		

> The word *caro* before a noun means *dear: un caro amico.* After a noun it means *expensive: un costume caro.*

Note: **Altro** and **stesso** always precede the noun.

3. When **buono** directly precedes a singular noun, it has shortened forms similar to those of the indefinite articles **un/uno/una/un'**.

Antonio è un **buon** ragazzo. È   *Antonio is a good boy. He's also a*
  anche un **buono** studente.   *good student.*
Tiziana è una **buona** pianista. È   *Tiziana is a good pianist. She's a good*
  una **buon'**amica di Tonio.   *friend of Tonio.*

4. When **bello** directly precedes the noun it modifies, it has forms similar to the definite article.

masculine		feminine	
singular	**plural**	**singular**	**plural**
il **bel** museo	i **bei** musei	la **bella** città	le **belle** città
il **bello** stadio	i **begli** stadi	la **bell'**isola	le **belle** isole
il **bell'**albergo	i **begli** alberghi		

But: Gli alberghi sono **belli**.

E Completi la descrizione con la forma appropriata degli aggettivi indicati tra parentesi. Metta gli aggettivi nella posizione corretta.

▶ Frequento una (grande) _____ università _____.
  Frequento una grande università.

Abito in una (piccolo) piccola casa _____ per (internazionale) _____ studenti interna- zionali. Quest'anno ci sono quattro (nuovo) nuovi studenti _____. Ilsa è una (bravo) brava ragazza _____ tedesca. Laure e Mireille sono due (giovane) giovani studentesse _____ che sono dello (stesso) stesso paese _____ della Francia. Ivan è un _____ (russo) ragazzo russo. È una (simpatico) _____ persona simpatica e un (vero) vero amico _____.

F In coppia: Lei e un amico/un'amica avete opinioni differenti su quasi (*almost*) tutto. Quando lei dice che una cosa è bella, l'amico/a dice che è brutta, e viceversa. Esprimete il vostro punto di vista sulle seguenti cose, secondo l'esempio.

▶ la città di Los Angeles   S1: Che bella città!
                               S2: Che brutta città!

1. i libri di Stephen King
2. la lingua tedesca
3. la famiglia di Homer Simpson
4. i negozi di Rodeo Drive
5. la musica di Frank Sinatra
6. le idee di Howard Stern
7. la tradizione di Carnevale
8. il giorno di San Valentino

G In coppia: Chieda ad un amico/un'amica se ha le seguenti cose. Se risponde di sì, domandi se sono belle.

▶ orologio   S1: Hai un orologio?
               S2: Sì, ho un orologio.
               S1: È bello l'orologio?
               S2: Sì, è un bell'orologio.

1. cane   4. computer   6. stereo
2. macchina (*car*) 5. televisore   7. appartamento
3. bicicletta

H In gruppi di tre o quattro: Fate una lista di persone famose che voi associate con le seguenti qualità.

▶ bello   S1: Brad Pitt è un bell'uomo.
            S2: Cameron Diaz è una bella donna.

1. ricco   4. alto   7. divertente
2. intelligente 5. basso   8. antipatico
3. vecchio   6. brutto

Presente dei verbi regolari in *-ire*

Il film finisce ma Pietro dorme.

1. The present tense endings for regular **-ire** verbs are **-o, -i, -e, -iamo, -ite,** and **-ono.** These verbs follow two patterns: that of **dormire** (*to sleep*) and that of **capire** (*to understand*). The endings are the same for both groups, but verbs like **capire** insert **-isc** between the stem and the ending in all forms except the **noi** and **voi** forms.

> Notice that verbs like *dormire* have the same endings as the *-ere* verbs, except for the *voi* form.

> As you learn new *-ire* verbs, conjugate them in your head so that you will remember whether they are like *dormire* or *capire*. To determine to which group a particular *-ire* verb belongs, count backwards from the last letter of the infinitive. If the fifth-to-the-last letter is a consonant, it is probably conjugated like *dormire;* if it is a vowel, it is probably conjugated like *capire* (notice the exception *restituire*).

dormire	*to sleep*	capire	*to understand*
dorm**o**	dorm**iamo**	cap**isco**	cap**iamo**
dorm**i**	dorm**ite**	cap**isci**	cap**ite**
dorm**e**	dorm**ono**	cap**isce**	cap**iscono**

2. The following **-ire** verbs are regular in the present tense.

Verbs like **dormire**	*Verbs like* **capire**
aprire to open	**finire** to finish
offrire to offer	**ubbidire** to obey
partire to leave, depart	**preferire** to prefer
seguire to follow; to take (*courses*)	**pulire** to clean
sentire to hear; to feel	**restituire** to give back
servire to serve; to be useful	**spedire** to send
soffrire to suffer	**suggerire** to suggest

Note: The verbs **finire** and **suggerire** require the preposition **di** before an infinitive. English uses the *-ing* form to express the same idea.

— Quando **suggerisci di** partire?   — *When do you suggest leaving?*
— Quando **finiamo di** studiare.   — *When we finish studying.*

3. Remember that in a double-verb construction, the first verb is conjugated and the second verb is an infinitive.

— **Preferisci prendere** l'autobus dell'una?   — *Do you prefer to take the one o'clock bus?*
— No, veramente **preferisco partire** ora.   — *No, actually I prefer to leave now.*

Risponda alle domande con una frase appropriata della lista indicata. Metta il verbo nella forma corretta.

▶ Cosa fa il professore?   Insegna all'università.

dormire molto
spedire lettere
capire tutto
servire il caffè
ubbidire
seguire corsi di anatomia
partire e arrivare
aprire la porta alla mamma
soffrire d'insonnia

1. Cosa fanno le persone pigre?
2. Cosa fa una persona intelligente?
3. Cosa fanno i viaggiatori (*travelers*)?
4. Cosa fanno i cani buoni?
5. Cosa fa il ragazzo cortese?
6. Cosa fa una persona che non dorme?
7. Cosa fanno i camerieri?
8. Cosa fanno gli studenti di medicina?

J Aldo descrive una sua giornata all'università. Completi la descrizione in maniera appropriata con la forma corretta di uno dei verbi indicati. Usi ogni verbo una volta sola.

restituire
aprire
preferire
seguire
spedire
dormire
offrire
pulire
prendere

Di solito, la mattina io non _____ fino a tardi perché _____ andare a scuola presto. Vado a scuola alle otto, ma prima _____ un po' il mio appartamento. Poi incontro Giuseppe al bar e lui mi _____ un caffè. _____ il caffè e poi andiamo a lezione di storia. Di solito noi non _____ i libri quando il professore parla per tutta l'ora. Alla fine della lezione _____ la penna a Giuseppe e lo saluto. Io resto a scuola perché _____ un corso di matematica. Torno a casa all'una e poi _____ una lettera ad un'amica di Pisa.

K In gruppi di tre o quattro: Domandi agli altri studenti del gruppo quale delle due cose indicate preferiscono.

▶ ascoltare la musica / guardare la televisione
  S1: Preferite ascoltare la musica o guardare la televisione?
  S2: Io preferisco guardare la televisione.
  S3: Io invece preferisco ascoltare la musica. / Anch'io preferisco ...

1. studiare la mattina presto / studiare la sera tardi
2. le persone disinvolte / le persone timide
3. i cani / i gatti
4. andare in bicicletta / andare in motocicletta
5. la cucina italiana / la cucina cinese
6. il gelato al cioccolato / il gelato alla vaniglia
7. avere caldo / avere freddo
8. i film dell'orrore (*horror*) / i film romantici
9. la Coca-Cola / la Pepsi

L In coppia: Faccia le seguenti domande ad un altro studente/un'altra studentessa.

1. Capisci l'italiano? E il francese? E il tedesco?
2. A che ora comincia la lezione d'italiano? A che ora finisce?
3. Di solito, a che ora finisci di studiare la sera?
4. Quanti corsi segui? Quali sono i corsi che segui? Quale preferisci?
5. Fino a che ora dormi il sabato mattina? E la domenica mattina?
6. Preferisci andare al cinema o a teatro?
7. Chi pulisce la tua camera (*room*)? Quando?
8. Soffri di malinconia? Di allergie? Di insonnia?

Verbi irregolari: *andare e venire*

1. The verbs **andare** and **venire** are irregular in some forms of the present tense.

andare	*to go*	venire	*to come*
vado	andiamo	**vengo**	veniamo
vai	andate	**vieni**	venite
va	**vanno**	**viene**	**vengono**

2. **Andare** and **venire** require the preposition **a** before an infinitive.

Oggi non **andiamo a mangiare** al ristorante.

Today we aren't going to the restaurant to eat.

Gli amici di mio fratello **vengono a fare** colazione con noi.

My brother's friends are coming to have breakfast with us.

M Completi i dialoghi con le forme appropriate di **andare** e **venire**.

— Ciao, Simona. Da dove _____?
— _____ dal lavoro.
— Desideri _____ con me ad una festa?
— Sì! Ma prima _____ a casa a cambiarmi (*change*) il vestito.

— Dove _____ la tua famiglia in vacanza (*on vacation*)?
— Mamma e papà _____ in Florida.
— E tu non _____ con loro?
— No, io preferisco _____ a sciare con gli amici.

Dopo le vacanze in Italia, alcuni turisti europei cambiano treno alla stazione di Roma. Dica da dove vengono e dove vanno.

▶ Partenza da: Rimini   Destinazione: Copenaghen   il signore danese
  Il signore danese viene da Rimini e va a Copenaghen.

FERROVIE DELLO STATO

Partenza da: PALERMO
Destinazione: LIONE

1. il signore francese

FERROVIE DELLO STATO

Partenza da: SORRENTO
Destinazione: AMBURGO

2. la famiglia tedesca

FERROVIE DELLO STATO

Partenza da: SPERLONGA
Destinazione: BARCELONA

3. gli studenti spagnoli

FERROVIE DELLO STATO

Partenza da: NAPOLI
Destinazione: LONDRA

4. la signorina inglese

FERROVIE DELLO STATO

Partenza da: AGRIGENTO
Destinazione: AMSTERDAM

5. i giovani olandesi

FERROVIE DELLO STATO

Partenza da: TAORMINA
Destinazione: LUCERNA

6. la signora svizzera

 In coppia: Indichi ad un altro studente/un'altra studentessa tre luoghi dove lei va questo fine settimana. Dica anche che cosa va a fare e con chi va.

▶ S1: Dove vai questo fine settimana?
  S2: Vado al parco a fare una passeggiata con la mia amica. E poi vado ...

 In coppia: Un amico/un'amica decide di fare le seguenti cose questo fine settimana. Dica dove va per fare queste attività. Le destinazioni possibili sono indicate nella lista a destra.

▶ ballare con gli amici   S1: Vado a ballare con gli amici.
                            S2: Tu vai alla nuova discoteca.

1. vedere un bel film   a. al parco
2. studiare per un esame   b. all'ufficio postale
3. comprare un vecchio costume   c. in centro
4. vedere la partita di calcio (*soccer game*) d. al mercato dell'usato
5. spedire una lettera   e. alla gelateria
6. mangiare un bel gelato   f. in biblioteca
7. vedere i negozi eleganti   g. allo stadio
8. fare due passi   h. al cinema

www   For further practice of lesson topics, log on to the *Oggi in Italia* website and/or do the CD-ROM activities.

Venite ad un
Ballo in maschera
martedì, 21 febbraio
alle 21.00
Via Garibaldi 62, Viareggio

Costume obbligatorio!!!

Perché non porti anche un amico o
un'amica?

A Un ballo in maschera. In coppia.

S1: Lei ha ricevuto (*received*) questo invito per un ballo in maschera.
Telefoni a S2 e lo/la inviti alla festa. Poi risponda alle domande
dell'amico/a.

S2: Un amico/un'amica le telefona per invitarla ad un ballo in maschera.
Lei accetta, ma vuole sapere quando e dov'è la festa, se ha bisogno di
vestire in costume, e quale costume pensa di indossare l'amico/a.

B **Che bella foto!** In coppia. Un suo amico è andato a Venezia per Carnevale e ti ha mandato con la posta elettronica questa fotografia di un gondoliere nel costume di Arlecchino. Descriva la foto ad un compagno/una compagna che ascolta con il libro chiuso e che disegna (*draws*) la scena che lei descrive. Poi confrontate il disegno con la fotografia originale.

S1: Nella foto c'è un gondoliere che ...
S2: È molto ...

S1: Ci sono anche molte ...
S2: C'è una grande ...

È Carnevale a Venezia e Arlecchino, famosa maschera italiana, invita la gente a fare una gita in gondola.

C **Una persona che ammiro.** Scriva una breve descrizione di una persona che lei ammira (*admire*): un amico, un membro della sua famiglia o una persona famosa. Dica com'è questa persona e perché l'ammira.

> Keep your description simple and use words and phrases you are familiar with. Use only the present tense.

D **L'uomo/La donna ideale.** In gruppi di tre o quattro: Secondo voi, com'è la donna/l'uomo ideale? Quali sono le sue qualità? Indicate sei caratteristiche che ha e due o tre che non ha.

▶ L'uomo ideale è alto, ma non troppo alto. È intelligente ...

E **Le preferenze.** Intervisti un altro studente/un'altra studentessa per sapere quali sono le sue preferenze. Prenda appunti e riferisca le informazioni alla classe. Ecco alcuni suggerimenti per fare le domande.

— dove andare il fine settimana? ad una festa? al cinema? ecc.
— che tipo di film? di fantascienza? dell'orrore? romantico? comico? ecc.
— che tipo di ristorante? elegante? semplice? italiano? francese? ecc.
— che tipo di persone? intelligenti? allegre? ecc.
— dove fare acquisti? in quali negozi?

▶ S1: Dove preferisci andare il fine settimana?
   S2: Preferisco andare ...

Conoscere l'Italia

A **Un po' di geografia.** Completi le seguenti frasi con la forma appropriata di una parola della lista indicata. C'è una parola in più nella lista.

| monte | fiume | capoluogo | cittadina | città |
| valle | lago | abitante | penisola | palazzo |

1. Il Po è un _____ molto grande.
2. Firenze è una grande _____ ma Fiesole è una _____ .
3. Il _____ Bianco (Blanc) è tra l'Italia e la Francia.
4. La _____ del Po è nel nord Italia.
5. Anche il _____ di Garda è nel nord Italia.
6. Firenze è il _____ della Toscana.
7. L'Italia e la Spagna sono due _____ .
8. Gli _____ della città di Roma sono più di tre milioni.

L'UMBRIA

Situata nel centro d'Italia, questa regione è molto bella. Essa è chiamata "Umbria verde[1]" per il colore dei monti e delle valli dell'Appennino umbro[2], ricchi di boschi e di pascoli[3]. In questa regione, che non ha il mare, scorre[4] il fiume Tevere mentre va verso Roma. Qui c'è anche il lago Trasimeno, il più grande della penisola dopo i laghi del nord Italia.

L'Umbria è una regione tranquilla; non ha città molto grandi e i suoi abitanti sono poco meno di[5] un milione. Il capoluogo è Perugia, città importante fin dall'[6] epoca degli Etruschi. L'altra città grande è Terni, conosciuta per le sue industrie e le sue fabbriche[7].

Ma sono le varie cittadine medievali che caratterizzano l'Umbria. In esse ci sono belle chiese romaniche[8], conventi e palazzi storici[9] e ancora oggi sono circondate da mura[10] antiche. Orvieto, Spoleto, Gubbio, Todi e Assisi sono alcune di queste cittadine che molti turisti italiani e stranieri visitano continuamente.

1. green   2. Umbrian   3. woods and pastures   4. flows
5. a little less than   6. since   7. factories   8. romanesque
9. historical   10. walls

Perugia: La gente passeggia tranquillamente; in fondo c'è il Palazzo dei Priori e la Fontana Maggiore.

The Etruscans (*Etruschi*) were an ancient people (800 to 200 B.C.) who lived in the region of Etruria, which included parts of present-day Umbria, Tuscany, and Lazio.

B **Informazioni.** Dia le seguenti informazioni basate sul brano precedente.

1. Nome particolare di questa regione ...
2. Fiume che scorre nell'Umbria ...
3. Lago umbro ...
4. Il capoluogo dell'Umbria ...
5. Altre città importanti dell'Umbria ...
6. Numero di abitanti dell'Umbria ...
7. Caratteristiche delle cittadine medievali dell'Umbria ...
8. Tre cittadine umbre ...

A **Definizioni.** Prima di leggere il seguente brano, abbini (*match*) le definizioni con una parola della lista di destra. Cerchi di indovinare il significato delle parole che non sono familiari.

1. due periodi della storia
2. persone che visitano città e paesi
3. aggettivo derivato da *arte*
4. ingrediente della cucina italiana
5. un prodotto artistico
6. una celebrazione
7. un artista
8. luoghi di concerti e di spettacoli

a. artistico
b. l'olio d'oliva
c. il musicista
d. la ceramica
e. Medioevo e Rinascimento
f. i teatri
g. i turisti
h. una festa

LE ATTRAZIONI DELL'UMBRIA

L'Umbria è una regione ricca di tradizioni culinarie, artigianali e folcloristiche. I prodotti principali della cucina umbra sono il tartufo[1], l'olio d'oliva, il prosciutto, le salsicce[2] e il vino. L'artigianato[3] è un'altra attrazione. Le ceramiche artistiche di Deruta, Orvieto, Gubbio e Città di Castello e i tessuti e i ricami[4] di Assisi sono molto conosciuti in Italia e all'estero[5].

Però le attrazioni principali sono le varie attività folcloristiche, le sagre[6] popolari e i vari festival culturali che hanno luogo[7] in Umbria. Molte feste folcloristiche hanno le loro origini nel Medioevo e nel Rinascimento[8]. Esse sono ricche di costumi multicolori e gare[9] sportive di antiche tradizioni. Le sagre celebrano i buoni prodotti locali come il tartufo, gli asparagi, i funghi[10] e le ciliege[11] che vengono presentati in tipici piatti regionali e venduti al pubblico. L'Umbriajazz ed il Festival di Spoleto sono invece le più importanti manifestazioni culturali di fama internazionale. Musicisti e cantanti[12] di jazz di tutto il mondo partecipano all'Umbriajazz e i loro concerti hanno luogo nei bei teatri di varie cittadine umbre. Il Festival di Spoleto ha luogo a Spoleto da quasi cinquanta anni. Durante tre settimane d'estate spettacoli teatrali, danze, concerti, mostre[13] di pittura[14] e scultura, conferenze su temi scientifici e letterari e rassegne[15] cinematografiche trasformano la tranquilla cittadina di Spoleto in un centro internazionale di arte e cultura.

Queste artistiche ceramiche sono in mostra in un negozio di Città di Castello in Umbria.

1. truffle   2. sausages   3. handicrafts   4. fabrics and embroidery   5. abroad   6. feasts   7. take place   8. Renaissance   9. competitions   10. mushrooms   11. cherries   12. singers   13. exhibits   14. painting   15. reviews

The Spoleto Festival was founded in 1957 by Giancarlo Menotti, the composer of *Amahl and the Night Visitors* and other musical compositions.

B **Vero o falso?** In coppia: A turno identificate le seguenti frasi come vere o false secondo il brano precedente. Correggete (*Correct*) le frasi false.

1. Due prodotti usati nella cucina italiana sono il tartufo e l'olio d'oliva.
2. In Umbria l'artigianato non ha una lunga tradizione ed è poco praticato.
3. Le cittadine di Deruta e di Città di Castello sono conosciute per le loro ceramiche.
4. La sagra del tartufo celebra questo importante prodotto regionale.
5. Una cittadina umbra conosciuta per i suoi ricami è Gubbio.
6. Umbriajazz è un festival dedicato al jazz locale.
7. Il Festival di Spoleto ha luogo a Orvieto.

Lezione 6

Giovanni invita Laura a mangiare una pizza con lui questa sera.

Dov'è andato in vacanza?

Communicative Objectives

- Describe past actions and events
- Talk about vacations and vacation plans
- Express dates
- Tell when past actions took place

Edoardo Filippini e Valerio Marotta sono seduti ad un tavolo della
pizzeria Il Marinaio. Mentre mangiano una pizza, loro parlano.

EDOARDO:	Giovedì scorso sono andato dal meccanico per un con-trollo alla mia macchina e ho visto Sergio Pellegrini.	
VALERIO:	Ma che dici? Non è partito a giugno per gli Stati Uniti?	
EDOARDO:	No, ha cancellato la sua vacanza all'estero. Comunque° ho visto il suo ultimo acquisto.	*However*
VALERIO:	Che cosa ha comprato?	
EDOARDO:	Una bella moto di marca giapponese.	
VALERIO:	Accidenti! Ma allora non va più in vacanza?	
EDOARDO:	Oh, sì, ma ha cambiato programma°. Intanto, beviamo qualcosa? Hai ordinato la birra o il vino?	*(his) plans*
VALERIO:	Ho ordinato una bottiglia di vino rosso. Questa pizza è buona, ma mette molta sete°.	*it makes one very thirsty*
EDOARDO:	(*alla cameriera*) Signorina, il vino, per favore.	
LA CAMERIERA:	Va bene, subito.	
VALERIO:	Dunque, dove va in vacanza Sergio?	
EDOARDO:	Ha deciso di andare al Parco Nazionale delle Cinque Terre°. Parte il due agosto. Va con la sua moto nuova.	*famous park in the region of Liguria*
VALERIO:	Anch'io sono stato alle Cinque Terre l'estate scorsa. Mi è piaciuto molto.	
EDOARDO:	Che cosa hai visto lì?	
VALERIO:	Ho visto cittadine pittoresche, spiagge stupende e panorami favolosi.	
EDOARDO:	Ah, ecco il vino. Salute°!	*To your health!*

Line numbers in margin: 5, 10, 15, 20

> *La moto* is feminine, even though it ends in *-o*, because it is the shortened form of *la motocicletta.*

Domande

1. Dove sono Edoardo e Valerio?
2. Dov'è andato Edoardo giovedì scorso? Perché?
3. Che cosa ha comprato Sergio Pellegrini?
4. Che cosa ordinano i due giovani? Perché?
5. Che cosa ha deciso di fare Sergio?
6. Quando è stato alle Cinque Terre Valerio?
7. A Valerio è piaciuto il Parco Nazionale delle Cinque Terre? Che cosa ha visto?

I giovani italiani

I giovani italiani non sono molto diversi dai loro coetanei[1] americani. Molti di loro frequentano la scuola secondaria superiore e, dopo aver ottenuto il diploma di maturità[2], alcuni incominciano a lavorare mentre altri si iscrivono[3] all'università o ad istituti di studi superiori come l'Accademia delle Belle Arti o il Conservatorio di Musica. Durante le vacanze estive, molti giovani vanno al mare o in montagna. Alcuni vanno all'estero in vacanza e per imparare una lingua straniera.

Spesso i giovani italiani che studiano all'università vivono a casa con i loro genitori[4]. Le università sono presenti nelle maggiori città italiane e quindi non è necessario trasferirsi[5] in un'altra parte del paese. Anche per ragioni economiche e per la mancanza[6] di adeguati appartamenti a buon mercato, è più conveniente vivere in famiglia.

I giovani passano il tempo libero in modi diversi. Praticano lo sport, ascoltano la musica, vanno a ballare in discoteca, organizzano feste e spesso fanno gite in macchina o in motocicletta. Amano anche passeggiare con gli amici per le vie del centro, e i loro luoghi d'incontro preferiti sono le paninerie[7], i bar, le pizzerie e i centri commerciali.

- Cosa fanno lei e i suoi amici nel tempo libero?

Firenze: Un gruppo di amici si incontra e socializza in Piazza Santa Maria Novella.

Most Italian universities are government-operated. There are few private universities in Italy.

1. people of the same age   2. after receiving their high school diploma   3. enroll   4. parents   5. to move   6. lack   7. sandwich shops

Domande personali

1. Dove va lei quando ha voglia di mangiare una pizza?
2. Che cosa preferisce bere quando mangia una pizza?
3. Lei ha la moto, la macchina o la bicicletta? Di che marca è? Quale marca preferisce?
4. Come guida, lentamente o velocemente?
5. Preferisce le macchine americane, giapponesi o italiane? Perché?

The *moto* and *motorino* (motor scooter) are the preferred means of transportation of many young people in Italy. They are exciting, fast, and easy to park.

Situazioni

1. Domandi ad un amico/un'amica dov'è andato/a il mese o l'anno scorso.

   ▶ — Dove sei andato/a il mese (l'anno) scorso?
   — Sono andato/a in Italia (a Roma/in Canadà/a Londra/al mare/in montagna).

2. Risponda ad un compagno/una compagna di scuola che domanda che cosa lei ha deciso di fare durante le prossime vacanze.

   ▶ — Che cosa hai deciso di fare durante le prossime vacanze?
   — Ho deciso di fare una gita (rimanere in città/andare in Europa/non fare niente di particolare).

Pratica

1. In coppia: Lei pensa di comprare una moto o un motorino e desidera andare a vedere alcuni modelli. Telefoni ad un amico/un'amica e gli/le chieda di accompagnarla. L'amico/a risponde che non può (*cannot*) e dice perché.

2. In gruppi di tre: Lei è con il suo ragazzo/la sua ragazza in una pizzeria. Prima chiamate il cameriere e ordinate una pizza e qualcosa da bere; poi parlate di una gita in campagna per il fine settimana. Lei preferisce andare con la moto, e il suo ragazzo/la sua ragazza con la macchina. Alla fine prendete una decisione sul mezzo (*means*) da usare.

Parole analoghe

il Canadà	pittoresco/a
cancellare	la pizza
il meccanico	la pizzeria
nazionale	stupendo/a
il panorama	

Nomi

agosto   August
la birra   beer
la bottiglia   bottle
la cameriera   waitress
la cittadina   small town
il controllo   check, inspection
l'estate (*f.*)   summer
giugno   June
la macchina   car
la marca   make, brand name
la moto(cicletta)   motorcycle
la spiaggia   beach
la vacanza   vacation
il vino   wine
il ragazzo   boy, boyfriend
la ragazza   girl, girlfriend

Aggettivi

favoloso/a   fabulous
giapponese   Japanese
rosso/a   red
ultimo/a   latest, last (*in a series*)

Verbi

cambiare   to change
dire   to say; to tell
deciso   decided (*past participle of* **decidere**)
piaciuto   liked (*p.p. of* **piacere**)
rimanere   to remain; to stay
visto or **veduto**   seen (*p.p. of* **vedere**)
stato   been (*p.p. of* **essere**)

Altre parole ed espressioni

accidenti!   my goodness!
come   as, like
dunque   well then
lentamente   slowly
lì   there
sempre   always
velocemente   fast
all'estero   abroad
in vacanza   on vacation
non ... più   no longer
gli Stati Uniti   the United States

Pronuncia

I suoni della *r*

Italian /**r**/ (spelled **r**) and /**rr**/ (spelled **rr**) are pronounced differently from English /r/. Italian /**r**/ is "trilled" once—that is, pronounced with a single flutter of the tip of the tongue against the gum ridge behind the upper front teeth. This produces a sound similar to the *tt* in the English words *bitter, better, butter* when they are pronounced rapidly. The sound /**rr**/ is produced with a multiple flutter of the tip of the tongue.

(A) Ascolti e ripeta le seguenti parole.

rosso	Marotta	marca	birra	arrivederci
ragione	dire	corso	terra	Corrado
cameriera	trenta	Edoardo	arrivare	carriera

(B) **Proverbio.** Ascolti e ripeta il seguente proverbio.

Rosso di sera bel tempo si spera.
Red sky at night, sailor's delight.
(*Literally: Red in the evening, good weather is expected.*)

Ampliamento del vocabolario

Le stagioni e i mesi dell'anno

la primavera
aprile, maggio, giugno

l'estate (f.)
luglio, agosto, settembre

l'autunno
ottobre, novembre, dicembre

l'inverno
gennaio, febbraio, marzo

1. The months of the year are not capitalized in Italian.

aprile *April*   **luglio** *July*

2. The preposition **a** is generally used with names of the months to express *in*.

A febbraio vado in Italia.   *In February I'm going to Italy.*

The prepositions **in** and **di (d')** are used with names of the seasons to express *in*.

in primavera	*in spring*
in autunno	*in fall*
d'estate	*in summer*
d'inverno	*in winter*

> Practice dates you consider important, such as your birthday, your parents' anniversary, etc.

3. In English, days of the month are usually expressed in ordinal numbers (the first, the nineteenth). In Italian, only the first day of the month is expressed with an ordinal number; the other days are expressed with cardinal numbers.

È il **primo (di)** novembre.   *It's the first of November. (It's November 1.)*
È il **due (cinque, diciassette,**   *It's the second (fifth, seventeenth, etc.)*
  ecc.) **(di)** dicembre.   *of December.*

Note: The definite article **il** is always used before the number to express dates. The preposition **di** between the day and the month is optional.

4. The adjectives pertaining to the four seasons are: **primaverile, estivo/a, autunnale,** and **invernale.**

È una bella giornata **primaverile.**   *It's a beautiful spring day.*
Ho un bel vestito **estivo.**   *I have a beautiful summer dress.*

Ⓐ In gruppi di tre: Immaginate di avere abbastanza tempo e soldi (*money*) per fare quattro vacanze all'anno. Dite dove andate quest'anno, quando partite e quando tornate.

> ▶ In primavera vado in vacanza in Italia. Parto il 20 aprile e torno il 28 maggio… . E tu?

Ⓑ In coppia: Faccia alcune domande ad un compagno/una compagna per avere le seguenti informazioni. Prenda appunti per poi (*to then*) riferire i risultati alla classe.

> ▶ cosa fa durante i mesi d'estate   — Che cosa fai durante i mesi d'estate?
>   — A luglio vado …

1. quale stagione dell'anno preferisce e perché
2. quale mese preferisce di più (*the most*) e perché
3. quale mese preferisce di meno (*the least*) e perché
4. quali sport pratica d'inverno e quali d'estate
5. in quale mese preferisce visitare l'Italia e perché
6. qual è il mese in cui (*in which*) studia di più

C In coppia: Domandi ad un compagno/una compagna la data o almeno (*at least*) il mese di questi giorni importanti.

▶ — Quando è il giorno di San Valentino?
— È il 14 febbraio.

1. la giornata (*day*) della mamma
2. il compleanno di George Washington
3. la giornata di Cristoforo Colombo
4. la festa del Lavoro (*Labor*)
5. il giorno del Ringraziamento (*Thanksgiving*)
6. il giorno delle elezioni politiche nazionali
7. il giorno dell'Anno Nuovo (*New Year*)
8. il giorno dell'Indipendenza degli Stati Uniti

D Impari (*Learn*) i seguenti versi rimati sui mesi.

Trenta giorni ha novembre,
con aprile, giugno e settembre,
di ventotto ce n'è uno,
tutti gli altri ne han trentuno.

Alcune espressioni di tempo al passato

Here is a list of some common expressions used to refer to events in the recent and the more distant past.

Espressioni con *ieri*

ieri yesterday
ieri mattina yesterday morning
ieri pomeriggio yesterday afternoon
ieri sera last night
l'altro ieri the day before yesterday

Espressioni con *scorso*

sabato scorso last Saturday
la settimana scorsa last week
il mese scorso last month
l'anno scorso last year

Espressioni con *fa*

un'ora fa one hour ago
due giorni (settimane, mesi, anni) fa two days (weeks, months, years) ago
molto tempo fa a long time ago
poco tempo fa not long ago, a little while ago
qualche tempo fa some time ago
quanto tempo fa? how long ago?

> Practice these expressions by applying them to things you have done: *Ho visto un film ieri sera.*

E In coppia: Domandi ad un amico/un'amica quanto tempo fa ha fatto le seguenti cose. L'amico/a risponde usando un'espressione di tempo appropriata.

▶ — Quando hai finito la scuola media?
— (Cinque) anni fa.

1. Quando sei andato/a al bar con gli amici?
2. Quando hai ordinato una pizza a domicilio (*home delivery*)?
3. Quando hai comprato il computer?
4. Quando sei arrivato/a all'università?
5. Quando hai deciso di studiare l'italiano?

F In coppia: Domandi ad un compagno/una compagna quando è andato/a
ai seguenti posti (*places*).

▶ — Quando sei andato/a al cinema?
— Ieri pomeriggio.

1. Quando sei andato/a in biblioteca?
2. Quando sei andato/a in vacanza?
3. Quando sei andato/a al mare?

4. Quando sei andato/a dal dentista?
5. Quando sei andato/a a teatro?

Struttura ed uso

Passato prossimo con *avere*

— **Hai ordinato** il vino?
— No, **ho cambiato** idea.

1. The **passato prossimo** (present perfect) is used to describe actions and
events that have occurred in the past, particularly in the recent past. It is often
accompanied by an expression specifying a particular time, such as **ieri,
domenica scorsa,** or **un'ora fa.**

— Sai, **siamo tornati** ieri dalle
vacanze nell'Abruzzo.
— Cosa **avete veduto** lì?
— **Abbiamo visitato** alcuni
parchi nazionali.
— Bello! Anch'io **sono stata**
nell'Abruzzo l'anno scorso.

— *You know, we just got back
yesterday from a vacation in Abruzzo.*
— *What did you see there?*
— *We visited some national parks.*

— *Great! I've been to Abruzzo too,
last year.*

> Review past time expressions
> on the preceding page.

2. The **passato prossimo** is a compound tense that consists of two parts: the present tense form of an auxiliary verb, either **avere** or **essere,** and the past participle of the main verb. Most Italian verbs form the **passato prossimo** with the auxiliary **avere.** These verbs are mostly transitive, that is, they take a direct object that answers the question *what?* or *whom?*

Hanno mangiato	(che cosa?)	una pizza.
Ha passato	(che cosa?)	le vacanze in America.
Abbiamo ordinato	(che cosa?)	i panini e l'aranciata.
Ho veduto	(chi?)	Sergio.
Hanno incontrato	(chi?)	Edoardo.

3. The past participle of regular verbs is formed by adding:

-ato to the stem of **-are** verbs: (comprare) **compr + ato** = comprato
-uto to the stem of **-ere** verbs: (vendere) **vend + uto** = venduto
-ito to the stem of **-ire** verbs: (capire) **cap + ito** = capito

> Most *-ere* verbs have irregular past participles. See p. 139.

4. Here is the **passato prossimo** of the regular verbs **comprare, vendere,** and **capire.**

comprare	vendere	capire
ho comprato	ho venduto	ho capito
hai comprato	hai venduto	hai capito
ha comprato	ha venduto	ha capito
abbiamo comprato	abbiamo venduto	abbiamo capito
avete comprato	avete venduto	avete capito
hanno comprato	hanno venduto	hanno capito

5. The **passato prossimo** is equivalent to either the present perfect or the simple past in English.

Hanno finito i compiti.   { *They have finished their homework.*
{ *They finished their homework.*

Ho incontrato Sergio.   { *I have met Sergio.*
{ *I met Sergio.*

Note: The form of the **passato prossimo** is the same in a question and in a negative statement, unlike English past tenses.

Hanno finito i compiti?   *Have they finished (Did they finish) their homework?*

Non **ho incontrato** Sergio.   *I haven't met (didn't meet) Sergio.*

6. The adverbs of time **già** (*already*), **ancora** (*yet*), **mai** (*ever, never*), and **sempre** (*always*) usually occur between the auxiliary verb and the past participle.

— Avete **già** pagato?	— *Have you already paid?*
— No, non abbiamo **ancora** ordinato!	— *No, we haven't ordered yet!*

In a question, the adverb **mai** with the **passato prossimo** means *ever*. In a negative sentence it means *never*.

— Hai **mai** guidato una motocicletta?	— *Have you ever driven a motorcycle?*
— No, non ho **mai** avuto l'occasione.	— *No, I've never had the opportunity.*

A Lei è andato/a recentemente ad una festa con il suo ragazzo/la sua ragazza. Racconti (*Tell*) che cosa è successo alla festa secondo i suggerimenti indicati.

▶ io / ricevere un invito alla festa
   Io ho ricevuto un invito alla festa.

1. noi / guidare la macchina di papà
2. tu / portare molte persone alla festa
3. gli amici / servire panini e Coca-Cola
4. noi / ascoltare la musica degli anni 80
5. un amico / cantare canzoni di Elvis Presley
6. noi / ballare fino a tardi
7. il mio ragazzo (la mia ragazza) / mangiare troppo
8. tutti / parlare delle elezioni universitarie

B Metta le frasi nel passato prossimo.

▶ Compro una macchina usata.
   Ho comprato una macchina usata.

1. Ho un problema con la macchina.
2. Porto la macchina dal meccanico.
3. Il meccanico guarda attentamente la macchina.
4. Ascolta il motore.
5. Controlla il motore.
6. Prova l'acceleratore.
7. Trova il problema.
8. Finisce di ripararla (*fix it*) dopo poco tempo.
9. Pago il meccanico con la carta di credito.

C Dica che cosa hanno fatto due giorni fa le persone della colonna A. Formuli frasi logiche usando i verbi della colonna B e finendo con le parole della colonna C.

▶ Due giorni fa io ed un amico abbiamo pulito la macchina.

A	B	C
noi	passare	la macchina
tu e tua sorella	giocare	un regalo dal fratello
il meccanico	ricevere	con i videogiochi
la professoressa	ordinare	Graceland
tu	pulire	una moto giapponese
un amico ed io	visitare	un CD di Andrea Bocelli
i dottori	comprare	la pizza con il salame
io	imparare	le vacanze a Las Vegas
	ascoltare	a ballare il tango

D Trovi nella classe una persona che ha fatto una delle seguenti cose. Quando ha trovato la persona, scriva il suo nome vicino all'attività.

▶ visitare l'Europa   S1: Hai mai visitato l'Europa?
　　　　　　　　　　S2: No, non ho mai visitato l'Europa.
　　　　　　　　　　　　Sì, ho visitato l'Europa.

1. trovare dieci dollari per strada _____
2. mangiare i calamari _____
3. frequentare un liceo privato _____
4. studiare una lingua asiatica _____
5. lavorare in un negozio _____
6. giocare a rugby _____
7. incontrare una persona famosa _____
8. seguire un corso di antropologia _____

> *Calamari* (squid) is a popular dish in Italy, often fried.

E In coppia: Domandi ad un altro studente/un'altra studentessa se ha fatto le seguenti cose in questo mese. Se risponde di sì, chieda più informazioni.

▶ avere un esame difficile   S1: Hai avuto un esame difficile in questo mese?
　　　　　　　　　　　　　S2: Sì, ho avuto un esame difficile nel corso di …
　　　　　　　　　　　　　　　No, non ho ancora avuto un esame difficile.

1. ricevere una lettera
2. studiare in biblioteca
3. vedere un bel film
4. viaggiare fuori degli Stati Uniti
5. trovare un nuovo amico/una nuova amica
6. cercare un lavoro
7. dimenticare un appuntamento importante

F In coppia: Chieda ad un amico/un'amica tre cose che ha fatto sabato scorso. Domandi anche a che ora ha fatto ogni cosa.

▶ S1: Che cosa hai fatto sabato scorso?
　S2: Ho mangiato al ristorante.
　S1: A che ora hai mangiato?
　S2: Alle …

Passato prossimo con *essere*

È entrato qua ...
ed **è uscito** là.

1. The **passato prossimo** of some Italian verbs is formed with the auxiliary verb
   essere. These verbs are intransitive; they do not take a direct object. Many of
   them involve movement.

Sergio **è partito** lunedì.	*Sergio left on Monday.*
È andato alle Cinque Terre.	*He went to Cinque Terre.*
È tornato venerdì.	*He returned on Friday.*

2. The past participle of verbs conjugated with **essere** always agrees with the
   subject of the sentence in gender and number.

Tutti sono partiti per le vacanze.	*Everyone left for vacation.*
Valerio è andato in America.	*Valerio went to America.*
Gina e Flavia sono andate in Grecia.	*Gina and Flavia went to Greece.*
Solo **Maria** è restata a casa.	*Only Maria stayed at home.*

   > To remember gender and
   > number agreement, think of
   > the past participle of an
   > intransitive verb as an adjective
   > like *bello: Marisa è bella,
   > Marisa è uscita,* etc.

3. Here is a list of some common regular verbs that form the **passato prossimo**
   with the auxiliary **essere.**

andare	*to go*	I giovani sono andati all'estero.
arrivare	*to arrive*	L'aeroplano è arrivato in ritardo.
diventare	*to become*	Silvia è diventata nervosa.
entrare	*to enter*	Siamo entrati in un bar.
partire	*to depart, leave*	Gloria è partita per le Alpi.
restare	*to stay, remain*	Io sono restato in albergo.
tornare	*to return*	Siete tornati in un momento difficile.
uscire	*to go out*	Il papà è uscito due minuti fa.

4. The verb **piacere** also uses **essere** as its auxiliary in the **passato prossimo.** When the person or thing liked is singular, the verb is singular; when it is plural, the verb is plural.

Vernazza mi **è piaciuta.**   *I liked Vernazza.*
E mi **sono piaciute** molto   *And I really liked the beaches there.*
  le spiagge lì.

G Cambi il soggetto della descrizione quattro volte, usando **Marco, io, Gina e Daria** e **i ragazzi.** Faccia i cambiamenti necessari al participio passato dei verbi.

Ieri Melissa è andata alla Biblioteca Vaticana. È uscita di casa presto. È arrivata al Vaticano alle nove meno un quarto. È entrata in biblioteca quindici minuti dopo ed è restata lì fino all'una. Poi è tornata a casa con l'autobus.

H Dica dove sono andate in vacanza l'anno scorso queste persone e che cosa hanno fatto lì.

▶ Mia sorella è andata ad Aspen e ha sciato.

io	a New York	visitare le piramidi
tu ed un amico	alle isole Bahama	giocare con i canguri (*kangaroos*)
mia sorella	ad Aspen	frequentare le discoteche del
mamma e papà	a Parigi	luogo
tu	in Egitto	incontrare Topolino (*Mickey*
	in Australia	*Mouse*)
	a EuroDisney	sciare
		dormire sulla spiaggia
		comprare molti vestiti eleganti

Vernazza è una delle caratteristiche cittadine della costa ligure.

I Domandi a cinque studenti dove sono andati in vacanza recentemente. Prenda appunti per poi riferire le informazioni alla classe.

▶ S1: Dove sei andato/a in vacanza recentemente?
  S2: Sono andato/a a ...

  S1: Michele è andato a Disneyworld, Ruben è andato a New York, Carla ed io siamo restate a casa ...

J In coppia: Ricordate la storia di Cenerentola (*Cinderella*)? Raccontate la storia, con l'aiuto dei suggerimenti indicati e usando il passato prossimo.

Vocabolario utile

la sorellastra stepsister	**il topolino** mouse
la fata madrina fairy godmother	**il cavallo** horse
la carrozza carriage	**la scarpetta** slipper

Cenerentola era (*was*) una povera ragazza che abitava con due sorellastre cattive. Un giorno ...

1. arrivare / l'invito al ballo
2. le due sorellastre / andare al ballo / senza Cenerentola
3. la fata madrina / arrivare
4. la fata / creare / un vestito bellissimo
5. i topolini / diventare / cavalli
6. Cenerentola / andare al ballo / in carrozza
7. Cenerentola / incontrare / il principe
8. loro / ballare / insieme
9. Cenerentola / tornare a casa / a mezzanotte
10. il principe / seguire / Cenerentola
11. Cenerentola / perdere / la scarpetta
12. Cenerentola / arrivare a casa / prima delle sorellastre

E poi ... ? (Completi la storia.)

K Metta in contrasto quello che le seguenti persone fanno di solito con quello che hanno fatto due giorni fa (l'anno scorso, ieri, ecc.).

▶ Di solito arrivo in ritardo alla lezione d'italiano, ma due giorni fa ...

Di solito arrivo in ritardo alla lezione d'italiano, ma due giorni fa sono arrivato/a in anticipo.

1. Di solito parto per l'Europa a febbraio, ma l'anno scorso ...
2. Di solito torniamo a casa alle dieci, ma ieri sera ...
3. Di solito non beviamo Coca-Cola, ma sabato scorso ...
4. Di solito loro ascoltano la musica classica, ma domenica ...
5. Di solito Luisa esce (*goes out*) con Orazio, ma venerdì sera ...
6. Di solito preferiscono la pizza, ma la settimana scorsa ...
7. Di solito finisco i compiti (*homework*) in anticipo, ma lunedì ...
8. Di solito puliamo l'appartamento il sabato, ma questa settimana ...
9. Di solito non mi piace il programma *Saturday Night Live*, ma ieri sera ...

Participi passati irregolari

Cenerentola **è rimasta** troppo tempo al ballo.

1. Many Italian verbs, particularly **-ere** verbs, have irregular past participles. A list of common verbs with irregular past participles follows. A more complete list appears in Appendix E. Asterisks indicate that the **passato prossimo** is formed with **essere.**

aprire (*to open*)	**aperto**	offrire (*to offer*)	**offerto**
bere (*to drink*)	**bevuto**	perdere (*to lose*)	**perso (perduto)**
chiedere (*to ask for*)	**chiesto**	prendere (*to take*)	**preso**
chiudere (*to close*)	**chiuso**	*rimanere (*to remain*)	**rimasto**
decidere (*to decide*)	**deciso**	rispondere (*to answer*)	**risposto**
dire (*to say*)	**detto**	*scendere (*to descend*)	**sceso**
discutere (*to discuss*)	**discusso**	scrivere (*to write*)	**scritto**
*essere (*to be*)	**stato**	soffrire (*to suffer*)	**sofferto**
fare (*to do; to make*)	**fatto**	spendere (*to spend*)	**speso**
leggere (*to read*)	**letto**	vedere (*to see*)	**visto (veduto)**
mettere (*to put*)	**messo**	*venire (*to come*)	**venuto**
*morire (*to die*)	**morto**	vincere (*to win*)	**vinto**
*nascere (*to be born*)	**nato**		

— Cosa **hai fatto** ieri sera?
— Niente di speciale. **Sono stato** con alcuni amici al bar.
— Fino a che ora **siete rimasti** lì?
— Fino a tardi! **Abbiamo discusso** di politica.

— *What did you do last night?*
— *Nothing special. I was with some friends at a bar.*
— *How long did you stay there?*
— *Late! We discussed politics.*

2. Perdere and **vedere** have both regular and irregular past participles. The irregular forms are more commonly used.

— Ieri ho **perso** lo zaino.	— Ieri ho **visto** Sergio.
— Hai **perduto** anche i libri?	— Hai **veduto** anche il suo ultimo acquisto?

3. Stato is the past participle of both **essere** and **stare**. Their forms are identical in the **passato prossimo,** but their meaning is usually clear from the context.

— Maura **è stata** a scuola ieri?	— *Was Maura at school yesterday?*
— No, **è stata** a casa tutta la giornata.	— *No, she stayed at home all day.*

L Dia il contrario del verbo nel passato prossimo.

▶ Sergio ha vinto dieci dollari.   Sergio ha perso dieci dollari.

1. La professoressa ha aperto la finestra.
2. Abbiamo mangiato poco a mezzogiorno.
3. Chi ha scritto l'articolo sul giornale?
4. Niccolò Machiavelli è nato a Firenze.
5. Hai trovato la penna?
6. Cosa hanno chiesto al professore?
7. Sono andati con il treno delle dieci e un quarto.

> Niccolò Machiavelli (1469–1527) was a Florentine writer, statesman, and political theorist.

M In coppia: Qui ci sono due liste di cose da fare per lei e per un suo amico/una sua amica. A turno, chiedete se ognuno (*each*) ha fatto le cose della sua lista.

▶ S1: Hai fatto una passeggiata con il cane?
  S2: Sì, ho già fatto una passeggiata con il cane.
     No, non ho (ancora) fatto una passeggiata con il cane.

S1	*S2*
mettere la macchina nel garage	fare una passeggiata con il cane
pulire l'appartamento	leggere il giornale
fare i letti (*beds*)	rispondere alla e-mail
portare le bottiglie al supermercato	bere il caffè
chiudere tutte le finestre	dormire un po' nel pomeriggio

N In coppia: Un compagno/Una compagna le domanda se recentemente lei ha fatto le seguenti cose. Se risponde di sì, dica quando le ha fatte.

▶ scrivere una tesina (*paper*)   S1: Hai scritto una tesina recentemente?
                                 S2: No, non ho scritto una tesina recentemente.
                                    Sì, ho scritto una tesina domenica scorsa.

1. vedere un bel film
2. dire una bugia (*lie*)
3. fare una passeggiata
4. leggere un libro noioso
5. spendere più di $100 ad un ristorante
6. venire a lezione in ritardo
7. essere fuori degli Stati Uniti
8. prendere un mezzo pubblico (*public transportation*)
9. rimanere in casa 24 ore
10. perdere una cosa preziosa

In coppia: Guardate i due disegni (*drawings*). Il primo fa vedere com'era ieri pomeriggio la camera di Sergio. Il secondo disegno fa vedere com'è oggi la stessa camera. Dica al compagno/alla compagna tre o quattro cose che Sergio ha fatto fra ieri e oggi. Vocabolario utile: *letter:* la lettera; *door:* la porta; *bed:* il letto.

▶ S1: Sergio ha/è …
   S2: Ha/È anche …

Verbi irregolari: *bere, dire, uscire*

1. The verbs **bere** (*to drink*), **dire** (*to say*), and **uscire** (*to go out*) are irregular in the present tense. Here are their forms.

bere		dire		uscire	
bevo	beviamo	dico	diciamo	esco	usciamo
bevi	bevete	dici	dite	esci	uscite
beve	bevono	dice	dicono	esce	escono

— Cosa **bevete?**
— Noi **beviamo** acqua minerale, ma Sergio **dice** che preferisce non **bere** niente.

— What are you drinking?
— We're drinking mineral water, but Sergio says he prefers not to drink anything.

— **Esci** ancora con Laura?
— No, non **usciamo** più insieme. Lei **dice** che sono noioso!

— Do you still go out with Laura?
— No, we don't go out together anymore. She says I'm boring!

> *Uscire* means both "to go out" (of a building) in the literal sense and "to go out" in the sense of dating.

2. The past participles of **bere** and **dire** are irregular: **bevuto** and **detto. Uscire** is regular in the **passato prossimo** but is conjugated with **essere.**

Siamo usciti ieri sera per festeggiare il compleanno di Paolo.	*Last night we went out to celebrate Paolo's birthday.*
Gli **abbiamo detto** "Auguri!" e **abbiamo bevuto** alla sua salute.	*We said "Best wishes!" and drank to his health.*

Ⓟ Dica che le persone tra parentesi fanno le seguenti cose.

1. Gabriella beve un caffè ed esce di casa. (io / Gabriella e Valeria / voi / tu)
2. Dice "buongiorno" al direttore dell'ufficio. (la segretaria / noi / i ragazzi)
3. Dopo il lavoro esce con due amiche. (tu e Gabriella / io / Gabriella e sua madre / Marco)
4. Dice alle amiche che oggi non beve niente. (Francesco / noi / tu / i due giovani)

> Alcoholic beverages, and wine in particular, are an integral part of Italian life. Italians begin to drink wine with meals at an early age. Alcohol abuse is much less of a problem than in the United States.

Ⓠ In coppia: Un sondaggio sull'alcol. Domandi ad un compagno/una compagna:

1. se beve alcolici
2. che cosa beve
3. quando e quanto beve
4. se i suoi genitori bevono alcolici
5. se gli amici bevono alle feste o quando escono
6. se gli studenti della vostra università bevono poco o molto
7. se l'uso eccessivo di bevande alcoliche è un problema serio nella vostra università

Ⓡ Intervisti un altro studente/un'altra studentessa per sapere:

— se esce spesso
— dove va quando esce
— con chi preferisce uscire
— cosa fa quando esce
— se è uscito/a sabato scorso; dov'è andato/a

> ▶ S1: Esci spesso?
> S2: Sì, abbastanza spesso: due o tre volte alla settimana.
> S1: Dove vai …

For further practice of lesson topics, log on to the *Oggi in Italia* website and/or do the CD-ROM activities.

Parliamo un po'

A **Il tempo libero.** In gruppi di tre o quattro: Ecco le attività preferite degli europei durante le ore libere di un giorno lavorativo (*working*): guardano la televisione, incontrano amici, ecc. Il numero indica il tempo dedicato in media (*on average*) a fare l'attività. Con due o tre amici, create uno schema simile per gli studenti della vostra università: Quali sono le attività più popolari fra gli studenti? Quanto tempo dedicano a queste attività?

▶ Gli studenti qua dormono in media sei ore al giorno. Vanno a ballare …

- dormire - 8h03'
- guardare la tv - 3h27'
- ascoltare la radio - 3h14'
- incontrare amici - 2h10'
- andare al cinema - 2h03'
- fare sport - 1h41'
- leggere un giornale - 57'
- fare spese - 1h09'
- leggere un libro - 1h15'
- passeggiare - 1h28'

LAVORO

B **Durante la settimana.** In coppia: Domandi ad un compagno/una compagna se ha fatto le attività presentate in Attività A nell'ultima settimana. Se risponde di sì, chieda altre informazioni.

▶ S1: Hai letto un libro questa settimana?
S2: Sì, ho letto un libro.
S1: Quale libro? Ti è piaciuto? ecc.

C **Una gita.** In coppia: Descriva ad un amico/un'amica una gita che lei ha fatto recentemente. Dica dov'è andato/a, quando, con chi, perché, quanto tempo è rimasto/a là, che cosa ha fatto, cosa è successo e quando è tornato/a.

▶ Domenica scorsa ho fatto una gita a (in) …

D **Fotografie di un viaggio.** In coppia: Recentemente Anna ed Aldo
hanno passato le vacanze a Cocoruba, ed ecco alcune fotografie che hanno
fatto là, ma non sono in ordine cronologico. Trovate l'ordine corretto, e
poi raccontate alla classe che cos'è successo durante il loro viaggio.

Vocabolario utile: le camicie (*shirts*), la piscina (*pool*), in aereo (*by plane*)

▶ Recentemente Anna ed Aldo sono andati in vacanza a Cocoruba.
   Hanno viaggiato in …

E **Un viaggio alle Cinque Terre.** In coppia: Recentemente avete
fatto un bellissimo viaggio nelle Cinque Terre. Ecco alcune note che
avete scritto rapidamente in un diario. Usate le note per ricostruire
il viaggio.

giovedì   Arrivare a Monterosso in treno. Albergo Villa Margherita.

venerdì   Visita del paese, Santuario della Madonna. Cena:
           trattoria Gianni Franzi, spaghetti al pesto!

sabato   Mattina: spiaggia. Treno a Vernazza alle 14.35.
           Hotel l'Eremo sul Mare.

domenica   Visitare il vecchio porto, castello. Sera:
           discoteca La Cantina delle Sirene, fino alle …

lunedì   Altra spiaggia! Escursione al monte Roccioso.

martedì   Tornare a casa.

Conoscere l'Italia

A **Definizioni.** Abbini le definizioni con una parola della lista a
destra. Ci sono due parole in più nella lista.

1. si trovano vicino al mare
2. sono due regioni del nord Italia
3. è un'isola italiana
4. sono regioni del centro Italia
5. sono montagne dell'Italia del Nord
6. è una regione del sud Italia
7. un prodotto della terra
8. è sinonimo di *zona*
9. organizzazione di nazioni d'Europa
10. una città molto piccola

a. l'Abruzzo, il Lazio e il Molise
b. un paese
c. la Sardegna
d. il vino
e. nazionale
f. Unione Europea
g. le dune
h. la Calabria
i. il territorio
j. l'area
k. il Piemonte e la Valle d'Aosta
l. le Alpi

I parchi nazionali italiani

Patrimonio Naturale e Culturale

Ci sono oggi in Italia ventuno parchi nazionali con altri tre in via di
istituzione[1]. Le aree protette italiane occupano il 10% (dieci per cento)
del territorio nazionale e includono anche lagune e dune vicino alla
costa. Ci sono aree protette in quasi tutte le regioni e l'Abruzzo, la
Calabria e la Sardegna hanno il maggior[2] numero di parchi. I primi parchi
nazionali sono il Parco Nazionale del Gran Paradiso (1947), situato sulle
Alpi, fra il Piemonte e la Valle d'Aosta, e il Parco Nazionale d'Abruzzo
(1951), situato sugli Appennini, fra l'Abruzzo, il Lazio e il Molise. Tutti gli
altri parchi sono più recenti e molti sono stati istituiti con l'aiuto[3] di fondi
dell'Unione Europea. I parchi servono per proteggere specie di animali
e vegetazione, per conservare[4] l'arte, l'architettura e le tradizioni dei paesi
di queste zone e per promuovere[5] i loro prodotti tipici, come formaggio,
vino, olio ed altre specialità.

1. about to be established   2. largest   3. help   4. to save   5. to promote

Informazioni. Dia le seguenti informazioni basate sul brano precedente.

1. Sono ventuno i …
2. Il 10% (dieci per cento) del territorio italiano è costituito da …
3. Tre delle regioni che hanno il maggior numero di parchi sono …
4. Sulle Alpi, fra il Piemonte e la Valle d'Aosta, c'è il Parco …
5. Sugli Appennini è situato il Parco …
6. Molti parchi sono stati istituiti …
7. Nei parchi nazionali sono protette …
8. Nei paesi situati nelle aree protette vengono protette e conservate anche …
9. Alcuni prodotti tipici delle zone protette sono …

A **La parola giusta.** Completi le seguenti frasi con le parole appropriate fra quelle indicate tra parentesi.

1. La (zona / riviera / terra) è un territorio della costa.
2. I piccoli paesi si chiamano anche (città / aree / borghi).
3. New York è una città, non (una cittadina / un terreno / un parco).
4. Il Mediterraneo che circonda l'Italia è un (lago / fiume / mare).
5. Fra la terra e il mare c'è (la costa / la cittadina / il parco).
6. Un sinonimo di *campo* è terreno che deriva da (arte / costa / terra).
7. La (studentessa / umanità / facoltà) di Architettura è un dipartimento dell'università.

Il Parco Nazionale delle Cinque Terre

Istituito nel 1999 (millenovecentonovantanove), il Parco Nazionale delle Cinque Terre si trova sulla Riviera della Liguria. Il nome Cinque Terre deriva dai cinque borghi situati lungo[1] la costa in questo parco. Queste pittoresche cittadine sono Riomaggiore, Manarola, Corniglia, Vernazza e Monterosso al Mare. Le caratteristiche di questo parco sono i versanti scoscesi[2] che scendono a picco[3] sul mare. I muri a secco[4] proteggono i terreni terrazzati[5] dove sono coltivati i vigneti.[6] L'UNESCO ha iscritto questo bel parco fra i beni[7] del Patrimonio Mondiale dell'Umanità. La Facoltà di Architettura dell'Università di Genova e l'Ente Parco[8] hanno organizzato campi di lavoro[9] per restaurare il paesaggio. Due delle attività di questi campi di lavoro sono la ricostruzione dei muri a secco e il restauro dei sentieri[10] abbandonati. Studenti universitari italiani e stranieri partecipano a queste attività.

1. along 2. steep slopes 3. vertically 4. dry walls 5. terraced
6. vineyards 7. property 8. Park Agency 9. work fields 10. paths

Look at the map on p. 14 and locate Liguria and Genova.

UNESCO = United Nations Educational, Scientific, and Cultural Organization

Patrimonio Mondiale = World Heritage

 Che cosa ricorda? Dia il nome o la descrizione dei seguenti aspetti del Parco Nazionale delle Cinque Terre.

1. anno dell'istituzione del Parco Nazionale delle Cinque Terre
2. regione dov'è situato
3. perché il nome Cinque Terre
4. i nomi delle cinque cittadine situate nel parco
5. caratteristiche di questo parco
6. quello che ha fatto l'UNESCO
7. hanno organizzato i campi di lavoro alle Cinque Terre
8. partecipano ai campi di lavoro per restaurare il parco

Lezione 7

Il mercato all'aperto
è ancora oggi una
caratteristica di molte
città italiane.

Il mercato all'aperto

Communicative Objectives

- Describe your daily routine and ask others about their routines
- Inquire about and express prices
- Talk about food and food preferences and quantities
- Make requests and suggestions; give orders and advice

Gabriella Marchi abita e lavora a Genova. Il sabato mattina le piace alzarsi tardi. Di solito si sveglia verso le nove e dopo colazione si prepara per uscire. Si lava, si veste e poi va a fare la spesa. Al mercato all'aperto del suo quartiere c'è una buona scelta di frutta e verdura ed è tutto a buon mercato.

Oggi Gabriella si ferma prima alla bancarella di un fruttivendolo.

	FRUTTIVENDOLO:	(*Ad alta voce*°) Comprate queste belle arance!	*loudly*
		Guardate che bell'uva! È una delizia°.	*delight, delicious*
		(*A Gabriella*) Buon giorno, signorina, mi dica°.	*may I help you?*
	GABRIELLA:	Vorrei degli spinaci. Quanto costano?	
5	FRUTTIVENDOLO:	Un euro e settanta centesimi al chilo.	
	GABRIELLA:	Un chilo, per favore.	
	FRUTTIVENDOLO:	Subito.	
	GABRIELLA:	E l'uva, quanto costa?	
	FRUTTIVENDOLO:	Due euro. È dolce come il miele°. Prenda, assaggi.	*honey*
10	GABRIELLA:	Sì, grazie. ... Veramente buona, ma mi sembra un po' cara.	
	FRUTTIVENDOLO:	Signorina, in tutto il mercato non c'è di meglio.	
	GABRIELLA:	Se lo dice lei. ... Allora faccia° anche un chilo d'uva, per favore.	*give me*
15	FRUTTIVENDOLO:	Bene, desidera qualche altra cosa?	
	GABRIELLA:	No, grazie. Per oggi è tutto.	
	FRUTTIVENDOLO:	Allora, sono tre euro e settanta centesimi. (*Alla moglie*) Maria, sii gentile, da' anche degli odori° alla signorina!	*herbs*
20	GABRIELLA:	Grazie, ecco i soldi.	

> In Italy, weight is measured in kilograms (*il chilo*). A *chilo* equals 2.2 pounds.

> Vendors at open-air markets generally give herbs (*odori*) to their customers for free.

Domande

1. Di solito a che ora si sveglia Gabriella Marchi il sabato mattina?
2. Che cosa fa dopo colazione?
3. Dove va a fare la spesa?
4. Che cosa assaggia Gabriella al mercato?
5. Cosa compra Gabriella dal fruttivendolo? Quanto costano gli spinaci? Quanto costa l'uva?
6. Quanto spende in tutto Gabriella?

> As of January 2002, the euro, whose symbol is €, is the official currency of all the member nations of the European Union (EU). In Italy the euro takes the place of the lira. Similar to the American dollar, the euro is made up of 100 cents (*centesimi*).

Domande personali

1. Lei a che ora si sveglia la mattina? A che ora si alza?
2. A lei piace alzarsi presto o tardi? E il sabato? E la domenica?
3. Che cosa beve la mattina a colazione? Latte? Caffè? Tè? Spremuta d'arancia?
4. Lei quando va a fare la spesa? Ogni giorno? Una volta alla settimana? Due o tre volte alla settimana?
5. C'è un mercato all'aperto o un supermercato vicino a casa sua?
6. Lei esce a fare acquisti il sabato? Quali acquisti fa? Dove?

Il mercato rionale[1]

I mercati rionali all'aperto o coperti sono opportunamente[2] distribuiti in varie zone centrali e periferiche delle città italiane. Essi hanno una funzione importante nella vendita di ortaggi[3], frutta, carne e pesce[4]. Alcuni di questi mercati una volta erano[5] specializzati nella vendita di prodotti particolari che hanno dato il nome al mercato stesso[6]. Un esempio è Campo de' Fiori a Roma, dove, molti decenni fa, ogni martedì le donne arrivavano[7] in città dalla campagna per vendere fiori[8].

Con lo sviluppo[9] del supermercato, l'importanza del mercato rionale è diminuita. La donna moderna, che è entrata nel mondo del lavoro, non ha più tempo per andare al mercato ogni giorno ed ha trovato più conveniente fare la spesa al supermercato una volta alla settimana. Ma per molta gente il mercato rionale, oltre[10] ad esercitare un certo fascino folcloristico, rimane il luogo dov'è ancora possibile comprare cibi freschi[11] e a buon mercato.

Particolare invitante di una salumeria di Courmayeur nella Valle d'Aosta.

- Chi fa la spesa nella sua famiglia?

- Ci sono mercati all'aperto di frutta e verdura nella sua città? Ci sono anche negozi di alimentari specializzati?

1. local, neighborhood   2. conveniently   3. vegetables   4. meat and fish   5. were   6. itself   7. used to arrive   8. flowers   9. development   10. besides   11. fresh food

Situazioni

1. In coppia: Domandi ad un amico/un'amica a che ora si alza il sabato.

   ▶ — A che ora ti alzi il sabato?
   — Mi alzo alle dieci (presto/molto tardi/a mezzogiorno).

2. In coppia: Suggerisca qualcosa al suo compagno/alla sua compagna che desidera sapere cosa fare stasera.

   ▶ — Che si fa stasera?
   — Perché non andiamo al cinema (incontriamo gli amici al bar/guardiamo la televisione/andiamo in discoteca)?

Pratica

1. Dica cosa fa una persona che abita con lei da quando si sveglia la mattina fino a quando esce di casa. A che ora si sveglia? È di buon umore (*mood*) o di cattivo umore? Legge il giornale? Ascolta la radio?

2. In coppia: Lei è ad un mercato all'aperto di Genova e chiede a un fruttivendolo un chilo di patate, un chilo d'uva e due chili di arance. Preparate un dialogo appropriato e presentatelo alla classe.

Vocabolario

Parole analoghe
l'euro
la frutta
spendere
gli spinaci

Nomi
l'arancia   orange
la bancarella   stall
il centesimo   cent
la colazione   breakfast
il fruttivendolo   fruit vendor
gli odori   herbs
il quartiere   neighborhood
la scelta   choice
i soldi   money
l'uva   grape(s)
la verdura   green vegetables

Aggettivo
dolce   sweet

Verbi
alzarsi   to get up
assaggiare   to taste
costare   to cost
dare   to give; **da'**   give
fermarsi   to stop
lavarsi   to wash (oneself)
prepararsi   to get ready
svegliarsi   to wake up
vestirsi   to get dressed

Altre parole ed espressioni
poi   then, afterwards
presto   early
veramente   really
a buon mercato   inexpensive
al chilo   per kilo (metric weight)
fare la spesa   to shop (for food)
in tutto   all together
mi sembra   it seems to me, I think
quanto costa (costano)?   How much is it (are they)?

> In Italian, *euro* is an invariable masculine noun: *l'euro/gli euro.*

> *Soldi* is the most common way to say "money." Other words are *il denaro* and *la moneta*. *La moneta* also means "coin" and "currency."

Pronuncia

I suoni della s

The letter **s** has two sounds in Italian, /s/ as in *sing* and /z/ as in *rose*. The sound /s/ is represented by the letters **s** and **ss**. The sound /z/ is represented by the letter **s**. In standard Italian, **s** is pronounced /z/ when it appears between two vowels (intervocalic **s**) and before **b, d, g, l, m, n, r,** and **v.**

> Remember that in most common Italian words the intervocalic *s* is pronounced /z/.

 A Ascolti e ripeta le seguenti parole.

sabato	co**s**a	a**ss**aggiare	me**s**e
soldi	**s**pe**s**a	e**ss**ere	cente**s**imo
spendere	confu**s**ione	**s**te**ss**o	**s**vegliare
spinaci	de**s**idera	indo**ss**are	**s**garbato

B **Proverbi.** Ascolti e ripeta i seguenti proverbi.

Sbagliando s'impara.
One learns by one's mistakes.

Non c'è rosa senza spine.
Life is not a bed of roses.
(*Literally: There is no rose without thorns.*)

Ampliamento del vocabolario

I cibi

Gli alimentari (*food products*)

l'**aceto** vinegar
il **brodo** broth
il **burro** butter
il **formaggio** cheese
il **latte** milk
l'**insalata** (*f.*) salad
la **minestra** soup
l'**olio d'oliva** olive oil
il **pane** bread
la **pasta** pasta
la **pastasciutta** pasta dish
il **pepe** pepper
il **prosciutto** cured ham
il **riso** rice
il **salame** salami
il **sale** salt
l'**uovo** (*m.*), le **uova**
  (*f. pl.*) egg
lo **zucchero** sugar

La carne (*meat*)

l'**agnello** lamb
la **bistecca** steak
il **maiale** pork
il **pollo** chicken
il **tacchino** turkey
il **vitello** veal

Il pesce (*fish*)

l'**aragosta** lobster
i **calamari** squid
i **gamberi** shrimp
il **merluzzo** cod
gli **scampi** prawns
la **sogliola** sole
le **vongole** clams

La frutta

l'**albicocca** apricot
l'**ananas** (*m.*) pineapple
l'**arancia** orange
la **banana** banana
la **ciliegia** cherry
la **fragola** strawberry
il **limone** lemon
la **mela** apple
la **pera** pear
la **pesca** peach
il **pompelmo** grapefruit
l'**uva** grape(s)

Il dolce (*dessert*)

la **crostata** pie
il **gelato** ice cream
la **pasta** pastry
il **tiramisù** cake with coffee,
  mascarpone cheese, cream,
  and chocolate
la **torta** cake

La verdura

l'**aglio** (*m.*) garlic
gli **asparagi** asparagus
i **broccoli** broccoli
il **carciofo** artichoke
la **carota** carrot
la **cipolla** onion
i **fagiolini** string beans
i **funghi** mushrooms
la **lattuga** lettuce
la **melanzana** eggplant
la **patata** potato
il **peperone** green pepper
i **piselli** peas
il **pomodoro** tomato
gli **spinaci** spinach
gli **zucchini** zucchini squash

Practice food vocabulary when eating and shopping.

Pasta is the general name for every type of cooked and uncooked pasta. *Pastasciutta* refers to an already cooked pasta dish such as spaghetti, fettuccine, linguine, etc.

Gli zucchini can also be feminine, *le zucchine*.

A In coppia: Risponda ad un amico/un'amica che vuole sapere se lei mangia questi cibi.

▶ carciofi   S1: Mangi i carciofi?
                S2: Sì, mangio i carciofi qualche volta./No, non ho mai mangiato i carciofi.

i calamari   l'aragosta
il tiramisù   i broccoli
il prosciutto   le carote

B In coppia: Domandi ad un amico/un'amica cosa preferisce mangiare e bere a pranzo e a cena (*at lunch and dinner*). Prenda appunti e poi riferisca le informazioni alla classe.

▶ S1: Cosa preferisci mangiare e bere a pranzo?
  S2: A pranzo preferisco …
  S1: E a cena?

C In coppia: Faccia le seguenti domande personali ad un altro studente/un'altra studentessa.

1. Preferisci la carne o il pesce?
2. Quale tipo di carne preferisci?
3. Quante volte alla settimana mangi il pesce?
4. Qual è il tuo pesce preferito?
5. Mangi la verdura? Quali verdure preferisci?
6. Che frutta mangi di solito? Mangi la frutta ogni giorno?
7. Preferisci la spremuta d'arancia o di pompelmo?
8. Se stai a dieta per un giorno, che cosa mangi?
9. Di solito usi il burro, la margarina o l'olio d'oliva?
10. Ti piacciono i dolci? Quali dolci preferisci?

D In gruppi di tre: Preparate una cena a due persone che avete conosciuto in Italia. Decidete il menù includendo l'antipasto, il piatto principale, il dolce, la frutta e le bevande (*drinks*). Poi fate una lista delle cose da comprare.

Una grande varietà di pesce è in vendita in questa bancarella di un mercato di zona.

I numeri da 100 in poi

100 = **cento**	1.000 = **mille**
101 = **centouno**	1.100 = **millecento**
120 = **centoventi**	1.420 = **millequattrocentoventi**
150 = **centocinquanta**	2.000 = **duemila**
200 = **duecento**	3.000 = **tremila**
300 = **trecento**	4.000 = **quattromila**
400 = **quattrocento**	5.000 = **cinquemila**
500 = **cinquecento**	10.000 = **diecimila**
600 = **seicento**	15.000 = **quindicimila**
700 = **settecento**	100.000 = **centomila**
800 = **ottocento**	200.000 = **duecentomila**
900 = **novecento**	1.000.000 = **un milione**

> A period is used instead of a comma in numbers in the thousands: *English: 10,500; Italian: 10.500.*

> A comma is used instead of a decimal point to express fractional amounts: *English: 1.5; Italian: 1,5.*

1. The plural of **mille** is **mila.** It is attached to the preceding number.

duemila	*two thousand*
tremila	*three thousand*

2. **Milione (milioni)** requires **di** plus a noun when no other number follows **milione (milioni).**

un milione **di euro**	*a million euros*
due milioni **di persone**	*two million people*

But: un milione duecentomila dollari	*one million two hundred thousand dollars*

	UN CUCCHIAINO DI OLIO (*oliva, mais, girasole*)	UN CUCCHIAINO DI ZUCCHERO	QUATTRO BISCOTTI SECCHI	UNA BRIOCHE NON RIPIENA	UNA FETTA DI CROSTATA CON MARMELLATA	UNA LATTINA DI ARANCIATA O ALTRA BIBITA	UNA LATTINA DI BIRRA	UN QUARTO DI LITRO DI VINO
C I B I								
CALORIE	45	20	123	206	339	127	112	190

E Legga ad alta voce.

 150 biglietti   centocinquanta biglietti

1. 365 giorni
2. 1.000 dollari
3. 400 orologi
4. 15.000 persone
5. 950 negozi
6. 1.000.000 di euro
7. 2.000 anni
8. 1.420 studenti

> *Quante calorie ci sono in un cucchiaino di zucchero? E in una fetta di crostata con marmellata? E in una lattina di aranciata? Dove sono più calorie, in quattro biscotti secchi o in una fetta di crostata con marmellata?*

F In coppia: Risponda ad un compagno/una compagna che le domanda quanto costano queste cose in Italia. Usi i prezzi suggeriti per rispondere alle domande.

▶ un televisore / €400   — Quanto costa un televisore?
                            — Costa quattrocento euro.

1. un motorino Piaggio / €1.750
2. una macchina Fiat / €15.000
3. un'automobile Ferrari / €160.000
4. un buon telefonino / €380
5. uno stereo / €250
6. un buon computer / €2.500
7. un pranzo per due in un ristorante elegante / €150
8. una settimana in una buona pensione / €800

Struttura ed uso

Verbi riflessivi

La mamma prima veste il suo bambino e poi **si veste.**

1. A reflexive verb is a verb whose action refers back to the subject, such as *I hurt myself* or *They enjoyed themselves.* Reflexive verbs are always accompanied by a reflexive pronoun: **mi, ti, si, ci, vi, si.** The verb itself is conjugated according to the tense and the subject. Here is the present tense of the verb **divertirsi.**

divertirsi	*to enjoy oneself, have fun*
io **mi diverto**	noi **ci divertiamo**
tu **ti diverti**	voi **vi divertite**
lui/lei **si diverte**	loro **si divertono**

— **Vi divertite** in classe?	— *Do you enjoy yourselves in class?*
— **Ci divertiamo** quando parliamo.	— *We have fun when we talk.*

2. Reflexive verbs are more common in Italian than in English. Many Italian reflexives express ideas that are not normally expressed reflexively in English.

Gianni **si alza** alle otto.	*Gianni gets up (raises himself) at eight o'clock.*
Poi **si veste.**	*Then he gets dressed (dresses himself).*
Poi **si mette** a studiare.	*Then he begins to study.*

> Practice the reflexive verbs as you go about your daily routine: *Sono le otto; mi alzo. Adesso mi lavo,* etc.

3. Here is a list of some common reflexive verbs in Italian.

addormentarsi to fall asleep	**mettersi a** + *infinitive* to begin to, start to
alzarsi to get up	
annoiarsi to be bored	**preoccuparsi (di)** to worry (about)
chiamarsi to be called (call oneself), be named	
	prepararsi to get ready
divertirsi to enjoy oneself, have fun	**prepararsi per** + *infinitive* to prepare oneself to, get ready to
fermarsi to stop	**sentirsi** to feel
lavarsi to wash (oneself)	**svegliarsi** to wake up
mettersi to put on (*clothing*)	**vestirsi** to get dressed

— Come **vi sentite,** signori?
— **Ci sentiamo** molto meglio, grazie.

— How are you feeling?
— We're feeling much better, thank you.

Mi preoccupo di mio figlio, che **si annoia** a scuola.

I'm worried about my son, who gets bored at school.

4. The reflexive pronoun generally comes before the conjugated verb. In the infinitive form, it is usually attached to the end of the infinitive, which drops the final **-e.**

Claudia non **si ferma** a Padova.
Preferisce **fermarsi** a Ferrara.
Vi addormentate presto?
Cercate di **addormentarvi** presto.

Claudia is not stopping in Padova.
She prefers to stop in Ferrara.
Do you fall asleep early?
Try to fall asleep early.

5. In the **passato prossimo,** reflexive verbs always take the auxiliary verb **essere.** The past participle agrees with the subject.

Claudia **si è fermata** a Ferrara.
Le ragazze **si sono lavate.**
Ci siamo messi a studiare.

Claudia stopped in Ferrara.
The girls washed themselves.
We started studying.

Ⓐ Cambi il soggetto della seguente descrizione tre volte, prima ad **Alessia,** poi a **noi** e poi ai **miei fratelli.** Faccia tutti i cambiamenti necessari ai verbi e ai pronomi riflessivi.

Ogni giorno mi alzo alle sette. Mi lavo e mi vesto velocemente: mi metto i jeans e una T-shirt e mi preparo per uscire. Torno a casa alle quattro e mi metto a studiare. La sera mi diverto a guardare la televisione. Vado a letto (*bed*) alle dieci e mi addormento subito.

Ogni giorno Alessia …

B Formuli frasi originali nel presente con le parole ed espressioni delle colonne A, B e C.

▶ Mio padre si annoia a casa.

A	*B*	*C*
mio padre	svegliarsi	prima di uscire
un'amica ed io	vestirsi	un appuntamento importante
tu	annoiarsi	comprare il latte
voi	addormentarsi	a mezzogiorno
io	dimenticarsi di	i jeans di Armani
gli amici	prepararsi per	rapidamente
	mettersi	a casa
	sentirsi	dopo David Letterman
		in biblioteca
		male dopo la festa

C In coppia: Dica ad un compagno/una compagna tre luoghi dove lei è andato/a la settimana scorsa (a una festa, al cinema, ad un concerto, a casa, ecc.). Poi dica se si è divertito/a o annoiato/a là.

> Remember that *divertirsi* means "to have fun." *Ti sei divertito/a?* means "Did you have fun?"

▶ S1: La settimana scorsa sono andato/a in discoteca.
  S2: Ah sì? Ti sei divertito/a?
  S1: Sì, mi sono divertito/a molto! / No, mi sono annoiato/a.
  S2: Perché ti sei divertito/a? (ecc.)

D In coppia: Dica ad un compagno/una compagna a che ora di solito lei fa le seguenti cose, e a che ora le ha fatte ieri. Poi chieda al compagno/alla compagna le stesse informazioni.

▶ svegliarsi   S1: Di solito mi sveglio alle …
                     Ieri mi sono svegliato/a alle … E tu, a che ora ti svegli?
                 S2: Di solito …

1. alzarsi
2. lavarsi
3. vestirsi
4. fare colazione
5. mettersi a studiare
6. tornare a casa
7. addormentarsi

E Dica ad un compagno/una compagna che cosa lei fa di solito il sabato mattina. Cerchi di usare i verbi riflessivi dove appropriato.

▶ Il sabato mattina mi sveglio alle… , mi alzo …

F In coppia: Rispondete alle seguenti domande personali.

1. Come si chiamano tua madre e tuo padre? Hai sorelle o fratelli? Come si chiamano?
2. Ti addormenti sempre facilmente? Cosa fai se non puoi (*if you can't*) addormentarti?
3. Ti senti bene quando ti alzi presto? A che ora ti alzi normalmente?
4. Ti annoi o ti diverti quando stai solo/a?
5. Ti metti i jeans ogni giorno? Gli studenti di quest'università si mettono spesso i jeans?
6. Ti piace vestirti elegantemente? Quando? Ogni giorno, o in occasioni speciali?
7. Come ti prepari per un esame importante? Per un appuntamento importante?
8. Di che cosa ti preoccupi? Degli esami? Della famiglia?

Imperativo informale (*tu, noi, voi*)

Al Foro Romano? **Andate** a destra; **continuate** per mezzo chilometro. **Prendete** l'autobus e **scendete** al Colosseo. Poi **chiedete** a un poliziotto!

1. The imperative is used for commands, pleas, and appeals. In the imperative, the **tu, noi,** and **voi** forms of regular verbs are identical to the corresponding present tense forms with one difference: the final **-i** of the **tu** form of **-are** verbs changes to **-a.**

	affirmative commands		
	tu	**noi**	**voi**
-are verbs	Guarda!	Guardiamo!	Guardate!
-ere verbs	Prendi!	Prendiamo!	Prendete!
-ire verbs	Senti!	Sentiamo!	Sentite!
-ire verbs (-isc)	Finisci!	Finiamo!	Finite!

2. Negative **tu** commands are formed with **non** + *infinitive*. Negative **noi** and **voi** commands use the present tense, as in affirmative commands.

negative commands			
	tu	**noi**	**voi**
-are verbs	Non guardare!	Non guardiamo!	Non guardate!
-ere verbs	Non prendere!	Non prendiamo!	Non prendete!
-ire verbs	Non finire!	Non finiamo!	Non finite!

Gabriella, **compra** un chilo di spinaci, ma non **comprare** gli asparagi.	*Gabriella, buy a kilo of spinach, but don't buy any asparagus.*
— **Andiamo** a prendere un film in DVD!	*— Let's go pick up a DVD!*
— Sì, ma non **prendiamo** un film dell'orrore.	*— Yes, but let's not get a horror film.*
Ragazzi, **ascoltate** attentamente. Non **parlate!**	*Guys, listen closely. Don't talk!*

3. When a reflexive verb is used in a command, the reflexive pronoun follows and is attached to the verb. In negative **tu** commands of reflexive verbs, the infinitive drops the final **-e** before the pronoun **ti.**

Adesso **lavatevi** e poi **vestitevi!**	*Wash up now and then get dressed.*
Giulia, **svegliati!** Non **addormentarti** in classe!	*Giulia, wake up! Don't fall asleep in class!*

4. **Essere** and **avere** are irregular in the **tu** and **voi** forms of the imperative. Five other verbs — **andare, dare, dire, fare,** and **stare** — have irregular **tu** imperatives. The other imperative forms of these verbs are regular, including the negative forms.

andare	**va'** (vai)		*essere*	**sii**
	andiamo			siamo
	andate			**siate**
avere	**abbi**		*fare*	**fa'** (fai)
	abbiamo			facciamo
	abbiate			fate
dare	**da'** (dai)		*stare*	**sta'** (stai)
	diamo			stiamo
	date			state
dire	**di'**			
	diciamo			
	dite			

Note the apostrophe after *va', da', di', fa',* and *sta'*. The longer forms *vai, dai, fai,* and *stai* can also be used as *tu* commands.

Nerone, **sta'** fermo!

Da' la scarpa a papà!

Nerone, **sii** buono!

G Dica alle persone indicate fra parentesi di fare le azioni che seguono.

▶ (la sua amica Marta)   guardare questa rivista   Marta, guarda questa rivista!

1. (il suo amico Sandro)   venire al ballo in maschera con noi
                              arrivare verso le otto
                              metterti un bel costume
                              portare Lidia con te

2. (lei e due amici [noi])   fare una gita domani
                              andare ai Castelli Romani
                              mangiare in un ristorante caratteristico
                              bere il vino locale

3. (i suoi fratelli)   pulire bene l'appartamento
                              preparare l'insalata
                              mettere in ordine la cucina
                              aspettare la telefonata di papà

4. (sua sorella Marina)   non uscire senza l'ombrello
                              non stare fuori tutta la notte
                              tornare prima delle undici
                              telefonare se ci sono problemi

H In gruppi di tre: S1 dice a S2 di fare le cose indicate. Poi, S3 dice di non
fare quelle cose.

▶ scrivere la data di oggi   S1: (Cristina), scrivi la data di oggi!
                                S2: (comincia a scrivere)
                                S3: (Cristina), non scrivere la data di oggi!
                                S2: (non scrive più o scrive un'altra data)

1. parlare italiano   6. venire qua
2. prendere la penna da …   7. mettersi a leggere
3. dare la penna a …   8. aprire le finestre
4. alzarsi subito   9. aspettare qui
5. fare una passeggiata   10. andare alla porta

I Lei fa delle domande e dà dei consigli a un amico/un'amica che desidera perdere peso (*to lose weight*).

▶ mangiare le verdure   S1: Tu mangi le verdure?
                              S2: No, non mangio le verdure.
                              S1: Male! Mangia molte verdure!

1. mangiare la frutta fresca / le verdure / i dolci / il salame
2. bere il latte / gli alcolici / la birra / l'acqua minerale
3. fumare
4. usare lo zucchero / l'olio / il sale / il burro
5. praticare lo sport
6. dormire poco / molto
7. fare ginnastica
8. stare a dieta

J Dica ad un amico/un'amica di fare le seguenti cose, usando la forma **tu** dell'imperativo dei verbi indicati.

▶ fare una foto   Fa' una foto (Fai una foto)!

1. essere generoso/a
2. andare a sciare
3. stare zitto/a (*quiet*)
4. dare un dollaro ad un amico/un'amica
5. avere pazienza
6. addormentarsi
7. fare colazione
8. dire qualcosa in italiano
9. mangiare un gelato

K In gruppi di tre: Una persona del gruppo fa la parte di uno studente/una studentessa che è recentemente arrivato/a alla vostra università e vuole sapere come comportarsi (*to behave*). Date consigli al nuovo studente/alla nuova studentessa, usando l'imperativo.

▶ S1: Dove devo mangiare?
    S2: Mangia a ...
    S3: No, non mangiare a ... , mangia a ... !

1. Dove devo mangiare?
2. Quali corsi devo seguire?
3. Cosa devo fare il fine settimana?
4. Dove posso studiare?
5. Dov'è possibile trovare un lavoro a tempo parziale?
6. Cosa devo fare per prendere buoni voti (*to get good grades*)?
7. Dove devo fare gli acquisti?
8. Come posso conoscere nuovi amici?

> Dove devo ... ?:
> *Where should I ... ?*
> Come posso ... ?:
> *How can I ... ?*

L In coppia: Dica ad un compagno/una compagna di fare una serie di tre cose specifiche. Se esegue (*carries out*) bene i suoi ordini, tocca a lui/lei (*it's his/her turn*) dare ordini a lei!

▶ Judy, prendi questa fotografia. Metti la fotografia nello zaino di Francesco, e poi va' fuori.

Imperativo formale (*lei*)

Scusi, mi **dia** una mano, per favore.

Formal commands with **lei** are used less frequently than other command forms. The imperative of regular and many irregular verbs is formed by dropping the final **-o** from the present tense of the **io** form and adding **-i** to the stem of **-are** verbs and **-a** to the stem of **-ere** and **-ire** verbs.

> You have seen these forms since *Lezione 4* in the instructions for activities and exercises.

infinitive	present tense *io* form	imperative with *lei*
scusare	scuso	scusi
prendere	prendo	prenda
sentire	sento	senta
finire	finisco	finisca

Here are some useful formal commands of regular and irregular verbs.

Mi dia	*Give me*	Mi dia un chilo di mele, per favore.
Mi scusi	*Excuse me*	Mi scusi, mi dispiace molto.
Venga	*Come*	Venga con noi, signora!
Vada	*Go*	Vada alla stazione, e poi ...
Faccia	*Make/Do*	Non faccia così, signora.
Mi dica	*Say/Tell me*	Mi dica quanto costa, per cortesia.
Senta	*Listen*	Senta, che ore sono?
Guardi	*Look*	Guardi, signorina, per me va bene.
Prenda	*Take*	Prenda questa mela; è buonissima.

M Le seguenti frasi con l'imperativo sono informali. Come cambiano in una situazione formale?

▶ Vieni con noi alla festa!   Venga con noi alla festa!

1. Senti, come sta tua sorella?
2. Vai a destra (*right*) e segui via Napoleone.
3. Fai una passeggiata!
4. Prendi un bicchiere e prova questo vino.
5. Di' il tuo nome alla professoressa!
6. Guarda, Antonio, non è un problema.
7. Scusa, Caterina. Non ho tempo oggi.

N Lei è in Italia e parla con le seguenti persone. Crei imperativi logici per ogni situazione.

una commessa (*salesperson*) in un negozio di alimentari
un cameriere ad un bar all'aperto
il professore alla lezione d'italiano
un agente ad un'agenzia di viaggi
il bigliettaio (*ticket seller*) all'acquario di Genova

O In coppia: Uno studente/Una studentessa è andato/a al mercato all'aperto per comprare frutta e verdura per una cena. L'altro studente è il fruttivendolo. Create un dialogo usando imperativi formali come i seguenti.

Mi dica che cosa ...
Guardi ...
Prenda ...
Mi dia un chilo di ...
ecc.

La Piantina
dell'Acquario di Genova.

ACQUARIO
DI GENOVA

Partitivo con *di*

— Nonna, cosa metti nel tiramisù?
— Ci metto **del** caffè, **dei** biscottini, **del** mascarpone e **degli** ingredienti segreti.

1. The concept *some* (known as the partitive) is usually expressed in Italian by **di** + *definite article*.

> Remember that *di* combines with a definite article: *di* + *il* = *del*

Per la cena di stasera devo comprare **del** prosciutto,	*For dinner tonight I have to buy some ham,*
dello zucchero,	*some sugar,*
dell'olio d'oliva,	*some olive oil,*
della carne,	*some meat,*
dell'insalata,	*some salad greens,*
dei piselli,	*some peas,*
degli spinaci e	*some spinach, and*
delle patate.	*some potatoes.*

The partitive is not used if the quantity is specified.

Mi dia **mezzo chilo di** spinaci, per favore.
Mangiano **molta** insalata.

2. The partitive is never used in negative sentences and is often omitted in questions.

Qui non vendono pane.	*They don't sell bread here.*
I miei amici non bevono vino.	*My friends don't drink wine.*
Vuoi **(dell')** acqua minerale?	*Would you like some mineral water?*

3. The partitive can also be expressed with **un po' di** with singular nouns and **alcuni/e** with plural nouns.

Devo comprare **un po' di** frutta e **alcune** patate.

P Cambi le seguenti frasi al plurale.

▶ Ho visto un film.
   Ho visto dei film.

1. Ho scritto una e-mail.
2. Desidero una matita e una penna.
3. Ho passato un giorno con un'amica.
4. Ho preso un gelato nel bar qui vicino.
5. Ho comprato un CD di musica italiana.
6. E poi ho comprato un'altra cassetta.
7. Ho chiamato un amico.
8. Abbiamo passato un'ora insieme.

Q Una signora ordina da mangiare in un ristorante. Completi la conversazione con la forma corretta del partitivo dove necessario.

— Che cosa desidera la signora?
— Per antipasto, mi dia _____ prosciutto della casa. Poi come primo piatto prendo _____ spaghetti al sugo. Per secondo prendo _____ vitello. E che verdura avete?
— Abbiamo _____ insalata ...
— Avete _____ spinaci?
— No, mi dispiace. Non ci sono più _____ spinaci. Però abbiamo _____ broccoli e _____ carote.
— Allora no, non prendo _____ verdura.
— Da bere, desidera _____ vino rosso, signora?
— No, grazie. Non bevo _____ vino. Piuttosto mi porti _____ acqua minerale, per favore.

R Cosa le serve (*do you need*) per preparare le seguenti cose?

▶ una buona pizza
   Mi servono del formaggio, dei pomodori ...

1. una buona pizza
2. un'insalata capricciosa
3. un panino enorme
4. un minestrone
5. una macedonia di frutta (*fruit salad*)
6. una sua specialità

> *Un'insalata capricciosa* is a mixed salad with variable ingredients. If you see the word *capricciosa* on a menu, the ingredients are probably a result of both availability and the whim of the cook.

  For further practice of lesson topics, log on to the *Oggi in Italia* website and/or do the CD-ROM activities.

Parliamo un po'

A **Un sondaggio.** Faccia una breve intervista a tre studenti per sapere:

	Studente		
	1	2	3
la frutta che preferiscono	_____	_____	_____
quella che non mangiano	_____	_____	_____
le verdure che preferiscono	_____	_____	_____
quelle che non mangiano	_____	_____	_____
la cucina (cinese, italiana, ecc.) che preferiscono	_____	_____	_____
i cibi che non mangiano	_____	_____	_____
i piatti (*dishes*) che preferiscono	_____	_____	_____
quelli che non piacciono	_____	_____	_____

B **Una festa fra amici.** In gruppi di quattro: Voi desiderate organizzare una festa per dodici amici. Desiderate offrire panini, insalata, pizza e bibite analcoliche (*nonalcoholic drinks*). Fate una lista dei prodotti necessari e delle quantità di essi per tutte le persone.

▶ (panini) un chilo di prosciutto, 24 panini, della lattuga …

panini	*pizza*	*insalata*	*bibite*
_____	_____	_____	_____
_____	_____	_____	_____
_____	_____	_____	_____
_____	_____	_____	_____

C **Agli ordini!** In coppia: Con un compagno/una compagna, dia almeno tre forme dell'imperativo per ogni situazione indicata.

▶ Una madre parla al bambino cattivo.
  Finisci gli spinaci! Non parlare!, ecc.

- ✦ Una madre parla al bambino cattivo.
- ✦ Lei parla al compagno/alla compagna di camera (*roommate*) molto pigro/a.
- ✦ Un turista chiede informazioni per andare alla stazione.
- ✦ Un medico parla al paziente.
- ✦ Una professoressa parla agli studenti.
- ✦ Lei parla agli amici. È venerdì sera e desiderate uscire.
- ✦ I genitori parlano alla figlia che parte per l'università.

D **Agli ordini (cont.).** In coppia: Con lo stesso compagno/la stessa compagna, scegliete una delle situazioni dell'attività C e create un dialogo incorporando gli imperativi dell'attività C.

▶ Una madre parla al bambino cattivo.
  BAMBINO: Mamma, posso andare a giocare?
  MADRE: Pippo, finisci gli spinaci!
  BAMBINO: Ma non ho fame!
  MADRE: Non parlare! … , ecc.

E **Un furto misterioso.** In gruppi di quattro: C'è stato un furto (*robbery*) nella casa di una famiglia ricca della sua città. Il furto è accaduto (*took place*) tra le otto e le dieci di ieri sera. Create la scena dell'interrogatorio secondo i suggerimenti indicati.

S1: È l'investigatore privato che interroga le tre persone sospette. Domanda ad ognuna delle tre persone dov'è stata ieri sera, con chi e che cosa ha fatto.
S2: È andato/a ad una festa con un compagno/una compagna, ma si è sentito/a male ed è andato/a via presto senza il compagno/la compagna.
S3: È rimasto/a a casa a lavorare su un articolo e si è addormentato/a presto.
S4: È andato/a a vedere un film con un amico. È tornato/a a casa dopo mezzanotte.

▶ S1: E lei che cosa ha fatto ieri sera?
  S2: Sono andata ad una festa a casa di amici.
  S1: È andata da sola? ecc.

Conoscere l'Italia

 In cerca di aggettivi. Nel brano che segue, cerchi l'aggettivo derivato da ciascuna delle parole indicate. Poi inserisca nella frase la forma appropriata dell'aggettivo.

▶ (collina) Questo paese è molto _____ .
Questo paese è molto collinoso.

1. (Liguria) Il golfo di Genova è nel Mare _____ .
2. (fama) Uno dei personaggi _____ della Liguria è Cristoforo Colombo.
3. (geografia) Gli aspetti _____ di questa regione sono interessanti.
4. (tropico) Qui ci sono molti fiori _____ .
5. (costa) Le cittadine _____ della regione sono spettacolari.
6. (monte) I terreni _____ sono difficili da coltivare.
7. (turismo) La zona è ricca di attrazioni _____ .

LA LIGURIA

Piazzetta e porticciolo di Portofino, pittoresca cittadina della Liguria.

La Liguria è una regione con caratteristiche geografiche molto particolari. A sud della Liguria c'è il Mare Ligure; ad ovest la Francia, a nord il Piemonte e ad est ci sono l'Emilia-Romagna e la Toscana. In questa regione la catena delle Alpi si unisce con gli Appennini così che il territorio ligure è molto montuoso e collinoso. Coltivato a terrazze[1], il terreno dà prodotti di tipo mediterraneo. Sulle terrazze si coltivano ulivi, vigneti[2], frutta e agrumi[3]. Sulla costa invece si coltivano fiori[4] e piante tropicali.

La zona costiera della Liguria è stretta[5] e piena di scogli[6]. Genova, il capoluogo regionale, divide la costa in Riviera di Levante e Riviera di Ponente[7]. Con le sue spiagge sabbiose[8] e i suoi golfi pittoreschi, la riviera ligure è una delle più famose località turistiche d'Italia. Il clima mite[9] della zona favorisce il turismo anche nei mesi invernali. Portofino, Portovenere, Rapallo e Sanremo sono cittadine liguri che attraggono sempre molti visitatori. Portofino è un promontorio molto suggestivo, con i suoi piccoli porti e strade panoramiche. Sanremo, con i suoi fiori, grandi alberghi e bellissime ville, grazie al suo clima favorevole, è il luogo di villeggiatura preferito di molti europei. Il mare è certamente la ricchezza della Liguria; rende il clima della regione mite e attrae annualmente milioni di turisti. Il Mare Ligure è anche un'eccellente via di comunicazione ed è molto ricco di pesce.

1. terraces 2. vineyards 3. citrus fruit 4. flowers 5. narrow 6. cliffs
7. Eastern Riviera and Western Riviera 8. sandy 9. mild

Locate Liguria, Mare Ligure, and Genova on the map of Italy on p. 14. *Quale paese straniero confina con la Liguria? Con quali regioni italiane confina la Liguria?*

Look at the physical map of Italy on p. 12. Notice how the Alps run into the Apennines in Liguria.

Look again at the map of Italy on p. 14 and find the locations of the two Rivieras.

Domande. Risponda alle seguenti domande basate sulla lettura.

1. Come si chiama il mare della Liguria?
2. Come si chiamano le catene montuose che si uniscono in Liguria?
3. Qual è il capoluogo della Liguria?
4. Che cosa si coltiva sulle terrazze liguri? E sulla costa?
5. Quali sono le caratteristiche della zona costiera ligure?
6. Quali sono alcune cittadine pittoresche della costa ligure?
7. Quale cittadina di villeggiatura preferiscono molti europei? Perché?
8. Perché è caratteristica Portofino?
9. Che cosa rappresenta il mare per la Liguria? Perché?

 Definizioni. Prima di leggere il seguente brano, abbini le definizioni con una parola della lista di destra. Ci sono due parole in più nella lista.

1. aggettivo di Genova
2. persone che praticano il commercio
3. un periodo della storia
4. persone che si occupano di finanza
5. persone che vanno per mari e oceani
6. persone che possiedono banche
7. gli abitanti di Genova
8. un'erba aromatica
9. un tipo di formaggio

a. il basilico
b. i navigatori
c. il condimento
d. i genovesi
e. il Medioevo
f. i banchieri
g. genovese
h. l'oliva
i. i finanzieri
j. il parmigiano
k. i commercianti

The term "blue jeans" may derive from the blue cloth trousers that Genoese sailors used to wear.

UN GRANDE PORTO DI MARE

Genova, chiamata "la Superba[1]", ha una gloriosa tradizione storica legata[2] principalmente alla sua posizione geografica. La fortuna e il prestigio di Genova sono associati con il mare. I genovesi sono sempre stati gente di mare[3]. Nel Medioevo hanno già una grande flotta[4] navale e sono bravi navigatori, commercianti, finanzieri e banchieri. Oggi Genova è il più importante porto di mare d'Italia ed è anche un grande centro commerciale e industriale. Genova è la città natale[5] di molti personaggi famosi quali Simone Boccanegra, Cristoforo Colombo, Goffredo Mameli, Giuseppe Mazzini, Eugenio Montale e Niccolò Paganini.

La Liguria, e Genova in particolare, hanno contribuito anche alla bontà[6] e alla varietà della cucina italiana. Un contributo particolare è il pesto alla genovese[7]. Questo condimento è fatto di foglie di basilico, pinoli e aglio pestati[8], formaggio pecorino[9], parmigiano e olio d'oliva. Il pesto è utilizzato principalmente per condire i piatti di pasta[10].

1. "the Proud One"   2. tied   3. seafaring people   4. fleet   5. birthplace
6. goodness   7. Genoese style   8. basil leaves, pine nuts, and garlic pounded together
9. sheep's milk cheese   10. to dress pasta dishes

Simone Boccanegra (1339–1363) was doge of the Republic of Genoa. His life inspired Giuseppe Verdi's opera of the same name.

Cristoforo Colombo (1451–1506) was an explorer, credited with the discovery of America.

Goffredo Mameli (1827–1849) was a patriot and poet. He is the author of the Italian national anthem.

Giuseppe Mazzini (1805–1872) was a patriot whose actions and writings contributed to the unification of Italy.

Eugenio Montale (1896–1981) was a poet who received the Nobel Prize for Literature in 1975.

Niccolò Paganini (1782–1840) was a violinist and a composer.

B **Che cosa ricorda?** Dia il nome o la descrizione delle seguenti caratteristiche di Genova.

1. nome dato a Genova
2. a che cosa è legata la storia genovese
3. lo sono i genovesi
4. attività dei genovesi fin dal Medioevo
5. tre personaggi famosi nati a Genova
6. condimento tipico di Genova e come viene utilizzato
7. quattro ingredienti del pesto alla genovese

Lezione 8

A colazione, genitori e figli parlano delle attività in programma per la giornata di oggi.

In famiglia

Communicative Objectives

- Express wants and obligations
- Describe and talk about family
- Talk about travel wants and plans

La famiglia Orlandi è a cena. A tavola sono seduti il padre Carlo, la madre Luciana e i due figli Stefano e Alessandra. Stefano ha appena° ottenuto il diploma di maturità scientifica e Alessandra frequenta il liceo classico.

just

> In Italy the main meal (*il pranzo*) is eaten between 1 and 2:30 P.M. *La cena* is a lighter meal eaten between 8 and 10 P.M.

ALESSANDRA:	Papà, ti devo dire una cosa. L'ho già detta alla mamma e lei è d'accordo.
IL PADRE:	Di che cosa si tratta?
ALESSANDRA:	A luglio la mia amica Giuliana parte in macchina per il Veneto e mi ha chiesto di andare con lei. Tu la conosci, non è vero?
IL PADRE:	Giuliana? Ma non è quella tua amica che ha appena preso la patente? No, non se ne parla proprio°!
LA MADRE:	Ma, Carlo, Giuliana è una brava ragazza ed è molto responsabile!
IL PADRE:	Luciana, ti prego. Alessandra viene in montagna con noi. E tu, Stefano, hai deciso quale facoltà universitaria vuoi frequentare?
STEFANO:	Veramente no, non l'ho ancora scelta. Anzi°, a dire la verità, penso di non iscrivermi per quest'anno.
IL PADRE:	Che cosa hai detto? Ho sentito bene?
STEFANO:	Sì, papà. Voglio andare un anno in Inghilterra per imparare meglio l'inglese.
LA MADRE:	Stefano, questa idea è nuova. Tu sei sempre stato in famiglia e non sei mai andato all'estero. Sei sicuro di poter stare da solo e lontano da casa per un anno intero?
IL PADRE:	E poi come pensi di pagare tutte le spese?
STEFANO:	Ho già messo da parte° un bel po' di soldi e poi posso sempre cercare lavoro.
LA MADRE:	Stefano, ti sembra proprio una buona idea?
IL PADRE:	Ma sì, Luciana, non è un'idea cattiva. Vivere all'estero per un anno, il contatto con altri giovani e un'esperienza di lavoro gli faranno certamente bene°.

5

10

15

20

25

> Look at the map of Italy on p. 14 and locate the region of *Veneto*.

Let's forget it!

> Review the cultural note *L'università italiana* in *Lezione 2*, p. 41.

Indeed

I've already saved

will certainly do him good

Domande

1. Dov'è la famiglia Orlandi?
2. Cosa fanno i figli?
3. Dove vuole andare Alessandra? Con chi vuole andare?
4. Che cosa pensa di fare Stefano? Perché?
5. Il padre è d'accordo con i programmi dei figli? Perché?
6. E che cosa pensa la madre?

Domande personali

1. Lei lavora durante l'anno accademico? Dove? Perché?
2. Cosa fa di solito durante l'estate?
3. Che programma ha fatto lei per l'estate prossima? E per l'anno prossimo?
4. I suoi genitori che cosa dicono dei suoi programmi?
5. Lei discute spesso con i suoi genitori? Di che cosa discute?

La famiglia italiana

N egli ultimi anni la società italiana ha subito[1] molti cambiamenti[2]. Secondo l'Eurispes (l'Istituto di studi politici, economici e sociali), questi cambiamenti sono molto evidenti nell'istituzione famigliare. Nel suo "Rapporto Italia 2000", l'Eurispes presenta un panorama completamente nuovo della famiglia italiana, dove solo il 50 per cento segue il modello tradizionale: padre e madre regolarmente sposati che vivono con i loro figli nella stessa casa.

L'altra metà[3] delle famiglie è composta di conviventi[4], persone single, nuclei monoparentali[5] e coppie[6] senza figli. Un aspetto demografico importante della famiglia italiana contemporanea è la crescita[7] zero delle nascite. Molte coppie sposate o conviventi preferiscono non avere figli o avere solo un figlio. Difatti la maggior parte dei bambini nati negli ultimi anni sono figli di coppie di immigrati extracomunitari che contribuiscono a fare dell'Italia un paese sempre più multirazziale, multietnico e multiculturale.

- La famiglia nel suo paese ha caratteristiche simili a quelle della famiglia italiana? Spieghi le similarità e le differenze.

Venezia: Una giovane famiglia passeggia tra la gente in Piazza San Marco.

1. has undergone   2. changes   3. half   4. couples living together   5. single parent   6. couples   7. growth

Situazioni

1. Domandi ad un amico/un'amica cosa vuole fare stasera.

    ▶ — Cosa vuoi fare stasera?
    — Voglio andare al cinema (fare due passi/fare acquisti/fare quattro salti in discoteca).

2. Reagisca a quello che dice un suo compagno/una sua compagna di scuola sui suoi programmi.

    ▶ — Penso di non lavorare quest'estate (lavorare un anno in Italia/non finire l'università/cambiare facoltà).
    — Che cosa hai detto? (Ho sentito bene?/Sei sicuro/a di poterlo fare?/Perché?)

Pratica

1. In coppia: Domandi ad un amico/un'amica perché ha scelto questa università e quale facoltà ha scelto o pensa di scegliere. Poi si prepari a spiegare i motivi (*reasons*) delle sue scelte.

2. In coppia: Reagisca alla notizia (*news*) di un amico/un'amica che ha appena trovato un lavoro come bagnino (*lifeguard*) e che la invita a cercare un lavoro estivo. Preparate un dialogo appropriato.

   ▶ S1: Ho appena …
   S2: Davvero? Sono …
   S1: Perché non cerchi …
   S2: …

Vocabolario

Parole analoghe

il contatto   la mamma
l'esperienza   responsabile

Nomi

la cena   supper
la cosa   thing
la facoltà   school (*of medicine, law, etc.*)
i genitori   parents
il programma   plan
la spesa   expense
la tavola   table

Verbi

discutere   to argue, discuss
dovere   to have to, must
iscriversi   to enroll
ottenere   to obtain, get
pensare di   to intend to, to think to
scegliere (*p.p.* **scelto**)   to choose
trattarsi (di)   to be about
vivere (*p.p.* **vissuto**)   to live

Aggettivi

intero/a   entire, whole
prossimo/a   next
quello/a   that

Altre parole ed espressioni

meglio   better
troppo   too
essere d'accordo   to agree
con lei   with her
lontano da   far from
in montagna   to the mountains
la patente di guida   driver's license
non … ancora   not … yet
non … mai   never
un bel po' di   quite a lot of
ti prego   I beg you

> *La tavola* refers mainly to the dinner table; *il tavolo* refers to the object itself: *La famiglia è a tavola* but *Il tavolo è troppo piccolo.*

Pronuncia

I suoni delle combinazioni *sc* e *sch*

Sc is pronounced in two ways, depending on the vowel that follows it: soft /ʃ/, as in **pesce**, before **e** and **i**; and hard /**sk**/, as in **pesca**, before **a, o**, and **u**. **Sch** is always pronounced hard /**sk**/, as in **freschi**. Thus some words have an **h** in the plural to retain the hard pronunciation: **tedesco → tedeschi.**

 A Ascolti e ripeta le seguenti parole.

scientifico	**sci**are	a**sc**oltare	di**sc**utere	di**sch**i
scelta	na**sc**ere	**sc**usa	cono**sc**o	tede**sch**e
cono**sc**ere	preferi**sc**e	**sc**ortese	i**sc**riversi	pe**sch**e

B **Proverbio.** Ascolti e ripeta il seguente proverbio.

Da cosa nasce cosa.
One thing leads to another.
(*Literally: From something, something is born.*)

> Ex. B: In what situations could you use this proverb?

Ampliamento del vocabolario

La famiglia e i parenti

i genitori	parents	**la nipote**	granddaughter; niece
il nonno	grandfather	**il patrigno**	stepfather
la nonna	grandmother	**la matrigna**	stepmother
i nonni	grandparents	**il suocero**	father-in-law
i parenti	relatives	**la suocera**	mother-in-law
lo zio	uncle	**il genero**	son-in-law
la zia	aunt	**la nuora**	daughter-in-law
il cugino	(male) cousin	**il cognato**	brother-in-law
la cugina	(female) cousin	**la cognata**	sister-in-law
il nipote	grandson; nephew		

Note: Masculine plural nouns such as **gli zii** and **i cugini** may refer to all-male groups or to a mixed group of males and females. Context usually makes the meaning clear.

Altre espressioni utili

la coppia   couple
innamorarsi   to fall in love
fidanzarsi   to become engaged
sposarsi   to get married
convivere   to live together

essere sposato/a   to be married
essere separato/a   to be separated
divorziare   to divorce
essere divorziato/a   to be
      divorced

A Risponda alle seguenti domande personali.

1. Lei è fidanzato/a? È sposato/a?
2. Pensa di sposarsi?
3. Secondo lei, è bene sposarsi molto giovane? Perché?
4. Ha un cognato? Quando si è sposata sua sorella?
5. Ha una cognata? Quando si è sposato suo fratello?
6. Ha uno zio/una zia? Dove abita? È single o sposato/a?
7. Lei ha cugini? Quanti? Dove abitano?

B In coppia: Assuma il ruolo di Marisa o di Luigi ed indichi al suo compagno/
alla sua compagna il grado di parentela (*relationship*) con gli altri membri
della famiglia, secondo l'albero genealogico che segue.

▶ Paolo Martinelli è mio nonno.

La famiglia Martinelli

Maria Salvatorelli   Paolo Martinelli

Franca Baresi   Mario Martinelli   Giuseppe Martinelli   Matilde Ratiglia

Silvia   Luigi   Marisa   Antonio   Gianni   Elena

In coppia: Immagini di conoscere Matilde Ratiglia e di rispondere al suo compagno/alla sua compagna che fa alcune domande sulla famiglia di Matilde. Cerchi le risposte nell'albero genealogico presentato nell'esercizio B.

1. Come si chiama il marito di Matilde?
2. Chi sono i suoi figli?
3. Chi è Paolo Martinelli?
4. Chi sono Silvia e Luigi?
5. Chi è Franca Baresi? E Mario Martinelli?
6. Chi è Marisa? E Maria Salvatorelli?
7. Com'è la famiglia di Matilde, piccola o grande?

Lei viaggia?

La guida

guidare (velocemente/lentamente) to drive (fast/slowly)
noleggiare un'automobile, una macchina to rent a car
parcheggiare to park
il parcheggio a pagamento pay parking
la stazione di servizio gas station
la benzina gasoline
fare controllare l'olio (le gomme, i freni) to have the oil (tires, brakes) checked
fare il pieno to fill it up

Viaggiare

l'agenzia di viaggi travel agency
fare le prenotazioni (prenotare) to make reservations
il biglietto aereo (ferroviario) airline (train) ticket
il passaporto passport
il viaggio trip
il volo flight
la valigia suitcase
i bagagli luggage
fare le valige to pack the suitcases

> In Italy *la benzina* is sold by the liter (*il litro*). It costs almost four times as much as in the U.S. Four liters = approx. 1 gallon

COLLAUDA
IL TUO VEICOLO
e richiedi il
BOLLINO BLU
presso i centri autorizzati

IMPERIA
VENTIMIGLIA
SANREMO
Tel. 0183.700.235
Tel. 0184.351.377
Tel. 0184.592.713

> The *bollino blu* is a decal applied to a car's windshield to indicate that the car has passed the inspection and is equipped with functioning devices to reduce emission gases. The inspection takes place every four years.

D In coppia: Lei va in montagna per tre giorni con un amico/un'amica. Telefoni all'albergo Stella Alpina e faccia le prenotazioni.

▶ S1: Albergo Stella Alpina, buon giorno.
S2: Buon giorno. Desidero fare …

E In coppia: Lei è arrivato/a in macchina in un albergo di Pisa. Domandi al portiere dov'è una stazione di servizio perché deve fare il pieno. Poi vuole anche sapere dove può parcheggiare la macchina. Il portiere risponde che c'è una stazione di servizio vicino all'albergo e il parcheggio a pagamento è tra la chiesa e l'ufficio postale. Preparate un dialogo appropriato.

▶ — Scusi, mi può dire …
— C'è …

F In coppia: Lei deve andare all'estero. Telefoni ad un'agenzia di viaggi per prenotare un volo diretto per Roma. L'agente le risponde che solo il sabato c'è un volo diretto per Roma e le domanda se lei ha già il passaporto. Prima di fare le valige, lei vuole sapere quanti bagagli può portare e se può noleggiare una macchina in anticipo.

▶ — Buon giorno, signore (signora, signorina). Mi dica.
— Buon giorno. Ho bisogno di …

Struttura ed uso

Dovere, potere e volere

Dobbiamo pulire la casa.

Ma non **vogliamo!**

1. The verbs **dovere** (*to have to*), **potere** (*to be able*), and **volere** (*to want*) are modal verbs; that is, they are usually followed by a dependent infinitive.

— Papà, ti **dobbiamo dire** una cosa.
— Cosa **dovete dirmi?**

Alessandra **può venire** in montagna con noi.
Stefano **può andare** a studiare in Inghilterra.

— Tu **vuoi andare** a lavorare?
— Sì, **voglio lavorare** in un campeggio nel Veneto.

2. **Dovere, potere,** and **volere** have irregular forms in the present tense.

	dovere *must, to have to, ought*	potere *can, to be able*	volere *to want; to wish*
io	devo	posso	voglio
tu	devi	puoi	vuoi
lui/lei	deve	può	vuole
noi	dobbiamo	possiamo	vogliamo
voi	dovete	potete	volete
loro	devono	possono	vogliono

> Remember that triphthongs, as in *vuoi* and *puoi*, are pronounced as a single syllable. Notice that *può* has a written accent.

3. The past participles of **dovere, potere,** and **volere** are regular. The **passato prossimo** of **dovere, potere,** and **volere** is formed with either **avere** or **essere,** depending on the infinitive that follows. If the infinitive is transitive (can take a direct object), use **avere.** If it is intransitive (cannot take a direct object), use **essere** and make the past participle agree with the subject. If there is no infinitive, **avere** is used.

Maria **ha dovuto finire** i compiti.	*Maria had to finish her homework.*
È dovuta stare a casa.	*She had to stay (at) home.*
Non **hanno voluto pagare** i biglietti.	*They didn't want to pay for the tickets.*
Sono potuti uscire con voi?	*Were they able to go out with you?*
Non **hanno voluto.**	*They didn't want to.*

> The use of the auxiliary *avere* with all verbs is increasing: *Hanno voluto uscire con noi.*

A Dica che le seguenti persone non possono fare certe attività. Usi la forma appropriata del presente di **potere.**

▶ Vogliono uscire ...   ma non possono.
  Vuole mangiare ...   ma non può.

1. Voglio fare una passeggiata ...
2. Vuoi comprare una moto ...
3. Vuole andare a piedi in centro ...
4. Le sorelle vogliono fare colazione ...
5. Mia cognata vuole visitare Venezia ...
6. Volete vedere un film ...

B Formuli frasi logiche con un soggetto dalla prima colonna, un verbo modale dalla seconda e una frase dipendente dall'ultima.

▶ Alessandra vuole passare le vacanze con un'amica.

Stefano	volere	passare le vacanze con un'amica
Alessandra	non volere	scegliere una facoltà universitaria
i figli	potere	andare nel Veneto da sola
la madre	non potere	chiedere un favore al papà
il padre	dovere	venire in montagna con i genitori
i genitori	non dovere	iscriversi all'università
Giuliana		imparare l'inglese
		permettere ad Alessandra di viaggiare
		prendere una decisione
		pagare le spese del viaggio
		vivere all'estero

C Metta tutto il paragrafo al passato prossimo.

Giuliana non vuole passare l'estate a casa. Vuole lavorare in un campeggio per bambini nel Veneto. Può andare da sola o può viaggiare con un gruppo di altri studenti. Deve chiedere il permesso al papà. Deve avere anche il permesso della mamma.

D In coppia: Parlate di un viaggio che volete fare in Italia. Decidete:

quando potete partire
come volete viaggiare (in treno? in aereo? quale linea? noleggiare una
    macchina?)
le città che volete visitare in Italia
cosa volete vedere (musei? monumenti? come vivono gli italiani?)
cosa volete fare (mangiare? comprare? andare a trovare parenti?)
quando dovete tornare negli Stati Uniti

Dopo, riferite i vostri progetti alla classe.

▶ Noi vogliamo andare in Italia. Possiamo partire il 3 marzo con l'Alitalia ...

E In coppia: Dica ad un altro studente/un'altra studentessa:

tre cose che ha dovuto fare la settimana scorsa e quando le ha fatte
tre cose che non ha potuto fare l'anno scorso e perché

▶ La settimana scorsa ho dovuto scegliere i corsi per il prossimo semestre. Ho
    scelto i corsi mercoledì mattina.
    L'anno scorso non sono potuto/a andare in California perché ...

Pronomi diretti

— Hai visto Luciano?
Abbiamo un appuntamento
e non **lo** posso trovare.
— Io non **l'**ho visto.

1. The direct object of a verb is the thing or person directly affected by the
action of the verb. It answers the question *what?* or *whom?* The direct object
can be replaced by a pronoun to avoid repetition.

— Luciana, conosci **Angelo?**   — *Luciana, do you know Angelo?*
— Sì, **lo** conosco.   — *Yes, I know him.*

— Stefano ordina **la pizza?**   — *Is Stefano ordering the pizza?*
— Sì, **la** ordina.   — *Yes, he's ordering it.*

— Chi invita **i parenti?**   — *Who is inviting the relatives?*
— Mariella **li** invita.   — *Mariella is inviting them.*

2. This chart shows the forms of the direct object pronouns.

singular		plural	
mi	me	**ci**	us
ti	you	**vi**	you
lo	him, it	**li**	them (*m.*)
la	her, it, you (*formal*)	**le**	them (*f.*)

> The direct object pronouns *lo* and *la* often contract before verbs that begin with a vowel sound: *Amo Roberto; L'amo.*

3. The direct object pronoun usually precedes a conjugated verb.

— **Mi** aspetti dopo la lezione?　　— *Will you wait for me after class?*
— Sì, **ti** aspetto.　　　　　　　— *Yes, I'll wait for you.*

However, when a direct object pronoun is used in an infinitive phrase, the infinitive drops its final **-e** and the pronoun is attached.

La televisione? La guardo spesso.　*Television? I watch it often. I like*
　Mi piace **guardarla.**　　　　　　*to watch it.*
I genitori? Li vedo spesso. Ho　　*My parents? I see them often. I*
　voglia di **vederli** adesso.　　　　*feel like seeing them now.*

When direct object pronouns are used with the modal verbs **dovere, potere,** or **volere** followed by an infinitive, the pronoun may either precede the conjugated verb or be attached to the infinitive.

> Both positions are common, but current usage seems to favor the pronoun before the verb: *Ti devo dire una cosa.*

Ho studiato l'inglese, ma **lo**
　voglio imparare meglio.　　　　　*I've studied English, but I want*
Ho studiato l'inglese, ma voglio　*to learn it better.*
　imparar**lo** meglio.

Ho sentito le parole, ma non **le**
　posso capire.　　　　　　　　　*I heard the words, but I can't*
Ho sentito le parole, ma non　　　*understand them.*
　posso capir**le.**

Direct object pronouns are attached to the end of **tu, noi,** and **voi** imperatives and the word **ecco.**

Dove sei? Ah, ecco**ti!**　　　　　*Where are you? Oh, there you are!*
Vuoi il panino? Prendi**lo!**　　　*Do you want the sandwich? Take it!*
Ascoltate**mi!**　　　　　　　　　*Listen to me!*

4. When the direct object pronouns **lo, la, li,** and **le** precede a verb in the **passato prossimo,** the past participle of the verb agrees with the direct object pronoun.

> The direct object pronouns *la* and *lo* normally elide with forms of the auxiliary verb *avere. Le* and *li* do not.

Ha scritto la lettera e **l'**ha　　　*She wrote the letter and she sent it.*
　spedi**ta.**
Ha cercato lavoro e **l'**ha trova**to.**　*He looked for a job and he found it.*
Abbiamo visto le amiche e **le**　　*We saw our friends and we greeted*
　abbiamo saluta**te.**　　　　　　　*them.*
Hanno preparato gli spaghetti e　*They prepared spaghetti and they*
　li hanno mangia**ti.**　　　　　　*ate it.*

> Note that *spaghetti*, considered singular in English, is plural in Italian and requires a plural pronoun.

Agreement of the past participle is optional with the direct object pronouns **mi, ti, ci, vi.**

— Ragazzi, **vi** ha $\left\{ \begin{array}{l} \textbf{invitato} \\ \textbf{invitati} \end{array} \right\}$ Filippo?

— Sì, **ci** ha $\left\{ \begin{array}{l} \textbf{invitato.} \\ \textbf{invitati.} \end{array} \right.$

Vedi quella statua? L'ho **fatta** io!

P In coppia: Domandi ad un compagno/una compagna se mangia o beve le seguenti cose.

▶ gli spinaci   S1: Mangi gli spinaci?
                S2: Sì, li mangio./No, non li mangio.

   il caffè   S1: Bevi il caffè?
                S2: Sì, lo bevo./No, non lo bevo.

1. la carne	4. il latte	7. la birra messicana
2. il tè	5. gli asparagi	8. i carciofi
3. le vongole	6. le melanzane	9. il pesce

G Nei seguenti paragrafi, il complemento diretto è ripetuto molte volte. Lo sostituisca con il pronome diretto dove appropriato per evitare (*avoid*) questa ripetizione inutile.

1. Giuliana è una mia amica. Conosci Giuliana? Chiamo Giuliana ogni giorno. Incontro Giuliana sempre all'università. Vedo Giuliana ogni pomeriggio dopo la lezione d'inglese. Quando esco la sera, invito sempre Giuliana. A volte trovo Giuliana piuttosto noiosa, ma considero Giuliana una buona amica.

2. Ogni giorno Piero mangia due tramezzini al tonno. Prepara i tramezzini al tonno prima di uscire. Mette i tramezzini al tonno nello zaino e porta i tramezzini al tonno a scuola. Mangia i tramezzini al tonno a mezzogiorno e quando finisce di mangiare i tramezzini al tonno, si sente soddisfatto.

In questo dipinto del 1855, l'artista inglese Dante Gabriel Rossetti rappresenta l'incontro fra Dante e Beatrice.

H Il giovane poeta Dante ama Beatrice ma, come sempre in amore, ci sono problemi. Qui Dante parla con un suo amico dei suoi problemi amorosi. Legga tutto il dialogo per vedere cosa dicono. Poi completi la conversazione con i pronomi appropriati.

— Non so che cosa succede a Beatrice. Non _____ ama più. Non _____ chiama più. Ogni volta che _____ incontro per strada, lei non _____ saluta. E io _____ amo tanto!

— Dante, Dante! Certo che Beatrice _____ ama. Forse (*Maybe*) suo padre non le permette di chiamar _____ . E forse non vuole salutar _____ per strada perché è sempre in compagnia delle amiche. Perché non scrivi una poesia e _____ mandi a Beatrice?

— Buona idea!

I In coppia: Voi organizzate una festa per il prossimo sabato e dovete dividere il lavoro. Una persona chiede all'altra se può fare le seguenti cose. L'altra risponde sì o no, usando un pronome diretto.

▶ invitare gli amici　　S1: Puoi invitare gli amici?
　　　　　　　　　　　S2: Sì, li posso invitare./Sì, posso invitarli.
　　　　　　　　　　　　　 No, non li posso invitare./No, non posso
　　　　　　　　　　　　　 invitarli.
　　　　　　　　　　　S1: Allora li invito io.

1. comprare le bibite　　3. portare un lettore CD　　5. arredare la casa
2. preparare i panini　　4. portare i CD　　　　　　6. organizzare i giochi

J Lei ed un compagno/una compagna siete in partenza per un breve viaggio. Chieda al compagno/alla compagna se ha preso le seguenti cose necessarie per il viaggio.

▶ la valigia   S1: Hai preso la valigia?
                    S2: Sì, l'ho presa.

1. il biglietto   5. la videocamera
2. il passaporto   6. i bagagli
3. i panini   7. la macchina fotografica
4. la guida turistica

K Piccolo quiz su italiani famosi.

1. Chi ha scritto la *Divina Commedia?*
2. Chi ha scoperto (*discovered*) l'America?
3. Chi ha inventato la radio?
4. Chi ha fatto il primo telescopio?
5. Chi ha portato gli spaghetti dall'Oriente?
6. Chi ha scritto la musica de *La Traviata?*
7. Chi ha dipinto gli affreschi (*painted the frescoes*) della Cappella Sistina?
8. Chi ha scoperto la fissione atomica?

L Trovi nella sua classe una persona che ha fatto le seguenti cose.

▶ studiare la storia dell'arte   S1: Hai mai studiato la storia dell'arte?
                                   S2: Sì, l'ho studiata./No, non l'ho mai
                                       studiata.

1. ascoltare *Le quattro stagioni* di Vivaldi
2. mangiare la pizza bianca
3. vedere il film *Il postino*
4. visitare le isole Hawaii
5. leggere la *Divina Commedia* di Dante
6. conoscere un uomo politico importante

> *Le quattro stagioni* are four violin concertos by Venetian composer Antonio Vivaldi (1678–1741), each representing a different season.

Aggettivi e pronomi dimostrativi
questo e quello

1. The demonstratives **questo** (*this/these*) and **quello** (*that/those*) can function as either adjectives or pronouns. As adjectives, they modify nouns. As pronouns, they replace the nouns and stand alone. In either case, they agree with the noun in gender and number.

— **Questa valigia** è troppo piccola.   — *This suitcase is too small.*
— **Quella** è abbastanza grande.   — *That one is big enough.*

— Conosci **quei ragazzi?**   — *Do you know those guys?*
— Quali? **Quelli?**   — *Which ones? Those?*

2. The adjective **questo** has the four regular forms of an adjective ending in **-o.** It can be shortened to **quest'** before singular nouns beginning with a vowel.

Vedi **questa** fotografia? **Queste** ragazze sono le mie nipoti e **quest'**uomo è mio nonno.

See this picture? These girls are my nieces and this man is my grandfather.

3. The adjective **quello** follows the same pattern of agreement as the adjective **bello.**

demonstrative adjective *quello*	
singular	**plural**
quel ragazzo	**quei** ragazzi
quello studente	**quegli** studenti
quell'amico	**quegli** amici
quella ragazza	**quelle** ragazze
quell'amica	**quelle** amiche

Quella signora è la moglie dell'ambasciatore francese.

That woman is the wife of the French ambassador.

Quegli americani sono amici di Umberto Eco.

Those Americans are friends of Umberto Eco's.

Quel ragazzo è il figlio del primo ministro.

That boy is the prime minister's son.

Quei giovani sono giornalisti.

Those young people are journalists.

4. As pronouns, **questo** and **quello** each have four regular forms.

demonstrative pronouns *questo* and *quello*			
singular	**plural**	**singular**	**plural**
questo	questi	quello	quelli
questa	queste	quella	quelle

Quel passaporto è mio, ma **quello** è di mia moglie.

That passport is mine, but that one is my wife's.

Questa moto è italiana, ma **queste** sono giapponesi.

This motorcycle is Italian, but these are Japanese.

Quest'orologio è di marca svizzera, ma **quello** è un Timex.

This watch is a Swiss brand, but that one is a Timex.

Quel CD è nuovo, ma **questo** è uscito due anni fa.

That CD is new, but this one came out two years ago.

(M) In coppia: Lei è in una cartolibreria (*book/stationery store*) e chiede il prezzo di vari articoli al commesso.

▶ matite (€2,25)   S1: Quanto costano quelle matite?
S2: Queste matite costano due euro e venticinque centesimi.

1. rivista (€2,50)
2. dizionario (€30)
3. penne (€2,35)

4. carta telefonica (€5)
5. giornali (€1,10)
6. calcolatrice (€7,50)

7. calendario (€12,75)
8. quaderni (€4,50)

N In coppia: Mentre guarda un teleromanzo (*soap opera*) con un amico/
un'amica, spieghi (*explain*) chi sono i personaggi (*characters*) secondo il
modello.

▶ Questa ragazza è buona ma quella è cattiva.
  Quel signore è ricco ma questo ha perduto tutti i soldi.

1. Quel giovane è simpatico ma …
2. Questa donna è sposata ma …
3. Quei bambini abitano con la madre ma …
4. Quell'uomo è molto generoso ma …
5. Queste ragazze lavorano in un ospedale ma …
6. Quella signora soffre di amnesia ma …
7. Quel ragazzo è il figlio di quella signora ma …

O In coppia: Lei è al mercato all'aperto e desidera comprare le seguenti
cose. Con un compagno/una compagna che fa la parte del venditore,
dica che cosa desidera secondo il modello.

▶ ciliege / mezzo chilo   S1: Mezzo chilo di ciliege, per favore.
                           S2: Queste ciliege o quelle?
                           S1: Queste, per favore.

1. fagiolini / un chilo
2. prosciutto / un etto (*100 grams*)
3. spinaci / mezzo chilo
4. uva / due chili
5. pane / un po' di
6. funghi / un cestino (*basket*)
7. pere / due chili
8. pomodori / tre chili

P In coppia: Domandi ad un altro studente/un'altra studentessa dove ha
comprato almeno quattro cose che lui/lei ha.

▶ S1: Dove hai comprato quello zaino?
  S2: Questo? In libreria.

Q In gruppi di quattro: Faccia vedere agli altri studenti del gruppo una
fotografia di famiglia o di amici. Dica chi sono le persone nella foto,
usando i dimostrativi dove possibile, e risponda alle domande degli
altri studenti.

▶ — Ecco una foto di tre amici. Questo ragazzo si chiama Franco e quello si
  chiama Tim. Questo abita nella mia città ma quello adesso abita in
  California …
  — E chi è questa ragazza? ecc.

For further
practice of
lesson topics,
log on to the *Oggi in Italia*
website and/or do the CD-ROM
activities.

Parliamo un po'

A La famiglia. In coppia: Prepari un albero genealogico come a pagina 177 con tre generazioni della sua famiglia (con zii, cugini, ecc.). Poi dica ad un compagno/una compagna il nome e l'età di ogni membro della famiglia.

▶ Questo è mio nonno. Si chiama Paolo e ha sessantadue anni.

B Conoscere un amico/un'amica. In coppia.

S1

Lei lavora per il giornale della sua università e deve intervistare uno studente straniero/una studentessa straniera. Lei vuole sapere:

il suo nome
dove abita la sua famiglia
il numero di fratelli e sorelle
nomi ed età di fratelli e sorelle
che lavoro fanno i suoi genitori
da quanto tempo è negli Stati Uniti
perché è venuto/a a quest'università
se gli piace essere qui

S2

Lei è uno studente italiano/una studentessa italiana venuto/a negli Stati Uniti per mezzo di un programma di scambio (*exchange*) culturale. Un/a giornalista vuole farle alcune domande per un articolo che scrive sul giornale dell'università. Risponda con le informazioni indicate.

nome: Francesco/a De Sia
abita a: Verona
famiglia: padre: presidente di banca; madre: farmacista; un fratello: 20 anni, Dante; due sorelle: Eugenia e Bettina, 16 e 15 anni
negli Stati Uniti da: settembre
perché?: studiare informatica, praticare l'inglese

C **Un viaggio all'estero.** In gruppi di tre: Una persona del gruppo
è uno studente/una studentessa che vuole passare l'estate all'estero. Le
altre due sono i genitori, che non sono d'accordo con il figlio/la figlia.

STUDENTE/STUDENTESSA: Dica dove vuole andare e spieghi ai genitori perché
vuole fare questo viaggio, cosa vuole fare esattamente e i vantaggi del viaggio.
Deve convincere i genitori a dare il loro permesso.

GENITORI: Volete sapere tutti i dettagli di questo viaggio, anche se non vi piace
l'idea. Se quello che vi dice vostro figlio/vostra figlia non vi piace, dovete convincere il figlio/la figlia a rimanere a casa per l'estate.

D **Vi piace viaggiare?** Parli con altri tre studenti per sapere:

se viaggiano spesso o raramente _____ _____ _____
dove preferiscono andare _____ _____ _____
come preferiscono viaggiare _____ _____ _____
con chi viaggiano _____ _____ _____
se portano molti bagagli _____ _____ _____
la destinazione dell'ultimo viaggio fatto _____ _____ _____

E **La famiglia a Venezia.** In coppia: Ecco alcune fotografie che
lei ha fatto durante un viaggio a Venezia con la sua famiglia. Racconti
ad un compagno/una compagna alcune cose che sono successe
durante il viaggio.

— Siamo arrivati a Venezia il …   — Mio fratello ha …
— I miei genitori hanno …   — Abbiamo dovuto …
— Abbiamo fatto un giro in …   — Il gondoliere ha …
— Mia sorella non ha voluto …   — Siamo stati a …

> *Non volere* in the *passato
> prossimo* often means
> "refused to."

Conoscere l'Italia

 Definizioni. Abbini le definizioni con una parola della lista di destra. Ci sono due parole in più nella lista.

1. abitante di una città
2. persone che visitano città e paesi stranieri
3. aggettivo derivato da *mare*
4. una forma di governo
5. un animale feroce
6. un tipo di chiesa
7. sinonimo di *bar*
8. sinonimo di *ricco*
9. nome derivato da *bello*
10. disegno decorativo di vari colori

a. la repubblica
b. la bellezza
c. la basilica
d. splendido/a
e. marinaro/a
f. il mosaico
g. il cittadino
h. prospero/a
i. i turisti
j. il canale
k. il leone
l. il caffè

> Locate Venezia on the map of Italy on p. 14.

Venezia

Piazza San Marco, il salotto di Venezia, è sempre affollata da turisti italiani e stranieri.

Venezia, una delle più belle e affascinanti città del mondo, è costruita su centodiciotto isole. In questa città non ci sono automobili, autobus o motorini. Le vie di Venezia sono i canali. Barche[1], motoscafi[2], vaporetti[3] e bellissime e romantiche gondole sono i mezzi[4] che portano la gente da una parte all'altra della città. A Venezia ci sono centocinquanta canali e quattrocento ponti[5]. I veneziani chiamano il canale "rio", la piazza "campo", una piccola piazza "campiello" e la via "calle". Il ponte più famoso è l'elegante Ponte del Rialto che attraversa il Canal Grande, il più largo[6] canale della città. C'è poi il Ponte dei Sospiri[7] che collega il Palazzo Ducale con il Palazzo delle Prigioni[8]. In questo palazzo è stato prigioniero Giacomo Casanova.

1. Boats 2. motorboats 3. steamboats 4. means
5. bridges 6. wide 7. Sighs 8. Prisons

> Giacomo Casanova (1725–1798) was a Venetian adventurer and libertine whose last name has become synonymous with "don Juan." (*Quel ragazzo è un vero casanova.*)

Chiamata "la Serenissima[9]", o la città di San Marco o del Leone alato[10], Venezia è stata una delle più prospere repubbliche marinare del Medioevo. Oggi questa città attrae molti turisti e visitatori italiani e stranieri che vengono a vedere le sue bellezze artistiche e a partecipare alle sue varie attività culturali. Il centro della vita veneziana è Piazza San Marco, uno splendido salotto[11] all'aria aperta, dove i cittadini e i turisti vanno a socializzare e ad ammirare la meravigliosa architettura della città. In questa piazza sono situati la basilica di San Marco con i suoi bei mosaici, il Campanile[12] e il Palazzo Ducale. In Piazza San Marco ci sono molti bei negozi e caffè. Qui c'è anche il famoso Caffè Florian, frequentato nel passato da artisti e scrittori stranieri.

9. the most Serene   10. winged   11. living room   12. Belltower

B **Vero o falso?** Indichi se le seguenti frasi sono vere o false secondo il brano precedente. Corregga le frasi false.

1. Le città italiane sono costruite sull'acqua.
2. A Venezia ci sono molte automobili.
3. La gondola è un tipo di barca usata a Venezia.
4. A Venezia ci sono molti ponti.
5. Le vie di Venezia si chiamano "campi".
6. Un nome di Venezia è "la Superba".
7. Una bella basilica veneziana è dedicata a San Marco.
8. Nel passato il Caffè Florian è stato frequentato da studenti.

A **La parola giusta.** Prima di leggere il seguente brano sul Veneto, completi le seguenti frasi con le parole appropriate fra quelle indicate tra parentesi.

1. Nel Veneto ci sono belle località (montagne / montane).
2. In questo territorio ci sono (industriale / pianure) e colline.
3. Questi vigneti danno (un vino / un'agricoltura) speciale.
4. C'è solamente una (collina / raffineria) di petrolio in questa zona.
5. I (prodotti / nomi) delle industrie locali sono esportati in tutto il mondo.
6. Le industrie (turisti / venete) danno ricchezza agli abitanti della regione.

Una regione ricca

Il Veneto è una delle regioni più ricche d'Italia. Nella pianura[1] del Po domina l'agricoltura e sulle colline venete si producono vini famosi quali[2] il Valpolicella, il Soave e il Bardolino. Vicino a Venezia, sulla terra ferma[3], si trovano molte industrie chimiche e siderurgiche[4] e raffinerie di petrolio. Nelle aziende[5] venete si producono tessuti[6] e abbigliamento[7], calzature[8] e articoli in pelle[9]. Missoni e Benetton, due nomi molto conosciuti nel mondo della moda[10] internazionale, sono veneti. Nel Veneto sono fabbricati anche mobili[11] e occhiali di marca[12] venduti in tutto il mondo. Negli ultimi venti anni molte piccole aziende sono nate nel Veneto e i loro prodotti sono esportati in paesi europei ed extraeuropei. Anche gli articoli dell'artigianato[13] veneto, come i vetri[14] di Murano e i merletti[15] di Burano, sono molto ricercati[16].

La regione veneta attrae molto turismo; ogni anno il Veneto riceve un gran numero di visitatori italiani e stranieri. Oltre a Venezia, anche Verona, Vicenza e Padova richiamano l'attenzione dei turisti. Gli eroi shakespeariani,

Giulietta e Romeo, e l'Arena, il meraviglioso anfiteatro romano, sono le due maggiori attrazioni di Verona. I numerosi capolavori architettonici[17] di Andrea Palladio invece sono le attrazioni di Vicenza, chiamata anche la città palladiana. A Padova poi c'è il Santuario[18] di Sant'Antonio. In questa città si possono anche ammirare gli stupendi affreschi di Giotto e di Mantegna. Nel Veneto ci sono anche belle spiagge e montagne. Il Lido di Venezia è la spiaggia più elegante dell'Adriatico. Cortina d'Ampezzo, centro di villeggiatura invernale ed estiva[19] delle Dolomiti, è una delle più belle località montane d'Italia.

1. plain   2. such as   3. mainland
4. ironworking   5. business companies   6. textiles   7. clothing
8. footwear   9. leather   10. fashion
11. furniture   12. brand-name eyeglasses   13. craftsmanship
14. glassworks   15. laces   16. sought after   17. architectural masterpieces
18. Shrine   19. winter and summer

Verona: Interno dello splendido anfiteatro romano (I secolo d.C.).

Locate Veneto on the map of Italy on p. 14. *Con quali regioni confina il Veneto? Con quale paese straniero confina? Come si chiama il mare a sud-est del Veneto? Che cos'è il Po? Dov'è il Po, nel nord o nel sud del Veneto?*

Locate Verona and Padova on the map of Italy on p. 14.

Murano and Burano are two small islands in the Venetian lagoon.

Andrea Palladio (1508–1580) was a Renaissance architect, greatly admired by Thomas Jefferson.

Sant'Antonio (1195–1231) was a Franciscan monk from Lisbon who died near Padova.

Giotto (1267–1337) was a painter whose frescoes can be admired also in Florence, Rome, and Assisi.

Andrea Mantegna (1431–1506) was a Renaissance painter.

The **Dolomiti** are a characteristic group of Alpine mountains.

Informazioni. Dia le seguenti informazioni basate sul brano precedente.

1. si produce sulle colline venete
2. importanti industrie e aziende venete
3. due personaggi veneti del mondo della moda
4. alcuni prodotti fabbricati nel Veneto
5. attrazioni di Verona
6. attrazioni di Vicenza
7. attrazioni di Padova
8. una spiaggia elegante del Veneto
9. un famoso e importante centro di villeggiatura delle montagne venete

Un anziano artista del vetro all'opera nel suo laboratorio di Murano.

Lezione 9

Una bella veduta
della città di Bari.

Un anno all'estero

Communicative Objectives

- Describe the weather
- Describe your past
- Tell how often you do certain activities

Susanna Di Palma è una studentessa universitaria di Bari. Oggi, 25 gennaio 2005, manda un messaggio di posta elettronica al suo amico Roberto, un giovane di Milano.

Locate Bari and Civitavecchia, two important port cities, on the map of Italy on p. 14.

The @ symbol in e-mail addresses is called **chiocciola** in Italian. The dot is called **punto**.

Da: Susanna Di Palma
A: robertobiondi@vento.it
Oggetto: Viva° l'Erasmus

Caro Roberto,

5   pensavo di scriverti prima, ma finora° sono stata molto occupata. Ti ricordi di quando l'estate scorsa mi consigliavi di andare a studiare un anno all'estero con il Programma Erasmus? Ebbene, grazie a° te e al tuo incoraggiamento, vado a trascorrere il prossimo anno accademico in Spagna, e precisamente a Barcellona.

10 Ieri mi ha telefonato il mio professore per darmi la bella notizia.

Siccome° non sono mai stata in Spagna sono contenta di poter fare questa esperienza. Ho in mente di fare un viaggio a Barcellona a giugno per conoscere un po' la città. C'è una nave che due volte alla settimana parte la sera da Civitavecchia e arriva a Barcellona il

15 pomeriggio del giorno seguente. Che ne dici di venire con me?

Tutti dicono che Barcellona è molto bella. È ricca di opere d'arte e di monumenti antichi e moderni, di attività sociali e culturali e i suoi abitanti sono veramente simpatici. Ci sono anche molti giovani stranieri che come me ogni anno vanno a studiare

20 alle accademie e all'università di questa città. Di solito lì fa bel tempo. C'è sempre il sole e d'inverno non fa molto freddo.

Tu come stai? Che tempo fa lì? Piove e c'è la nebbia come sempre? Ieri ricordavo i giorni passati con te in agosto sulle spiagge del Gargano e provavo molta nostalgia … A proposito non

25 mi hai ancora mandato le foto fatte alle Isole Tremiti. Perché non le mandi come allegato in un tuo prossimo messaggio?

Per ora ti lascio e ti saluto con affetto. Un abbraccio.

Susanna

Long live

until now

Well, thanks to

Since

Read about the Erasmus program in the cultural note on p. 198.

Barcellona: a major Spanish city on the Mediterranean, located in the region of Catalonia.

Domande

1. Chi è Susanna e di dov'è?
2. Perché manda un messaggio al suo amico Roberto?
3. Che cosa consigliava Roberto a Susanna l'estate scorsa?
4. Che cosa desidera fare Susanna a giugno? Perché?
5. Che cosa dicono tutti di Barcellona?
6. Che tempo fa di solito a Barcellona?
7. Che cosa ricordava ieri Susanna?

Domande personali

1. Lei manda messaggi di posta elettronica? A chi?
2. Qual è il suo indirizzo elettronico?
3. Riceve spesso messaggi? Da chi?
4. Lei scrive in italiano qualche volta? Cosa scrive?
5. Conosce una città antica e bella? Quale?
6. Oggi fa bel tempo o cattivo tempo?
7. A volte lei prova nostalgia? Di chi o di che cosa?

Situazioni

1. Domandi ad un amico/un'amica che tempo fa nella sua città in ogni stagione dell'anno.

   ▶ — Che tempo fa nella tua città in primavera (d'estate/in autunno/d'inverno)?
   — Fa fresco (freddo/cattivo tempo/caldo/bel tempo).

2. Domandi ad un amico/un'amica che cosa pensava di fare ieri sera.

   ▶ — Che cosa pensavi di fare ieri sera?
   — Pensavo di fare una passeggiata nel parco (fare due passi con gli amici/fare quattro salti in discoteca/prendere un gelato con te), ma dovevo studiare.

Pratica

1. Lei frequenta un corso estivo all'università. Scriva ad un amico italiano/ un'amica italiana e parli di queste cose nel suo messaggio.

   come sta
   che cosa studia
   che tempo fa
   quello che fa di bello
   di che cosa o di chi prova nostalgia
   se ha conosciuto qualche persona interessante

2. Lei è in vacanza. Scriva una cartolina (*postcard*) ad un amico italiano/ un'amica italiana. Dica da quanto tempo è lì e racconti (*tell*) quello che ha visto e ha fatto finora.

Studiare all'estero

Per conoscere un altro paese e per imparare bene una lingua straniera non c'è niente di meglio del contatto diretto con la gente del luogo dove si parla la lingua. Oggi per i giovani italiani è più facile fare un'esperienza all'estero grazie a una serie di programmi di sostegno[1] istituiti dall'Unione europea. Questi programmi permettono a tutti i giovani europei di studiare, ricevere una formazione[2] o fare ricerca[3] in un altro paese dell'Unione di loro scelta[4]. Sotto l'ombrello del programma Socrates, istituito per sviluppare l'istruzione europea, si trova l'Erasmus che prevede gli scambi[5] di studenti universitari fra i vari paesi dell'Unione. Gli studenti ammessi all'Erasmus ricevono una borsa di studio[6] che permette di vivere e studiare all'estero.

In una piazza di Firenze, studenti stranieri disegnano un antico palazzo rinascimentale.

Ma in Italia esistono anche accademie, istituti e università che organizzano corsi di lingua, arte e cultura per tutti gli stranieri. Ogni anno giovani da tutte le parti del mondo arrivano in Italia per imparare l'italiano e conoscere l'Italia. Mentre trascorrono un soggiorno piacevole in questo paese, essi imparano ad apprezzare i costumi[7] e la vita sociale degli italiani.

- Lei conosce qualcuno che ha studiato all'estero? Le piacerebbe studiare un giorno in una scuola di un paese straniero?

1. support   2. training   3. research   4. choice   5. exchange   6. scholarship   7. appreciate the customs

The *Università per Stranieri* is also in Siena. Both Perugia and Siena attract a large number of foreign students who come from all over the world to study the language and culture of Italy.

Look up the web page of the *Università per Stranieri di Perugia* at www.unistrapg.it and find a language course appropriate for you. Look for the university's e-mail address and ask for further information if necessary.

Vocabolario

Parole analoghe

l'accademia
accademico/a
culturale
elettronico/a
la foto(grafia)
l'incoraggiamento
il messaggio
il monumento
occupato/a
precisamente
sociale
la Spagna

Nomi

l'abbraccio hug
l'affetto affection
l'allegato attachment
il/la giovane young person
l'indirizzo address
la nave ship
la nebbia fog
la notizia news
la posta mail
il tempo weather

Aggettivi

antico/a old, ancient
contento/a glad
straniero/a foreign

Verbi

consigliare to advise
lasciare to leave (behind)
provare to feel; to experience
salutare to greet
trascorrere (*p.p.* **trascorso**) to spend (*time*)

Altre parole ed espressioni

piove it rains, it is raining
prima before
tutti everybody
a proposito by the way
avere in mente to intend; to have in mind
c'è il sole it's sunny
che tempo fa lì? what's the weather like there?
come sempre as usual
due volte twice
fa bel tempo it's nice weather
fa caldo it's hot
fa cattivo tempo it's bad weather
fa freddo it's cold
fa fresco it's cool
l'indirizzo elettronico e-mail address
l'opera d'arte work of art
pensare di (+ *infinitive*) to plan to (do something)
la posta elettronica e-mail
provare nostalgia (di) to be homesick

> Like *la moto, la foto* is a feminine noun. It is a shortened form of *fotografia*.

> *ph* = *f* in many Italian words: *fotografia, filosofia, Filadelfia,* etc.

Pronuncia

I suoni della g

The letter **g** (or **gg**) is pronounced hard (/g/), as in **gatto,** before the letters **a, o,** and **u.** The combination **gh** is always pronounced hard. Before **e** and **i, g** (or **gg**) is pronounced soft (/ǧ/), as in **gennaio.**

A Ascolti e ripeta le seguenti parole.

inglese	spa**gh**etti	messa**gg**io	**g**iovane
guardare	la**gh**i	pomeri**gg**io	**g**ente
godere	pa**gh**iamo	su**gg**erire	nostal**g**ia
lin**g**ua	lar**gh**e	spia**gg**ia	Peru**g**ia

B **Proverbio.** Ascolti e ripeta il seguente proverbio.

Diligenza passa scienza.
Persistence is sometimes more important than knowledge.
(*Literally: Diligence surpasses science.*)

Ampliamento del vocabolario

Che tempo fa?

È il primo maggio. Fa bel tempo.
C'è il sole ed è sereno.

È il sette gennaio. Fa freddo.
Nevica e tira molto vento.

È il quindici agosto. Fa caldo.
È molto umido.

È il dieci ottobre. Fa fresco ed
è nuvoloso.

Espressioni utili

Che tempo fa?   What's the
  weather like?
Fa bel tempo.   It's nice weather.
Fa caldo.   It's hot.
Fa cattivo tempo.   It's terrible
  weather.
Fa freddo.   It's cold.
Fa fresco.   It's cool.
Fa molto caldo (freddo, fresco).
  It's very hot (cold, cool).

Nevica.   It's snowing.
Piove.   It's raining.
Tira (molto) vento.   It's (very)
  windy.
C'è la nebbia.   It's foggy.
C'è il sole.   It's sunny.
È afoso. C'è afa.   It's sultry
  (muggy).
È nuvoloso.   It's cloudy.
È sereno.   It's clear.

la neve = snow
la pioggia = rain

 In coppia: Un giovane italiano/Una giovane italiana che desidera visitare
la sua città vuole sapere com'è il clima (*climate*) lì. Gli/Le spieghi com'è.

1. Che tempo fa ad agosto
   nella tua città?
2. In quali mesi fa molto freddo?
3. Nevica spesso d'inverno?

4. Com'è l'estate lì?
5. Tira vento qualche volta?
6. In quali mesi c'è la nebbia?
7. In quali mesi piove di più?

B In coppia: Domani il suo compagno/la sua compagna di camera va a fare una gita e vuole sapere le previsioni del tempo. Gli/Le dica come sarà il tempo nei prossimi tre giorni.

▶ — Sai che tempo fa domani?
— Sì, domani ...

> Look up the names of five or six regions on the map of Italy on p. 14. Then describe the weather in each according to the weather map.

C In coppia: Domandi ad un altro studente/un'altra studentessa che cosa fa in condizioni di tempo diverse.

▶ — Cosa fai quando (fa bel tempo)?
— Quando fa bel tempo ...
— E quando (piove)?

> *coperto* = overcast
> *rovesci* = showers
> *temporali* = storms

Alcune espressioni di tempo con
ogni, volta, di, tutti/e

Ogni

ogni anno (mese, settimana, giorno) each year (month, week, day)
ogni estate (autunno, inverno, primavera) each summer (fall, winter, spring)
ogni lunedì (martedì, ecc.) each Monday (Tuesday, etc.)
ogni tanto once in a while

Volta

a volte at times, sometimes
una volta (due volte) al giorno (alla settimana, al mese, all'anno) once (twice) a day (a week, a month, a year)
qualche volta sometimes

Di

di quando in quando from time to time
di rado seldom
di solito usually
di tanto in tanto every now and then

Tutti/Tutte

tutti i giorni (i mesi) every day (month)
tutte le sere (le settimane) every evening (week)

> To remember these expressions, name things you do *una volta al giorno, di rado, ogni estate, tutte le sere, ogni sabato,* etc.

D In coppia: Risponda brevemente alle domande che le fa un altro studente/un'altra studentessa. Nelle risposte usi un'espressione di tempo appropriata come **volta, di, ogni** o **tutti/e.**

▶ fare la spesa — Fai la spesa?
— Sì, ogni settimana./No, non la faccio mai.

1. studiare in biblioteca
2. alzarsi presto la domenica
3. andare allo stadio con i tuoi amici
4. telefonare ai tuoi genitori
5. guardare la televisione
6. ascoltare la musica
7. leggere il giornale
8. fare gite con gli amici
9. sciare

la neve ❋ *la* natura

Struttura ed uso

Imperfetto

Quando **ero** bambina, **abitavo** in una bella casa ed **avevo** un gatto e un cane.

1. The imperfect is a past tense used to talk about things that used to happen or that were going on over a period of time in the past. The following chart shows the imperfect forms of regular verbs in **-are, -ere,** and **-ire.**

	provare	**scrivere**	**sentire**
io	provavo	scrivevo	sentivo
tu	provavi	scrivevi	sentivi
lui/lei	provava	scriveva	sentiva
noi	provavamo	scrivevamo	sentivamo
voi	provavate	scrivevate	sentivate
loro	provavano	scrivevano	sentivano

2. The verbs **essere, bere, dire,** and **fare** are irregular in the imperfect.

essere	**bere**	**dire**	**fare**
ero	bevevo	dicevo	facevo
eri	bevevi	dicevi	facevi
era	beveva	diceva	faceva
eravamo	bevevamo	dicevamo	facevamo
eravate	bevevate	dicevate	facevate
erano	bevevano	dicevano	facevano

Note that *essere* is really the only verb that is irregular in the imperfect. *Bere, dire,* and *fare* use irregular stems that you have already seen.

3. The imperfect is used to describe:

a. the way things or people were.

Lisa **era** una bella bambina.	*Lisa was a beautiful child.*
Non **aveva** problemi a scuola.	*She had no problems at school.*
Aveva i capelli lunghi.	*She had long hair.*

b. habitual actions in the past.

Andavamo ogni anno al mare.	*We used to go to the shore every year.*
Facevamo passeggiate con la mamma mentre papà **si addormentava** sulla spiaggia.	*We would take walks with Mom while Dad would fall asleep on the beach.*
A volte **venivano** anche i nostri cugini.	*Sometimes our cousins would come as well.*
Ci divertivamo molto insieme.	*We used to have a lot of fun together.*

c. actions in progress in the past when something else happened or while something else was happening.

> Reflexive pronouns precede reflexive verbs conjugated in the imperfect.

Dormivamo quando è entrato.	*We were sleeping when he came in.*
Pensavo al nostro viaggio quando mi hai chiamato.	*I was thinking about our trip when you called me.*
Susanna **leggeva** mentre Roberto **faceva** fotografie.	*Susanna was reading while Roberto was taking pictures.*

d. weather, time of day, age, health, and mental and psychological states in the past.

Faceva cattivo tempo ieri e non siamo usciti.	*The weather was bad yesterday and we didn't go out.*
Erano le otto e mezzo quando è tornata a casa.	*It was eight-thirty when she came home.*
Avevo diciannove anni quando sono andata a Barcellona.	*I was nineteen years old when I went to Barcelona.*
Si sentiva male ieri sera.	*He felt sick last night.*
I genitori **si preoccupavano** per i loro bambini.	*The parents were worried about their children.*

 La nonna descrive com'era la vita quando lei era giovane. Faccia la parte della nonna, sostituendo il soggetto delle frasi con i nuovi soggetti indicati tra parentesi.

1. Ai miei tempi, i treni arrivavano in orario. (la posta / gli studenti)
2. La gente aveva pochi soldi. (noi / la mia famiglia / io)
3. I generi alimentari non costavano tanto. (l'università / le case / le macchine)
4. I politici non dicevano bugie (*lies*). (il governo / noi bambini / io)
5. Le donne stavano in casa. (mia madre / i ragazzi piccoli)
6. La vita era più semplice allora. (le cose / l'amore)

B In coppia: Domandi ad un compagno/una compagna dov'era e cosa faceva ieri nelle ore indicate.

▶ alle 8.45 di sera   S1: Dov'eri e cosa facevi alle nove meno un quarto ieri sera?

S2: Ero nella camera di un amico. Guardavamo un film stupido.

1. alle 6.50 di mattina
2. alle 9.00 di mattina
3. a mezzogiorno in punto
4. alle 4.06 del pomeriggio
5. alle 11.10 di sera
6. a mezzanotte

C In coppia: Chieda ad un altro studente/un'altra studentessa se faceva le seguenti cose quando aveva tredici anni.

▶ amare la scuola   S1: Quando avevi tredici anni amavi la scuola?

S2: Sì, amavo la scuola./No, non l'amavo.

1. frequentare il liceo
2. dovere pulire la tua camera
3. avere un amico preferito/un'amica preferita
4. discutere con i tuoi genitori
5. mangiare volentieri le verdure
6. praticare uno sport
7. uscire con i ragazzi/le ragazze
8. ubbidire sempre ai genitori

D Intervisti un altro studente/un'altra studentessa per sapere com'era e cosa preferiva fare quando aveva sei anni. Prenda appunti e poi riferisca le informazioni alla classe. Lei vuole sapere:

se era timido/a o disinvolto/a; pigro/a o dinamico/a;
gentile o sgarbato/a, ecc.
se aveva molti o pochi amici e come si chiamavano
se gli/le piaceva la scuola e quale materia preferiva
quali trasmissioni televisive guardava
come si divertiva e se aveva un giocattolo (*toy*) preferito

▶ — Com'eri quando avevi sei anni? Eri timida?
   — No, non ero timida. Non avevo paura di niente ...

E In coppia: Susan è andata a Perugia per un corso intensivo all'Università per Stranieri. È arrivata a Perugia due settimane prima dell'inizio delle lezioni. Guardate i disegni in basso e a turno dite che cosa faceva Susan durante la sua prima settimana a Perugia.

F Ricorda la sua prima settimana all'università? Com'era? Descriva ad un amico/un'amica questa prima settimana. Gli dica:

quanti anni aveva
dove abitava
che tempo faceva
se conosceva altri studenti
cosa faceva nel tempo libero
se era contento/a e perché
se aveva paura e di che cosa
se provava nostalgia per la famiglia

Espressioni negative

Non dirlo a **nessuno, neanche** al
tuo ragazzo!

Non dirlo a **nessuno, nemmeno** a
tua sorella!

1. The following chart shows some commonly used negative expressions in Italian. You have already learned some of them.

non ... affatto not at all	**Non** mi piace **affatto** questa città.	
non ... mai never	**Non** parliamo **mai** inglese in classe.	
non ... niente (nulla) nothing	E **non** capisco **niente**.	
non ... nessuno nobody	**Non** conosco **nessuno** qui a Bari.	
non ... ⎧ **neanche** ⎨ **nemmeno** not even ⎩ **neppure**	**Non** c'è stata **nemmeno** (**neanche, neppure**) una giornata di sole.	
non ... più not any more	**Non** provo **più** nostalgia del mio paese.	
non ... ancora not yet	**Non** ho **ancora** ricevuto le fotografie.	
non ... né ... né neither . . . nor	**Non** fa **né** caldo **né** freddo qui.	

2. Non + *verb* + *second negative* is the usual construction for a negative expression.

Non hai capito **nulla**!   *You didn't understand anything!*
Non arrivi **mai** in orario.   *You never arrive on time.*

3. Niente or **nessuno** can precede the verb. When they do, **non** is omitted.

Niente è impossibile.   *Nothing is impossible.*
Nessuno vuole venire.   *Nobody wants to come.*

G Le cose possono cambiare molto nel corso di un anno. Legga il seguente brano che parla di come andavano una volta le cose per Daniele, e di come gli vanno adesso. Poi rilegga il brano, dando l'espressione negativa appropriata.

Quest'anno le cose vanno bene per Daniele, ma l'anno scorso non andavano _____ bene. Recentemente ha trovato un lavoro, ma l'anno scorso non lavorava _____ . Adesso esce sempre, ma prima non usciva _____ . Adesso ha un televisore e un videoregistratore, ma l'anno scorso non aveva _____ il televisore _____ il videoregistratore. Adesso si compra anche vestiti alla moda, ma l'anno scorso non si comprava _____ . Adesso tutti lo chiamano, ma l'anno scorso _____ lo chiamava. Prima aveva molti problemi e preoccupazioni, ma quest'anno non ha _____ problemi _____ preoccupazioni. Prima era sempre sfortunato (*unlucky*), ma adesso non è _____ sfortunato.

Siena: Artistica facciata del Duomo.

Lei ha ricevuto il seguente messaggio elettronico da una sua amica che studia questo semestre a Siena. Quest'amica le fa molte domande su come vanno le cose all'università. Risponda al messaggio con un'espressione negativa per ogni domanda.

Caro/a —

Come stai? Qui in Italia sto tanto bene ma penso spesso alla nostra università. Qui piove quasi ogni giorno. Fa ancora bel tempo lì? Ma dimmi, cosa fai per le vacanze di Natale? Vedi spesso i nostri amici? Hai già trovato un lavoro per l'anno prossimo? Studi ancora filosofia? Vai spesso alle feste? E con chi esci, con Monica o con Daria? Hai ricevuto le foto e le cartoline che ti ho mandato? Quante partite ha vinto la nostra squadra (*team*) di hockey? E quando puoi venire in Italia?

Ci sentiamo,
Melissa

 Dica se lei fa ancora queste cose o se non le fa più.

▶ Vive con i suoi genitori?
 No, non vivo più con i miei genitori./Sì, vivo ancora con i miei genitori.

1. Va in vacanza con la famiglia?
2. Guarda i cartoni animati (*cartoons*)?
3. Dorme con l'orsacchiotto (*teddy bear*)?
4. Vede gli amici della scuola elementare?
5. Frequenta ancora il liceo?
6. Ha ancora paura del buio (*dark*)?
7. Crede a Babbo Natale (*Santa Claus*)?

 In coppia: Decidete se le seguenti frasi descrivono accuratamente la vostra classe d'italiano. Se una frase non è vera, cambiatela.

▶ Parlate sempre inglese durante la lezione.
 Sì, parliamo sempre inglese durante la lezione./No, non parliamo sempre inglese durante la lezione./No, non parliamo mai inglese durante la lezione.

1. Tutti hanno paura di parlare durante la lezione.
2. Gli studenti trovano molto facile (*easy*) la grammatica.
3. Finite sempre tutti gli esercizi della lezione.
4. Ascoltate canzoni e poesie durante la lezione.
5. Avete visto film italiani durante la lezione.
6. Avete finito la lezione undici.
7. Avete carte geografiche e poster turistici nell'aula (*classroom*).
8. C'è uno studente che parla perfettamente l'italiano.

Ⓚ In coppia: Intervisti un altro studente/un'altra studentessa per sapere due cose

che non fa mai
che una volta faceva ma che non fa più
che non ha mai fatto ma che vuole fare

Pronomi personali di forma tonica

—Vuoi ballare con **me?**
—No, preferisco ballare
con **lui.**

1. Disjunctive or stressed pronouns are used as objects of prepositions. They are also used instead of direct object pronouns for emphasis or clarity.

— È per **me** la telefonata?
— No, non è per **te;** è per **me.**

— Vuoi uscire con **noi?**
— No, mi dispiace. Arriva una mia amica e devo parlare con **lei.**

— Mi hai visto ieri con Claudio?
— No, ho visto **lui,** ma non ho visto **te.**

2. The following chart shows the disjunctive pronouns with the preposition **con.**

singular		plural	
con **me**	with me	con **noi**	with us
con **te**	with you	con **voi**	with you
con **lui**	with him	con **loro**	with them, with
con **lei**	with her, with you		you

Notice that except for *me* and *te,* the disjunctive pronouns are identical to subject pronouns.

3. Da + *disjunctive pronoun* can mean *on one's own* or *by oneself*.

Devo fare tutto **da me.**   *I have to do everything by myself.*
Fa' i compiti **da te.**   *Do the homework on your own.*

The disjunctive pronoun **sé** is used instead of **lui/lei** and **loro** to mean *himself/herself/themselves* and the formal *yourself.*

Il bambino si veste **da sé.**   *The child gets dressed on his own.*
Signorina Luzzi, faccia l'esercizio   *Miss Luzzi, do the exercise*
 da sé.   *yourself.*

L Risponda alle domande con pronomi di forma tonica.

▶ È vero che abiti vicino al professore?   Sì, abito vicino a lui.

1. È vero che vieni con noi?
2. È vero che hai ricevuto una lettera dal tuo ragazzo?
3. È vero che vai in montagna con i tuoi genitori?
4. È vero che pensavi a me?
5. È vero che lavori con mia zia?
6. È vero che non ci sono altri studenti come te?
7. È vero che arrivi prima dei tuoi compagni?
8. È vero che hai comprato qualcosa per me?

M I ragazzi della Scuola Elementare Maria Montessori sono tutti molto indipendenti. Uno studente descrive cosa facevano gli studenti della scuola la settimana scorsa. Faccia la parte dello studente e dica che i bambini facevano le varie attività da sé.

> Italian educator and psychiatrist Maria Montessori (1870–1952) developed a method of preschool and elementary education that stresses physical freedom and individual initiative.

▶ Carlo: studiare la matematica   Carlo studiava la matematica da sé.

1. Angelina: pulire la lavagna
2. Gilda e Susi: imparare l'inglese
3. io: fare i disegni
4. i bambini: preparare da mangiare
5. Tonino: usare il computer
6. tu: giocare con i videogiochi
7. noi: fare tutto

N In coppia: Domandi al compagno/alla compagna se conosce queste persone. Il compagno/La compagna risponde con pronomi tonici.

▶ Andrea Bocelli / Sophia Loren
  S1: Conosci Andrea Bocelli e Sophia Loren?
  S2: Conosco lui ma non lei/lei ma non lui/loro./Non conosco né lui né lei.

1. Cecilia Bartoli / Luciano Pavarotti
2. Nanni Moretti / Liliana Cavani
3. Celine Dion / i Cavalieri della Notte
4. Roberto Benigni / Nicoletta Braschi
5. Hillary Clinton / Giorgio Armani
6. Ellen DeGeneres / Pippo Baudo

> Nanni Moretti and Liliana Cavani are both renowned film directors. The actor and director Roberto Benigni often costars with his wife, Nicoletta Braschi. Pippo Baudo is a long-popular TV host.

  For further practice of lesson topics, log on to the *Oggi in Italia* website and/or do the CD-ROM activities.

Parliamo un po'

A **Roma oggi e ieri.** In gruppi di tre o quattro: Immaginate la vita degli antichi romani. Che cosa mangiavano? Che cosa bevevano? Come si divertivano? Quale lingua parlavano? Che altro facevano?

See also the photo of the Colosseum in *Lezione 1*.

Quello che rimane di un'antica strada romana nella città di Pompei.

Affreschi alle pareti e un pavimento caratteristico sono visibili all'interno di una casa patrizia di Pompei.

Alcuni turisti passeggiano tra le rovine del Forum di Pompei.

B **La previsione meteorologica.** In gruppi di due o tre: Voi lavorate per la radio della vostra università e dovete preparare una previsione del tempo per oggi e i prossimi due giorni nella vostra città o regione. Spiegate le condizioni meteorologiche attuali e che tempo fa domani e dopodomani. Potete anche dare qualche consiglio utile.

▶ Stasera fa fresco con una temperatura massima di ... con la possibilità di ...
Allora non dimenticate di ...
Domani invece ...
È una buona occasione per ...

L'Università per Stranieri. In coppia: A Perugia e a Siena ci sono università statali per studenti non italiani che desiderano imparare e perfezionare il loro italiano. Guardate le seguenti informazioni e programmate un periodo di studio a Perugia. Poi riferite i vostri programmi alla classe. Potete parlare:

+ del corso che volete seguire
+ perché avete scelto questo corso particolare
+ in quale stagione potete fare il corso
+ quando volete dare l'esame CELI
+ a quale livello pensate di dare l'esame

 Un messaggio elettronico da Perugia. Da quattro settimane lei è a Perugia, dove segue un corso intensivo di lingua e cultura italiana in preparazione per l'esame CELI 3. Scriva un e-mail ad un amico/un'amica nella classe per descrivere come va il programma, che cosa studia, se le piace la città, e alcune cose che ha fatto finora. Quando ha finito di scrivere il messaggio, lo dia ad un'altra persona nella classe, che risponde al suo messaggio con un'altra e-mail.

BENVENUTI all'UNIVERSITÀ PER STRANIERI DI PERUGIA!

L'Università per Stranieri di Perugia è la più antica e prestigiosa istituzione italiana nell'attività di ricerca e insegnamento dell'italiano L2, rilascia certificati linguistici dal 1987 ed è stata la prima istituzione italiana a certificare la conoscenza dell'italiano L2.

Gli esami di certificazione dell'italiano generale CELI dell'Università per Stranieri di Perugia valutano l'abilità dei candidati nell'**italiano generale**, vale a dire l'italiano in uso non solo nell'interazione sociale, ma anche in ambienti di studio e/o di lavoro.

Gli esami CELI prevedono cinque livelli progressivi: dall'elementare all'avanzato, dove per avanzato si intende il parlante eccellente del CELI 5.

Il Ministero dell'Istruzione, dell'Università e della Ricerca ha riconosciuto il CELI 3 come titolo valido per attestare la conoscenza della lingua necessaria per iscriversi all'università in Italia e il CELI 5 come titolo valido per attestare la conoscenza della lingua italiana necessaria per insegnare nelle scuole ed istituti statali.

Gli esami CELI si svolgono due volte all'anno: a **giugno** e a **novembre**.

Corsi di Laurea (di 1° livello – 180 crediti formativi)	**Corsi di perfezionamento e aggiornamento**
Comunicazione Internazionale Promozione della Lingua e della Cultura Italiana nel mondo Lingua e Cultura Italiana (L2)	Corsi di aggiornamento per insegnanti di italiano all'estero Corso di lingua italiana contemporanea Corso di storia dell'arte
Master	
Master in Didattica dell'Italiano lingua non materna (Corso di prova)	

la ricerca investigation; **rilasciare** to issue; **valutare** to evaluate; **corso di aggiornamento** refresher course

If you are interested in this program, see its website at http://www.unistrapg.it/.

E **Dove hai conosciuto il tuo partner?** In gruppi di tre: Discutete i tre luoghi o modi migliori (*best*) e peggiori (*worst*) per incontrare un/una partner. Poi comparate i vostri risultati con quelli dell'inchiesta pubblicata a fianco. Qual è il luogo più popolare dove gli italiani possono conoscere le altre persone?

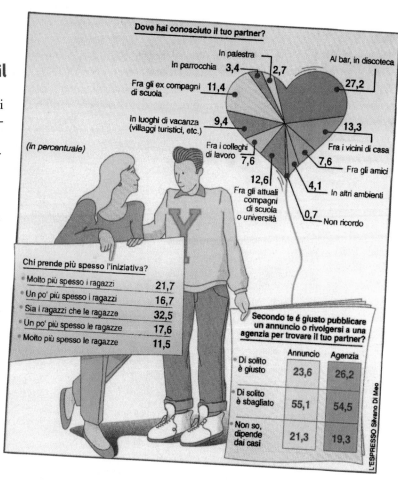

Dove hai conosciuto il tuo partner?

(in percentuale)

- In palestra 3,4
- In parrocchia 2,7
- Al bar, in discoteca 27,2
- Fra gli ex compagni di scuola 11,4
- In luoghi di vacanza (villaggi turistici, etc.) 9,4
- 13,3 Fra i vicini di casa
- Fra i colleghi di lavoro 7,6
- 7,6 Fra gli amici
- 12,6 Fra gli attuali compagni di scuola o università
- 4,1 In altri ambienti
- 0,7 Non ricordo

Chi prende più spesso l'iniziativa?

Molto più spesso i ragazzi	21,7
Un po' più spesso i ragazzi	16,7
Sia i ragazzi che le ragazze	32,5
Un po' più spesso le ragazze	17,6
Molto più spesso le ragazze	11,5

Secondo te è giusto pubblicare un annuncio o rivolgersi a una agenzia per trovare il tuo partner?

	Annuncio	Agenzia
Di solito è giusto	23,6	26,2
Di solito è sbagliato	55,1	54,5
Non so, dipende dai casi	21,3	19,3

L'ESPRESSO Silvano Di Meo

Conoscere l'Italia

A **Definizioni.** Prima di leggere il seguente brano, abbini le definizioni con una parola della lista a destra. Ci sono due parole in più nella lista.

1. lo è l'Italia
2. lo sembra la forma dell'Italia
3. il contrario di *moderno*
4. un terreno senza colline, una pianura
5. è determinato dal tempo che fa
6. una stagione dell'anno
7. è un insieme di isole
8. è circondata dal mare
9. è un territorio molto alto
10. parte di terra che va verso il mare

a. l'estate
b. la montagna
c. il clima
d. la posizione
e. l'arcipelago
f. l'isola
g. una penisola
h. il promontorio
i. antico
j. il villaggio
k. pianeggiante
l. uno stivale

La Puglia

Nella configurazione della penisola italiana, la Puglia occupa una posizione particolare: quella che va dallo sperone[1] (il Gargano) al tallone[2] dello stivale. Il territorio di questa regione è prevalentemente pianeggiante[3] e permette la coltivazione della vite[4], dell'olivo e dei cereali. Un'altra attività importante del luogo è la pastorizia[5]. Grazie al suo clima mite e ai suoi pascoli[6], fin dai tempi antichi la Puglia era la meta della transumanza[7] dei pastori[8] d'Abruzzo. Alla fine di ogni estate, questi lasciavano le loro montagne e portavano le loro greggi di pecore[9] a pascolare[10] nei ricchi campi[11] della pianura pugliese. La sua posizione strategica sul Mediterraneo fu un'attrazione prima per gli antichi Greci e poi per i Romani che la colonizzarono. Diventò di nuovo importante nel Medioevo perché dai porti di questa regione partirono le prime crociate verso la Terra Santa.

Una veduta dei trulli di Alberobello, pittoresco paese della Puglia.

Oggi la Puglia attrae molti turisti. D'estate molta gente va a trascorrere le vacanze nei villaggi turistici sulle coste del Gargano. Da qui partono i battelli[12] per le pittoresche Isole Tremiti, piccolissimo arcipelago nell'Adriatico al largo del promontorio del Gargano. Un'altra attrazione di questa regione è l'ottagonale Castel del Monte fatto costruire nel 1240 dall'imperatore Federico II di Svevia al ritorno dalla crociata. Di particolare interesse poi è la terra dei "trulli", abitazioni tipiche di alcuni paesi pugliesi. Oltre a Fasano, Ostuni e Martina Franca, c'è Alberobello dove si trova un intero quartiere[13] di queste case caratteristiche, alcune delle quali sono aperte al pubblico.

1. spur 2. heel 3. flat 4. vines 5. sheep-raising 6. pastures 7. transhumance (movement to other pastures) 8. shepherds 9. flocks of sheep 10. to graze 11. fields 12. boats 13. neighborhood

Locate La Puglia on the map on p. 14, and then locate the Gargano Promontory and the Tremiti Islands.

Medioevo = Middle Ages. Historical period from 476, year of the fall of the Roman Empire, to 1492.

Terra Santa = Holy Land. Places in Palestine where Jesus Christ lived.

crociate = crusades. Military expeditions carried out in the Middle Ages by European Christians in order to conquer the Holy Land.

Castel del Monte: gothic-style castle in the province of Bari.

Svevia = Swabia. Name given by the Romans to a historic region in southwestern Germany.

Because both Castel del Monte and the "trulli" of Alberobello deserve special protection due to their importance, in 1996, UNESCO declared them World Heritage Sites.

Un'incantevole spiaggia del promontorio del Gargano nella Puglia.

Informazioni. Dia le seguenti informazioni basate sul brano precedente.

1. la posizione della Puglia
2. caratteristica del terreno pugliese
3. coltivazioni della Puglia
4. lo è il clima della Puglia
5. perché, in tempi antichi, i pastori d'Abruzzo venivano nella Puglia
6. popoli che colonizzarono la Puglia
7. attrazioni turistiche della Puglia
8. quando e chi ha fatto costruire il Castel del Monte
9. nome di abitazioni peculiari di alcuni paesi della Puglia

 Alla ricerca di vocaboli. Legga il brano che segue e cerchi i seguenti vocaboli.

1. aggettivi derivati da *economia, agricoltura, industria* e *commercio*
2. è sinonimo di *nazione*
3. è sinonimo di *capitale*
4. parte di mare protetta dove le navi possono fermarsi
5. è una forma geometrica

Bari, Brindisi e Taranto

Bari, Brindisi e Taranto sono tre città di mare della Puglia e le loro attività economiche sono legate al porto di ciascuna[1] di esse. Il porto di Bari, sull'Adriatico, è ben collegato[2] con la Grecia e con i paesi balcani. Capoluogo della regione, Bari è anche un centro agricolo e industriale. Ogni anno a settembre ha luogo in questa città la Fiera di Levante[3]. Con

Parziale veduta del porto di Taranto.

1. each one   2. connected
3. Fair of the East

la presentazione di molti prodotti agricoli e industriali, questa fiera favorisce gli scambi commerciali con i paesi del Mediterraneo. Brindisi, sull'Adriatico, e Taranto, nell'omonimo[4] golfo sul mar Ionio, sono importanti porti militari. Anche da Brindisi, come da Bari, ci sono collegamenti giornalieri[5] con la Grecia. Oggi tutte e tre queste città formano il triangolo di sviluppo[6] industriale del Mezzogiorno[7] grazie alle varie industrie chimiche, petrolifere, siderurgiche[8], tessili e alimentari della zona.

4. homonymous (same name)   5. daily connections   6. development   7. South
8. steel

B **Informazioni.** Dia le seguenti informazioni basate sul brano precedente.

1. il nome del mare che circonda la penisola italiana
2. lo è Bari
3. quello che hanno in comune Bari, Brindisi e Taranto
4. hanno collegamenti giornalieri con la Grecia
5. mare sul quale è situata la città di Taranto
6. importanza della Fiera di Levante
7. attività presenti nel triangolo industriale del Mezzogiorno

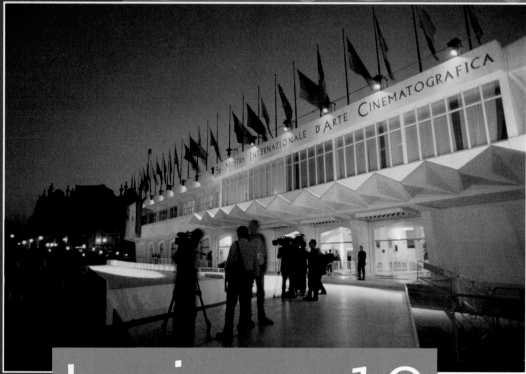

Lezione 10

Venezia: Palazzo del Cinema dove ogni anno ha luogo la Mostra Internazionale d'Arte Cinematografica.

Ad una mostra cinematografica

Communicative Objectives

- Talk about cinema, fashion, and clothing
- Describe movies
- Describe the color, size, and fabric of clothing
- Narrate and describe events in the past
- Talk about people and places you know and what you know how to do

Marco e Giuliana incontrano il loro amico Alessandro.

MARCO: Ciao Alessandro, la settimana scorsa ti ho cercato, ma non eri mai in casa. Dove sei andato?

ALESSANDRO: A Venezia, alla Mostra Internazionale del Cinema.

GIULIANA: Davvero? Quanti personaggi famosi hai visto? Erano simpatici gli attori? E le attrici indossavano abiti eleganti?

ALESSANDRO: So che c'erano registi internazionali e stelle del cinema americano, ma io non ho avuto l'occasione di vederli.

MARCO: E allora cosa facevi lì se non hai visto nessuno?

ALESSANDRO: Ero con mia sorella che con i suoi compagni di classe ha vinto un concorso con un documentario sulla moda italiana.

GIULIANA: Che cosa interessante! Tu sai bene che la moda, i vestiti e gli accessori sono la mia passione!

ALESSANDRO: Allora ti piacerà° il nostro documentario dove le giacche e i pantaloni neri di Armani sono presentati in contrasto con i colori sgargianti delle gonne e delle camicette di Versace.

MARCO: Anch'io sono curioso di vedere questo documentario. Ma dimmi, hai visto qualche bel film italiano o straniero? Dopo l'Oscar assegnato° a Benigni per *La vita è bella*, il cinema italiano è in ripresa, non è vero?

ALESSANDRO: Sì, certo. Sono andato a vedere un film molto bello di Giuseppe Tornatore. Ho visto anche un film cinese con i sottotitoli in inglese. Però per leggere l'inglese non ho seguito bene le immagini e alla fine non ci° ho capito proprio un bel niente.

Margin notes:

Since 1935 the *Mostra Internazionale del Cinema di Venezia* has taken place every year for two weeks in the latter part of August and early September. During this festival, many Italian and foreign pictures are shown and the best film is awarded *Il Leone d'Oro* (the Gold Lion).

you'll like

awarded

Roberto Benigni is an actor and entertainer. Giuseppe Tornatore is a film director.

about it

Domande

1. Perché Alessandro non era mai in casa la settimana scorsa?
2. Con chi era Alessandro alla Mostra Internazionale del Cinema? Perché?
3. Di che cosa tratta il documentario della sorella di Alessandro?
4. Quanti film ha visto Alessandro a Venezia?
5. Quali film italiani ha visto? Ha visto anche qualche film straniero? Quale?

Domande personali

1. A lei piacciono i film americani? E i film stranieri? Perché?
2. Lei conosce il nome di qualche altro festival del cinema? Quale?
3. Come si chiama il suo attore preferito? E la sua attrice preferita? Ha un/una regista preferito/a?
4. Le piace vedere film doppiati o in lingua originale con i sottotitoli in inglese?
5. Che cosa pensa lei della moda? La segue? Conosce il nome di alcuni stilisti famosi del suo paese?
6. Quale città è la capitale della moda nel suo paese?

Situazioni

1. Domandi ad un compagno/una compagna che cosa indossava ieri.

    ► — Che cosa indossavi ieri?
    — Indossavo una gonna e una giacca molto semplici (un vestito elegante/i pantaloni e la camicetta/la maglia e i jeans).

2. Domandi ad un amico/un'amica che tipi di film gli/le piacciono.

    ► — Che tipi di film ti piacciono?
    — Mi piacciono (i film drammatici/le commedie musicali/i film dell'orrore/i film d'azione).

Pratica

1. Scriva cinque o sei frasi basate su quello che dicono i tre amici nel dialogo a pagina 219. Per esempio:

    ► La settimana scorsa Marco ha cercato Alessandro ma ...

2. In coppia: Immagini di essere andato/a ad un festival del cinema. Adesso racconti al suo amico/alla sua amica:

    quando e dove si è svolto il festival
    con chi è andato/a lei
    che cosa avete visto
    se si è divertito/a

Il cinema italiano

Durante gli anni '80 e '90 il cinema italiano ha avuto un periodo di crisi profonda. La concorrenza[1] della televisione, i prezzi alti dei biglietti, la televisione via cavo[2], i film in cassette e i DVD hanno allontanato[3] gli spettatori dalle sale cinematografiche. Come conseguenza, molti cinema sono stati chiusi e tutta l'industria cinematografica ne ha sofferto.

Durante la crisi però alcuni film italiani hanno avuto riconoscimenti[4] a livello internazionale. Hanno ricevuto l'Oscar per il miglior film straniero *Nuovo Cinema Paradiso* (1990) di Giuseppe Tornatore, *Mediterraneo* (1992) di Gabriele Salvatores e *La vita è bella* (1999) di Roberto Benigni. Il Festival di Cannes ha invece premiato[5] *La vita è bella* (1998), *Il ladro[6] di bambini* (1992) e il regista Nanni Moretti per il suo film autobiografico *Caro diario* (1994) e per *La stanza del figlio* (2001). Infine *La Bestia nel Cuore* di Francesca Comencini è stato scelto come uno dei migliori film stranieri per gli Oscar del 2006.

Da qualche anno il cinema italiano è in ripresa e comincia a riacquistare[7] una sua identità. Andare al cinema è tornato di moda, grazie anche alla creazione di centri multisale che in locali nuovi, piccoli e accoglienti[8] offrono allo spettatore la possibilità di scegliere film e orari diversi. Gli italiani amano vedere soprattutto[9] i film americani, naturalmente in versione doppiata. Anche i film italiani sono molto popolari, specialmente quelli comici, che sono per lo più interpretati da attori conosciuti per mezzo della televisione.

- Lei sa in che condizione è il cinema americano? È in crisi, in ripresa o gode (*is enjoying*) di molta popolarità negli Stati Uniti e all'estero?

L'attore-regista **Roberto Benigni** durante la lavorazione del film *La vita è bella*.

1. competition   2. cable   3. kept away   4. recognition   5. awarded a prize   6. thief   7. regain   8. comfortable   9. above all

Numerous Italian film artists work in the American motion picture industry. Among recipients of Oscars are the costume designer Milena Canonero, composer Ennio Morricone, scene designer Dante Ferretti, and photography directors such as Vittorio Storaro, Peppino Rotunno, and Dante Spinotti.

Vocabolario

I *vestiti* and *gli abiti* both mean "clothing."

Parole analoghe

l'accessorio
l'attore
l'attrice
l'azione
il cinema
il colore
la commedia
il contrasto
curioso/a
il documentario
drammatico/a
il festival
il film
l'immagine
i jeans
la passione
presentare

Nomi

l'abito   dress
la camicetta   blouse
il concorso   contest
la giacca   jacket
la gonna   skirt
la maglia   sweater
la moda   fashion
la mostra   exhibit
i pantaloni   trousers, pants
il personaggio   celebrity
il/la regista   (film) director
il sottotitolo   subtitle
la stella   star
lo/la stilista   designer
i vestiti (*pl.*)   clothing
il vestito   dress, suit
la vita   life

Aggettivi

doppiato/a   dubbed
nero/a   black
sgargiante   gaudy
preferito/a   favorite

Verbi

indossare   to wear
trattare (di)   to be about, to deal with

Altre parole ed espressioni

perciò   therefore
la commedia musicale   musical comedy
i film dell'orrore   horror movies
alla fine   in the end
proprio un bel niente   absolutely nothing
il compagno di classe   classmate
essere in ripresa   to have a revival

Pronuncia

Il suono di gl + i

The sound of the letters **gli** is like the *lli* in *million*. It is articulated with the top of the tongue against the hard palate or roof of the mouth.

 Ascolti e ripeta le seguenti parole.

gli	bi**gli**etto	abbi**gli**amento
fi**gli**	ma**gli**a	botti**gli**a
a**gli**	me**gli**o	Ca**gli**ari
de**gli**	lu**gli**o	vo**gli**o

 Proverbi. Ascolti e ripeta i seguenti proverbi.

Meglio tardi che mai.
Better late than never.

Il buono è buono, ma il migliore è meglio.
Good is good, but best is better.

Ampliamento del vocabolario

L'abbigliamento, i tessuti e i colori

1. la camicetta
2. la gonna
3. il vestito
4. il giaccone
5. la camicia
6. la cravatta
7. la maglia
8. la maglietta
9. i jeans
10. i pantaloni
11. la giacca
12. il cappotto
13. i guanti
14. i calzini
15. gli stivali
16. il cappello
17. le scarpette da ginnastica
18. i sandali
19. le scarpe

Altri articoli di abbigliamento

la borsa   handbag, purse
le calze (*f. pl.*)   stockings, hose
i calzoncini   shorts

il costume da bagno   bathing suit
l'impermeabile (*m.*)   raincoat

Espressioni utili

calzare   to fit (*shoes, gloves*)
indossare   to wear; to put on
levarsi   to take off (*clothing*)
la misura   size (*clothing, shoes*)
spogliarsi   to undress
il numero   size (*shoes*)

portare   to wear
la taglia   size (*clothing*)
a quadri   checked
a righe   striped
a tinta unita   solid-color

Due to American influence, many English words related to fashion and clothing are used in Italy: "casual," "jeans," "top," "blazer," etc.

Practice clothing vocabulary by associating specific clothes with seasons and weather expressions.

I tessuti e i materiali

il cotone cotton		**il poliestere** polyester	
il cuoio (la pelle) leather, hide		**il rayon** rayon	
la lana wool		**la seta** silk	
il lino linen		**il velluto a coste** corduroy	

I colori

arancione   azzurro/a   bianco/a   blu   giallo/a   grigio/a

marrone   nero/a   rosso/a   rosa   verde   viola

1. The definite article is used with articles of clothing (not the possessive adjective, as in English). The possessive adjective is used only when necessary to clarify ownership.

Mi metto **la** camicia.	*I put on my shirt.*
Scusa, quella è la **mia** giacca, non la tua!	*Excuse me, that's my jacket, not yours!*

When describing more than one person putting on or taking off the same article of clothing, the piece of clothing is in the singular.

I ragazzi si levano **il cappotto.**	*The boys take off their coats.*
Maria e Giulia indossano **il costume da bagno.**	*Maria and Giulia are wearing their bathing suits.*

2. Adjectives of color whose masculine singular form ends in **-o** agree in number and gender with the nouns they modify. The adjectives **arancione, blu, marrone, rosa,** and **viola** are invariable.

A   In coppia: Risponda ad un compagno/una compagna che vuole sapere che cosa lei preferisce mettersi nelle seguenti occasioni.

▶ per andare ad una festa elegante

—Che cosa ti metti per andare ad una festa elegante?
—Mi metto un vestito di seta.

1. domani quando vai a fare una gita al mare
2. questo pomeriggio se piove
3. stasera per andare a mangiare una pizza con gli amici
4. sabato sera per andare ad un concerto di musica classica
5. domenica per andare ad un concerto rock allo stadio

B In coppia: A turno, identificate due o tre articoli di abbigliamento che indossate oggi.

▶ Io porto una gonna di cotone, una camicetta di lino e i sandali neri.

C In gruppi di tre o quattro: Domandi a ciascuno studente di che colore è l'abbigliamento degli altri studenti del gruppo.

▶ — (Jennifer), di che colore è la camicia di (John)?
— È (azzurra).

D In coppia: Lei ha bisogno di scarpe e stivali ed entra in un negozio di calzature. Insieme ad un compagno/una compagna completi il seguente dialogo fra lei e il commesso/la commessa (*salesclerk*), usando le seguenti parole o espressioni. Ci sono due parole in più nella lista.

metto	pelle
la misura	un paio
i pantaloni	nere
marrone	lana
scarpe	la borsa
42	

LEI: Buon giorno!
COMMESSO/A: Buon giorno. Desidera?
LEI: Ho bisogno di un paio di _____ di _____ .
COMMESSO/A: Di che colore?
LEI: Mah, _____ . Il nero va bene con tutto.
COMMESSO/A: E _____ ?
LEI: Il 42.
COMMESSO/A: Vuole altro?
LEI: Sì, _____ di stivali _____ .
COMMESSO/A: Sempre il numero _____ ?
LEI: No, il 42 e mezzo perché con gli stivali _____ sempre i calzini di _____ .
COMMESSO/A: Bene. Si accomodi, prego. Torno subito.

E In coppia: Lei è in un negozio per comprare un vestito. Insieme a un compagno/una compagna prepari un dialogo appropriato fra lei e il commesso/la commessa. Ricordate di includere la taglia, il tessuto, il colore e il prezzo.

▶ COMMESSO/A: Buona sera! In che cosa posso servirla?
LEI: Buona sera. Ho bisogno di ...

Il cinema

doppiare to dub	**lo sceneggiatore/la sceneggiatrice**
girare to film	screenwriter
l'attore actor	**i cartoni animati** cartoons
l'attrice actress	**la commedia musicale** musical comedy
la colonna sonora soundtrack	**il film d'azione** action movie
gli effetti speciali special effects	**il film di fantascienza** science fiction
la sceneggiatura screenplay	movie
il produttore producer	**il film giallo** thriller, mystery
il/la regista director	**il film dell'orrore** horror movie

> "Thrillers" are called *film gialli* because of the yellow covers that have traditionally identified mystery and crime novels.

F In coppia: Risponda alle domande che le fa un amico/un'amica per sapere le sue preferenze sul cinema.

1. Hai visto un film di fantascienza di recente? Quale? Com'erano gli effetti speciali?
2. Ti piacciono i film gialli? Qual è il tuo preferito? Sai il nome di qualche regista di film gialli? Che film ha diretto?
3. Qual è l'ultimo film di cartoni animati che hai visto? Quali sono tre film di cartoni animati che preferisci? Perché?
4. Hai dei CD della colonna sonora di alcuni film? Quali sono?
5. Quali film non ti piacciono? I film dell'orrore? Le commedie musicali? Perché?

G In coppia: Racconti ad un amico/un'amica l'ultimo film che ha visto. Oltre alla trama (*plot*) dica anche i nomi dello sceneggiatore/della sceneggiatrice, del produttore, del/della regista e dove il film è stato girato.

Cinema EURCINE
Via Listz, 32
00144-Roma

Sala 2
LE CROCIATE
Data: 20/05/2005
Orario: 16:15
Prezzo: 5,00 eur
Suppl.: 0,00 eur
Totale: 5,00 eur

Circuito Cinema Srl
P.iva 05099391004
Cod. Sistema: 00027793
Emesso da: gabriella
In data:20/05/2005 16:04
S/F 12-ED-C2-F0-44-6B-FE-E2
Card A0020976 - Prog 27800
Tipo Evento: Cinema / PT-PLATEA

I1-Intero

Lo spettatore che da una verifica di controllo venisse trovato sprovvisto del presente tagliando dovrà corrispondere nuovamente il prezzo del biglietto.

E/101376

Le chiavi di casa, un film di Gianni Amelio, presentato alla Mostra del Cinema di Venezia nel 2004.

Struttura ed uso

Contrasto fra l'imperfetto ed il passato prossimo

1. The imperfect and the **passato prossimo** describe two different types of past actions. Compare the sentences on the left, which use the imperfect, and those on the right, which use the **passato prossimo.**

Ogni anno **andava** alla mostra del cinema a Venezia.
Qualche volta **vedeva** delle stelle del cinema.

La settimana scorsa **è andata** a vedere una mostra di documentari.
Questa volta **ha visto** Monica Bellucci.

2. The imperfect describes habitual, recurring, or ongoing actions, whereas the **passato prossimo** describes specific completed actions. Time expressions such as **ogni anno, sempre, spesso,** and **di solito** often signal recurring actions. Expressions such as **la settimana scorsa, ieri sera, due ore fa,** and **stamattina** often signal specific past actions.

Si alzavano **sempre** presto.
Spesso guardavo la televisione.
Si sono alzati tardi **stamattina.**
Ieri sera ho guardato un bel programma alla televisione.

They always used to get up early.
I often watched television.
They got up late this morning.
Last night I saw a good program on television.

3. When both tenses occur in the same sentence, the imperfect describes an action in progress when another event happened. The other event is expressed in the **passato prossimo.**

Giancarlo **controllava** la posta elettronica quando le amiche **sono arrivate.**

Giancarlo was checking his e-mail when his friends arrived.

Giravano un film in centro e **mi sono fermato** a guardare.

They were making a movie downtown and I stopped to watch.

La commessa **ha aperto** la porta mentre mi **spogliavo!**

4. In narratives, the imperfect describes the characters' qualities and habitual actions, their emotions and thoughts, the setting, time, weather, and other background. The **passato prossimo** is used to relate specific events or actions that took place.

Cappuccetto Rosso (*Little Red Riding Hood*) **era** una brava bambina che **andava** spesso a trovare la nonna che **abitava** dall'altra parte del bosco (*woods*). Un giorno **ha preparato** un cestino (*basket*) con dei panini ed **è partita** di buon'ora ...

Salvatore **era** un bravo bambino siciliano che **abitava** con sua madre. **Passava** tutte le ore libere al cinema invece di andare a scuola. Un giorno sua madre l'**ha trovato** lì: l'**ha portato** a casa e **ha detto** ...

A In coppia: Domandi ad un compagno/una compagna che cosa faceva quando gli/le ha telefonato. Il compagno/La compagna risponde secondo i suggerimenti.

▶ spogliarsi   S1: Cosa facevi quando ti ho telefonato?
                      S2: Quando mi hai telefonato mi spogliavo.

1. leggere un romanzo (*novel*) emozionante
2. discutere con mia sorella
3. fare una torta
4. vestirsi
5. guardare un bel programma alla televisione
6. dormire tranquillamente
7. parlare con il mio ragazzo/la mia ragazza
8. prepararsi per la lezione di storia

B In coppia: Dica ad un compagno/una compagna una o due cose che sono successe ieri mentre lei faceva le seguenti attività.

▶ lavorare   Ieri mentre lavoravo ho visto Marco e Paola.

1. uscire di casa   4. mangiare
2. studiare   5. guardare la televisione
3. guidare la macchina   6. dormire

C Tiziana spiega ad una sua collega che cosa ha fatto ieri sera con il fidanzato Carlo. Dia la forma appropriata del passato prossimo o dell'imperfetto dei verbi indicati tra parentesi, secondo il contesto.

Ieri sera? Niente, ieri sera io e Carlo _____ (essere) a casa, _____ (annoiarsi), e finalmente _____ (decidere) di andare al cinema. Veramente io non _____ (avere) nessuna voglia di uscire: _____ (piovere) a catinelle (*it was raining cats and dogs*). Ma Carlo _____ (guardare) sul giornale e alla fine _____ (scegliere) un film giapponese.
   Quando _____ (arrivare) al cinema non c'_____ (essere) nessuno. Pensa! Noi _____ (essere) soli in questo cinema. E non solo: il film _____ (essere) in lingua originale; cioè il giapponese. Io non _____ (capire) un bel niente!

D In coppia: Dica ad un amico/un'amica quanti anni aveva quando ha fatto le seguenti cose.

▶ cominciare a frequentare la scuola

S1: Quanti anni avevi quando hai cominciato a frequentare la scuola?

S2: Avevo quattro anni quando ho cominciato a frequentare la scuola.

1. imparare ad andare in bicicletta
2. innamorarsi (*to fall in love*) per la prima volta
3. uscire per la prima volta con un ragazzo/una ragazza
4. andare al primo ballo
5. prendere la patente di guida
6. viaggiare da solo/a per la prima volta

E Racconti la storia di Pinocchio, completando le frasi con la forma appropriata dell'imperfetto o del passato prossimo del verbo in corsivo.

1. C'era una volta un uomo di nome Geppetto che *volere* avere un figlio.
2. Desiderava tanto questo figlio che un giorno *fare* un burattino di legno (*wooden puppet*).
3. Amava il burattino di legno, ma purtroppo il burattino non *essere* un vero bambino.
4. Una notte, mentre Geppetto dormiva, *venire* una fata (*fairy*) azzurra.
5. La fata azzurra voleva aiutare Geppetto, e *dare* vita a Pinocchio.
6. Geppetto era contentissimo quando *alzarsi* quella mattina e *vedere* un vero bambino al posto del burattino.
7. Pinocchio era un bravo ragazzo, e ogni mattina *uscire* di buon'ora per andare a scuola.
8. Un giorno, mentre Pinocchio andava a scuola, (Pinocchio) *incontrare* il Gatto e la Volpe (*fox*).

> *Le avventure di Pinocchio* by Carlo Collodi (1826–1890) was published in 1881 in an Italian magazine for children. Since then it has become a favorite story around the world.

F In coppia: Ricorda il giorno più bello della sua vita? Forse era una gita fatta con la famiglia, un appuntamento con una persona speciale o una vittoria sportiva. Prepari almeno sei frasi per descrivere quest'avvenimento, e poi racconti la storia ad un altro studente/un'altra studentessa. Lei può parlare di:

quanti anni aveva	che tempo faceva	perché era contento/a
dove e con chi era	cosa è successo	

G In coppia. ▶ S1: Scusi, ieri ho lasciato qui qualcosa.
S2: ...

S1

Ieri mattina alle 8.45 lei si è fermato/a ad un bar vicino al suo posto di lavoro per prendere un caffè. Si è seduto/a ad un tavolino vicino alla porta. Quando più tardi è arrivato/a al lavoro, ha notato che non aveva più i guanti. Erano guanti di pelle nera e molto costosi. Ora, torni al bar e chieda al barista se ha trovato i suoi guanti. Risponda alle sue domande.

S2

Lei lavora in un bar del centro. Questa mattina, una persona entra e dice che ha perso i guanti nel bar. Aiuti questa persona e domandi com'erano i guanti, dov'era seduto/a quando li ha perduti, come li ha perduti e che ora era.

Plurale di alcuni nomi ed aggettivi

1. Feminine nouns and adjectives that end in **-ca** and **-ga** form the plural in **-che** and **-ghe**.

—Che bella **giacca bianca!** Ma non è molto **pratica**.
—È vero. Le **giacche bianche** non sono **pratiche**.

—Guarda! Una **manica** (*sleeve*) è più **lunga** dell'altra.
—È vero! Ma tutt'e due le **maniche** sono troppo **lunghe**.

2. Feminine nouns ending in **-cia** and **-gia** whose stress falls on the **i** form the plural in **-cie** and **-gie**.

—La **farmacia** è aperta?
—No, tutte le **farmacie** sono chiuse.

—Hai detto una **bugia** (*lie*)?
—No, non dico mai **bugie**.

Feminine nouns ending in **-cia** and **-gia** that are stressed on any other syllable generally drop the **i** and form the plural in **-ce** and **-ge**.

la **faccia grigia**	le **facce grige**
la lunga **spiaggia**	le lunghe **spiagge**

Exception: la **camicia**   le **camicie**

> The *i* in words like *faccia* or *spiaggia* is not pronounced: it is included to give a soft *c* or *g* sound. In the plural (*-ce*, *-ge*) the *i* is no longer necessary and is generally dropped.

Una **faccia simpatica**.

Alcune **facce** meno **simpatiche**.

3. Some masculine nouns and adjectives ending in **-co** form the plural in **-chi**, and others form the plural in **-ci**. If the stress is on the next-to-last syllable, use **-chi.**

un **parco tedesco**	i **parchi tedeschi**
il **gioco** divertente	i **giochi** divertenti
il bambino **stanco** (*tired*)	i bambini **stanchi**

If the stress is on the third-to-last syllable, use **-ci.**

un **medico simpatico**   due **medici simpatici**

Exceptions to this rule are:

un **amico**	tre **amici**
il **greco** (*Greek*)	i **greci**
il **nemico** (*enemy*)	i **nemici**
un **porco** (*pig*)	molti **porci**

4. Masculine nouns and adjectives ending in **-go** generally form the plural in **-ghi**, regardless of stress.

Questo **dialogo** è **lungo.**   Questi **dialoghi** sono **lunghi.**

But nouns ending in **-ologo,** referring to professions, form the plural in **-ologi.**

il **radiologo**	i **radiologi**
uno **psicologo**	molti **psicologi**

H Dia il plurale delle seguenti espressioni.

▶ il parco nazionale   i parchi nazionali

1. la farmacia moderna
2. la spiaggia bianca
3. la biblioteca magnifica
4. il viaggio lungo
5. la ciliegia dolce
6. lo psicologo tedesco
7. la conversazione telefonica
8. l'unico luogo

I Completi le seguenti osservazioni con la forma appropriata dei nomi o aggettivi in **-go** e in **-co** della lista.

lungo	psicologo	nemico	albergo
analogo	biologo	lago	simpatico

1. Quegli _____ seguono le teorie (*theories*) di Freud.
2. Quei _____ lavorano nello stesso laboratorio.
3. I _____ italiani sono magnifici!
4. *Sistema* e *system* sono parole _____ .
5. Tutti gli _____ della città sono vicino alla stazione.
6. — Ti piacciono i miei amici? — Sì, sono molto _____ .
7. A volte cari amici possono diventare (*become*) _____ .
8. È ottobre e le notti diventano più _____ .

J In coppia: S1 formula frasi con le cose e gli aggettivi che seguono. S2 risponde che per S1, tutte quelle cose sono come dice lui/lei.

▶ luogo / romantico   S1: Questo luogo è romantico.
                           S2: Per te, tutti i luoghi sono romantici!

1. lezione / lungo
2. spiaggia / bello
3. medico / antipatico
4. gioco / simpatico
5. domanda / logico
6. film / artistico

Domandi ad un compagno/una compagna se ha le seguenti cose.

▶ giacca / di lino   S1: Hai una giacca di lino?
                      S2: Sì, ho due giacche di lino./No, non ho nessuna
                          giacca di lino.

1. un paio di pantaloni / bianco
2. un abito / da sera
3. una camicia / con le maniche lunghe
4. una camicia / con le maniche corte
5. un paio di jeans / classico
6. calzini / a righe
7. una maglia / di poliestere
8. una cravatta / eccentrico

> Use the word *paio* (pair) for pants, socks, and shoes. The plural of *paio* is *paia*: *Ho un paio di jeans e tre paia di pantaloni di lana.*

Sapere e conoscere

— **Conosci** mio fratello?
— Siete fratelli? Non lo **sapevo!**

1. The verbs **conoscere** and **sapere** both mean *to know* in Italian, but they describe different types of knowledge. **Conoscere** means *to be acquainted* or *familiar with* someone or something. It is often used when talking about knowing people or places, and can also be used with languages. **Conoscere** used in the **passato prossimo** means *to meet.*

— **Conosci** l'Inghilterra?

— *Do you know England? (Have you been there?)*

— Sì, la **conosco** molto bene. Purtroppo non **conosco** l'inglese.

— *Yes, I know it very well. Unfortunately I don't know English.*

— I tuoi genitori **conoscono** Valeria?

— *Do your parents know Valeria?*

— No, non l'**hanno** ancora **conosciuta.**

— *No, they haven't met her yet.*

2. Sapere means *to have knowledge of something* or *to know certain information.*

Sai chi è Giuseppe Tornatore?　　*Do you know who Giuseppe Tornatore is?*
Sapete dove hanno girato　　　　*Do you know where they filmed that scene?*
　quella scena?
No, non lo **sappiamo.**　　　　　　*No, we don't know.*

Sapere + *infinitive* means *to know how to do something.*

Mio figlio ha solo tre anni e　　　*My son is only three and he*
　già **sa leggere** e **scrivere.**　　　*already knows how to read and write.*

> Notice that there is no word corresponding to the English *how* in *to know how*. All you need is *sapere* + infinitive.

3. Sapere is irregular in the present tense. Here are its forms.

sapere	
so	sappiamo
sai	sapete
sa	sanno

L Scelga la forma corretta di **conoscere** o **sapere** secondo il contesto.

1. — (Conosci/Sai) chi ha vinto il premio alla mostra del cinema?
   — Sì, lo (conosco/so). Giuliano Forini l'ha vinto.
   — Fantastico!
   — Perché fantastico? Lo (conosci/sai)?
   — Sì che lo (conosco/so); è un mio amico.

2. — È vero che tutti i giovani italiani (conoscono/sanno) l'inglese?
   — Beh, molti lo studiano. Spesso (conoscono/sanno) leggere e scrivere
     l'inglese.
   — E lo (conoscono/sanno) parlare?
   — Questo è il problema. (Conoscono/Sanno) la grammatica, ma pochi
     lo (conoscono/sanno) parlare bene.

3. — Scusi, per caso lei (conosce/sa) il ristorante Il Gabbiano?
   — Sì, è qui vicino. Ma Il Gabbiano è chiuso il lunedì.
   — Ah, non lo (conoscevo/sapevo). Lei (conosce/sa) un altro buon
     ristorante qui vicino?
   — Sì, c'è il ristorante Zi' Luisa, ma non (conosco/so) se è aperto.

> Restaurants in Italy are required by law to be closed one day a week for what is called a *riposo settimanale.*

M In coppia: Scegliete un'altra persona nella vostra classe e poi parlate di questa persona. Domandi al compagno/alla compagna se ha queste informazioni sull'altra persona, se conosce i suoi amici, ecc.

▶ come si chiama   S1: Sai come si chiama quel ragazzo?
                 S2: No, non lo so./Sì, lo so. Si chiama Jeff.

    i suoi amici   S1: Conosci i suoi amici?
                 S2: No, non li conosco./Sì, li conosco. Sono tutti simpatici.

1. dove abita
2. il suo numero di telefono
3. se ha il ragazzo/la ragazza
4. che cosa studia
5. se ha sorelle
6. la sua famiglia
7. il suo migliore amico/la sua migliore amica (*best friend*)
8. che fa questo fine settimana

N Intervista: Scriva se lei conosce le seguenti persone, cose o luoghi, o se sa fare le seguenti attività. Poi, domandi ad altri tre studenti se sanno fare le stesse cose o conoscono le stesse persone. Alla fine, confrontate le liste per vedere quale delle tre persone ha il maggior numero di risposte uguali alle sue.

▶ ballare il valzer   S1: Sai ballare il valzer?
                   S2: Sì, so ballare il valzer, ma non troppo bene./No, non so ballare ma voglio imparare, ecc.

	io	*1*	*2*	*3*
1. suonare la chitarra	____	____	____	____
2. molte persone italiane	____	____	____	____
3. il francese	____	____	____	____
4. giocare a scacchi (*chess*)	____	____	____	____
5. una pittura di Botticelli	____	____	____	____
6. un paese europeo	____	____	____	____
7. guidare una motocicletta	____	____	____	____
8. una persona famosa	____	____	____	____

> Sandro Botticelli (1445–1510) was a Florentine painter. Two of his most famous works are *Primavera* and *The Birth of Venus*.

O In coppia: Dica ad un compagno/una compagna tre cose che lei sa fare molto bene, tre cose che non sa fare e tre cose che lei vuole imparare a fare.

▶ Io so guidare molto bene la macchina.
Non so parlare cinese.
Voglio imparare a sciare.

For further practice of lesson topics, log on to the *Oggi in Italia* website and/or do the CD-ROM activities.

Parliamo un po'

A **Un film preferito.** In coppia: Racconti ad un compagno/una compagna la storia di un film che le piace molto. Dica:

chi sono il/la regista e gli attori
chi sono i personaggi principali
dove ha luogo (*takes place*) il film
che cosa succede nel film
perché le piace

> The stills are from *Il gatto-pardo* (*The Leopard*), *La Dolce Vita*, and *La vita è bella*.

B **Raccontiamo un film!** In coppia: Guardate le foto da alcuni film italiani molto famosi, e cercate di immaginare una storia che va con una di esse. Potete usare la fantasia per inventare i nomi dei personaggi, caratteristiche personali e altre informazioni. Usate i tempi passati appropriati.

▶ C'era una ragazza bellissima che si chiamava … Aveva … Le piaceva molto … Un giorno ha incontrato … e poi ha deciso …

Gli attori Burt Lancaster e Claudia Cardinale in una bella scena del film *Il gattopardo* (1963) diretto da Luchino Visconti.

Roberto Benigni bacia la sua principessa (Nicoletta Braschi) in una suggestiva scena del film *La vita è bella*.

Marcello Mastroianni e Anita Eckberg davanti alla Fontana di Trevi nel film *La Dolce Vita* (1960) di Federico Fellini.

C **Quale film vedere?** In coppia: Lei desidera andare al cinema e chiama una sua amica/un suo amico per invitarla/lo a venire con lei. L'unico problema è che a lei piacciono i film romantici e all'amica/o piacciono i film di fantascienza o i film gialli. Usando questo programma, decidete quale film volete vedere, dove, e a che ora.

▶ — Pronto, chi parla?
— Ciao, sono ... Senti, vuoi andare al cinema con me stasera?
— Sì, volentieri! Quali film danno? (*What's playing?*) ecc.

CINEMA

ALCAZAR
Via Merry del Val 14
Uomini senza donne
di A. Longini, con Alessandro Gassman
16,45 – 18,40 – 20,35 – 22,30

ANDROMEDA
Via Mattia Battistini 195
Innamorata
di N. Grassia, con Saverio Vallone
16,00 – 18,15 – 20,30 – 22,30

BARBERINI
Piazza Barberini 52
L'invasione degli extracorti:
festival di cortometraggi giapponesi
15,30 – 17,50 – 20 – 22,30

DELLE PROVINCE
Via delle Province 41/45
Il mostro
di R. Benigni, con Benigni, Nicoletta Braschi
16,20 – 18,20 – 20,30

EDEN SALA 1
Via Cola di Rienzo 74
Una lunga lunga lunga notte di amore
di F. Ferzetti, con Ornella Muti
16,15 – 18,20 – 20,30 – 22,40

GIULIO CESARE
Via Giulio Cesare 15
Omicidio al telefono
di Frank Klox, con Antonio Zequila
16 – 19 – 22

PASQUINO
Piazza S. Egidio 1
Il signore degli anelli
di P. Jackson, con Elijah Wood
10,30 – 13,45 – 16,00 – 18,15 – 20,30

QUIRINETTA
Via Marco Minghetti 4
La strana storia di Olga 'O'
di A. Bonifacio, con Serena Grandi
15,30 – 17,50 – 20,10 – 22,30

TIBUR
Via degli Etruschi 36
Guerre stellari: episodio 3
di S. Spielberg
15 – 17,30 – 20 – 22,30

D **Che cosa indossava?** In coppia: Descriva ad un compagno/una compagna i vestiti che lei indossava l'ultima volta che

ha studiato in biblioteca
è uscito/a con gli amici
è andato/a ad un matrimonio

▶ L'ultima volta che ho studiato in biblioteca indossavo i calzoncini di cotone, una maglietta bianca e le scarpette da ginnastica ...

Gli stilisti. In coppia: Voi siete due stilisti abbastanza moderni ed eccentrici. Per una grande festa a Hollywood, quattro persone vi hanno chiesto di creare vestiti originali. Sono:

| Un regista eccentrico | Un'attrice non più giovane | Un attore popolare | Una cantante scandalosa |

Create nuovi "look" per i vostri clienti famosi. Indicate abbigliamento, tessuti e colori. Poi preparate una descrizione delle creazioni per la classe.

Conoscere l'Italia

 Definizioni. Abbini le definizioni con una parola della lista di destra. Ci sono due parole in più nella lista.

1. aggettivo derivato da *Lombardia*
2. nome da cui deriva l'aggettivo *famoso*
3. il contrario di *brutto/a*
4. luogo dove si rappresentano commedie, tragedie e opere
5. una scuola di belle arti
6. sinonimo di *nazione*
7. luogo dove si possono ammirare pitture e altre opere d'arte
8. sinonimo di *via*
9. sinonimo di *caro/a*
10. persona che crea articoli di abbigliamento
11. sinonimo di *molto*

a. il museo
b. il teatro
c. costoso/a
d. il paese
e. il negozio
f. bello/a
g. lombardo/a
h. la strada
i. la fama
j. lo stilista
k. l'accademia
l. estremamente
m. splendido/a

Milano

L'elegante Galleria di Milano è un rinomato luogo d'incontro.

Una splendida natura morta del Caravaggio (1571–1610).

Milano è il capoluogo della Lombardia. Con quasi due milioni di abitanti, è la città più popolosa d'Italia dopo Roma. Milano è il centro commerciale, industriale e bancario d'Italia e allo stesso tempo svolge un ruolo[1] molto importante nell'arte e nella cultura del paese. Prestigiosi istituti universitari quali il Politecnico, l'Università statale, l'Università Cattolica e l'Università Commerciale Bocconi si trovano a Milano. Riviste di ogni categoria e importanti giornali come *Il Corriere della Sera, La Gazzetta dello Sport* e *Il Sole-24 Ore* sono pubblicati in questa città. E mentre Roma è il centro del cinema, Milano è la sede[2] dei migliori spettacoli teatrali e dell'opera. Qui si trova il Teatro alla Scala, il più famoso teatro lirico[3] del mondo. L'attrazione artistica più bella di Milano è il Duomo, un capolavoro di architettura gotica. Brera, una delle migliori[4] accademie di belle arti d'Italia, è a Milano. Nel palazzo dell'accademia c'è la Pinacoteca[5] di Brera, una delle collezioni di dipinti[6] più ricche d'Italia. In questo museo si possono ammirare, oltre alle opere[7] di Tintoretto, Mantegna, Tiepolo, Caravaggio ed altri, anche i dipinti di pittori[8] più moderni come Modigliani, Boccioni, Carrà e Morandi.

Ma il capoluogo lombardo è anche la capitale della moda italiana. A Milano hanno luogo sfilate di moda[9] che sono prestigiose come quelle di Parigi. Nella zona milanese intorno a via Monte Napoleone, conosciuta con il nome di "Montenapo," si trovano negozi di moda che sono tra i più belli del mondo. Altre eleganti strade di questa zona sono via della Spiga, via Sant'Andrea e via Alessandro Manzoni. In queste strade sono situati i negozi di stilisti di fama internazionale come Ferré, Versace, Armani, Krizia e molti altri. Le creazioni vendute in questi negozi sono veramente splendide, ma esse sono anche estremamente costose.

1. plays a role   2. seat   3. opera house   4. best   5. art gallery   6. paintings   7. works
8. painters   9. fashion shows

Tintoretto (1518–1594), **Tiepolo** (1736–1776), and **Caravaggio** (1573–1610) were painters.

Amedeo Modigliani (1884–1920) was a painter and sculptor.

Umberto Boccioni (1882–1916) was a futurist painter and sculptor.

Carlo Carrà (1881–1966) and **Giorgio Morandi** (1890–1964) were painters.

Informazioni. Dia le seguenti informazioni basate sul brano precedente.

1. tre caratteristiche di Milano
2. tre università milanesi
3. due giornali pubblicati a Milano
4. il nome del teatro lirico milanese
5. la più bella attrazione artistica di Milano
6. il nome dell'accademia di belle arti di Milano
7. tre pittori le cui opere sono nella Pinacoteca di Brera
8. come sono le sfilate di Milano
9. vie milanesi dove ci sono eleganti negozi di moda
10. tre stilisti italiani di fama internazionale

• •

A **La parola giusta.** Prima di leggere il seguente brano, completi l'attività che segue con le parole appropriate fra quelle indicate. Ci sono tre parole in più nella lista.

vestire
gusto
indossare
sportiva
abbigliamento
accessori
moda
cambiamenti

A Tiziana piace _____ elegantemente. Va spesso ai negozi di _____ e legge anche molte riviste di _____ . Veste sempre con molto _____ e compra _____ moderni ma semplici che vanno molto bene con i suoi vestiti.

Vestire bene

ARMANI
COLLEZIONI

Per quasi tutti gli italiani, vestire bene è molto importante. Essi prestano molta attenzione allo stile del loro abbigliamento, alla qualità della stoffa e degli accessori e alla combinazione dei colori.

Gli uomini e le donne di una certa età[1] vestono con un gusto classico e raffinato che non segue molto i cambiamenti stagionali della moda.

I giovani invece vivono con la moda e la seguono di pari passo[2]. Ad ogni cambiamento di stagione, nuovi articoli d'abbigliamento, nuove linee e nuovi colori appaiono sul

Eleganti vestiti sono in mostra in questo classico negozio di Armani.

mercato. I giovani li accettano subito e talvolta[3] aggiungono alcune variazioni più o meno personali. Infatti non dobbiamo dimenticare che la moda giovanile rimane pur sempre[4] una moda semplice, spigliata[5] e sportiva.

1. middle-aged   2. keep up with it   3. sometimes   4. always   5. carefree

B **Un titolo adatto.** Fra i seguenti scelga il titolo adatto al brano appena letto.

1. La moda giovanile
2. Gli stilisti italiani
3. L'importanza del vestire
4. La moda e le donne

C **Domande.** Risponda alle seguenti domande sulla moda.

1. Di solito come veste la gente in Italia? E nel suo paese?
2. Com'è la moda giovanile in Italia? E nel suo paese?
3. Dove si presta più attenzione alla moda, in Italia o nel suo paese? Perché?
4. Agli anziani interessa la moda sportiva? Perché?
5. Nella sua città ci sono molti o pochi negozi di moda giovanile? Perché?

Lezione 11

Courmayeur è una famosa località sciistica della Valle d'Aosta.

La settimana bianca

Communicative Objectives

- Make plans for recreation
- Refer to parts of the body
- Express likes and dislikes
- Make polite requests and commands

Flavia Mellini e Patrizia Carboni, due ragazze torinesi, si incontrano per programmare un breve soggiorno sulla neve.

Locate Torino on the map on p. 14.

FLAVIA:	Allora, Patrizia, andiamo a sciare?
PATRIZIA:	Sì. Ma ho bisogno di un nuovo paio di sci.
FLAVIA:	Ti posso mostrare i miei sci? Se ti piacciono, puoi andare a comprarli dove li ho comprati io.
5 PATRIZIA:	Se non costano molto, vanno bene anche per me.
FLAVIA:	Allora sei d'accordo per una settimana bianca al Sestriere?
PATRIZIA:	Certo. In quale albergo andiamo a stare? Trovare un posto a buon prezzo non è facile.
FLAVIA:	Lo so. Tutta la zona è molto cara, ma ho un'idea.
10	Recentemente mio zio ha comprato un appartamento non molto lontano dalle piste. Forse possiamo stare lì per una settimana.
PATRIZIA:	Che fortuna! Perché non gli telefoni allora? Ecco, prendi il mio telefonino.
15 FLAVIA:	Ma come andiamo, in treno o in macchina?
PATRIZIA:	Forse possiamo prendere la macchina di mio fratello. Stasera gli chiedo se ce la presta°. Lui, poverino°, si è rotto un braccio due giorni fa e non può guidare.
FLAVIA:	Mi dispiace, non lo sapevo.
20 PATRIZIA:	Niente di grave, sono cose che capitano. Ma adesso telefona a tuo zio, così possiamo definire tutto il programma.
FLAVIA:	Va bene. Dammi il tuo telefonino. ... Non risponde. Gli telefono più tardi e noi ci sentiamo stasera. D'accordo?

Young Italians customarily spend *una settimana bianca* in the Alps or Apennines during the winter.

Sestriere, an internationally famous mountain resort, is not far from Torino.

lends it to us / poor thing

Domande

1. Perché si incontrano Flavia e Patrizia?
2. Di che cosa ha bisogno Patrizia?
3. Dove può comprare gli sci Patrizia?
4. Dove decidono di andare a sciare le due amiche?
5. Dove pensano di andare a stare?
6. Perché pensano di potere prendere la macchina del fratello di Patrizia?

Domande personali

1. Lei è andato/a a sciare qualche volta? Dove? Con chi?
2. Lei preferisce gli sport estivi o invernali?
3. Lei pensa di andare a sciare presto? Ha bisogno di comprare qualche cosa prima di partire? Che cosa?
4. Le piace andare in montagna o preferisce andare al mare? Perché?
5. Ha la macchina o la moto? Lei presta volentieri la sua macchina o la sua moto a suo fratello, a sua sorella o ad un amico/un'amica?
6. Si è mai rotto/a un piede (*foot*) o un braccio? Quando? Dove?

Situazioni

1. Domandi ad un amico/un'amica se gli/le piacciono gli sport.

   ▶ — Ti piacciono gli sport?
   — Sì, mi piace sciare e nuotare. (Sì, mi piacciono tutti gli sport./No, non mi piacciono gli sport./No, non sono molto sportivo/a.) E a te?

2. Risponda ad un compagno/una compagna che vuole sapere se lei e il suo amico/la sua amica vi sentite spesso.

   ▶ — Tu e il tuo amico/la tua amica vi sentite spesso?
   — Sì, ci sentiamo spesso. (No, non ci sentiamo spesso./Ci sentiamo tutti i giorni./Ci sentiamo ogni fine settimana.)

Lo sci in Italia

*I*n Italia moltissimi giovani praticano lo sci. D'inverno, intere famiglie approfittano[1] del fine settimana e di periodi di vacanza per passare con piacere qualche giorno sulla neve.

Molte sono le località italiane famose conosciute anche all'estero. Sulle Alpi, hanno fama internazionale il Sestriere, Madonna di Campiglio e Cortina d'Ampezzo. Grazie alla sua posizione vicino a centri sportivi alpini di grande importanza, la città di Torino è stata la sede delle Olimpiadi invernali nel febbraio 2006. Sugli Appennini, nell'Italia centrale, i centri di sci più frequentati sono Campo Felice, Roccaraso e Campo Imperatore, che è situato alle pendici[2] del Gran Sasso, la vetta[3] più alta degli Appennini.

Anche la scuola incoraggia[4] lo studente verso lo sci. Durante l'inverno, "settimane bianche" sulla neve sono organizzate per gli studenti più giovani. In speciali centri sportivi e sotto la guida[5] di maestri di sci[6], questi giovani vengono a contatto con la neve ed imparano a sciare.

- Si usa fare la settimana bianca nel suo paese? Quali sono i luoghi preferiti per le vacanze d'inverno?

La settimana bianca sulla neve è anche una buona occasione per incontrarsi con gli amici.

1. take advantage   2. slopes   3. peak   4. encourages   5. guidance   6. ski instructors

Pratica

1. In coppia: Componete un dialogo basato sulle seguenti informazioni. È una giornata molto calda di agosto a Torino. La temperatura è di 34 gradi centigradi e lei vuole andare a fare una gita in montagna. Lei telefona ad un amico/un'amica per sapere se viene in montagna con lei. Non avete la macchina e quindi decidete di andare in montagna con il treno. Partite alle 11.30 e arrivate alle 12.00. La sera tornate a casa alle 20.00. Presentate il vostro dialogo alla classe.

2. Usi la fantasia per descrivere in dieci frasi quello che può essere successo a lei e a un amico/un'amica quando siete andati/e al Sestriere. Dica come siete andati/e, per quanto tempo, dove avete dormito, che tempo faceva, chi avete conosciuto e se vi siete divertiti/e facendo qualche cosa.

> Val di Fassa is a mountain resort in Trentino-Alto Adige. Locate this region on the map on p. 14. *Con quali paesi stranieri confina questa regione? Con quali altre regioni italiane confina il Trentino-Alto Adige?*

Vocabolario

Parole analoghe

definire sportivo/a
lo sport

Nomi

il braccio (le braccia) arm(s)
la fortuna luck, fortune
la neve snow
il paio (le paia) pair
la pista trail
il posto place
il prezzo price
lo sci ski, skiing
il soggiorno stay
il telefonino cell phone
la zona area

> *Il braccio* and *il paio* become feminine
> in the plural: *le braccia, le paia.*

Verbi

capitare to happen
incontrarsi to meet each other
nuotare to swim
prestare to lend, loan
programmare to plan; to
  program
rompere (*p.p.* rotto) to break
rompersi (un braccio, ecc.) to
  break (an arm, etc.)
sciare to ski
sentirsi to talk to each other
stare to stay

Aggettivi

breve short
facile easy
grave serious
torinese from Turin

Altre parole ed espressioni

appena as soon as
ci to us
forse perhaps
gli to him
recentemente recently
ti to you
volentieri gladly
dammi give me
a buon prezzo at a good price
fare una telefonata to make
  a phone call
Che fortuna! What luck!

Pronuncia

Il suono della combinazione *gn*

In Italian, the letters **gn** are pronounced with a nasal palatal sound much like *ny* in
canyon. Most English speakers are familiar with this sound in the word **lasagne.**

 A Ascolti e ripeta le seguenti parole.

ogni	montagna	cognome	compagno
signorina	bisogno	giugno	Spagna
signora	ognuno	magnifico	compagna

B **Proverbi.** Ascolti e ripeta i seguenti proverbi.

Al bisogno si conosce l'amico.
A friend in need is a friend indeed.
(*Literally: In need one recognizes a friend.*)

Ogni medaglia ha il suo rovescio.
There are two sides to every coin.
(*Literally: Every medal has its other side.*)

Ampliamento del vocabolario

Il corpo umano

1. Note that **il braccio** and **il dito** are irregular in the plural.

   il braccio   le braccia
   il dito   le dita

2. Although the noun **mano** ends in **-o,** it is feminine. The plural ending is **-i:**
   la mano, le mani. The noun **capelli** (*hair*) is used in the plural in Italian:

   Ho **i capelli** biondi.   *I have blond hair.*

Altre parole ed espressioni

Ti (Le) fa male la testa? Do you have a headache?
Mi fa male la gola. My throat hurts.
Mi fanno male i piedi. My feet hurt.
Mi sono fatto male al piede sinistro (destro). I hurt my left (right) foot.

Ho la febbre. I have a fever.
i capelli biondi (castani, neri, grigi) blond (brown, black, gray) hair
i capelli lunghi (corti) long (short) hair
gli occhi blu (verdi, castani) blue (green, brown) eyes

A In coppia: Domandi ad un altro studente/un'altra studentessa quali parti del corpo associa con le seguenti attività fisiche. L'articolo appropriato deve essere usato con le parole.

▶ giocare a pallone (*soccer*) — Quale parte del corpo associ con il giocare a pallone?
  — Il piede (i piedi/la gamba/le gambe) …

1. ascoltare la musica
2. suonare la chitarra
3. pensare agli esami
4. vedere uno spettacolo
5. fare una passeggiata
6. parlare con gli amici
7. giocare a tennis
8. mangiare una pizza
9. odorare (*to smell*) un profumo
10. salutare un amico

B In coppia: Domandi al suo amico/alla sua amica perché ieri ha o non ha fatto alcune cose.

▶ — Perché ieri non hai potuto pensare a niente?
  — Perché mi faceva male la testa.

1. Perché ieri non sei venuto/a a lezione?
2. Perché ieri non hai mangiato niente?
3. Perché ieri non hai fatto una passeggiata nel parco?
4. Perché ieri sei dovuto/a andare dal dentista?
5. Perché ieri non hai potuto cantare?
6. Perché ieri non hai fatto i compiti?
7. Perché ieri sei stato/a a letto tutto il giorno?
8. Perché ieri non sei andato/a a sciare?

C In coppia: Preparate la descrizione di un personaggio storico o celebre usando solo le sue caratteristiche fisiche e personali. Sfidate (*Challenge*) un'altra coppia ad identificarlo.

▶ Non era molto giovane. Aveva i capelli neri ed era alto e magro. Aveva un aspetto serio e intelligente. È stato presidente degli Stati Uniti più di cento anni fa. (*Abraham Lincoln*)

Oggetti personali utili

1. l'asciugacapelli (*m.*)
2. l'asciugamano
3. il dentifricio
4. le forbici
5. il pettine
6. il rasoio (elettrico)
7. il sapone
8. lo shampoo
9. la spazzola per capelli
10. lo spazzolino da denti
11. lo specchio
12. la spugna

Espressioni utili

asciugarsi le mani (la faccia) to
 dry one's hands (face)
fare/farsi il bagno to take a bath
fare/farsi la doccia to take a
 shower
guardarsi allo specchio to look
 at oneself in the mirror
lavarsi i denti to brush one's
 teeth

lavarsi le mani (la faccia) to
 wash one's hands (face)
radersi (la barba) to shave
 (one's beard)
pettinarsi i capelli to comb
 one's hair
tagliarsi i capelli (le unghie)
 to cut one's hair (nails)

D Dica di che cosa lei ha bisogno in queste circostanze.

▶ Lei vuole tagliarsi le unghie perché sono molto lunghe.
  Ho bisogno delle forbici.

1. Lei deve andare a mangiare e vuole lavarsi le mani.
2. Lei deve uscire subito, ma ha i capelli bagnati (*wet*).
3. Si è messo/a un vestito nuovo e vuole guardarsi per vedere come le sta.
4. Ha finito di mangiare e vuole lavarsi i denti.
5. Desidera tagliarsi i capelli che sono troppo lunghi.
6. Ha la barba lunga e ha bisogno di radersi.
7. Tira vento e i suoi capelli sono in disordine.
8. Ha fatto la doccia e desidera asciugarsi.

E In coppia: Insieme ad un suo amico/una sua amica lei va a passare un fine settimana di ottobre a New York. Per non portare oggetti uguali, decidete quali cose ognuno di voi porta nella borsa da viaggio (*travel bag*).

▶ —Allora, per questo fine settimana a New York, io porto …
—Io invece porto …

Struttura ed uso

Pronomi indiretti

— Papà, **mi presti** cinquanta euro?
— Perché?
— Domani è il compleanno della nonna e voglio **farle** un bel regalo.

1. The indirect object of a verb is a person or thing that indirectly receives the action of the verb. Many verbs of giving and doing (**dare, offrire, mandare, portare, preparare, regalare**) and verbs of communication (**parlare, dire, domandare, rispondere, telefonare, scrivere, insegnare**) take indirect objects.

> Indirect objects in Italian always use a preposition: usually *a*, but sometimes *per*. Notice that English does not always use a preposition.

Regalo un paio di sci **a Gianluca** e do una camicetta **a Carla.**
I'm giving a pair of skis to Gianluca and I'm giving Carla a blouse.

Scrivo una lettera **a mio zio** per vedere se può prestare la macchina **a noi.**
I'll write a letter to my uncle to see if he can lend us his car.

2. An indirect object can be replaced by a pronoun. Here are the forms of the indirect object pronouns.

singular		plural	
mi	to/for me	**ci**	to/for us
ti	to/for you	**vi**	to/for you
gli	to/for him	**loro** or **gli**	to/for them
le	to/for her	**loro**	to/for you (*formal*)
le	to/for you (*formal*)		

3. Like direct object pronouns, indirect object pronouns generally precede a conjugated verb. In a phrase that includes an infinitive, they attach to the end of the infinitive. In a phrase with the modal verbs **dovere, potere,** or **volere,** the pronoun can either precede the conjugated verb or be attached to the infinitive.

Gli telefono appena torno a casa.	*I'll call him as soon as I get home.*
Ho una cosa importante da chieder**gli.**	*I have something important to ask him.*
Forse **ci** può prestare la macchina. ⎫	
Forse può prestar**ci** la macchina. ⎭	*Maybe he can lend us his car.*

Indirect object pronouns follow and combine with **tu, noi,** and **voi** imperatives but precede the verb in formal commands.

Datemi una mano!	**Mi dia** una mano!	*Give me a hand!*
Digli la verità.	**Gli dica** la verità.	*Tell him the truth.*

4. The indirect object pronoun **loro** always follows the verb. In conversational Italian, **gli** is used more commonly than **loro** to mean *to (for) them.*

— Quando hai parlato con i tuoi genitori?	*— When did you speak to your parents?*
— Ho parlato **loro** (**Gli** ho parlato) sabato scorso.	*— I talked to them last Saturday.*
— Come risponde alle persone che le dicono "Buon appetito!"?	*— How do you answer people who wish you "Buon appetito!"?*
— Dico **loro** (**Gli** dico) "Grazie, altrettanto!"	*— I tell them, "Thank you, same to you!"*

> Italians often say *"Buon appetito!"* ("Enjoy your meal!") at the beginning of a meal. The usual response is *"Grazie, altrettanto!"*

5. In the **passato prossimo**, the past participle does not agree with a preceding indirect object pronoun as it does with direct object pronouns.

— Hai telefonato alla signora dell'ufficio per il turismo?	*— Did you phone the woman at the tourist agency?*
— Sì, **le** ho **telefonato.**	*— Yes, I called her.*

6. The following verbs require indirect object pronouns to specify to whom or
for whom something is done, said, etc. You know most of these verbs already.

chiedere	*to ask for*	Gli chiedo informazioni.
consigliare	*to advise*	Non le consiglio questo libro.
dare	*to give*	Mi ha dato un CD per Natale.
dire	*to say*	Gli dico "Grazie."
dispiacere	*to be sorry; to mind*	Le dispiace ripetere?
domandare	*to ask*	Domandiamo loro dove vanno.
insegnare	*to teach*	La professoressa ci insegna i pronomi.
mandare	*to send*	Mando loro un fax.
offrire	*to offer*	Posso offrirvi un caffè?
parlare	*to speak*	Le parlavo ieri del viaggio.
prestare	*to lend*	Mio fratello ci presta la sua macchina.
regalare	*to give as a gift*	Cosa vi ha regalato la nonna?
rispondere	*to answer*	Non gli ha risposto ancora?
scrivere	*to write*	La mia ragazza mi scrive ogni giorno.
spedire	*to send*	Lei può spedirci il suo curriculum.
spiegare	*to explain*	Non le posso spiegare perché è così.
telefonare	*to call*	Gli telefono appena arrivo.

A Lei è molto gentile, ed è sempre pronto/a a prestare le sue cose agli altri
studenti del suo dormitorio. Guardi quello che dicono gli altri, e poi
offra loro uno degli articoli della colonna di destra.

▶   Devo radermi la barba.
    Allora ti presto il mio rasoio.

1. Ho voglia di tagliarmi i capelli.
2. Andiamo a lavarci i denti.
3. Patrizia ha le mani sporche. Deve lavarle.
4. Sergio ha bisogno di fare la doccia.
5. Mi fa male la testa!
6. Abbiamo comprato un CD e vogliamo ascoltarlo.
7. Ho i capelli in disordine.
8. Mariangela ha freddo.

l'asciugamano
il dentifricio
il sapone
il rasoio
il lettore
la spazzola
la maglia di lana
le forbici
l'aspirina

B Lei parte per una settimana bianca, ma ha bisogno di varie cose prima di
partire. Dica che telefona alle seguenti persone, e che chiede loro le cose
indicate.

▶   il mio amico / una maglia   Telefono al mio amico e gli chiedo una maglia.

1. mia sorella / un paio di sci
2. i genitori / soldi
3. la mia amica / una valigia
4. un compagno di scuola / i pantaloni da sci
5. i miei amici / la macchina
6. lo zio / l'appartamento in montagna

Sulle piste innevate gli sciatori risalgono in seggiovia, mentre altri sciano dolcemente a valle.

C Risponda alle domande usando pronomi diretti o indiretti.

> ▶ —Parli agli amici?   —Sì, parlo loro./Sì, gli parlo.
> —Vedi gli amici?   —Sì, li vedo.

1. Scrivi al tuo ragazzo?
2. Parli a me?
3. Vedi gli altri ragazzi?
4. Usi il dentifricio Colgate?
5. Hai risposto alla professoressa?
6. Hai mandato le lettere?
7. Hai fatto i compiti?
8. Hai telefonato ai tuoi genitori?

D In coppia: Parli con un amico/un'amica per sapere se è generoso/a o no. Indichi se lui/lei fa le seguenti cose spesso, ogni tanto o mai.

> ▶ prestare la macchina al tuo amico/alla tua amica
> S1: Presti la macchina alla tua amica?
> S2: Le presto la macchina ogni tanto./Non le presto mai la macchina.

	spesso	*ogni tanto*	*mai*
1. regalare vestiti vecchi ai poveri	_____	_____	_____
2. scrivere e-mail ai tuoi genitori	_____	_____	_____
3. telefonare regolarmente a tua madre	_____	_____	_____
4. offrire aiuto agli altri studenti	_____	_____	_____
5. prestare soldi agli amici	_____	_____	_____
6. dare soldi ai poveri	_____	_____	_____

E Dica come lei risponde nelle seguenti situazioni.

> ▶ Le persone le dicono "Grazie."
> Quando le persone mi dicono "Grazie," io rispondo loro "Prego."

1. Le persone le dicono "Buon appetito!"
2. Le persone le domandano "Che ore sono?"
3. Il professore le dice "Capisce?"
4. Sua madre le domanda "Dove vai?"
5. Un amico le dice "Salute!"
6. Un'amica le chiede "Puoi prestarmi 20 dollari?"
7. Gli amici le dicono "In bocca al lupo!"

> *"Salute"* is said to someone who sneezes. *"In bocca al lupo"* (in the wolf's mouth) is said to wish someone good luck on a test. The usual response is *"Crepi il lupo!"* (May the wolf die!).

F Lei è una persona romantica? Faccia il seguente quiz per scoprire se lei è molto o poco romantico/a in amore.

1. Per San Valentino:
   a. gli/le dà un libro di poesie.
   b. gli/le dà una scatola (*box*) di Baci.
   c. gli/le dà una cartolina con Garfield.

2. Quando non siete insieme:
   a. gli/le telefona cinque volte al giorno.
   b. gli/le telefona una volta al giorno.
   c. gli/le manda un messaggio elettronico.

3. Quando siete usciti per la prima volta:
   a. gli/le ha parlato di arte e di viaggi.
   b. gli/le ha parlato di sport e della famiglia.
   c. gli/le ha parlato di disastri ecologici.

4. Quando lui/lei le chiede "Tu mi ami veramente?" lei:
   a. gli/le risponde, "Con tutto il cuore (*heart*)!"
   b. gli/le risponde, "Sì, perché?"
   c. gli/le risponde, "Sì, come una sorella/un fratello!"

> *Baci* are chocolate-hazelnut candies made by the Perugina company. *Baci* also means *kisses*.

Costruzioni con *piacere*

> **Mi piace** gennaio ...
> e **mi piace** febbraio ...
> ma non **mi piacciono** i mesi estivi!

> Practice using *piacere* with items you see around you: *Mi piace la televisione. Non mi piace la fotografia.* Then do the same with plural items: *Mi piacciono le tue scarpe*, etc.

1. The verb **piacere** expresses the English concept *to like*, but literally means *to be pleasing to* or *to give pleasure to*. In order to say that you like Italian cinema, for example, you must say literally that Italian cinema is pleasing to you. In the following sentence, **il cinema italiano** is the subject of the verb. The person to whom it gives pleasure is the indirect object **mi**.

> Remember that *piacere* is almost always used in the third person, singular or plural. To tell someone you like him/her, you can use *Tu mi piaci*. It is more common to say *Tu mi sei molto simpatico/a.*

Mi piace il cinema italiano.   *Italian cinema pleases me. (I like Italian cinema.)*

A plural subject requires a plural verb.

Mi piacciono i film italiani.   *Italian films please me. (I like Italian films.)*

2. When the subject is an infinitive, the singular form of **piacere** is used.

— **Vi piace dormire** in albergo?   — *Do you like sleeping in a hotel?*
— No, **ci piace dormire** nel   — *No, we like to sleep in our own bed.*
nostro letto.

3. When the indirect object of **piacere** is a noun or a disjunctive pronoun, the preposition **a** is used.

— **A Marisa** e **ad Angelo** piace   — *Do Marisa and Angelo like to ski?*
sciare?
— Piace **a lui** ma **a lei** non piace   — *He likes it, but she doesn't*
affatto.   *like it at all.*

> To say that someone doesn't like something, use *non* + *piacere. Non mi piace* = I don't like . . . ; *Mi dispiace* = I'm sorry.

4. **Piacere** is conjugated with **essere** in the **passato prossimo.** The past participle agrees with the subject.

— Signora, le **è piaciuta** la   — *Did you enjoy the fashion*
sfilata di ieri sera?   *show last night, ma'am?*
— Sì, alcuni **vestiti** mi **sono**   — *Yes, I liked some of the*
piaciuti molto.   *dresses very much.*
— Le **sono piaciute** le **creazioni**   — *Did you like the designs by*
di Versace?   *Versace?*
— A me no, ma a mia figlia **sono**   — *I didn't, but my daughter*
piaciute molto.   *liked them a lot.*

G In coppia: Dica se queste cose piacciono o non piacciono alle persone indicate.

▶ Elizabeth Taylor / i diamanti   S1: A Elizabeth Taylor piacciono i diamanti?
     S2: Sì, le piacciono./No, non le piacciono.

1. Donatella Versace / i vestiti tradizionali
2. Bart Simpson / il suo skateboard
3. Braccio di Ferro (*Popeye*) / gli spinaci
4. David Beckham / giocare a pallone
5. Emeril / cucinare
6. i cani / i gatti
7. Pinocchio / le bugie
8. gli studenti universitari / gli esami

H Dica perché le persone non hanno fatto le attività indicate secondo il modello.

▶ Gli amici non sono andati in discoteca …
   Gli amici non sono andati in discoteca perché a loro non piace (non gli piace) ballare.

1. I miei nonni non hanno viaggiato in aereo perché …
2. La tua amica non ha visitato i musei perché …
3. I suoi genitori non hanno sciato perché …
4. Gli studenti non hanno finito i compiti perché …
5. Voi non siete andati/e al ristorante cinese perché …
6. La zia non ha comprato la camicia di lino perché …
7. Noi non abbiamo preparato la cena perché …

I In gruppi di tre: Uno di voi lavora in un'agenzia di viaggi e deve capire i gusti dei suoi clienti. Gli altri due sono marito (S3) e moglie (S2) che non vanno mai d'accordo. Domandate e rispondete come nel modello.

▶ gli alberghi di lusso

S1: Vi piacciono gli alberghi di lusso?
S2: A me piacciono, ma a lui no.

viaggiare in treno

S1: Vi piace viaggiare in treno?
S3: A me non piace, ma a lei sì.

1. viaggiare in Europa
2. i paesi del Mediterraneo
3. i grandi musei
4. i monumenti storici
5. prendere il sole su una spiaggia tranquilla
6. le crociere (*cruises*)
7. la cucina esotica
8. sciare

J In coppia: Racconti ad un amico/un'amica l'ultima volta che lei è andato/a a mangiare in un ristorante. L'amico/a chiederà se le è piaciuto il ristorante e se le sono piaciute le cose che ha ordinato.

▶ — Sono andato al ristorante ...
— Ah, e ti è piaciuto?
— Sì, (No, non) mi è piaciuto molto/abbastanza/affatto.
— E che cosa hai mangiato?
— Ho ordinato i tortellini, la ...
— I tortellini ti sono piaciuti? ecc.

K In coppia: Con un compagno/una compagna, dica tre cose che piacciono e due cose che non piacciono alle persone indicate.

1. Pina è una ragazza molto romantica e sentimentale. Legge sempre libri tristi ed è sempre con la testa fra le nuvole.
2. Daria è una ragazza che ama le avventure e il pericolo (*danger*). Non rimane mai in un posto per molto tempo. Preferisce essere sempre in movimento.
3. Giorgio e Nadia sono due vegetariani che mangiano sempre prodotti naturali e genuini. Pensano spesso all'ambiente (*environment*).
4. Antonio è un signore molto tradizionale e non vuole mai vedere cambiamenti e innovazioni. Preferisce il mondo di cinquant'anni fa.
5. Pit e Gigi sono due ragazzi moderni e trasgressivi (*rebellious*) che amano solo le cose più recenti e scandalose. Odiano (*They hate*) tutte le cose del passato.

Verbi riflessivi con significato di reciprocità

• •

1. To express reciprocal actions, expressed in English using *each other* and *one another*, Italian uses the reflexive pronouns **ci, vi,** and **si** with the plural forms of the verb. As with reflexive verbs, the pronoun generally precedes the verb or is attached to the end of an infinitive.

Flavia e Patrizia **si aiutano** a fare i compiti.	*Flavia and Patrizia help each other with their homework.*
Vi incontrate spesso in biblioteca?	*Do you often meet (each other) at the library?*
Abbiamo bisogno di **vederci.**	*We need to see each other.*

2. Reciprocal verbs are conjugated with **essere** in the **passato prossimo.** The past participle agrees with the subject of the verb.

— Dove **si sono conosciuti** i tuoi genitori?	*— Where did your parents meet?*
— Ad una festa. **Si sono innamorati** immediatamente.	*— At a party. They fell in love with each other immediately.*

3. Here are a few common verbs with reciprocal meaning.

aiutarsi	*to help each other*
amarsi	*to love each other*
conoscersi	*to know each other, to meet (for the first time)*
incontrarsi	*to meet each other (at a place)*
innamorarsi	*to fall in love with each other*
odiarsi	*to hate each other*
parlarsi	*to speak to each other*
salutarsi	*to greet each other*
scriversi	*to write to each other*
sposarsi	*to marry each other*
vedersi	*to see each other*

Quando **ci siamo incontrati** la prima volta **ci odiavamo.**	*When we met each other the first time, we hated each other.*
Poi **ci vedevamo** piuttosto spesso e ad un certo punto **ci siamo innamorati. Ci sposiamo** a giugno.	*Then we would see each other fairly often and at a certain point we fell in love with each other. We're getting married (to each other) in June.*

L Formuli frasi al presente con le parole indicate.

▶ noi / incontrarsi / questo pomeriggio
Noi ci incontriamo questo pomeriggio.

1. Paolo e Susanna / scriversi / spesso
2. tu ed io / amarsi / da un anno
3. voi / incontrarsi al bar / il venerdì
4. i nostri compagni / vedersi / al Caffè Italia
5. Franco e Mirella / non odiarsi / affatto
6. io ed Alberto / incontrarsi / a Milano
7. tu e Stefano / aiutarsi / a studiare la chimica
8. Carla e Vera / vedersi / ogni settimana

M In coppia: Chieda ad un compagno/una compagna alcune informazioni sul suo migliore amico/sulla sua migliore amica.

1. Come si chiama il tuo migliore amico/la tua migliore amica?
2. Da quanto tempo vi conoscete?
3. Vi vedete spesso?
4. Vi telefonate ogni giorno?
5. Vi dite tutto quello che vi preoccupa?
6. Vi aiutate quando avete problemi?
7. Vi capite bene?

N Ora racconti al compagno/alla compagna come lei e il suo migliore amico/la sua migliore amica vi siete conosciuti.

Ci siamo conosciuti dieci anni fa. Frequentavamo la stessa scuola. Ci parlavamo qualche volta e poi ...

O Guardi la serie di disegni in basso e racconti la storia di Enzo ed Emilia usando strutture reciproche.

  For further practice of lesson topics, log on to the *Oggi in Italia* website and/or do the CD-ROM activities.

Parliamo un po'

A **Un sondaggio.** In coppia: Lei lavora per una grande ditta (*firm*) che produce prodotti igienici, e fa un sondaggio per sentire le opinioni dei consumatori. Intervisti un altro studente/un'altra studentessa per sapere i prodotti che preferisce.

Quali prodotti usa:

per lavarsi i capelli _____

per lavarsi i denti _____

per radersi (la barba o le gambe) _____

quando fa il bagno/la doccia _____

Altri commenti: perché sceglie questi prodotti particolari?

_____

B **Che cosa regalare?** In gruppi di tre: Arriva il periodo di Natale, e lei deve fare regali (*gifts*) a tre amici o parenti. Dica ai compagni/alle compagne le caratteristiche e gli interessi di ognuno, e loro le suggeriscono i regali appropriati per ciascuna di queste persone.

▶ S1: Il mio fratellino Pino ha cinque anni ed è molto intelligente. Gli piace la matematica.

   S2: Puoi regalargli una calcolatrice!

   S3: Dagli il gioco di "Jeopardy!"

nome, rapporto, età	caratteristiche	gli/le piace/ piacciono	regali appropriati
▶ Pino fratello 5 anni	intelligente	la matematica	una calcolatrice, il gioco di "Jeopardy"
1. _____ _____ _____	_____	_____	_____ _____
2. _____ _____ _____	_____	_____	_____
3. _____ _____ _____	_____	_____	_____ _____

C **Conosce bene gli amici?** In coppia:
Prima, indichi se le piacciono o no le cose della
lista. Poi, pensi al suo compagno/alla sua
compagna, e cerchi di indovinare se a lui/lei
piacciono o no. Poi, chieda se ha indovinato
o no.

	io	lui/lei
sciare	sì / no	sì / no
le motociclette	sì / no	sì / no
la musica classica	sì / no	sì / no
i campeggi (*camping*)	sì / no	sì / no
viaggiare in aereoplano	sì / no	sì / no
i vestiti firmati	sì / no	sì / no
alzarsi presto la mattina	sì / no	sì / no
i mesi caldi	sì / no	sì / no
il pesce	sì / no	sì / no
parlare al telefonino	sì / no	sì / no
la neve	sì / no	sì / no

▶ sciare   S1: Ti piace sciare.
        S2: Sì, hai ragione. Mi piace./No,
            non mi piace per niente.

> *Vestiti firmati:* Designer-label clothing, both American
> and Italian, is very popular among Italian young people.

D **Sestriere On-Line.** In coppia: Voi desiderate andare a sciare
in Italia e uno di voi (S1) ha cercato informazioni sulla rete internazionale (*Internet*). Adesso S2 fa alcune domande su Sestriere, la
destinazione scelta. S1 risponde usando informazioni trovate sulla
pagina Sestriere on-line.

di fondo = *cross-country*   discesa = *downhill*   seggiovie = *ski lifts*

Alla stazione sciistica.

S1

Lei è appena arrivato/a alla stazione di una famosa località sciistica. Vada all'ufficio informazioni della stazione e

  chieda una piantina (*map*) del paese
  domandi come trovare l'Albergo Gardena Palace
  come arrivare alle piste di sci
  se possono consigliare un buon ristorante caratteristico

S2

Lei lavora all'ufficio informazioni della stazione di una località sciistica. Un turista arriva e le fa varie domande. Risponda alle sue domande, usando la piantina (*map*) in basso. Alcune espressioni utili:

girare a destra/a sinistra	*to turn right/ left*
andare dritto	*to go straight*
prendere l'autobus	*to take the bus*

Conoscere l'Italia

 Definizioni. Abbini le definizioni con una parola della lista di destra. Ci sono due parole in più nella lista.

1. aggettivo che si riferisce alla *città*
2. abbreviazione di *automobile*
3. viene dopo *primo/a*
4. nome derivato da *abitare*
5. nome che comprende vestiti, gonne, giacche, ecc.
6. aggettivo derivato da *industria*
7. luogo dove ci sono piante verdi e fiori
8. un nome derivato da *importante*
9. una grande città
10. le persone che vivono a Torino

a. la metropoli
b. i torinesi
c. l'abitante
d. industriale
e. secondo/a
f. l'importanza
g. la struttura
h. l'abbigliamento
i. l'auto
j. urbano/a
k. enorme
l. il parco

Torino

La città di Torino con l'imponente Mole Antonelliana, originariamente un tempio ebreo costruito nel diciannovesimo secolo.

Torino, capoluogo del Piemonte, è il secondo centro industriale italiano dopo Milano. La città, situata nel nordovest d'Italia, ha oggi più di un milione di abitanti. Antica colonia romana, Torino ha una struttura urbana moderna, ampliata e perfezionata dai Savoia nel XVI (sedicesimo) secolo[1]. Grandi vie, ampie[2] piazze e molti parchi verdi sono le caratteristiche di questa metropoli elegante e ricca di attività lavorative e culturali. I negozi più belli e raffinati[3] si trovano sotto i portici di via Roma. E piazza San Carlo, a metà di[4] via Roma, è il luogo dove i torinesi preferiscono incontrarsi.

Dopo la seconda guerra mondiale[5], Torino ha avuto uno sviluppo industriale enorme. Dire Torino è dire Fiat (Fabbrica italiana automobili Torino). L'automobile italiana è nata proprio in questa città nel 1899. Di notevole importanza è anche l'industria tessile e dell'abbigliamento. A Torino, città colta[6], ci sono numerose case editrici[7]. C'è anche una buona università e un altrettanto[8] buon conservatorio musicale. A Torino è pubblicato il giornale *La Stampa*, uno dei più autorevoli quotidiani[9] d'Italia.

1. century 2. wide 3. refined 4. halfway along 5. World War II
6. learned 7. publishing houses 8. just as 9. influential dailies

Locate Piemonte and Torino on the map on p. 14.

The Savoia royal family ruled in Italy from 1860 to 1946.

B **Vero o falso?** Indichi se le seguenti frasi sono vere o false secondo il brano precedente. Corregga le frasi false.

1. La prima città industriale d'Italia è Torino.
2. La struttura urbana del capoluogo del Piemonte è moderna.
3. Torino è una città elegante e piena di attività.
4. La Fiat è una grande fabbrica di automobili di Torino.
5. A Torino c'è solo l'industria delle automobili.
6. Il giornale pubblicato a Torino si chiama *La Repubblica*.

A **Definizioni.** Prima di leggere il seguente brano, abbini le definizioni con una parola della lista di destra. Ci sono due parole in più nella lista.

1. aggettivo derivato da *Alpi*
2. sinonimo di *ostacolo*
3. passaggio sotterraneo sinonimo di *tunnel*
4. aggettivo derivato da *Piemonte*
5. sinonimo di *essere umano*
6. tipo di formaggio
7. un cereale
8. un tipo di vino
9. contrario di *corto/a*
10. contrario di *piccolo/a*

a. lo spumante
b. piemontese
c. la fontina
d. grande
e. lungo/a
f. l'uomo
g. alpino/a
h. il riso
i. accessibile
j. la barriera
k. il fiume
l. la galleria

IL PIEMONTE

Al lavoro in una risaia del Piemonte.

Ad ovest e a nord, il Piemonte è circondato dall'arco alpino che divide questa regione dalla Francia e dalla Svizzera. In questa zona, le Alpi rappresentano una grande barriera, ma valichi[1] più o meno accessibili e gallerie scavate[2] dall'uomo permettono il passaggio dal Piemonte ai paesi oltralpe[3]. La galleria ferroviaria[4] del Frejus, lunga più di 13.000 metri, unisce l'Italia con la Francia, e quella del Sempione, lunga più di 19.800 metri, la unisce con la Svizzera.

1. mountain passes   2. dug
3. beyond the Alps   4. railroad

Can you guess the meaning of Piemonte? (Piemonte is a compound of two words: *piede* and *monte*.)

Sulle Alpi nascono molti fiumi che attraversano[5] il Piemonte. Il più importante è il Po, lungo 652 km (chilometri). Questo fiume che passa per Torino, dopo il Piemonte, bagna[6] anche la Lombardia, l'Emilia-Romagna e il Veneto, e sbocca[7] poi nel mare Adriatico. Uno dei laghi alpini, il pittoresco lago Maggiore, separa il Piemonte dalla Lombardia.

La ricchezza delle acque rendono la terra piemontese molto fertile. Le risaie[8] intorno a Vercelli e Novara danno la maggiore produzione di riso in Europa. Il Piemonte produce anche buoni vini di fama internazionale. Il Barbera, il Barolo e lo spumante d'Asti sono alcuni dei vini prodotti sulle colline piemontesi.

Questi e altri vini pregiati[9] accompagnano spesso i piatti[10] tipici della regione come la bagna cauda, la fonduta[11] con fontina e il riso con i costosissimi e rinomati tartufi[12] bianchi di Alba.

5. cross   6. runs through   7. flows into   8. rice fields   9. rare   10. dishes
11. fondue   12. truffles

> On the map on p. 12, follow the course of the Po River to the Adriatic. On the same map, find Lake Maggiore.

> On a more detailed map of Italy, locate Vercelli, Novara, Asti, and Alba. Alba is famous for its truffles.

> *Bagna cauda* is a sauce used as antipasto.

 Informazioni. Dia le seguenti informazioni basate sul brano precedente.

1. paesi stranieri che confinano con il Piemonte
2. due gallerie ferroviarie che uniscono il Piemonte con i paesi oltralpe
3. il fiume che passa per Torino
4. il lago che divide il Piemonte dalla Lombardia
5. città piemontesi intorno alle quali ci sono molte risaie
6. tre vini piemontesi
7. tre piatti tipici del Piemonte

Lezione 12

Francesco Totti, un campione del calcio italiano, esulta dopo aver segnato un gol in una partita internazionale.

chi gioca?

Communicative Objectives

- Talk about sports
- Express preferences related to sports
- Talk about future plans and actions
- Express probability in the future
- Discuss past events

A Reggio Calabria Alberto Manzini e Daniela Poli fanno programmi per il fine settimana.

ALBERTO:	Daniela, vieni allo stadio con me domenica! Andiamo a vedere una bella partita di calcio. Che ne dici?	
DANIELA:	Non so se posso venirci. Chi gioca con la Reggina?	*la Reggina* = name of the Reggio Calabria soccer team.
ALBERTO:	Il Napoli. Fa' la brava e vieni. Sarà un incontro interessante e spettacolare, ne sono sicuro.	
DANIELA:	D'accordo. Verrò. Ma ci verranno anche Luciano e i suoi amici?	*il Napoli:* The article *il* is used to indicate the name of the Naples soccer team.
ALBERTO:	Non lo so. Perché?	
DANIELA:	Sono un gruppo di ragazzi molto simpatici e durante la partita fanno sempre un tifo tremendo per la Reggina. È proprio° un divertimento andare allo stadio con loro.	*really*
ALBERTO:	Sì, però qualche volta esagerano. Fare il tifo per la propria squadra è bello, ma non è necessario insultare o litigare con i tifosi dell'altra squadra.	
DANIELA:	Hai ragione. Ma dimmi°, a che ora dovremo essere allo stadio?	*tell me*
ALBERTO:	Verso l'una. I posti non sono riservati e ci saranno quasi trentamila persone.	
DANIELA:	Allora bisogna comprare subito i biglietti!	
ALBERTO:	Eh°, sì. Ci avevo pensato anch'io. Posso comprarli oggi pomeriggio da un rivenditore vicino a casa mia.	*Well*
DANIELA:	Ah, il denaro! Adesso ne ho poco con me. Ho degli euro. Ne ho solo dieci però. Ti darò il resto domenica pomeriggio. Va bene?	
ALBERTO:	Non essere sciocca. Li pagherò io per tutti e due.	Every major Italian city has a professional soccer team, and large cities such as Turin, Milan, and Rome have two teams.
DANIELA:	Grazie. Sei sempre molto gentile.	
ALBERTO:	Allora, questa sera telefono a Luciano e poi ti farò sapere se anche lui verrà allo stadio con noi.	

Line markers: 5, 10, 15, 20, 25

Domande

1. Dove andranno domenica Alberto e Daniela? Chi gioca?
2. Come sono Luciano e i suoi amici?
3. Cosa fanno durante la partita?
4. A che ora dovranno essere allo stadio gli amici? Perché?
5. Chi comprerà i biglietti? Dove li comprerà?
6. Che cosa farà stasera Alberto?

Domande personali

1. Che programma ha fatto lei per il fine settimana?
2. Si giocano (*Are played*) partite di calcio o di football nella sua città?
3. Preferisce assistere ad un incontro di calcio, ad una partita di tennis o ad una di baseball?
4. A lei piace andare allo stadio o preferisce vedere le partite alla televisione?
5. Per quale squadra di calcio (pallacanestro/hockey/baseball) fa il tifo lei?

Situazioni

1. Inviti un compagno/una compagna ad andare con lei ed altri amici in qualche luogo.

   ▶ —Verrai allo stadio (in discoteca/a mangiare una pizza/alla partita di pallacanestro) con noi?
   —Sì, volentieri. (Mi dispiace, ma non posso./Forse. Vi telefonerò./Dipende dai miei impegni./Perché no?)

2. Domandi ad un amico/un'amica se ha fatto programmi per il fine settimana.

   ▶ —Hai fatto programmi per il fine settimana (le vacanze/l'estate prossima)?
   —Sì, uscirò (farò una gita/andrò al mare) con gli amici.

Firenze: In una domenica di primavera le strade della città ospitano una gara di maratona.

Gli sport in Italia

*I*n Italia parlare di sport significa discutere spesso di calcio. Il calcio è lo sport e il passatempo nazionale per nove mesi all'anno, da settembre a giugno. Durante questo periodo molti italiani passano la sera o il pomeriggio allo stadio o davanti al televisore per vedere la partita e fare il tifo per la propria squadra. Il calcio è stato sempre uno sport per uomini, ma oggi molte donne seguono con interesse questo sport e vanno spesso allo stadio. Da qualche anno si sono formate anche squadre di calcio femminili, che a livello semiprofessionale ricevono molta attenzione da parte del pubblico italiano.

Il secondo sport più popolare è il ciclismo[1]. I giovani specialmente praticano questo sport con passione durante i mesi caldi dell'anno, fra maggio e settembre. Ogni anno poi il Giro d'Italia[2] attrae[3] l'interesse della gente e della stampa[4] nazionale ed estera[5]. Molti ciclisti italiani e stranieri partecipano a questa corsa[6] ciclistica, che inizia verso la metà di maggio e dura circa venti giorni. Facendo tappa[7] in differenti città italiane, ogni anno il Giro attraversa tutta la penisola e porta con sé un'atmosfera di allegria e di gioventù.

- Chi pratica principalmente il calcio nel suo paese?

- Il ciclismo è uno sport popolare? Ci sono gare (*competitions*) di ciclismo nel suo paese?

Il vincitore del Giro d'Italia del 2005 bacia felicemente la coppa.

1. bicycle racing   2. Tour of Italy   3. attracts   4. press   5. foreign   6. race   7. pausing

Pratica

1. In coppia: Lei ha intenzione di andare alla partita di calcio con un amico/ un'amica, ma ancora non ha potuto comprare i biglietti. Chieda all'amico/a di comprarli e dica che gli/le darà i soldi quando lo/la vedrà.

2. In coppia: Lei ha due biglietti per la partita di domenica prossima, ma altri impegni non le permettono di andare allo stadio. Allora lei telefona ad un amico/un'amica, gli/le offre i biglietti e gli/le spiega perché non può andare a vedere la partita.

Vocabolario

Parole analoghe

il baseball
dipendere (da)
esagerare
il gruppo
l'hockey
interessante
insultare
il resto
riservato/a
spettacolare
tremendo/a

> *Il denaro = i soldi.* Both terms are used, but *i soldi* is more common.

Nomi

il calcio   soccer
il denaro   money
il divertimento   fun
l'impegno   commitment, obligation
l'incontro   game, match (sports)
la partita   game
le persone   people, persons
il posto   seat
il rivenditore   dealer, seller
la squadra   team
il tifoso   fan

> *Partita* and *incontro* can be used interchangeably when talking about sports: *una partita (un incontro) di calcio.*

Aggettivi

proprio/a   one's own
sciocco/a   foolish

Verbo

litigare   to quarrel, fight

Altre parole ed espressioni

fare il bravo/la brava   to be good
fare programmi   to make plans
fare (il) tifo   to root, cheer
fare sapere   to let know
per tutti e due   for both
ci   there, about it
ne   about it, of it, of them

Pronuncia

I suoni della z

The sound of the letters **z** and **zz** is pronounced in two ways in Italian: **ts** as in the English word *cats*, and **ds** as in *fads*. As the first letter of a word, **z** is pronounced like **ds.** In any other position, when followed by **-ia, -ie,** or **-io, z** is pronounced like **ts.** When not followed by these combinations, **z** is pronounced in some words like **ts** and in other words like **ds.** Double **zz** is generally pronounced as **ts.**

 A Ascolti e ripeta le seguenti parole.

zio	piazza	zero	azzurro
pazienza	bellezza	zaino	mezzo
zucchero	ragazzo	marzo	pizza
attenzione	prezzo	zona	mezzogiorno

 B **Proverbi.** Ascolti e ripeta i seguenti proverbi.

L'ozio è il padre dei vizi.
Laziness is the root of all evil.
(*Literally: Idleness is the father of the vices.*)

Dal dire al fare c'è di mezzo il mare.
Easier said than done.
(*Literally: Between saying and doing there's an ocean.*)

Ampliamento del vocabolario

Gli sport

> Describe what the people in the drawings are doing, using the *Espressioni utili* below.

lo sci   il pattinaggio   il nuoto   la vela   il ciclismo

il tennis   la pallacanestro   il calcio   l'equitazione   la corsa

Espressioni utili

il concorso contest
la gara competition
correre to run
nuotare (al lago, al mare, in piscina) to swim (in the lake, in the sea, in a pool)
pattinare to skate
sciare to ski
andare a cavallo to go horseback riding
andare in barca to go sailing
andare in bicicletta to ride a bike

fare le gare to compete
fare dello sport to engage in sports
fare dell'alpinismo to go mountain climbing
giocare al calcio (a pallone) to play soccer
giocare a pallacanestro (a pallavolo, a baseball, a hockey) to play basketball (volleyball, baseball, hockey)

In coppia: A turno domandate quali sport possono essere associati con le seguenti cose.

▶ — Quale sport associ con la piscina?
— Il nuoto.

1. la montagna
2. il cavallo
3. il mare
4. la neve
5. il lago
6. lo stadio
7. il freddo e il ghiaccio (*ice*)
8. le gomme (*tires*), i freni (*brakes*) e i pedali

Ⓑ Domandi ad alcuni studenti se e quando praticano i seguenti sport.

▶ — Pratichi il ciclismo?
— Sì, lo pratico./No, non …
— Quando lo pratichi?
— In primavera e d'estate.

1. l'equitazione
2. il nuoto
3. l'alpinismo
4. il pattinaggio
5. la vela
6. lo sci
7. il calcio
8. la pallavolo
9. il tennis
10. la pallacanestro

Ⓒ In coppia: Intervisti un compagno/una compagna e gli/le chieda quali sono i suoi interessi sportivi.

1. Fai qualche sport? Quali sport pratichi?
2. Quale sport preferisci? Perché?
3. Ti piace pattinare? Dove vai a pattinare?
4. Sei andato/a a cavallo qualche volta? Dove?
5. Preferisci nuotare al lago, al mare o in piscina?
6. Sei mai andato/a a vedere una partita di calcio? Dove?
7. Vai in barca qualche volta? Dove? Vai da solo/a o con gli amici?
8. Hai mai scalato una montagna? Quale?
9. Hai mai fatto qualche gara sportiva? In quale sport?

Ⓓ In gruppi di tre o quattro: Scrivete brevi descrizioni di cinque personaggi sportivi. Poi, leggendo ogni descrizione, fate identificare i personaggi da un altro gruppo di studenti.

Struttura ed uso

Futuro semplice

—Sono sicura che ti **piacerà** Alberto. Lo **troverai** molto divertente!

1. The future tense is used to talk about future actions. In English the future is usually expressed with the auxiliary *will* or with *to be going to*. In Italian the simple future tense consists of one word.

Daniela e Alberto **andranno** alla partita di calcio.	*Daniela and Alberto are going to go to the soccer game.*
Alberto **dovrà** comprare i biglietti una settimana prima.	*Alberto will have to buy the tickets a week ahead.*
Come al solito **sarà** un incontro spettacolare.	*As usual, it will be a spectacular match.*
Sono sicuro che **ci divertiremo.**	*I'm sure we'll have fun.*

2. The future is formed by dropping the final **-e** from the infinitive and adding the endings **-ò, -ai, -à, -emo, -ete, -anno.** In **-are** verbs, the **a** of the infinitive changes to **e.** Notice that the endings are the same for all verbs.

	comprare	prendere	partire
io	compre**rò**	prende**rò**	parti**rò**
tu	compre**rai**	prende**rai**	parti**rai**
lui/lei	compre**rà**	prende**rà**	parti**rà**
noi	compre**remo**	prende**remo**	parti**remo**
voi	compre**rete**	prende**rete**	parti**rete**
loro	compre**ranno**	prende**ranno**	parti**ranno**

3. Verbs ending in **-care** and **-gare** add an **h** to the future tense stem after the **c** or **g** in order to retain the hard pronunciation. Verbs ending in **-ciare** or **-giare** drop the **i** from the ending.

> Remember the spelling change necessary in present tense *-care* and *-gare* verbs.

Le due squadre **giocheranno** con vigore.	*The two teams will play with all their might.*
Quando mi **ripagherai** i venti euro?	*When are you going to pay me back the twenty euros?*
L'incontro **comincerà** all'una e mezzo.	*The match will begin at one-thirty.*
Dopo la partita **mangeremo** da Luciano.	*After the game we are eating at Luciano's.*

4. The following verbs have irregular future stems. Their endings are regular.

infinitive	future stem	future tense
andare	**andr-**	andrò, andrai ...
avere	**avr-**	avrò, avrai ...
bere	**berr-**	berrò, berrai ...
dare	**dar-**	darò, darai ...
dovere	**dovr-**	dovrò, dovrai ...
essere	**sar-**	sarò, sarai ...
fare	**far-**	farò, farai ...
potere	**potr-**	potrò, potrai ...
sapere	**sapr-**	saprò, saprai ...
stare	**star-**	starò, starai ...
vedere	**vedr-**	vedrò, vedrai ...
venire	**verr-**	verrò, verrai ...
volere	**vorr-**	vorrò, vorrai ...

> Notice that many of these verbs simply drop a vowel from their infinitive ending to form the future stem: *andare, andr-; avere, avr-;* etc.

5. The future tense is used to talk about future actions and intentions and to predict future actions. The present tense is also used to talk about future actions, especially if they are certain or about to happen.

Se possibile **andremo** a trovare la zia fra qualche mese.	*If possible we'll go visit our aunt in a few months.*
Sono sicura che la nostra squadra **vincerà** il prossimo campionato.	*I'm sure our team will win the next championship.*
Sabato **andiamo** a cavallo. **Vieni** anche tu?	*On Saturday we're going horseback riding. Are you coming too?*
Comprami il biglietto e ti **pago** domani.	*Buy me a ticket and I'll pay you tomorrow.*

6. The future tense is also used in Italian to guess or conjecture about circumstances in the present. This use of the future is called future of probability.

— Di chi è questo zaino?	*— Whose backpack is this?*
— **Sarà** di Fulvio.	*— It's probably Fulvio's.*
— Quanti anni ha il tuo professore?	*— How old is your professor?*
— Non so! **Avrà** almeno quarant'anni.	*— I don't know! He must be at least forty.*
— Che ore **saranno?**	*— What time do you think it is?*
— **Saranno** le dieci.	*— It must be around ten.*

7. The future tense is used after **quando** (*when*), **appena** (*as soon as*), and **se** (*if*) when the action of the main verb takes place in the future. In English, the present tense is used in parallel situations.

Quando **andremo** in montagna, staremo all'albergo Principe Vittorio.

When we go to the mountains, we'll stay at the Hotel Principe Vittorio.

Le telefonerò appena **arriveremo**.

I'll call you as soon as we arrive.

Se gli altri **porteranno** i loro sci, io porterò i miei.

If the others bring their skis, I'll bring mine.

 Dica quello che le seguenti persone faranno domenica.

▶ noi / andare a sciare
  Noi andremo a sciare domenica.

1. i miei fratelli / giocare al calcio
2. un mio amico / pattinare nel parco
3. io / andare a cavallo
4. mia sorella / praticare la vela
5. voi / fare dell'alpinismo
6. tu / assistere ad un concorso di equitazione
7. mio padre ed io / vedere la partita alla televisione
8. mia zia / volere giocare a tennis

B È sabato, e oggi lei non ha voglia di fare niente. Farà tutto domani, o forse dopodomani o la settimana prossima … Risponda alle domande, e dica quando farà ogni cosa.

▶ Hai spedito le lettere?   Non ancora. Le spedirò domani (dopodomani, ecc.).

1. Hai chiamato i tuoi genitori?
2. Hai letto l'articolo sulla rivista?
3. Hai studiato la lezione d'italiano?
4. Hai finito i compiti di matematica?
5. Sei andato/a al supermercato?
6. Hai fatto gli acquisti per la festa?
7. Hai dato gli appunti agli amici?
8. Hai incontrato la professoressa d'inglese?

C In coppia: Un compagno/Una compagna vuole sapere se lei farà le seguenti cose il prossimo fine settimana. Risponda che le farà se succederanno le cose indicate.

▶ andare alla partita / se trovare un biglietto

— Andrai alla partita?
— Sì, andrò alla partita se troverò un biglietto.

1. fare una passeggiata / se fare bel tempo
2. mangiare in un ristorante elegante / se avere i soldi
3. parlare con i tuoi genitori / se loro essere a casa
4. vedere un film / se tu venire con me al cinema
5. andare ad una festa / se gli amici invitarmi
6. divertirti / se non dovere studiare troppo

D In coppia: Risponda alle domande con il futuro di probabilità.

▶ S1: Che ore sono?
S2: Saranno le undici e mezzo.

1. Cosa c'è in quello zaino?
2. Quanti studenti ci sono in quest'università?
3. Qual è la data di oggi?
4. Quanti dollari hai con te?
5. Quanti anni ha la professoressa/il professore?
6. Quando è il prossimo quiz?
7. Di chi è quella borsa?
8. Dove abita quel ragazzo?

E È domenica, e tutti i canali televisivi trasmettono programmi sportivi. Mentre lei cambia canale, sente alcune frasi. Lei si chiede: Che tipo di programma sarà? Sarà un programma sul tennis, sul pattinaggio? ...

1. Ecco! Finalmente siamo arrivati alla vetta (*peak*)!
2. Siamo al diciottesimo giorno del Giro d'Italia e i partecipanti cominciano a sentire la fatica (*hardship*) di questa corsa tanto difficile.
3. Gol!!!
4. Dopo le finali emozionanti dello slalom gigante vi porteremo alle piste secondarie per vedere un'altra gara molto contesa (*contested*).
5. Con il caldo inaspettato, il ghiaccio si scioglie (*the ice is melting*) e non ci sarà nessun record oggi.
6. È una bellissima giornata qui sulla spiaggia di San Remo e fra pochissimo tempo s'incontreranno due squadre che sembrano quasi imbattibili.
7. Fa il primo salto in perfetta forma. Ma il fantino cade. È caduto il fantino! Il cavallo continua a correre!
8. E la vincitrice esce dalla piscina. ...

F In coppia: Dica ad un compagno/una compagna le seguenti cose.

tre cose che lei farà il prossimo fine settimana
tre cose che lei farà durante le prossime vacanze
tre cose che lei farà appena finirà l'università
tre cose che lei dovrà fare domani
tre cose che lei non farà mai

G In coppia: Lei ha vinto un milione di euro alla lotteria ma dovrà aspettare due mesi prima di ricevere i soldi. Dica ad un amico/un'amica cinque cose che farà appena avrà i soldi.

▶ Appena avrò i soldi, comprerò … , andrò … , darò … , ecc.

H In gruppi di tre: Secondo voi, come sarà il mondo fra cinquant'anni? Discutete le seguenti domande nel vostro gruppo, usando il futuro dove appropriato.

1. Ci sarà la pace (*peace*) nel mondo o ci saranno più guerre (*wars*)? Dove? Fra quali paesi?
2. Quali saranno le nazioni più importanti fra cinquant'anni?
3. Le donne avranno più potere (*power*) politico ed economico fra cinquant'anni? Ci sarà una donna presidente degli Stati Uniti?
4. L'Europa unita sarà più grande? Quale sarà la lingua dominante?
5. Troveranno una cura per l'AIDS? Per il cancro (*cancer*)? Per il raffreddore (*cold*)?
6. La gente guiderà macchine elettriche? Ci saranno nuovi mezzi di trasporto? Quali?
7. Le persone si vestiranno come oggi? Come cambierà la moda?
8. Quale sarà lo sport più popolare?
9. Come cambierà la vostra università? Sarà più grande? Costerà di più?

Trapassato

Quando gli altri sono arrivati al traguardo, ...
Alberto **era** già **arrivato** da cinque minuti!

1. The **trapassato** is used to talk about an action that *had taken place* before another past event. The more recent past event may be expressed in the **passato prossimo** or the **imperfetto.**

Non voleva mangiare con noi perché **aveva** già **mangiato** a casa.	*He didn't want to eat with us because he had already eaten at home.*
Non mi **ero** ancora **svegliata** quando hai telefonato alle otto.	*I hadn't woken up yet when you called at eight o'clock.*
Già nel 1348 Giovanni Boccaccio **aveva scritto** vari libri.	*By 1348 Giovanni Boccaccio had already written several books.*
Quando Alberto Tomba aveva trent'anni, **aveva** già **vinto** tre medaglie olimpiche.	*When Alberto Tomba was thirty, he had already won three Olympic medals.*

2. The **trapassato** is formed with the imperfect of the auxiliary verb **avere** or **essere** + *the past participle.* As in the **passato prossimo,** the past participle agrees with the subject when the verb is conjugated with **essere.**

	dire	arrivare
io	avevo detto	ero arrivato/a
tu	avevi detto	eri arrivato/a
lui/lei	aveva detto	era arrivato/a
noi	avevamo detto	eravamo arrivati/e
voi	avevate detto	eravate arrivati/e
loro	avevano detto	erano arrivati/e

I Dica che le persone indicate non avevano mai fatto prima certe cose, come nel modello.

▶ Ieri mia sorella ha visto una partita di calcio.
   Non aveva mai visto prima una partita di calcio.

1. Sabato scorso i miei genitori sono andati a sciare.
2. Ieri i due amici sono arrivati a lezione in orario.
3. Domenica io sono andato/a a cavallo.
4. Il mese scorso mia nonna ha usato il computer.
5. Ieri il dentista mi ha fatto male.
6. Giovedì la professoressa ha cancellato la lezione.
7. Stamattina hai giocato a pallavolo.
8. Una settimana fa gli studenti hanno visto un film italiano.

J In coppia: Domandi ad un amico/un'amica se stamattina alle otto aveva già fatto queste cose.

> Remember that in compound forms, the past participles of verbs conjugated with *essere* agree with the subject.

▶ svegliarsi   S1: Stamattina alle otto ti eri già svegliato/a?
               S2: Sì, mi ero già svegliato/a. / No, non mi ero ancora svegliato/a.

1. alzarsi dal letto
2. fare la prima colazione
3. prendere il caffè
4. parlare con qualcuno
5. vestirsi
6. lavarsi i denti
7. uscire

K Domandi ad un compagno/una compagna tre cose che aveva già fatto a quindici anni, e tre cose che non aveva ancora fatto.

▶ S1: Che cosa avevi già fatto a quindici anni?
   S2: Quando avevo quindici anni, avevo già imparato a guidare, ero già andato/a all'estero e avevo già finito la scuola media. Non avevo ancora …

L Completi la descrizione, mettendo i verbi tra parentesi nel passato prossimo o nel trapassato, secondo il contesto.

Ieri sera una mia amica (preparare) _____ una cena per alcuni amici che lei (conoscere) _____ all'università. Purtroppo, la cena (andare) _____ male perché tutti gli invitati (avere) _____ problemi durante il giorno. Francesco (arrivare) _____ di cattivo umore perché (discutere) _____ con la ragazza. Io (arrivare) _____ tardi perché il mio direttore mi (dare) _____ un sacco di lavoro da fare alle tre del pomeriggio. Cecilia non (venire) _____ perché (rompersi) _____ un braccio mentre sciava.

M In coppia: Decidete quale avvenimento storico è accaduto prima. Combinate le due frasi mettendo un verbo al passato prossimo e l'altro nel trapassato, secondo le date degli avvenimenti.

> A few dates to help you:
> Dante Alighieri (1265–1321),
> Giuseppe Garibaldi (1807–1882),
> Benito Mussolini (1883–1945),
> Cristoforo Colombo (1451–1506),
> Marco Polo (1254–1324).

▶ Cristoforo Colombo ha scoperto (*discovered*) il nuovo mondo. / È nato Michelangelo.

Quando Cristoforo Colombo ha scoperto il nuovo mondo, Michelangelo era già nato.

1. Dante ha scritto la *Divina Commedia*. / Shakespeare ha scritto *Romeo e Giulietta*.
2. Garibaldi ha unificato l'Italia. / Gli Stati Uniti si sono separati dall'Inghilterra.
3. Il Presidente Kennedy è morto. / Neil Armstrong ha messo piede sulla luna.
4. È cominciata la seconda guerra mondiale. / Mussolini è morto.
5. Cristoforo Colombo ha portato i pomodori dalle Americhe. / Marco Polo ha portato gli spaghetti dalla Cina.

Il pronome *ne* e l'avverbio *ci*

—Mi sono ricordato che ti piace il peperoncino piccante. **Ne** ho messo abbastanza?

1. The pronoun **ne** (*of it, of them*) is used when referring back to a phrase introduced by the partitive or the preposition **di,** or a complete idea meaning *about* or *of* a certain thing.

Note that English often omits *of it* and *of them*, whereas Italian requires the use of *ne*.

— Avete comprato **del pane?**
— Sì, **ne** abbiamo comprato.

— *Did you buy some bread?*
— *Yes, we bought some (of it).*

— Desidera **delle carote?**
— Sì, **ne** prendo un chilo.

— *Do you want some carrots?*
— *Yes, I'll take a kilo (of them).*

— Discutete spesso **di politica?**
— No, non ci piace parlar**ne.**

— *Do you often discuss politics?*
— *No, we don't like to talk about it.*

— Ma sei sicura che la partita è domani?
— Sì, sì; **ne** sono sicura.

— *Are you sure the game is tomorrow?*
— *Yes, I'm sure (of it).*

2. **Ne** is also used to replace a direct object introduced by a number or an expression of quantity.

Remember that *Quanti anni ha?* means *How many years does he have?* The answer means literally *He has almost thirty (of them).*

— Quanti **anni** ha lui?
— **Ne** ha quasi **trenta.**

— *How old is he?*
— *He's almost thirty.*

— Desidera **dei** fagiolini?
— Sì, **ne** prendo un po'.

— *Would you like some green beans?*
— *Yes, I'll take some.*

If this occurs in the **passato prossimo,** the past participle agrees with the noun that it refers to.

— Quanti **CD** avete comprato?
— **Ne** abbiamo comprati sei.

— *How many CDs did you buy?*
— *We bought six (of them).*

3. The adverb **ci** (meaning either *here* or *there*) is used to refer to a previously mentioned place, particularly a phrase preceded by **a, da,** or **in.** Its position in a sentence is that of a direct object pronoun.

— Vai spesso **dal dentista?**
— Sì, **ci** vado tre volte all'anno.

— *Do you often go to the dentist?*
— *Yes, I go (there) three times a year.*

— Volete venire **alla partita?**
— No, non possiamo venir**ci.**

— *Do you want to come to the game?*
— *No, we can't come (there).*

— Sei mai stato **in Alaska?**
— Sì, **ci** sono andato da piccolo.

— *Have you ever been to Alaska?*
— *Yes, I went there when I was small.*

4. **Ci** is also used to replace **a** + *phrase* after the verbs **pensare, credere,** and **riuscire** (*to succeed in, manage to*).

Riuscire is conjugated like *uscire* and uses *essere* as its auxiliary verb: *Non riesco a … Siamo riusciti a …*

— Pensi **alla tua ragazza?**
— Sì, **ci** penso.

— *Are you thinking about your girlfriend?*
— *Yes, I'm thinking about her.*

— Credi **all'oroscopo?**
— No, veramente non **ci** credo.

— *Do you believe in the horoscope?*
— *No, I really don't believe in it.*

— Sei riuscita **a pattinare** senza cadere?
— Sì, **ci** sono riuscita con grande difficoltà.

— *Did you manage to skate without falling?*
— *Yes, I managed (to do it) with great difficulty.*

N Risponda con **ne** e un numero alle seguenti domande.

▶ — Quanti fratelli ha?
— Ne ho due./Non ne ho.

1. Quante sorelle ha?
2. Quanti cugini ha?
3. Quante lezioni ha oggi?
4. Quante lingue parla?
5. Quanti corsi segue questo semestre?
6. Quanti compagni/Quante compagne di camera ha?
7. Quanti anni ha?
8. Quanti anni aveva quando ha imparato a guidare?

O Chieda ad un altro studente/un'altra studentessa se ha alcuni degli oggetti indicati.

▶ CD italiani   S1: Hai dei CD italiani?
           S2: Sì, ne ho molti/pochi/due. / No, non ne ho.

1. giornali italiani
2. libri di poesie
3. fotografie della tua famiglia
4. scarpe italiane
5. amici che parlano italiano
6. animali domestici
7. riviste di moda
8. esami questa settimana
9. indirizzi e-mail

P In coppia: Chieda ad un altro studente/un'altra studentessa se va spesso, mai, qualche volta, sempre, ecc., nei seguenti luoghi. Chi risponde deve usare **ci** nelle risposte.

▶ da McDonald's   S1: Vai spesso da McDonald's?
            S2: Sì, ci vado spesso/qualche volta/una volta al
               mese/ecc. / No, non ci vado mai.

1. dal dentista
2. a sciare
3. al laboratorio di lingue
4. ai ristoranti cinesi
5. al cinema
6. in discoteca
7. al supermercato
8. alle partite di pallacanestro
9. ai concerti

Q Risponda alle seguenti domande, sostituendo i pronomi **ne** o **ci** alle parole in corsivo.

► — Ha bisogno *di aiuto?* — Sì, ne ho bisogno./No, non ne ho bisogno.
— Riesce *a capire la* — Sì, ci riesco facilmente./No, non ci riesco.
grammatica?

1. Lei discute *di politica* con i suoi amici?
2. Ha voglia *di un cappuccino* adesso?
3. Pensa spesso *alle vacanze estive?*
4. Ha bisogno *di aiuto con la grammatica?*
5. Crede *agli extraterrestri?*
6. Parla mai *di sport?*
7. Riesce *ad arrivare sempre puntuale a lezione?*
8. Ha bisogno *di soldi?*
9. È mai stato/a *in Sardegna?*

R Chieda ad un altro studente/un'altra studentessa se è mai stato/a in questi luoghi. Se risponde di sì, gli chieda in quali circostanze.

► in Italia   S1: Sei mai stato/a in Italia?
S2: No, non ci sono mai stato/a, ma vorrei andarci./
Sì, ci sono stato/a.
S1: Quando ci sei andato/a? (Con chi? Perché?
Ti è piaciuta?, ecc.)

1. in Africa
2. in Australia
3. sulla Statua della Libertà
4. in elicottero
5. a Disney World
6. alle Cascate del Niagara
7. a Pompei
8. a Las Vegas
9. in Messico
10. all'Hard Rock Café

  For further practice of lesson topics, log on to the *Oggi in Italia* website and/or do the CD-ROM activities.

Parliamo un po'

A) Chi saranno? In gruppi di tre o quattro: Guardate le persone in queste foto e cercate di stabilire l'identità di ciascuna: Come si chiamerà? Di dove sarà? Quanti anni avrà? Che tipo di lavoro farà?

B) Credi all'oroscopo? In coppia: Legga l'oroscopo per la settimana. Poi chieda ad un compagno/una compagna il suo segno zodiacale e gli/le prepari un oroscopo per la prossima settimana.

OROSCOPO PER LA SETTIMANA

Sarà una settimana interessante, ricca di novità in diversi settori della tua vita. Riuscirai a superare un ostacolo che ti preoccupa da molto tempo.

Lavoro: Inizierà un bellissimo periodo, che potrà avere anche interessanti sviluppi sotto il profilo economico. Non potrete contare troppo sull'aiuto degli altri: dovrete riuscire a fare da soli. Novità in vista per i più giovani alla ricerca di lavoro: troveranno quello che cercano.

Amore: Sarete straordinariamente comunicativi e passionali sul piano affettivo, e questo vi porterà vantaggi nel rapporto di coppia. Non mancheranno le avventure, per i single, e non solo … Tutto quello che avete sempre desiderato ottenere in amore e non avete mai avuto il coraggio di chiedere, sarà possibile avere in questo delizioso periodo.

Ariete | Toro

Gemelli | Cancro

Leone | Vergine

Bilancia | Scorpione

Sagittario | Capricorno

Acquario | Pesci

C **Andiamo alla partita?** C'è la possibilità di assistere a eventi sportivi nella vostra scuola o nella vostra città? Lei fa il tifo per la squadra locale e venerdì sera c'è la partita. Chiami un compagno/una compagna per invitarlo/la a questo incontro eccezionale.

▶ — Ti piace la pallacanestro?
— Sì, la mia squadra preferita è …
— Vuoi andare alla partita di …
— Quando c'è?/A che ora?/Dove?/Dove si comprano i biglietti?/ …

D **Siete sportivi?** Intervisti alcuni studenti nella classe per sapere se sono sportivi o no. Poi riferisca le informazioni alla classe.

▶ Jenna è molto sportiva. Gioca a pallacanestro tre volte la settimana. Le piace guardare … Alessandro invece non è …

	1	2	3	4
Nome	_____	_____	_____	_____
Attività sportive che pratica	_____	_____	_____	_____
Quante volte alla settimana?	_____	_____	_____	_____
Sport preferito da giocare	_____	_____	_____	_____
Sport preferito da guardare	_____	_____	_____	_____
Squadra preferita	_____	_____	_____	_____
Se guarda sport alla TV?	_____	_____	_____	_____
Se va allo stadio? Quando?	_____	_____	_____	_____

Giovani allo stadio fanno il tifo per la squadra nazionale italiana.

Gli italiani e lo sport. In coppia: Prima fate una lista delle attività sportive più popolari tra i giovani americani, maschi e femmine. Poi leggete l'articolo e la statistica e paragonate le preferenze americane con le informazioni presentate sugli italiani.

I giovani italiani fanno attività sportive per mantenersi in forma e migliorare il loro aspetto fisico. Frequentano centri sportivi, palestre e piscine. Nei luoghi dove non ci sono molti impianti[1] pubblici o privati, come nel sud d'Italia, i giovani non si preoccupano più di tanto. C'è sempre il calcio, che è uno sport non difficile da praticare. Basta uno spazio aperto, un pallone, qualche amico e ... un po' d'ingegno.

A fianco è riportata una statistica delle attività sportive praticate dai giovani uomini e donne italiani.

1. establishments

5- LA TESTA È NEL PALLONE

	Maschi	Femmine
Calcio	47,9	2,1
Atletica leggera	4,5	5,1
Podismo[1], footing[2]	2,2	3,7
Ciclismo	3,2	2,5
Ginnastica, danza	10,2	39,0
Basket, pallavolo	10,4	16,4
Nuoto, tuffi[3]	10,5	19,2
Tennis	19,5	13,6
Sport invernali	6,4	11,0
Caccia	1,2	–
Pesca	2,4	–
Altri sport	11,3	7,6
Non indicato	2,8	3,6

1. Walking   2. jogging   3. diving

Conoscere l'Italia

 Definizioni. Prima di leggere il seguente brano, abbini le definizioni con una parola della lista di destra. Ci sono due parole in più nella lista.

1. la forma dell'Italia
2. aggettivo derivato da *montagna*
3. contrario di *basso/a*
4. catena di montagne
5. contrario di *accessibile*
6. persone che vivono in un paese
7. città capitale di una regione
8. un vulcano italiano

a. inaccessibile
b. Gran Sasso
c. gli abitanti
d. il capoluogo
e. lo stivale
f. gli Appennini
g. alto/a
h. la penisola
i. montuoso/a
j. l'Etna

La Calabria

Un bel teatro moderno all'aperto vicino al mare a Reggio Calabria.

Situata sulla punta[1] dello stivale, la Calabria è una penisola che al nord confina con la Basilicata, ad est è circondata dal mar Ionio e ad ovest dal mar Tirreno. In questa regione montuosa degli Appennini calabresi sono situati il Parco Nazionale della Calabria e il Parco Nazionale dell'Aspromonte.

Per molto tempo la Calabria è stata una regione inaccessibile dovuto alla mancanza[2] di vie di comunicazione. Ma oggi l'accesso è più facile, grazie al prolungamento[3] dell'Autostrada del Sole fino a Reggio Calabria, completato nel 1970. Essenzialmente povera di industrie e di risorse, la Calabria ha subìto[4] un'emigrazione molto intensa specialmente dagli anni '50 agli anni '70. Oggi in questa regione vivono un po' meno di due milioni di abitanti dei quali quasi duecentomila risiedono nel capoluogo, Reggio Calabria.

Questa città ha un aspetto molto moderno e si trova lungo[5] lo stretto di Messina. Dal porto di Reggio partono navi e traghetti[6] per la Sicilia. La Calabria e la Sicilia sono così vicine che dalla passeggiata del Lungomare[7] di questa città si possono vedere le coste siciliane e l'Etna. Non lontano da Reggio Calabria c'è Gioia Tauro, uno dei porti più importanti del Mediterraneo, modernamente attrezzato[8] e specializzato nel traffico dei container.

1. tip   2. due to the lack   3. extension   4. underwent   5. along
6. ships and ferries   7. seafront promenade   8. equipped

The *Autostrada del Sole* begins in Milan and crosses the whole boot as far as Reggio Calabria.

B **Vero o falso?** In coppia: A turno identificate le seguenti frasi come vere o false secondo il brano precedente. Correggete le frasi false.

1. La Calabria è un'isola.
2. In Calabria ci sono molte montagne.
3. L'Autostrada del Sole arriva fino a Gioia Tauro.
4. In Calabria vivono quasi duecentomila abitanti.
5. Il capoluogo della Calabria è Catanzaro.
6. Lo stretto di Messina separa la Calabria dalla Sardegna.
7. Gioia Tauro è un porto della Calabria.

La parola giusta. Prima di leggere il seguente brano, completi ciascuna (*each*) di queste frasi con la parola appropriata fra quelle indicate tra parentesi.

1. Il problema di quel luogo è (l'aeroporto/l'inaccessibilità/l'autostrada); non è proprio possibile entrare.
2. Dicono che non ci sono (difficoltà/attrazioni/regioni) e che è facile risolvere il problema.
3. C'è (un'autostrada/un turismo/un aeroporto) nuovo/a a Crotone e si può benissimo raggiungere la città in aereo.
4. L'estate è (la stagione/il mese/la presenza) più caldo/a dell'anno.
5. Lungo le coste della Calabria ci sono molte belle (mare/spiagge/acqua).
6. Qui c'è un bel (teatro/prolungamento/museo) archeologico.
7. È evidente che in questa regione sono state presenti molte (civiltà/mare/stagioni) antiche.
8. Ho visitato un museo dove ci sono alcune (spiagge/statue/bronzi) romane.

Le attrazioni della Calabria

Una veduta della stupenda costa calabrese.

A causa della sua inaccessibilità e della sua lontananza[1] dalle grandi città del nord e dell'Europa centrale, la Calabria ha incontrato delle difficoltà nello sviluppo[2] del turismo. Negli ultimi decenni[3] però, grazie al prolungamento dell'autostrada e alla creazione di nuovi aeroporti, questa regione è diventata un luogo di villeggiatura[4] frequentato da turisti italiani e stranieri. Durante la stagione estiva, molti di essi frequentano le belle e tranquille spiagge calabresi dove l'acqua è pulita[5] e i servizi sono molto buoni.

1. distance   2. development   3. decades   4. vacation   5. clean

Dopo aver trascorso più di 2.000 anni in fondo al mare, questi bronzi sono stati trovati nel 1972 al largo della costa di Riace in Calabria.

Un'altra attrazione è rappresentata dalle tracce[6] artistiche e architettoniche del suo passato storico. La Calabria faceva parte della Magna Grecia. Tra i secoli[7] VIII (ottavo) e VII (settimo) a.C.[8], i Greci fondarono le colonie di Reggio, Sibari, Crotone e Locri. Oggi i resti[9] di questa civilizzazione sono visibili vicino a Crotone.

Nella regione è evidente anche l'influenza di altre civiltà come la bizantina, la normanna e la spagnola. Numerosi sono i musei archeologici calabresi dove sono esposti i reperti[10] di tutte queste civiltà. Il più importante di tutti è il Museo Nazionale di Reggio dove si trova un'estesa collezione archeologica che riguarda[11] la Magna Grecia. Qui si trovano i famosi Bronzi di Riace. Queste due statue di bronzo, appartenenti all'epoca classica greca, raffigurano due guerrieri. Esse furono scoperte[12] nel 1972 nel fondo[13] del mare al largo di[14] Riace e per il loro valore artistico oggi rappresentano l'attrazione principale del Museo di Reggio.

6. traces   7. centuries   8. avanti Cristo (B.C.)   9. ruins
10. finds   11. concerns   12. discovered   13. bottom
14. off (the coast) of

Riace is a small town near Reggio Calabria.

Magna Grecia is the name given by ancient Greeks to the colonies they founded along the coast of southern Italy.

 Informazioni. Dia le seguenti informazioni basate sul brano precedente.

1. difficoltà incontrate nello sviluppo del turismo in Calabria
2. quello che ha aiutato lo sviluppo del turismo
3. caratteristiche delle spiagge calabresi
4. rapporto fra la Calabria e la Grecia antica
5. le varie civiltà che hanno lasciato tracce in Calabria
6. tipi di musei presenti in questa regione
7. il museo più importante della Calabria
8. cosa sono i Bronzi di Riace, dove sono stati trovati e dove sono attualmente

Lezione 13

Un gruppo di amici festeggia il compleanno di Giulio con una torta squisita.

Cento di questi giorni!

Communicative Objectives

- Talk about meals and celebrations
- Express wants and wishes politely
- Talk about what you would do in different situations

Alcuni amici di Cagliari festeggiano il compleanno di Giulio Forattini, che oggi compie venti anni. Franco Bresciani va alla festa con Paola Marullo.

Scena 1

FRANCO: Paola, ecco i miei amici. Vieni che te li presento. Ragazzi, vi presento mia cugina Paola.

LUCIANA: Io sono Luciana. Lieta di conoscerti, Paola. Sei la cugina che viene da Napoli, vero?

5   PAOLA: Sì, e tu sei l'amica di cui Franco mi parla molto spesso.

LUCIANA: Ah, sì? Ne sono lusingata. Sentite, vorreste bere qualcosa adesso?

FRANCO: Sì, io berrei qualcosa di fresco.

LUCIANA: Là ci sono i piatti e i bicchieri. Sul tavolo ci sono gli antipasti,
10   e le bevande sono nel frigorifero. Potete servirvi da soli.

PAOLA: Grazie, sei molto gentile.

LUCIANA: Più tardi poi come primo piatto mangeremo gli spaghetti al pesto.

FRANCO: Al solo pensiero mi viene l'acquolina in bocca°.

> *Il pesto* is a green sauce made with basil leaves, garlic, olive oil, pine nuts, and Parmesan cheese.

> *Just thinking about it makes my mouth water.*

Scena 2

A tavola.

15   FRANCO: Che spaghetti squisiti! Complimenti, Luciana!

LUCIANA: Ringraziate anche Marisa, che mi ha aiutata in cucina.

FRANCO: Ho proprio ragione io quando dico che solo le donne devono occuparsi della cucina.

LUCIANA: Sì, ma anche gli uomini dovrebbero saper cucinare.

20   FRANCO: Scusa Luciana, io sto solo scherzando°.

LUCIANA: Sei sempre il solito spiritoso, tu!

MARISA: Ragazzi, ecco la torta! Viene da una pasticceria favolosa.

FRANCO: Ed ecco lo spumante! Facciamo un bel brindisi a Giulio.

LUCIANA: Tanti auguri, Giulio! Buon compleanno!

25   PAOLA: Cento di questi giorni!

> *I'm only joking*

> It is customary in Italy to eat fresh fruit at the end of a meal. Sweet desserts are eaten mostly on special occasions.

Domande

1. Perché si sono riuniti gli amici?
2. Chi è Paola? Di dov'è?
3. Che cosa possono mangiare gli invitati?
4. Che dice Franco delle donne? Parla sul serio o scherza?
5. Cosa ha portato Marisa per la festa?
6. Che cosa bevono gli amici per fare il brindisi?
7. Quali espressioni usano per fare gli auguri a Giulio?

> In Italian the lyrics to "Happy Birthday" are "*Tanti auguri a te, Tanti auguri a te, Tanti auguri a (Giulio), Tanti auguri a te.*"

Domande personali

1. Quando lei fa una festa, quante persone invita? Chi invita? Preferisce le feste con molta gente o con pochi amici?
2. Quali sono le occasioni di queste feste: compleanni, visite di amici o parenti, o niente di speciale?
3. Che cosa serve lei ai suoi invitati?
4. Quando sarà il suo compleanno?
5. Le piace festeggiare il suo compleanno? Come lo festeggia? Invita gli amici a casa? Va a mangiare al ristorante con la sua famiglia o con i suoi amici?
6. Cosa le piace fare alle feste? Cantare? Ascoltare la musica? Ballare?

Pratica

1. In coppia: Mandate un messaggio di posta elettronica ai vostri amici per invitarli ad una festa. Indicate l'occasione della festa, dove e quando avrà luogo, cosa indossare, se si può portare un amico/un'amica e se si deve portare qualcosa da bere o da mangiare.

2. È l'anniversario di matrimonio dei suoi genitori. Prepari un piccolo discorso per fare il brindisi in onore della mamma e del papà. Usi alcune delle seguenti espressioni: **Buon anniversario! Auguri! Cento di questi giorni!** Reciti il suo discorso ad alta voce ad un amico/un'amica.

Ti invito con il presente alla festa per il mio 18° Compleanno che si terrà nella Discoteca "El Cid" Viale Tirreno, 164. Giovedì 19 settembre alle ore 21.30 Ti aspetto!

Federica

La gastronomia italiana

Cucinare bene e mangiare meglio è una buona regola[1] di tutti gli italiani. Ogni regione d'Italia è famosa per le sue specialità gastronomiche, e visitando il paese si possono assaggiare molte cucine diverse. Dalla carne al pesce, dalla pasta ai contorni[2], dall'antipasto al dolce, è tutta una serie di piatti squisiti preparati con prodotti genuini.

Fra le tante specialità, ricordiamo il pesto alla genovese, la cotoletta[3] alla milanese, il ragù e i tortellini alla bolognese, gli strangozzi[4] al tartufo dell'Umbria, la pizza napoletana, le orecchiette[5] con i broccoli alla pugliese e i cannoli alla siciliana.

Il tipico pranzo festivo italiano è molto lungo e laborioso. Di solito, il pranzo inizia con un antipasto di prosciutto, salame e sottaceti[6]. Poi arriva il primo piatto costituito da pastasciutta o minestra. Segue il secondo piatto con carne o pesce e vari contorni di verdure crude o cotte[7]. Formaggio, frutta e dolce annunciano la fine del pranzo. Acqua minerale, vino bianco o rosso e qualche volta birra accompagnano questi piatti abbondanti e deliziosi. Chiude il pranzo un caffè espresso, spesso seguito da un digestivo[8], ... che a questo punto è veramente necessario.

• Quali sono i piatti tipici del suo paese? Com'è un tipico pranzo festivo americano?

Piatti squisiti sono in bella mostra in questo tipico ristorante italiano.

A *digestivo* isn't just a liqueur, but one thought to aid in the digestion of rich meals. Some *digestivi* are *il Fernet Branca, la China Martini, l'Amaretto, la Sambuca*, etc.

---

1. rule   2. side dishes   3. cutlet   4. a type of thick, heavy pasta (from the verb "to strangle")   5. = "little ears" (a small, round pasta)
6. pickled vegetables   7. raw or cooked   8. liqueur

BUON COMPLEANNO!

Vocabolario

Parole analoghe

il merito
l'occasione (*f.*)
la scena
la visita

Nomi

l'antipasto   hors d'oeuvre,
  appetizer
l'aiuto   help
la bevanda   drink
il brindisi   toast (*a drink in
  someone's honor*)
il compleanno   birthday
la cucina   cooking
il frigorifero   refrigerator
la pasticceria   pastry shop
il piatto   dish
lo/la spiritoso/a   wise guy
lo spumante   sparkling wine

Aggettivi

lieto/a   glad
lusingato/a   flattered
solito/a   usual, same old
squisito/a   delicious

Verbi

aiutare   to help
compiere   to complete
cucinare   to cook
festeggiare   to celebrate
occuparsi (di)   to attend to
ringraziare   to thank
riunirsi   to get together
rivolgersi (a)   to turn (to)
scherzare   to joke
scusare   to excuse
servirsi   to help oneself

Altre parole
ed espressioni

che   who, that
complimenti!   (my) compliments! congratulations!
cui   whom; di cui   about
  whom
proprio   really
buon compleanno!   happy
  birthday!
cento di questi giorni!
  many happy returns!
fare gli auguri   to wish
  someone well
fare una festa   to have a
  party
il primo piatto   first course
tanti auguri!   lots of good
  wishes!

Pronuncia

Intonazione

Italian declarative sentences usually follow a smooth, rhythmic pattern. As in
English, each syllable is pronounced evenly. Generally, the voice drops toward
the end of a declarative sentence when the meaning is completed. In a question,
however, the voice rises on the last syllable.

Declarative sentence: Le signorine sono di Cagliari.

Interrogative sentence: Le signorine sono di Cagliari?

 Ascolti e ripeta le frasi. Faccia attenzione al ritmo.

Sono Giulio Forattini.
I miei amici frequentano il liceo.
Michele prende un espresso, non è vero?
Comprano qualcosa gli studenti.

B Ascolti e ripeta le seguenti frasi. Faccia attenzione all'intonazione.

L'antipasto di ieri era squisito.
Dove sono andati i ragazzi?
Alberto, ti presento il mio amico Tonio.
Il nipote di quella signora, dov'è?
Anche gli uomini dovrebbero saper cucinare.
Sei la cugina che viene da Napoli, vero?
Ho visto Gianni alla festa di Gabriella.
Che cosa avete celebrato sabato scorso?

Ampliamento del vocabolario

I pasti e le stoviglie

Here are more terms related to food **(i cibi)** and meals **(i pasti)** to add to those you learned in **Lezione 7.**

i pasti = meals
le stoviglie = utensils

I pasti

l'antipasto appetizer	**la (prima) colazione** breakfast
il primo piatto main course	**il pranzo** dinner, lunch (*main meal between noon and 2 P.M.*)
il secondo piatto second course	
il contorno side dish	**la cena** supper (*light meal in the evening*)
il dolce dessert	

fare colazione = to have breakfast
pranzare = to dine, to have dinner or lunch
cenare = to have supper

Un posto a tavola

il bicchiere
la tazza, il piattino e il cucchiaino
la scodella e il cucchiaio
la forchetta
il piatto
il tovagliolo
il coltello

The main meal (*il pranzo*) is eaten between 1 and 2 P.M. in most Italian households. Supper (*la cena*) is eaten between 8 and 9 P.M.

A Dica il nome degli oggetti che si usano per fare le seguenti cose.

▶ per mangiare il gelato   Uso il cucchiaino.

1. per bere il vino
2. per tagliare (*cut*) la carne
3. per mangiare la minestra
4. per pulirsi la bocca e le mani
5. per mangiare l'insalata
6. per portare il pesce a tavola
7. per bere il caffè

B Faccia le seguenti domande a due o tre studenti.

1. A che ora fai la prima colazione? Cosa mangi?
2. A che ora pranzi? Quali piatti compongono (*make up*) il tuo pranzo?
3. A che ora ceni? Quali piatti compongono la tua cena?
4. Che cosa bevi durante i pasti?
5. Tra un pasto e l'altro che cosa mangi?

C In coppia: Pensi ad un pasto speciale che lei ha fatto con la sua famiglia o con gli amici. Poi risponda alle domande di un amico/un'amica che vuole sapere l'occasione del pranzo o della cena, chi era presente e quello che avete mangiato.

1. Che cosa avete celebrato?
2. Quante persone c'erano a pranzo (a cena)?
3. Che tipo di antipasto avete mangiato?
4. Quale e com'era il primo piatto?
5. E il secondo piatto? C'era solo un secondo piatto?
6. Cosa avete bevuto durante il pranzo (la cena)?
7. Cosa avete mangiato alla fine del pranzo (della cena)? Cosa avete bevuto?
8. C'era il dolce? Che tipo?

Rivenditori e negozi

Ancora oggi alcuni italiani preferiscono fare la spesa ogni giorno nei piccoli negozi del proprio quartiere. In questi negozi la gente riceve più attenzione e un miglior servizio da parte dei rivenditori.

Rivenditori	**Negozi**
il/la lattaio/a milkman, milkwoman	**la latteria** dairy shop
il/la macellaio/a butcher	**la macelleria** butcher shop
il/la panettiere/a baker	**la panetteria** bakery
il/la pasticciere/a confectioner	**la pasticceria** pastry shop
il/la pescivendolo/a fish vendor	**la pescheria** fish market
il/la salumiere/a delicatessen owner	**la salumeria** delicatessen

Ⓓ Completi il seguente brano con una parola appropriata scelta dal precedente gruppo di parole.

Stamattina sono andata a vari negozi. Prima sono andata dal _____ per comprare il pane fresco. Mentre ero nella _____ ho incontrato la mia vicina e sono andata con lei in una _____ per comprare il latte. Poi dal _____ ho comprato un chilo di carne. Mentre ero nella _____ , è entrato il _____ e mi ha detto che aveva del pesce fresco. Quindi sono andata con lui alla _____ dove ho comprato mezzo chilo di scampi e una sogliola (*sole*). Dopo mi sono ricordata che avevo bisogno di prosciutto e sono andata alla _____ . Prima di rientrare a casa, sono andata nella _____ di mio cugino dove ho comprato mezza dozzina di paste. Mio cugino è un bravo _____ e fa delle paste squisite.

Struttura ed uso

Condizionale

— Che cosa **vorrebbe,** signore?
— **Vorrei** un polpo, per favore. È fresco oggi?

1. The conditional is used to express what would occur under certain conditions or circumstances.

Berrei qualcosa di fresco.	*I would drink something cold (if you have it).*
Sarebbe una festa divertente.	*It would be a fun party (if it were to take place).*
Non **direi** quelle cose.	*I wouldn't say those things (if I were you).*

2. The conditional is also used to add politeness to requests, offers, and advice.

Vorrebbe un caffè?	*Would you like a coffee?*
Vorremmo vedere la casa.	*We'd like to see the house.*
Dovreste lavorare di più.	*You should (ought to) work more.*
Mi **aiuteresti** in cucina?	*Would you help me in the kitchen?*
Potresti passare dal lattaio?	*Could you stop by the dairy shop?*

> Three useful forms:
> *vorrei* = I would like
> *potrei* = I could
> *dovrei* = I should

3. The conditional is formed with the future stem (see page 271) of the verb plus the conditional endings **-ei, -esti, -ebbe, -emmo, -este,** and **-ebbero.**

> Be sure to pronounce the double consonants in the conditional forms. Pay particular attention to the *noi* form: future = *-emo,* conditional = *-emmo.*

	abitare	**prendere**	**finire**
io	abiter**ei**	prender**ei**	finir**ei**
tu	abiter**esti**	prender**esti**	finir**esti**
lui/lei	abiter**ebbe**	prender**ebbe**	finir**ebbe**
noi	abiter**emmo**	prender**emmo**	finir**emmo**
voi	abiter**este**	prender**este**	finir**este**
loro	abiter**ebbero**	prender**ebbero**	finir**ebbero**

4. The rules for the formation of the future that you learned in **Lezione 12** are also true for the conditional. Verbs ending in **-care** and **-gare** add **h** to the conditional forms. All verbs that have an irregular future stem use the same stem for the conditional.

> Remember that many verbs with an irregular future stem drop a vowel from the infinitive ending: *andare → andr-.*

— **Dimentichereste** la vostra promessa?	— *Would you forget your promise?*
— Non **potremmo** mai dimenticarla.	— *We could never forget it.*
— **Sarebbe** possibile rimandare l'appuntamento a domani?	— *Would it be possible to postpone our appointment until tomorrow?*
— Lo **farei** volentieri, ma domani sono occupato.	— *I would do it gladly, but I'm busy tomorrow.*

 Dica che queste persone farebbero le azioni indicate, e spieghi poi perché non le fanno.

▶ Enzo / giocare a pallacanestro
   Enzo giocherebbe a pallacanestro ma non ha tempo/ma deve lavorare/ma non è possibile/ecc.

1. Roberta / prendere un caffè
2. i bambini / servire le bevande
3. io / accompagnare Luciana alla festa
4. noi / passare dalla nonna
5. voi / essere con la famiglia ogni fine settimana
6. mia sorella / aiutarmi in cucina
7. loro / fare una passeggiata
8. io / restare a casa con Piero

B Lei è in una trattoria della Costa Smeralda. Come potrebbe dire le seguenti frasi in maniera più cortese?

▶ Portami il pane!   Mi porterebbe il pane, per piacere?

1. Avete un tavolo per due con vista sul mare?
2. Venga qui un momento.
3. Mi porti il menù!
4. Che cosa vuol dire *sottaceti?*
5. Preferisco il vino rosso.
6. Voglio gli spaghetti alle vongole.
7. È possibile farmi il conto (*check*)?
8. Dov'è il bagno (*restroom*)?

C In coppia: Dica al compagno/alla compagna che cosa farebbe con le seguenti cose o persone.

▶ un aeroplano privato   S1: Che cosa faresti con un aeroplano privato?
                         S2: Ogni fine settimana tornerei a casa. Per le
                             vacanze potrei ... E tu che cosa faresti?
                         S1: Andrei ...

un milione di dollari
una Lamborghini
un cavallo
un ristorante elegante
un fratello gemello (*twin*) identico/una sorella gemella identica
un appartamento a Roma
le risposte per il prossimo esame d'italiano

D Intervisti un compagno/una compagna per sapere cosa farebbe se tutto fosse (*were*) possibile. Gli/Le chieda:

dove andare in vacanza   quale lavoro fare
quale macchina guidare   che tipo di persona sposare
quale università frequentare

▶ vivere   S1: Dove vivresti?
            S2: Vivrei in California. Avrei una casa …

Numerose specialità gastronomiche sono in vendita in questo grande negozio di alimentari.

E In coppia: Cosa fareste voi in queste situazioni?

1. La macchina non funziona e dovete arrivare a scuola in tempo per un esame.
2. Non siete soddisfatti del vostro voto (*grade*) in un esame.
3. Non potete dormire perché il vostro compagno di camera russa (*snores*).
4. Avete tre esami e un lungo progetto da finire nello stesso giorno.
5. Il vostro migliore amico parte per un anno in Australia.
6. In un ristorante, un piatto che avete ordinato non è buono.
7. Per il vostro compleanno un amico vi regala una maglia che non vi piace per niente.

F In gruppi di tre: Chieda alle altre persone del gruppo se farebbero queste cose.

▶ dire che le piace un regalo anche se non è vero
   S1: Tu diresti che ti piace un regalo anche se non è vero?
   S2: Sì, direi che mi piace.
   S3: No, direi la verità: direi che non mi piace.

1. uscire con la ragazza/il ragazzo del suo migliore amico/della sua migliore amica
2. prestare molti soldi al suo compagno/alla sua compagna di camera
3. sposarsi con una donna/un uomo molto ricca/o ma antipatica/o
4. andare a vivere all'estero da solo/a
5. dire una bugia per aiutare un amico
6. regalare una cosa ricevuta in regalo
7. fare l'autostop (*hitchhike*) da solo/a
8. dare ad un amico/un'amica le risposte per un esame
9. andare ad una spiaggia per i nudisti

Pronomi combinati

1. When direct and indirect object pronouns are both used in a sentence, the indirect object pronoun precedes the direct object pronoun, except for **loro.** The following chart shows indirect object pronouns combined with direct object pronouns as well as with the particle **ne.**

indirect object pronouns	direct object pronouns				particle *ne*
	+ lo	**+ la**	**+ li**	**+ le**	**+ ne**
mi	me lo	me la	me li	me le	me ne
ti	te lo	te la	te li	te le	te ne
gli } le	glielo	gliela	glieli	gliele	gliene
ci	ce lo	ce la	ce li	ce le	ce ne
vi	ve lo	ve la	ve li	ve le	ve ne
loro	lo ... loro	la ... loro	li ... loro	le ... loro	ne ... loro

2. The indirect object pronouns **mi, ti, ci,** and **vi** become **me, te, ce,** and **ve** before **lo, la, li, le,** and **ne.**

Anna mi chiede un favore.	*Anna asks me for a favor.*
Me lo chiede.	*She asks me for it.*
Roberto ti ha comprato il biglietto.	*Roberto bought you the ticket.*
Te l'ha comprato.	*He bought it for you.*
Ci preparano i dolci.	*They are preparing desserts for us.*
Ce li preparano.	*They're preparing them for us.*
Vi scrive le poesie.	*He writes you poems.*
Ve le scrive.	*He writes them for you.*

The indirect object pronouns **gli** and **le** become **glie** when combined with the direct object pronouns **lo, la, li, le,** and **ne.**

Gli spedirò il questionario.	*I'll send him the questionnaire.*
Glielo spedirò.	*I'll send it to him.*
Le ho comprato il libro.	*I bought her the book.*
Gliel'ho comprato.	*I bought it for her.*
Gli abbiamo parlato della festa.	*We spoke to them about the party.*
Gliene abbiamo parlato.	*We spoke to them about it.*

— Come secondo piatto l'agnello è molto buono. **Glielo** posso consigliare.

3. The combined object pronouns, like single pronouns, generally precede a conjugated verb. In infinitive constructions, the combined pronouns are attached to the end of the infinitive. In constructions with the modal verbs **dovere, potere, volere,** the pronouns may either precede the conjugated verb or attach to the infinitive.

> Remember that when pronouns attach to an infinitive, the infinitive drops its final *-e: dire → dirglielo.*

— Vendi la tua macchina a Giuliana?	— *Are you selling your car to Giuliana?*
— Sì, forse **gliela** vendo.	— *Yes, maybe I'll sell it to her.*
Penso di vender**gliela.**	*I'm thinking of selling it to her.*
Vorrei vender**gliela** (*or* **Gliela** vorrei vendere).	*I'd like to sell it to her.*

4. The indirect object pronoun **loro** always follows the verb. It never attaches to the direct object pronoun or to an infinitive.

Mando **loro** il pacco.	*I'm sending them the package.*
Lo mando **loro.**	*I'm sending it to them.*
Devo mandar**lo loro.**	*I have to send it to them.*

> Remember that *gli* is increasingly replacing *loro* in conversational Italian to mean "to them." You can express "I'm sending it to them" as *Lo mando loro* or *Glielo mando.*

5. In **tu, noi,** and **voi** commands with two object pronouns, both pronouns follow the verb and are attached to it.

Porta**melo!**	*Bring it to me!*
Spedite**cela!**	*Send it to us!*

> In formal commands, the pronouns precede the verb: ***Me lo** porti, signora* (Bring it to me, ma'am); *Non **ce la** spedisca, per favore* (Please don't send it to us).

In negative **tu, noi,** and **voi** commands, the pronouns usually precede the verb, though many Italians attach them to the end of the verb.

Non **me lo** portare.	*or*	Non portar**melo.**
Non **ce la** spedite.	*or*	Non spedite**cela.**

G In coppia: In un ristorante, lei chiede al cameriere le seguenti cose. Il cameriere dice che gliele porterà subito.

▶ il menù   S1: Mi potrebbe portare il menù?
S2: Certo. Glielo porto subito.

1. il sale
2. la lista dei vini
3. gli spaghetti alle vongole
4. un bicchiere d'acqua
5. una bistecca alla fiorentina
6. gli spinaci
7. un'altra forchetta
8. il conto

H Nelle seguenti conversazioni completi le risposte, usando le forme appropriate dei pronomi combinati.

1. — Mi puoi comprare i biglietti?
   — Sì, posso _____ domani.

2. — Vuole offrire le bevande ai ragazzi?
   — No, voglio _____ quando arrivano tutti.

3. — Quando devi dare i regali a Giulio?
   — Devo _____ più tardi.

4. — Potete preparare il caffè per il signore?
   — Sì, possiamo _____ ora.

5. — Vogliono presentare Elena agli amici?
   — Sì, vogliamo _____ .

I Lei è molto generoso/a, e ogni volta che una persona ha bisogno di una cosa sua, gliela presta volentieri. Finisca le frasi come nel modello.

▶ Avete bisogno di questo dizionario? Allora, ve lo presterò.
Ha bisogno di queste cassette? Allora, gliele presterò.

1. Hai bisogno dello shampoo?
2. Avete bisogno del mio computer?
3. Ha bisogno delle forbici?
4. Hanno bisogno della macchina?
5. Avete bisogno dei miei libri di arte?
6. Ha bisogno del mio telefonino?
7. Hanno bisogno del registratore?

J In coppia: Un suo amico/Una sua amica non vuole fare le cose che lei gli/le suggerisce. Ordini che le faccia, usando i pronomi con l'imperativo.

▶ S1: Da' il tuo zaino a Roberto!
S2: Non voglio darglielo.
S1: Daglielo!

1. Spiega il problema a noi!
2. Scrivi la lettera alla tua amica!
3. Spedisci i libri a Giorgio e a Tina!
4. Presenta tua sorella a me!
5. Chiedi le informazioni a Sandra!
6. Fa' la domanda al professore!
7. Prepara il pranzo ai ragazzi!

K In coppia: Faccia le seguenti domande ad un altro studente/un'altra studentessa. Poi invertite i ruoli.

1. Fai molti regali a Natale ed a Hannukah? A chi? Fai regali agli amici? Che cosa regali loro? E alla ragazza/al ragazzo?
2. Lasci sempre la mancia (*tip*) al cameriere quando vai al ristorante? Anche quando il servizio è stato mediocre?
3. Scrivi messaggi elettronici agli amici? Alla mamma?
4. Ti lavi i capelli ogni giorno? Quante volte al giorno ti lavi i denti?
5. Quando ti metti i guanti? E il cappotto? E il costume da bagno?
6. Quando è il compleanno di un tuo amico gli prepari una torta? Gli fai un regalo?

L In coppia: Ecco una lista di tutte le cose che oggi lei doveva fare in ufficio, ma lei è riuscito/a a farne solo alcune. Quando alla fine della giornata
il suo capoufficio (*boss*) le chiede se ha fatto le varie cose, risponda in
maniera appropriata usando i pronomi.

1.) scrivere la lettera alla direttrice
2.) mandare il messaggio elettronico al signor Tonfi
3.) spedire i libri ai clienti ✓
4.) spiegare il problema alla signorina Campo ✓
5.) presentare l'amica al direttore
6.) chiedere le informazioni alle segretarie ✓
7.) portare il registratore a Tonino ✓
8.) comprare una torta per la direttrice ✓

> Even when attached to an indirect object pronoun, a preceding direct object pronoun will cause agreement of the past participle.

▶ S1: Ha scritto la lettera alla direttrice?
S2: Sì, gliel'ho scritta./No, non gliel'ho ancora scritta.

Pronomi relativi *che* e *cui*

— Ho un gruppo di amici con **cui** discuto le grandi opere letterarie.

1. Relative pronouns like **che** and **cui** connect a dependent clause to a main
clause. A relative pronoun refers to a specific noun in the main clause.

main clause	dependent clause
Lisa è una giovane	**che** studia pittura a Firenze.
Tu sei l'amica	di **cui** Franco mi parla spesso.

2. The most common relative pronoun in Italian is **che** (*who, whom, that, which*). It can refer to either the subject or the direct object of the main clause. Notice that English often omits the relative pronoun. In Italian it is necessary.

Non mi piacciono le persone **che** fanno le spiritose.	*I don't like people who think they are funny.*
Conosco alcuni uomini **che** sanno cucinare.	*I know some men who know how to cook.*
Ho ricevuto il biglietto **che** mi hai mandato.	*I received the card (that) you sent me.*

3. The relative pronoun **cui** is used when the dependent clause is introduced by a preposition.

Alberto Moravia è lo scrittore **di cui** parlava la professoressa.	*Alberto Moravia is the writer about whom the professor was talking.*
Un cavatappi è una cosa **con cui** puoi aprire le bottiglie.	*A cavatappi is something with which you can open bottles.*
Questa è la porta **da cui** è uscita la signora.	*This is the door through which the lady left.*
Ecco il ristorante **in cui** ho conosciuto mio marito.	*Here's the restaurant in which I met my husband.*

In conversation, **dove** is often used instead of **in cui** to refer to places.

Ecco il ristorante **dove** ho conosciuto mio marito.

(M) Completi il brano con i pronomi relativi **che** o **cui.**

Signori e signore, benvenuti (*welcome*) a Verona e benvenuti alla casa di Romeo e Giulietta. Questa è la casa in _____ viveva la famiglia Cappelletti. Se saliamo al piano di sopra, troviamo la camera in _____ Giulietta dormiva. Guardate a destra: lì c'è il vestito _____ Giulietta si è messa per andare alla festa in _____ ha conosciuto Romeo. Sulla sinistra potete vedere il balcone da _____ Giulietta parlava con Romeo. E fuori c'è l'albero su _____ Romeo è salito per essere più vicino alla ragazza. Notate che sulla tavola c'è ancora la penna con _____ Giulietta ha scritto la famosa lettera, e la bottiglia di medicina _____ Giulietta ha preso per sembrare morta. Se uscite da quella porta, vedrete il telefono _____ la madre di Giulietta ha usato per chiamare l'ambulanza.

N Completi le frasi con il pronome relativo corretto: **che, in cui, con cui** o **di cui.**

1. Mi piacciono le ragazze _____ vestono elegantemente.
2. Conosco una signora _____ lavora in quella pasticceria.
3. Ho trovato una borsa _____ c'erano 200 euro.
4. Abbiamo visto il film _____ ci hai consigliato.
5. È quel film _____ tutti parlano.
6. Ho un amico _____ gioca a pallacanestro.
7. Ecco Paolo, il ragazzo _____ noi giochiamo a pallacanestro.
8. Ecco la discoteca _____ ho conosciuto il mio ragazzo.
9. Ho ricevuto la fotografia _____ mi hai spedito dalla Grecia.

O In coppia: Dica ad un compagno/una compagna le cose che le piacciono, usando le frasi in basso.

▶ Mi piacciono i bambini che ...   S1: Mi piacciono i bambini che dormono sempre.
                                        S2: A me piacciono i bambini che non fanno rumore.

1. Mi piacciono i ragazzi/le ragazze che ...
2. Mi piacciono i professori che ...
3. Mi piacciono i ristoranti che ...
4. Mi piace l'arte che ...
5. Mi piacciono i film in cui ...
6. Mi piacciono le feste a cui ...
7. Mi piacciono i giorni in cui ...
8. Mi piacciono i negozi dove ...

P Finite le frasi in maniera logica.

▶ Cos'è una valigia? È una cosa in cui ...
  È una cosa in cui mettiamo i vestiti quando facciamo un viaggio.

1. Cos'è un giornale? È una cosa che ...
2. Chi sono i tedeschi? Sono persone che ...
3. Cos'è una forchetta? È una cosa che ...
4. Chi è Leonardo da Vinci? È l'uomo che ...
5. Cos'è Natale? È il giorno in cui ...
6. Cos'è il dentifricio? È una cosa con cui ...
7. Cos'è uno zaino? È una cosa in cui ...
8. Cos'è una macelleria? È un luogo dove ...

  For further practice of lesson topics, log on to the *Oggi in Italia* website and/or do the CD-ROM activities.

Parliamo un po'

A **Scegliere un ristorante.** In gruppi di tre: Sono finiti tutti i vostri esami e stasera avete voglia di celebrare. Vorreste andare ad un nuovo ristorante. Guardate i menù in basso. Ognuno di voi sceglie il ristorante che gli/le interessa di più, poi decide con gli altri dove andare.

▶ S1: Mi piacerebbe andare ... perché mi piace ...
S2: No, io vorrei andare ... perché ...
S3: Io preferirei ...

RISTORANTE BIBÒ

P.za Santa Felicita 6/R
Chiuso il martedì

Tel. 045 2398554
Prezzo fisso: €22,00

1° Penne alla fiesolana, Zuppa di verdura, Ravioli alla cardinale
2° Braciole alla fiorentina, Costola di maiale alla salvia, Trota al burro
3° Patate, Spinaci, Insalata
4° Frutta, Creme caramel, Gelato

Bevande: non comprese nel prezzo fisso

Ristorante CINESE CITTÀ IMPERIALE

Via dei Banchi 30/R
Chiuso il lunedì

Tel. 045 218368
Prezzo fisso: €19,50

1° Involtini primavera, Ravioli al vapore, Wal-con fritti
2° Riso alla Cantonese, riso con gamberetti, Pasta cinese
3° Maiale, Stufato con funghi cinesi e bambù, Pollo alle mandorle, Pollo in salsa piccante
4° Frutta mista cinese, Frutta fritta

Bevande: Acqua, Tè cinese, Vino Tavoli all'aperto d'estate

TAVOLA CALDA DA ROCCO

Interno mercato di Sant'Ambrogio
Chiuso la domenica   Prezzo fisso: €16,00

• • • • • • • • • • • • •

1° Pasta fredda, Lasagne, Spaghetti, Penne
2° Trippa, Cotolette, Straccetti di vitella
3° Verdura, Insalata, Sformati
4° Macedonia, Creme caramel, Pere, Mele cotte

• • • • • • • • • • • • •

Bevande: Vino, Acqua minerale

Ristorante PIZZERIA CHARLIE'S

Via T. Alderotti 87/R
Tel. 045 4360470
Chiuso il mercoledì
Prezzo fisso: €21,50

1° Antipasto toscano
2° Penne alla boscaiola o strascicate, Rigatoni
3° Roast beef, Arista al forno, Cotoletta alla milanese

4° Piselli, Insalata, Patate
5° Gelato, Macedonia

Bevande: Vino, Acqua

Aria condizionata

B **Al ristorante.** Negli stessi gruppi di tre: Lei e un compagno/una compagna andate al ristorante scelto nell'attività A. Arriva il cameriere (il terzo membro del gruppo) e gli date le ordinazioni. Potete anche fargli domande se non capite una cosa sul menù.

▶ S3: Buona sera. Benvenuti al Ristorante Bibò. Che cosa desiderano i signori?
S1: Io vorrei .../Mi potrebbe dire per favore ... ?/Che cosa significa ... ?
S2: Il vino sarebbe incluso nel prezzo fisso?/Potrei avere ... ?

C **Notizie liete.** Legga le notizie liete (*happy news*) negli annunci riportati a fianco, e poi dia le informazioni indicate.

1. Chi compie diciotto anni?
2. Che tipo di messaggio c'è per Anna Maria?
3. A che ora e dove si sposano Tiziana e Renzo?
4. Che cosa festeggia Massimo?
5. Che cosa festeggiano Rosi e Roberto?
6. Chi sono appena nati?

NOTIZIE LIETE

Anniversario

★ **A Rosi e Roberto** nel primo anniversario tanti auguri mamma papà Daniela Enrico zio Carlo e Anna.

Compleanno

★ **Massimo** tantissimi auguri Gabri Gianni e mamma Clelia bacissimi.

Compleanno

★ **Patrizia Santolamazza.** Oggi è un giorno da non dimenticare i tuoi meravigliosi 18 anni auguri Papà Mamma Catia.

Culla

★ **Clelia e famiglia** augurano tanta felicità alla piccola **Claudia.**

Culla

★ Finalmente è arrivato **Andrea** inondando il nostro cuore di gioia auguri gli amici di Licenza.

Messaggio

D'amore per **Anna Maria.** Non posso vivere senza di te.

Nozze

★ Oggi, alle ore 17, nell'Abbazia S. Nilo di Grottaferrata, **Tiziana Simone** e **Renzo D'Alessandris** coronano il loro sogno d'amore. A Tiziana e Renzo giungano gli auguri più sinceri.

D **Cosa servire?** Cosa farebbe lei in una delle seguenti situazioni? Ne scelga una, scriva un menù con antipasto, un primo piatto e un secondo piatto e prenda appunti sulle altre cose da fare. Poi spieghi ad un compagno/una compagna che cosa farebbe.

1. Ha invitato dieci amici a festeggiare il compleanno della sua migliore amica. Quali cibi servirebbe loro? Quali bibite comprerebbe? Quali attività organizzerebbe?
2. Lei invita nel suo appartamento il suo ragazzo/la sua ragazza per una cena intima a due. Che cosa gli/le preparerebbe? Come sarebbe l'appartamento?
3. I suoi futuri suoceri vengono a cena. Quali cibi servirebbe loro? Come si vestirebbe? Inviterebbe altre persone?

E **Prima della festa.** In coppia: Scegliete una delle situazioni dell'attività D. Poi S1 (il/la cliente) deve andare al negozio appropriato (la pasticceria, il mercato, la salumeria, ecc.) per comprare alcune delle cose necessarie. S2 fa la parte del/della negoziante.

Espressioni utili

Il/La negoziante	Il/La cliente
Mi dica signore (signorina).	Vorrei un chilo di …
Quanto ne vuole?	Mi dia un pacchetto di …
Costa/Costano …	Mi potrebbe dare una bottiglia di … ?
Desidera altro?	Quanto costa/costano?
	Quanto è in tutto?

Conoscere l'Italia

 Definizioni. Abbini le definizioni con una parola della lista di destra. Ci sono due parole in più nella lista.

1. gli abitanti della Sardegna
2. lo fa il vento
3. danno l'uva
4. la persona che scrive
5. aggettivo derivato da *Sardegna*
6. la lingua della Sardegna
7. alberi con frutti che danno olio
8. lavoro collegato al mare e ai pesci
9. gli abitanti della Spagna

    a. gli ulivi
    b. gli spagnoli
    c. il sardo
    d. la pesca
    e. i vigneti
    f. i monumenti
    g. lo scrittore o la scrittrice
    h. sardo/a
    i. tira
    j. i sardi
    k. l'isola

Antica e caratteristica costruzione della Sardegna detta "nuraghe."

LA SARDEGNA

Dopo la Sicilia, la Sardegna è la seconda isola del Mediterraneo. Essa è situata a 200 km dalla penisola italiana e a solo 12 km dalla Corsica. La Sardegna è una terra antichissima dove si trovano vari monumenti preistorici. I nuraghi, per esempio, sono grandi strutture in pietra[1] che risalgono[2] a quasi duemila anni avanti Cristo.

1. stone 2. date back to

The strait that separates Corsica from Sardegna is called Bocche di Bonifacio.

I paesaggi[3] sardi sono molto diversi. Le coste, tra le più belle d'Italia, sono frastagliatissime[4]. Il territorio presenta monti, valli, qualche pianura e massicci[5] isolati con poca vegetazione. L'isola è molto ventosa[6], e molti alberi crescono nella direzione in cui tira il vento. In Sardegna crescono querce da sughero[7], ulivi, vigneti e alberi da frutta. L'economia dell'isola si basa sull'agricoltura, la pastorizia[8], la pesca[9], l'industria mineraria[10], l'artigianato e il turismo.

Gli abitanti dell'isola sono più di un milione e mezzo. Essi hanno una propria lingua, il sardo, che comprende vari dialetti. Nel lessico sardo si possono distinguere elementi latini, prelatini, greci, spagnoli e catalani. Le città principali della Sardegna sono Cagliari, Sassari e Nuoro. Cagliari, il capoluogo, ha l'aspetto di una città moderna con un bell'aeroporto e un porto molto attivo. A Cagliari è nato Antonio Gramsci (1891–1936), scrittore e figura politica di grande rilievo. Sassari, nel nord dell'isola, è una città con caratteristiche medievali. In questa città, in cui è nato il pittore Mario Sironi (1885–1961), ogni anno si svolge un'importante mostra dell'artigianato sardo. A Nuoro, una città della Sardegna centrale ai piedi del massiccio del Gennargentu, è nata la scrittrice Grazia Deledda (1871–1936), a cui fu assegnato il premio Nobel per la letteratura nel 1926.

3. landscapes   4. very winding   5. groups of mountain peaks   6. windy   7. cork trees   8. sheepherding   9. fishing   10. mining

Locate Sardegna on the map on p. 14. Then locate Corsica. *È vicina o lontana la Corsica dalla Sardegna? A quale paese straniero appartiene* (belongs) *la Corsica? Come si chiama il mare al nord della Corsica? E il mare ad est della Sardegna? È vicina o lontana la Sardegna dall'Italia? E dalla Sicilia?* Finally locate Cagliari. *Cagliari è nel nord o nel sud dell'isola?*

On the political map of Italy on p. 14, locate Sassari and Nuoro.

Gennargentu (1,834 m) is the highest peak in Sardegna.

B **Vero o falso?** Indichi se le seguenti frasi sono vere o false secondo il brano precedente. Correggete le frasi false.

1. La Sardegna è la più grande isola del Mediterraneo.
2. La Sardegna è a 12 km dall'Italia.
3. La Corsica è un'isola al nord della Sardegna.
4. I nuraghi sono monumenti preistorici.
5. Le coste sarde sono poco frastagliate.
6. In Sardegna tira sempre vento.
7. L'economia dell'isola si basa sul turismo.
8. Gli abitanti dell'isola parlano il sardo.
9. Il capoluogo della Sardegna è Sassari.
10. Grazia Deledda è una scrittrice sarda.

La parola giusta. Completi le seguenti frasi con le parole più logiche fra quelle indicate tra parentesi.

1. D' (inverno/estate) fa molto caldo in Sardegna.
2. Molte persone (sono ricche/ci vanno in vacanza) per riposare.
3. Di solito i turisti prendono (l'autobus/l'aereo) per andare in Sardegna da Roma.
4. Per prendere l'aereo bisogna andare (alle linee marittime/all'aeroporto).
5. I turisti ricchi vanno a stare in (pensioni modeste/ alberghi di lusso).
6. Quando fa caldo è bello stare (sulla spiaggia/in macchina).
7. In Sardegna ci sono bei posti (per sciare/di villeggiatura).

Una giovane donna indossa un tipico costume della Sardegna.

UNA BELLA META[1] TURISTICA

D'estate molti turisti italiani e stranieri vanno in vacanza in Sardegna. Se non sono così ricchi da avere una barca[2] privata, essi vanno in traghetto[3] o in aereo. Ci sono varie linee marittime con le quali si può raggiungere[4] l'isola, con traghetti che partono per Cagliari da Civitavecchia, Napoli e Palermo. Porto Torres, vicino a Sassari, può essere raggiunto da Genova e Livorno. E bisogna prenotare[5] con molto anticipo, altrimenti[6] non si trova posto, specialmente se uno vuole portare con sé la macchina. Nei mesi estivi anche il traffico aereo diventa particolarmente intenso nei moderni aeroporti di Cagliari ed Alghero.

Luogo di vacanza e di riposo è questa caratteristica località della Costa Smeralda in Sardegna.

1. destination   2. boat   3. ferry   4. to reach   5. to make reservations   6. otherwise

Un posto di villeggiatura molto esclusivo è la Costa Smeralda, nel nord-est della Sardegna. Questa zona ricca di alberghi di lusso, di porti turistici e di campi da golf[7] attrae anche turisti stranieri molto facoltosi[8]. Un'altra zona molto bella è Alghero, nel nord-ovest dell'isola. Alghero prende il nome dalla quantità di alghe che si accumulano sulle sue spiagge. In questo piccolo porto si pratica anche la pesca del corallo. Alghero ricorda[9] la Spagna. Infatti questo porto, occupato dai catalani[10] nel 1354, ha conservato la lingua e i costumi di quella regione spagnola. Per ricordare questo legame[11], ogni anno ha luogo uno scambio[12] culturale fra gli abitanti di Alghero e della Catalogna.

Il turismo è una grande industria per la Sardegna; i visitatori possono assistere anche a tante feste popolari dove i sardi indossano bei costumi regionali e cantano indimenticabili canti[13] tradizionali. Altri luoghi sardi molto visitati dai turisti sono le isole della Maddalena e di Caprera al sud della Corsica. A Caprera ci sono la casa e la tomba dell'eroe nazionale Giuseppe Garibaldi.

7. golf courses   8. wealthy   9. is reminiscent of   10. Catalonians   11. link
12. exchange   13. unforgettable songs

> On the political map of Italy on p. 14, locate Alghero and Porto Torres. Also locate Civitavecchia (*un porto vicino a Roma*) and Livorno (*un porto della Toscana*).

> On the political map of Italy on p. 14, locate the islands Maddalena and Caprera.

> Giuseppe Garibaldi fought for the unification of Italy during the second half of the nineteenth century.

B **Informazioni.** Dia le seguenti informazioni basate sul brano precedente.

1. come si può raggiungere la Sardegna
2. da dove partono i traghetti che vanno a Cagliari
3. un bellissimo posto di villeggiatura della Sardegna
4. da che cosa deriva il nome di Alghero
5. pesca particolare praticata in Alghero
6. una regione spagnola che ha contatti con Alghero
7. due piccole isole vicino alla Sardegna
8. un eroe italiano la cui casa e tomba si trovano su una di queste piccole isole

Lezione 14

In cerca di un appartamento

Piccoli e graziosi appartamenti si trovano in molti antichi palazzi del centro storico di Firenze.

Communicative Objectives

- Discuss renting an apartment, its location, and cost
- Compare people, places, and things
- Describe rooms and their furnishings
- Express desires, demands, and hopes

Francesca Bellini è di Arezzo ma frequenta l'università di Firenze. Invece di fare la pendolare, Francesca vuole vivere a Firenze, ed è in cerca di un alloggio. Mentre legge diversi annunci attaccati in una bacheca dell'università, arriva la sua amica Roberta.

ROBERTA:	Ciao, Francesca, cosa fai di bello? Cerchi qualcosa?
FRANCESCA:	Guardo questi annunci perché cerco casa. Ho deciso di trasferirmi a Firenze.
ROBERTA:	Sei già andata a un'agenzia immobiliare?
5 FRANCESCA:	Oh, no, è troppo costosa. E poi non ho intenzione di prendere in affitto un appartamento. Mi basta condividere un alloggio con altre ragazze.
ROBERTA:	Vuoi che ti aiuti a leggere questi annunci?
FRANCESCA:	Sì, grazie. Spero proprio che uno di questi annunci mi offra
10	qualcosa di buono.
ROBERTA:	Ecco, leggi un po' qua! Quest'annuncio sembra più interessante degli altri e potrebbe fare al caso tuo°. *(Francesca legge l'annuncio.)*

> Cerco studentessa per condividere appartamentino
> grazioso con vista, zona tranquilla, non lontano
> dall'università. Due camere, cucina, bagno, balcone
> e riscaldamento autonomo. 400 euro mensili escluse
> le utenze. Contattare Mariangela ore pasti.
> Tel: 055-4974521

20 FRANCESCA:	Sì … e questa offerta sembra meno cara delle altre. Non credi? Forse è il posto che fa per me°.
ROBERTA:	È perfetta, se l'offerta di Mariangela è ancora valida. Guarda che trovare casa a Firenze non è così semplice come ad Arezzo. E se vuoi veramente un alloggio, suggerisco che tu non perda molto tempo.
25 FRANCESCA:	Sì, hai proprio ragione. Non voglio fare più la pendolare. Quindi telefono subito a Mariangela. Spero solo che il mio telefonino funzioni. Ah, ecco … zero, cinque, cinque … mi detti il resto del numero, per favore?

Side notes:

Arezzo: Tuscan city located about 60 km southwest of Florence.

Many students from towns and cities near major universities commute to the university by train, bus, or car. This is due to the scarcity of rental apartments and the expense of living away from home.

costoso = caro

could be right for you

Appartamentino is a diminutive of *appartamento*.

La vista also means "eyesight": *Se vedi quel segnale, hai una buona vista.*

is right for me

Domande

1. Di dov'è Francesca Bellini? Dove va all'università?
2. Che cosa vuole fare Francesca? Perché?
3. Che cosa cerca adesso Francesca?
4. Perché Francesca non va a un'agenzia immobiliare?
5. Che cosa dice l'annuncio che attrae l'attenzione di Francesca?
6. Com'è la situazione degli affitti a Firenze?

i nostri servizi

🏠 Affitti
🏠 Vendite immobiliari
🏠 Stime immobiliari
🏠 Gestioni immobiliari
🏠 Consulenze
   per successioni
🏠 Consulenze
   per erogazione mutui

Per maggiori informazioni chiamateci saremo lieti di assistervi nelle vostre richieste
VIA DEI SERRAGLI, 66/R (FI) - 055 283896 - 347 2597253 - 339 7363290

Affitti Offerte

ZONA COVERCIANO I piano ingresso cucina soggiorno camera bagno arredato referenziati non residenti **Euro 800**

SANTO SPIRITO ampio monolocale con angolo cottura camera bagno arredato tutto nuovo a referenziati non residenti **Euro 650** incluso consumi

BORGO TEGOLAIO da aprile tutto nuovo soggiorno con angolo cottura camera bagno arredato a referenziati **Euro 850**

MASACCIO affittasi camera singola in appartamento con uso cucina e bagno arredata **Euro 375**

PONTE A GREVE ingresso-soggiorno cucina tinello camera bagno cantina posto auto non arredato libero da aprile **Euro 760**

MERCATO SAN LORENZO finemente ristrutturato e arredato soggiorno con angolo cottura in muratura 2 camere bagno a referenziatissimi **Euro 1.000**

PIAZZA INDIPENDENZA presso affittasi camera singola con studentessa libera subito **Euro 330**

GRASSINA in antico castello ingresso sala mq. 40 cucina camera bagno posto auto giardino condominiale a referenziatissimi **Euro 800**

VIA GUELFA ingresso cucina camera bagno arredato a studenti/esse non residenti arredato lavatrice da aprile **Euro 650**

BORGO ALLEGRI II piano luminoso ingresso cucina-soggiorno, camera 2 bagni finemente arredato termosingolo **Euro 1.000**

Domande personali

1. Lei abita in un appartamento o in una villa? Com'è la sua casa?
2. Da quanto tempo lei abita lì? Le piacerebbe trasferirsi? Perché?
3. Lei abita vicino all'università o fa il/la pendolare?
4. Come sono gli affitti nella sua città?
5. Quanto costa al mese l'affitto di un appartamento vicino all'università?
6. Sarebbe meglio cercare un appartamento online, sui giornali, presso le agenzie immobiliari o nelle bacheche dell'università? Perché?

Pratica

1. In coppia: Assuma il ruolo di Francesca e telefoni a Mariangela che ha messo l'annuncio dell'appartamento nella bacheca. Lei vuole sapere l'indirizzo, se e quando può vedere l'appartamento, chi altro lo occupa e se lei deve condividere la camera con un'altra persona.

2. Lei abita in un appartamento che desidera condividere con una o due persone durante l'anno accademico. Prepari un annuncio da attaccare alla bacheca dell'università.

I giornali italiani

*I*n Italia la stampa[1] è un mezzo d'informazione importante, nonostante la concorrenza[2] della televisione e della radio. Alcuni giornali sono indipendenti, ma molti sono finanziati da enti statali[3], gruppi privati, organizzazioni cattoliche e partiti politici. Ogni grande città italiana ha il suo quotidiano[4] e in alcune città si stampano[5] vari giornali. A Roma, per esempio, si pubblicano importanti giornali quali *Il Messaggero*, *La Repubblica*, *L'Unità* e *Il Tempo*. A Firenze si pubblica *La Nazione*, a Bologna, *Il Resto del Carlino*. Tra i giornali italiani più autorevoli[6] ricordiamo *Il Corriere della Sera* di Milano, *La Stampa* di Torino e *La Repubblica* di Roma.

L'edicola di giornali all'angolo della strada è una caratteristica delle città italiane.

Molto diffuse[7] sono anche le riviste illustrate settimanali, stampate quasi tutte a Milano, che è il principale centro editoriale italiano. Le più note riviste sono quelle di attualità[8] e varietà come *Oggi*, *Gente*, e quelle femminili come *Amica* e *Grazia*. Fra le riviste politiche, d'opinione e di cultura, le più lette sono *L'Espresso* e *Panorama*, che svolgono[9] una funzione di critica del costume[10] e di formazione[11] etico-politica.

- Quali sono i giornali più conosciuti in questo paese? Qual è il giornale più autorevole?

1. press   2. competition   3. government agencies   4. daily newspaper   5. are published   6. authoritative
7. widespread   8. current events   9. perform   10. customs   11. development

Vocabolario

Parole analoghe	Nomi
autonomo/a	**l'affitto** rent
il balcone	**l'alloggio** apartment, lodging
contattare	**l'annuncio** ad(vertisement)
dettare	**la bacheca** bulletin board
l'offerta	**il bagno** bathroom
tranquillo/a	**la camera** room
la vista	**il pasto** meal
valido/a	**il/la pendolare** commuter
	il riscaldamento heat
	le utenze utilities

Aggettivi

attaccato/a attached
costoso/a costly, expensive
grazioso/a charming
mensile monthly

Verbi

bastare to be enough
condividere to share
convenire to be convenient
funzionare to work
sembrare to seem
trasferirsi to move

Altre parole ed espressioni

qua here
l'agenzia immobiliare real estate
  agency
presso at, near
così ... come as . . . as
in cerca di in search of
dare in affitto to rent
fare il/la pendolare to commute
meno ... di less . . . than
più ... di more . . . than
prendere in affitto to lease, rent

Consonanti doppie

In contrast to English, the sound of a double consonant in Italian is longer than the sound of a single consonant. To pronounce double consonants correctly, it is necessary to shorten the sound of the preceding vowel and hold the sound of the double consonant twice as long. It is important to pronounce correctly words with double consonants so that the meaning of such words is not misunderstood.

 Ascolti e ripeta le parole. Faccia attenzione alla pronuncia delle consonanti.

tuta / tutta	rosa / rossa
sano / sanno	poco / pacco
sono / sonno	meta / metta
casa / cassa	cane / canna

B Ascolti e ripeta. Faccia attenzione alla pronuncia delle consonanti doppie.

(cc)	*(nn)*	*(tt)*	*(ss)*
ricco	anno	tutto	adesso
accordo	fanno	letto	espresso
piccolo	hanno	salotto	basso
vecchio	gennaio	mattina	rosso
meccanico	autunno	sotto	prossimo

Ampliamento del vocabolario

La casa

In Italian cities people live mainly in apartments. Suburban living is uncommon in Italy, and single-family houses are found mostly in small towns and in the countryside.

Le stanze

1. **la camera da letto**   bedroom
2. **il bagno**   bathroom
3. **lo studio**   study; den; home office
4. **la cucina**   kitchen
5. **la sala da pranzo**   dining room
6. **il salotto**   living room

Fuori della casa

7. **il cortile**   courtyard
8. **il giardino**   garden
9. **il garage**   garage

Altre parti della casa

a. **la soffitta**   attic
b. **il soffitto**   ceiling
c. **il camino**   fireplace
d. **la cantina**   cellar
e. **il pavimento**   floor
f. **le scale**   stairs
g. **la parete**   wall

La parete is the inside wall; the outside wall is *il muro*.

A In coppia: Faccia le seguenti domande ad un altro studente/un'altra studentessa.

1. Quante stanze ci sono nella tua casa?
2. Fa' una lista delle stanze della tua casa.
3. Dove mangi di solito, in cucina o nella sala da pranzo? E quando hai invitati, dove mangi?
4. C'è un giardino intorno (*around*) alla tua casa?
5. Dove studi e fai i compiti?
6. Dove guardi la televisione? Dove ascolti la radio?
7. Dove ti lavi?

B In coppia: Chieda ad un altro studente/un'altra studentessa di descrivere la propria casa ideale.

— Secondo te, come dovrebbe essere la casa ideale?
— Secondo me, la casa ideale ...

I mobili e gli elettrodomestici

I mobili

l'armadio   armoire, wardrobe, closet
il comò   chest of drawers
la credenza   sideboard
il divano   sofa
il guardaroba   closet
la lampada   lamp
il letto   bed
la libreria   bookcase
la poltrona   armchair
il quadro   painting
lo scaffale   shelf
la scrivania   desk
il tavolo/la tavola   table
il tappeto   rug
la tenda   curtain

Gli elettrodomestici

l'aspirapolvere (*m.*)   vacuum cleaner
l'asciugatrice (*f.*)   clothes dryer
il ferro da stiro   iron
il forno (a microonde) (microwave) oven
il frigo(rifero)   refrigerator
la lavastoviglie   dishwasher
la lavatrice   washing machine

Frasi utili

stirare   to iron
pulire con l'aspirapolvere   to vacuum

> *La libreria* can also mean "bookstore."

> *Stoviglie* in *lavastoviglie* means "dishes and cutlery."

C In gruppi di tre o quattro: A turno descrivete un mobile o un elettrodomestico che gli altri studenti devono indovinare.

▶ — Questa cosa serve per vedere meglio. Dà luce. Può essere nello studio, in camera da letto o in salotto.
— La lampada.

D In coppia: Intervisti un altro studente/un'altra studentessa per sapere com'è la sua stanza. Gli/Le domandi:

1. se la stanza è grande o piccola e quante finestre ci sono
2. se ci sono sedie e poltrone e quante di esse
3. se ci sono quadri e di che tipo
4. dove sono i libri
5. quali oggetti sono sulla scrivania
6. se c'è un comò e che cosa c'è sul comò e dentro il comò
7. se c'è un frigo e che cosa c'è nel frigo
8. se c'è un guardaroba e che cosa c'è nel guardaroba

E In coppia: Lei vuole comprare due o tre di questi articoli venduti in una televendita e telefona alla stazione televisiva. Collabori con un altro studente/un'altra studentessa che risponde al telefono e compila la sua fattura (*fills out your bill*).

▶ — Cosa desidera comprare?
   — Desidero comprare ...

Struttura ed uso

Comparativo d'uguaglianza

— Vedi, cara? Il salotto del Papa è quasi **così** grande **come** il nostro!

1. Comparisons of equality using adjectives and adverbs are expressed in Italian with **così ... come** or **tanto ... quanto**. In practice, **così** and **tanto** are often omitted.

Il salotto è **(così)** grande **come** lo studio.	*The living room is as big as the office.*
La cucina è **(tanto)** moderna **quanto** il bagno.	*The kitchen is as modern as the bathroom.*
Paolo guida **(così)** lentamente **come** suo fratello.	*Paolo drives as slowly as his brother.*

Note that when the second part of a comparison contains a pronoun, a disjunctive form is used.

> See *Lezione 9* for disjunctive pronouns.

Il fratello di Paolo guida (tanto) lentamente quanto **te.**

2. Comparisons of equality of nouns and verbs are expressed with the pattern **tanto ... quanto**. When **tanto** modifies a noun, it agrees with the noun.

Mio fratello mangia **quanto** un elefante.	*My brother eats as much as an elephant.*
Ha **tanta** fame **quanto** un lupo.	*He is as hungry as a wolf.*
Mangia **tante** verdure **quanto** te.	*He eats as many vegetables as you do.*

When the quantity of two nouns is being compared, **tanto** and **quanto** agree with the nouns.

> *Fame* (hunger) is feminine. Remember that *avere fame* means "to be hungry" (to have hunger).

Nel frigo ci sono **tante** arance **quante** mele, e c'è **tanto** tè freddo **quanta** limonata.	*There are as many oranges as apples in the refrigerator, and there is as much iced tea as lemonade.*

A Parli dei membri della sua famiglia, usando elementi dalle tre colonne e formulando comparativi d'uguaglianza.

▶ I miei nonni sono (così) religiosi come il Papa.
I miei nonni sono (tanto) religiosi quanto il Papa.

mio padre	alto	Babbo Natale
mia madre	intelligente	una fotomodella
mio fratello	bello	un giocatore di pallacanestro
mia sorella	spende tanti soldi	un attore/un'attrice del cinema
i nonni	forte	un professore universitario
lo zio	religioso	il Senato
la zia	buono	Superuomo
i cugini	generoso	un santo/una santa
	ha tanti vestiti	il Papa

B Una vedova (*widow*) con tre figlie e un vedovo con tre figli si sono sposati. Hanno costruito una casa con due camere da letto uguali: la prima per le figlie e la seconda per i figli. Formulate comparativi d'uguaglianza con le informazioni date.

▶ Nella prima camera ci sono tre letti. Anche nella seconda camera ci sono tre letti.
Nella prima camera ci sono tanti letti quanti nella seconda.

1. La camera dei ragazzi è molto grande, ma anche la camera delle ragazze è grande.
2. Ci sono due finestre nella prima camera. Anche nella seconda ci sono due finestre.
3. I mobili dei figli sono moderni. Anche quelli delle figlie sono moderni.
4. Ci sono tre scrivanie nella prima camera e tre scrivanie nella seconda.
5. Nella camera dei ragazzi ci sono dieci fotografie di giocatori di pallacanestro e nella camera delle regazze ci sono dieci poster di cantanti rock.

C In coppia: Usando la fantasia, dica ad un amico/un'amica com'è il suo ragazzo/la sua ragazza.

▶ allegro/a   La mia ragazza è così allegra come Biancaneve./La mia ragazza è tanto allegra quanto Biancaneve.

1. bello/a
2. intelligente
3. simpatico/a
4. divertente
5. ha molti amici
6. ha molta pazienza
7. buono/a
8. ricco/a

Comparativo di maggioranza e di minoranza

— Aspetta! La mia parte del divano è **più** pesante **della** tua!

1. Comparisons of inequality between two different subjects are formed with the patterns **più ... di** and **meno ... di.** Such comparisons may pertain to adjectives, adverbs, nouns, or pronouns. When the second part of the comparison is a pronoun, the disjunctive form is used.

La sala da pranzo è **più** grande **del** salotto.	*The dining room is larger than the living room.*
La cantina è **meno** fresca **del** giardino.	*The cellar is less cool than the garden.*
Quest'appartamento ha **più** elettrodomestici **dell'**altro.	*This apartment has more appliances than the other.*
Questa casa ha **meno** scale **della** mia.	*This house has fewer stairs than mine.*

2. **Più di** and **meno di** are used with cardinal numbers in comparisons.

Abbiamo visto **più di** venti appartamenti.	*We looked at more than twenty apartments.*
L'affitto di quest'appartamento è **meno di** €500 al mese.	*The rent for this apartment is less than €500 a month.*

3. **Che** is used instead of **di** when comparing two adjectives or two nouns pertaining to the same subject.

Ho più amiche **che** amici.	*I have more female friends than male friends.*
Studio più in biblioteca **che** a casa.	*I study more at the library than at home.*

D Formuli frasi comparative secondo i modelli proposti.

▶ Filippo / intelligente / Roberto   Filippo è più intelligente di Roberto.

1. la Francia / grande / l'Austria
2. Carlo / fortunato / me
3. mio fratello / alto / te
4. il professore / gentile / la direttrice
5. tu / simpatico / mia sorella

▶ Luisa / magro / me   Luisa è meno magra di me.

6. la nostra casa / piccola / la tua
7. il salotto / elegante / la sala da pranzo
8. Franco e Antonietta / simpatico / Roberto e Magda
9. io / stanco / te
10. la lavatrice / costoso / l'asciugatrice

▶ lui è / simpatico / intelligente   Lui è più simpatico che intelligente.

11. ho / cugine / cugini
12. vado / al cinema / a teatro
13. in aula ci sono / studenti / studentesse
14. mangiamo / prosciutto / salame
15. studio / a casa / in biblioteca

E Esprima la propria opinione sulle seguenti cose e persone, usando la forma corretta del comparativo.

> If you want to say both items are equal, use the *comparativo d'uguaglianza: La storia è così interessante come la filosofia.*

▶ storia / interessante / filosofia   La storia è più (meno) interessante della filosofia.

1. chimica / difficile / matematica
2. cani / intelligente / gatti
3. tennis / divertente / calcio
4. lasagne / buono / spaghetti
5. cinema / stimolante / televisione
6. appartamenti / comodo (*comfortable*) / case
7. amici / importante / famiglia
8. macchine giapponesi / costoso / macchine americane

F Confronti alcuni aspetti della vita italiana con quelli della vita americana. Usi il comparativo d'uguaglianza, di maggioranza o di minoranza.

1. L'Italia ha circa 58 milioni di abitanti. Gli Stati Uniti hanno più di 295 milioni di abitanti.
2. L'italiano medio (*average*) fuma (*smokes*) undici sigarette al giorno. L'americano medio fuma otto sigarette al giorno.
3. L'italiano medio consuma dieci litri di benzina alla settimana. L'americano medio consuma ventuno litri di benzina alla settimana.
4. L'italiano medio ha 0,85 figli. L'americano medio ha 1,02 figli.
5. L'americano medio compra un libro all'anno e compra tre CD all'anno. L'italiano medio compra due libri all'anno e compra due CD all'anno.
6. L'americano medio compra venti tubetti di dentifricio all'anno e l'italiano medio compra venti tubetti di dentifricio all'anno.

Vuoi comprare un apparta-mento in un antico palazzo appena ristrutturato?

G   In coppia: Voi siete andati a vedere due appartamenti e avete preso appunti su quello che avete visto. Adesso dovete scegliere quale apparta-mento preferite. Formulate frasi comparative con le informazioni indi-cate, e poi decidete quale appartamento prendere e perché.

Appartamento A	**Appartamento B**
vicino all'università	lontano dall'università
la via è rumorosa	molto rumore
affitto: 800 euro mensili	affitto: 840 euro mensili
metri quadrati: 84	metri quadrati: 90
poca luce; solo tre finestre	molta luce; cinque finestre e un balcone
frigo, forno a gas, lavastoviglie, lavatrice, asciugatrice	frigo, forno elettrico, lavatrice
una camera da letto	due camere da letto

H   In gruppi di due o tre: Confrontate l'italiano con un'altra lingua che conoscete.

1. Quale lingua è più facile da imparare?
2. Quale lingua è meno complicata?
3. Quale lingua ha più tempi verbali?
4. Quale lingua ha meno verbi irregolari?
5. Quale lingua è più utile?
6. Quale lingua è più popolare nella vostra università?

In gruppi di quattro: Ognuno di voi scrive su bigliettini (*scraps of paper*) separati i nomi di cinque personaggi famosi o della televisione. Mettete tutti i bigliettini in una busta (*envelope*). Poi, a turno, ognuno di voi prende due bigliettini dalla busta e formula una frase comparativa logica usando i due nomi che ha in mano.

▶ Homer Simpson / Beyoncé   Beyoncé è più ricca di Homer Simpson.

Congiuntivo presente: Verbi che esprimono desiderio, volontà e speranza

— Spero che questo film non **finisca** mai!
— Io invece voglio che **finisca** presto!

1. Verbs have both tense **(tempo),** which tells you when the action takes place relative to the present, and mood **(modo),** which tells you how the speaker perceives the statement. Most of the tenses you have learned so far are in the *indicative mood*, which is used for stating facts and certainties. Another mood in Italian is the subjunctive **(il congiuntivo),** which also has several tenses. English has a subjunctive mood as well, but it is used infrequently.

We would prefer that you **be** prompt.
I wish you **were** here.

2. The subjunctive is nearly always used in a subordinate clause introduced by **che.** Compare the verb forms in the pairs of sentences below. The verb in the first sentence is in the indicative mood: it states a fact. The verb in the **che** clause of the second sentence is in the subjunctive mood.

Indicativo	*Congiuntivo*
La nostra squadra vince.	Speriamo che la nostra squadra **vinca.**
Comprate una casa qui vicino.	Preferiamo che **compriate** una casa qui vicino.
Lei telefona all'agenzia di viaggi.	Voglio che lei **telefoni** all'agenzia di viaggi.

3. Certain conditions expressed in the main clause of a sentence require the subjunctive in the subordinate clause. If the main clause expresses a desire, a demand, or a hope, the subordinate clause will be in the subjunctive. Some verbs of desire or hope that require the subjunctive in a dependent clause are:

desiderare to want, desire	**sperare** to hope
insistere to insist	**suggerire** to suggest
preferire to prefer	**volere** to want

La professoressa **suggerisce che** voi **ascoltiate** attentamente in classe.	*The professor suggests that you listen carefully in class.*
Vuole che tutti gli studenti **capiscano** la lezione.	*She wants all her students to understand the lesson.*

The subjunctive is used only when the main clause and the subordinate clause have two different subjects. An infinitive is used if there is no change of subject.

Patrizia spera di **divertirsi** questo semestre.	*Patrizia hopes to have fun this semester.*
I genitori sperano che Patrizia **prenda** buoni voti questo semestre.	*Patrizia's parents hope that she gets good grades this semester.*
Non voglio che tu **spenda** molto.	*I don't want you to spend a lot.*
Non voglio **spendere** molto.	*I don't want to spend a lot.*

> Notice the use of *di* with *sperare* and an infinitive.

4. The following chart shows the present subjunctive of regular **-are**, **-ere**, and **-ire** verbs.

	-are guardare	-ere vedere	-ire seguire	-ire (-isc) capire
... che io	guardi	veda	segua	capisca
... che tu	guardi	veda	segua	capisca
... che lui/lei	guardi	veda	segua	capisca
... che noi	guardiamo	vediamo	seguiamo	capiamo
... che voi	guardiate	vediate	seguiate	capiate
... che loro	guardino	vedano	seguano	capiscano

> Note that the singular forms of the present subjunctive are identical. If you need to clarify the subject of a subordinate clause, use a subject pronoun: *Spero che tu capisca.*

> Reflexive pronouns in the subjunctive precede the verb as in the indicative.

> Notice that the singular forms are identical to the *lei* commands you already know: *Io voglio che lei ascolti. Ascolti!*

Suggerisco che vi **alziate** presto domani mattina.
Speriamo che loro **finiscano** fra poco.

5. Verbs ending in **-care** and **-gare** add **h** to all forms of the present subjunctive to retain the hard sound of the **c** or **g**.

Speriamo che **giochino** bene.	*Let's hope they play well.*
Preferiamo che **paghiate** voi.	*We prefer that you pay.*

J In coppia: Il suo fratellino non vuole fare certe cose. Con un compagno/una compagna che fa la parte del fratellino, insista che il piccolo faccia tutto quello che non vuole fare.

▶ scrivere gli esercizi   S1: Non voglio scrivere gli esercizi!
                                  S2: Insisto che tu scriva gli esercizi!

1. pulire la camera
2. lavarsi le mani
3. aiutarti
4. leggere questo libro
5. ascoltarti
6. finire di mangiare
7. prendere la medicina
8. giocare fuori casa
9. addormentarsi subito

K Indichi quello che vogliono le seguenti persone.

▶ la mamma / volere / io / condividere un alloggio
   La mamma vuole che io condivida un alloggio.

1. papà / volere / tu / chiudere la porta
2. io / sperare / Laura e Gina / non trasferirsi
3. noi / sperare / i ragazzi / vedersi spesso all'università
4. tu / insistere / Grazia / partire con noi
5. voi / insistere / i bambini / restare a casa
6. Giacomo / sperare / tu / telefonare domani sera
7. Roberto ed io / preferire / voi / ordinare una pizza
8. i genitori / desiderare / noi / cercare un appartamento qui vicino

L In coppia: Patrizia parte per l'università e spera di fare molte cose. I suoi genitori, però, sperano che lei faccia altre cose. Lei dice quello che spera di fare Patrizia, e il suo compagno/la sua compagna dice quello che i suoi genitori sperano.

▶ conoscere i miei amici /   S1: Patrizia spera di conoscere i miei amici.
  conoscere buoni amici   S2: I genitori sperano che Patrizia conosca
                                    buoni amici.

1. prendere una B in italiano / prendere una A in italiano
2. andare a molte feste / frequentare molte lezioni
3. uscire spesso / studiare spesso
4. trovare un ragazzo / trovare un lavoro
5. mangiare quello che vuole / mangiare bene
6. tornare a casa a Natale / tornare a casa ogni fine settimana
7. studiare le lingue straniere / studiare informatica

M Adesso dica al suo compagno/alla sua compagna cinque cose che lei spera di fare, e cinque cose che i suoi genitori sperano che lei faccia.

▶ Io spero di studiare filosofia. Mia madre (Mio padre) spera che io studi medicina.

N In coppia: Voi condividete un appartamento e domani arrivano i suoi genitori a fare un'"ispezione". L'appartamento è un po' in disordine: anzi, è un vero disastro. Dica al compagno/alla compagna alcune cose che vuole che lui/lei faccia.

Alcune possibilità

pulire il bagno/il forno a microonde
pulire con l'aspirapolvere
lavare i piatti sporchi
portare i vecchi giornali al riciclaggio
comprare dei fiori
ecc.

> Remember: *Io voglio che tu* + present subjunctive (*pulisca*).

> For further practice of lesson topics, log on to the *Oggi in Italia* website and/or do the CD-ROM activities.

Parliamo un po'

A. Dove le piacerebbe vivere? In coppia.

S1

Lei è andato/a da un agente immobiliare (*real estate agent*) che l'aiuta a trovare la casa ideale. Prima guardi i suggerimenti indicati e decida che tipo di casa vuole. Poi risponda alle domande dell'agente.

S2

Lei è un agente immobiliare (*real estate agent*). Un/Una cliente viene da lei perché lo/la aiuti a trovare la casa ideale. Faccia le domande basate sui suggerimenti indicati.

LOCALITÀ: In quale città? Al centro della città o in periferia? Le piacerebbe vivere in campagna o in montagna?

TIPO DI ABITAZIONE: Lei preferirebbe abitare in un appartamento o in una villa?

CARATTERISTICHE DELLA CASA: un garage? un giardino? una piscina? un campo da tennis? una vista panoramica? Quante stanze? Quanti bagni?

IL PREZZO DELLA CASA: Quanto vorrebbe pagare? La prende in affitto o la compra?

B. Problemi nell'appartamento. In coppia: Telefoni al proprietario dell'appartamento dove lei vive e si lamenti di quattro cose che non vanno bene. L'altro studente/L'altra studentessa fa la parte del proprietario che promette di risolvere i vari problemi.

PROBLEMI POSSIBILI: (1) un elettrodomestico non funziona, (2) c'è una finestra rotta, (3) non funziona il riscaldamento o manca l'acqua calda, (4) una porta non si chiude bene, ecc.

C. Le vostre case. In coppia: Prima ciascuno descrive la propria casa al compagno/alla compagna. Poi fate un confronto fra le due case e presentatelo alla classe. Confrontate:

il numero delle camere da letto, dei bagni, ecc.
l'anno in cui è stata costruita
qual è più vicina al centro o ai negozi
il numero di persone che ci abitano
i mobili

L'appartamento svaligiato.

In coppia: Il disegno a sinistra fa vedere il vostro appartamento come l'avevate lasciato stamattina. Mentre stavate fuori, sono entrati i ladri (*thieves*) e i risultati si vedono nel disegno a destra. Descrivete alla polizia quello che è successo.

▶ I ladri hanno rotto la nostra lampada Romeo e Giulietta.

 Il liceo e l'università. In coppia: Dica ad un compagno/una compagna cinque cose che faceva al liceo e che non fa più all'università. Poi insieme fate una lista delle differenze tra la vita degli studenti liceali e la vita degli studenti universitari. Cercate di usare il comparativo dove possibile.

— Al liceo avevo pochi amici ma all'università ne ho tanti.
— I corsi universitari sono più difficili di quelli liceali.

Conoscere l'Italia

A **La parola giusta.** Completi le seguenti frasi con le parole appropriate fra quelle indicate tra parentesi.

1. All'università ho seguito un corso di (famiglie/lingua e cultura) italiane.
2. Abbiamo letto due libri importanti di (letteratura/gloria) contemporanea.
3. Abbiamo visto le statue più belle della (scultura/parte) del Cinquecento.
4. Abbiamo ammirato i bellissimi palazzi dell' (accademia/architettura) italiana.
5. Abbiamo conosciuto le opere di molti (stranieri/artisti) del Rinascimento.
6. Abbiamo studiato opere di stile (gotico/comune) e di stile (fiorentino/romanico)
7. Gli artisti fiorentini sono (famosi/studiosi) in tutto il mondo.
8. A me piacciono soprattutto le (chiese/pitture) di Giotto.

> The *Rinascimento* (Renaissance) was a cultural and artistic movement that flourished in Florence between the 14th and 16th centuries. The *Medici* were a great Florentine family who governed Florence at this time. *Lorenzo il Magnifico* (1449–1492) was a poet as well as a statesman.

> Centuries (*i secoli*) are referred to in two ways, corresponding to the use in English of "19th century" and "1800s." 1200–1299 = *il tredicesimo secolo* or *il Duecento*. But, 2000–2099 = *il ventunesimo secolo*.

Firenze: Veduta parziale della Cupola e del Campanile del Duomo.

Firenze

Firenze, capoluogo della Toscana, è una delle città d'arte più famose del mondo. Secondo un sondaggio[1] turistico, viene subito dopo Gerusalemme per il numero di visitatori che accoglie[2] annualmente. Fin[3] dal Medioevo, Firenze è stata un importante centro di cultura e civiltà. Già nel Duecento vi[4] cominciano a fiorire[5] le arti quali la letteratura, la pittura, la scultura e l'architettura. Nel Rinascimento poi, sotto la guida dei Medici, e in particolare di Lorenzo il Magnifico, Firenze raggiunge l'apice[6] della sua gloria. Poeti e scrittori quali Dante, Boccaccio e Machiavelli, e artisti quali Michelangelo, Leonardo e Donatello lasciano a Firenze e al mondo intero un enorme patrimonio artistico e culturale di immenso valore.

Fra i tanti monumenti della città, il più solenne è il Duomo[7] di Santa Maria del Fiore. Di stile gotico e decorato con marmi[8] di vario colore, esso è abbellito[9] dall'elegante cupola[10] del Brunelleschi, dall'alto e snello campanile[11] di Giotto e dal Battistero di stile romanico[12] ricoperto di marmi verdi e bianchi. Altri monumenti importanti sono il Palazzo della Signoria, oggi sede del comune della città, e la chiesa di Santa Croce, dove sono sepolti[13] alcuni grandi artisti e scrittori italiani.

Nei numerosi musei fiorentini sono raccolte[14] alcune delle opere d'arte più belle del mondo. Il famoso *David* di Michelangelo può essere ammirato nella Galleria dell'Accademia, mentre le più belle pitture italiane dipinte dal Duecento al Seicento[15] sono nella Galleria degli Uffizi. E questi sono solamente alcuni dei capolavori[16] che continuamente richiamano a Firenze studiosi[17], artisti e turisti italiani e stranieri.

1. survey 2. welcomes 3. Since 4. there 5. flourish 6. apex 7. Cathedral
8. marble 9. embellished 10. dome 11. belltower 12. Romanesque 13. buried
14. gathered 15. seventeenth century 16. masterpieces 17. scholars

Dante Alighieri (1265–1321) was a Florentine poet and writer.

Giovanni Boccaccio (1313–1375) was a Florentine writer.

Niccolò Machiavelli (see p. 140) was the author of the political treatise *Il Principe*.

Donatello (1386–1466) was a Florentine sculptor.

Filippo Brunelleschi (1377–1446) was a Florentine architect and sculptor.

Giotto (1267–1337) was an architect and painter, especially of frescoes.

B **Definizioni.** Abbini le definizioni con una parola della lista di destra. Ci sono due parole in più nella lista.

1. la città più visitata del mondo dopo Gerusalemme
2. secolo in cui cominciano a fiorire le arti a Firenze
3. il periodo più importante della storia culturale di Firenze
4. lo stile architettonico del Duomo di Firenze
5. lo stile architettonico del Battistero di Firenze
6. può essere ammirato nella Galleria dell'Accademia

a. il Medioevo
b. il Seicento
c. gotico
d. Firenze
e. il *David*
f. il Duecento
g. il Rinascimento
h. romanico

Definizioni. Abbini le definizioni con una parola della lista di destra. Ci sono due parole in più nella lista.

1. sinonimo di *lingua*
2. opera principale di un artista
3. la persona che scrive opere letterarie
4. la persona che scrive poesie
5. il tredicesimo (*thirteenth*) secolo
6. linguaggio tipico di una regione o di una città diverso dalla lingua nazionale

a. lo scrittore
b. il dialetto
c. il Duecento
d. il linguaggio
e. l'origine
f. il Trecento
g. il capolavoro
h. il poeta

Le origini della lingua italiana

Il grande poeta italiano Dante Alighieri sembra un po' pensieroso. Perché?

Oltre ad avere una storia artistica e culturale di grande importanza, Firenze è stata anche la culla[1] della lingua italiana. Infatti le origini dell'italiano risalgono[2] al dialetto fiorentino del '200 (Duecento) e del '300 (Trecento). Il padre dell'italiano è Dante Alighieri. Grande poeta ma anche grammatico[3], Dante getta[4] le basi della lingua italiana. Egli scrive un'opera in latino dedicata allo studio del volgare[5], linguaggio che poi utilizza per scrivere la *Vita Nuova*, dove racconta il suo primo incontro con Beatrice. Dante si innamora di questa giovane donna che sarà l'ispiratrice del suo capolavoro letterario, la *Divina Commedia*.

Un altro padre della lingua italiana è Francesco Petrarca (1304–1374), che non è fiorentino, ma anch'egli è toscano in quanto[6] nato ad Arezzo. Uno dei più grandi poeti lirici italiani, il Petrarca è l'autore del *Canzoniere*, una raccolta[7] di poesie fra le quali domina il sonetto. Il poeta dedica questo capolavoro alla donna amata, Laura.

Il terzo gigante della letteratura e lingua italiane dell'epoca è Giovanni Boccaccio. L'opera principale di questo scrittore fiorentino è il *Decamerone*, una raccolta di cento novelle[8] raccontate nel giro[9] di dieci giorni da dieci giovani (sette donne e tre uomini) che si rifugiano[10] fuori Firenze durante la peste[11].

Decamerone (from *deka*, Greek for "ten") means "book of ten days."

1. cradle   2. date back   3. grammarian   4. lays   5. vernacular   6. by virtue of being
7. collection   8. short stories   9. in the course   10. take refuge   11. plague

B **La parola giusta.** Completi le seguenti frasi con le parole appropriate fra quelle indicate tra parentesi.

1. (Il dialetto/La lingua) italiano/a è nato/a a Firenze.
2. Dante è il (poeta/padre) della lingua italiana.
3. Oltre ad essere poeta, Dante era anche (un grammatico/uno scrittore).
4. La *Divina Commedia* è (il capolavoro/l'opera) letterario/a di Dante.
5. Beatrice è l' (autrice/ispiratrice) della *Divina Commedia*.
6. Francesco Petrarca è l' (ispiratore/autore) del *Canzoniere*.
7. Il *Decamerone* di Giovanni Boccaccio è una raccolta di cento (poesie/novelle).

Lezione 15

Le manifestazioni politiche sono una ricorrente caratteristica della vita italiana.

Il telegiornale

Communicative Objectives

- Report on and react to news
- Name and locate European countries and capitals
- Express hopes, wants, demands, and opinions
- Give advice
- Talk about politics

Sono le venti e il telegiornale della sera va in onda.

ANNUNCIATRICE: Buona sera! Ecco i titoli del nostro telegiornale.

- Stasera l'incontro dei due leader degli opposti schieramenti politici.
- Incontro del Commissario europeo con i nuovi stati membri dell'UE.°
- Visita al Papa del re di Spagna.
- Un altro sbarco di clandestini in Sicilia.
- All'alba ancora un incidente mortale dopo la discoteca.
- Continua l'altalena del dollaro rispetto all'°euro.
- La squadra nazionale di calcio incontra stasera la Germania.

UE = Unione Europea

The *Commissario* is the president of the European Commission whose function is to oversee the Union's activities.

compared with

Buona sera a tutti i nostri telespettatori!

- Le elezioni politiche sono alle porte.° Questa sera alle 22.00 ci sarà su questo canale il primo incontro televisivo tra i due leader politici della destra e della sinistra. Gli elettori sperano che i candidati presentino un programma politico-economico serio e credibile.

imminent

- Oggi i rappresentanti delle dieci nazioni europee appena entrate a far parte dell'UE sono arrivati a Strasburgo. Questa mattina il Commissario europeo ha dato loro il benvenuto in Parlamento.

Look at the map of Europe on p. 337 and a map of Italy and locate all the places mentioned in the newscast.

- Dopo la visita di ieri al Presidente della Repubblica italiana, il re di Spagna si reca oggi dal Papa.
- Durante la notte è sbarcata sulla costa siciliana una nave carica di° trecento clandestini extracomunitari°, per lo più donne e bambini. È possibile che la maggior parte venga rimpatriata°.

loaded with
from a non-EU country
sent back

- Dopo una notte in discoteca, quattro giovani sono morti in un gravissimo incidente automobilistico vicino a Napoli. Sembra che, come al solito, l'eccessiva velocità sia la causa di questa disgrazia.
- Sui mercati finanziari il dollaro è in difficoltà e continua a perdere valore rispetto all'euro. È necessario che la Banca centrale europea prenda immediate decisioni per stabilizzare il cambio.
- Per lo sport, vi ricordo che su questa rete alle ore ventuno ci sarà l'incontro di calcio tra la nostra squadra nazionale e quella della Germania. Buon divertimento!

Grazie per essere stati con noi°, e buona serata!

for being with us

Domande

1. Perché l'annunciatrice annuncia i titoli del telegiornale?
2. Che cosa c'è stasera alle ore 22.00? Che cosa sperano gli elettori?
3. Quali rappresentanti sono oggi a Strasburgo? Chi li riceve? Perché?
4. Chi va a visitare il Papa oggi? Dove si è recato ieri?
5. Chi c'era sulla nave che è arrivata in Sicilia?
6. Qual è stata la causa dell'incidente automobilistico?
7. Cosa succede al dollaro? Che cosa deve fare la BCE? Perché?
8. Con chi gioca la nazionale di calcio italiana?

> BCE = Banca centrale europea

Domande personali

1. Lei ascolta il telegiornale? Quale? A che ora? Quale annunciatore/annunciatrice preferisce?
2. Preferisce ascoltare le notizie locali, nazionali o internazionali?
3. Quali problemi politici si discutono in questi giorni?
4. Quali sono i maggiori problemi internazionali riportati in questi giorni dal telegiornale?
5. Qual è il suo sport preferito? Qual è la sua squadra preferita?
6. Ha mai avuto un incidente automobilistico (*traffic accident*)? Quando? Dove? Da che cosa è stato causato?

Pratica

1. In gruppi di tre o quattro: Ogni studente riferisce una breve notizia riportata recentemente dal telegiornale. Ecco alcune espressioni da usare per reagire alle notizie annunciate dagli studenti.

Ancora! Again! Still!	**Che disgrazia!** What a disaster!
Meno male! All the better!	**Sarebbe ora!** It's about time!
Non ci credo proprio! I don't believe it!	**Che buffo!** How funny!
	Che bello! How nice!
Oh, mio Dio! Oh, my God!	**Sarà vero?** Could it be true?

2. Scriva un breve articolo per un giornale italiano basato sulla notizia presentata nella Pratica 1. È importante spiegare prima che cosa è successo e dopo chi sono i personaggi importanti, dove è successo l'avvenimento, quando, come e perché.

Il sistema politico italiano

*L*o stato italiano è nato nel 1861 con il nome di Regno[1] d'Italia. Dopo la caduta del regime fascista nel 1943, con il referendum del 1946 il popolo italiano scelse[2] la repubblica invece della monarchia. Dal 1948, con l'entrata in vigore[3] della nuova costituzione, l'Italia è una repubblica democratica.

Al vertice[4] dello stato, vari organi esercitano il potere esecutivo, legislativo e giudiziario, ognuno nei limiti stabiliti dalla Costituzione. Il Presidente della Repubblica rappresenta l'unità dello stato e promuove[5] ed armonizza l'attività degli altri organi. La linea politica del governo[6] è invece determinata dal consiglio dei ministri, composto dal Presidente del Consiglio, che esercita la funzione più importante nel governo, e da vari ministri. Il Parlamento è formato dalla Camera dei deputati (630 membri) e dal Senato (315 membri). Nel settore giudiziario molto importante è la Corte Costituzionale, che ha il compito di assicurare[7] la corretta applicazione della Costituzione italiana.

Nel 1957, con il Trattato di Roma, l'Italia è entrata a far parte della Comunità economica europea (CEE). Oggi la CEE è diventata l'Unione Europea (UE) e ad essa appartengono[8] quasi tutti i paesi dell'Europa occidentale e vari paesi dell'Europa orientale. La sede[9] del Parlamento europeo è a Strasburgo e quella della Commissione Europea è a Bruxelles. La bandiera[10] dell'UE è di colore blu ed ha un cerchio di stelle[11], pari[12] al numero dei paesi membri. Molti sono i privilegi dei paesi dell'Unione. L'euro è diventato la moneta comune della maggior parte di essi. Le dogane[13] sono state abolite e c'è la libera circolazione di merci[14] e di persone.

Oggi i deputati del Parlamento italiano hanno votato, ma questa legge non è stata approvata.

- Com'è il sistema politico americano? È simile a quello italiano o è diverso? In che modo?

---

1. Kingdom 2. chose 3. enforcement 4. At the head 5. fosters 6. Government policy 7. the duty of guaranteeing 8. belong
9. seat 10. flag 11. circle of stars 12. equal 13. customs 14. merchandise, goods

Vocabolario

Parole analoghe

annunciare	l'elezione	il membro	il rappresentante
il candidato	europeo/a	nazionale	la repubblica
la causa	finanziario/a	la nazione	serio/a
il clandestino	immediato/a	opposto/a	stabilizzare
il commissario	internazionale	il parlamentare	lo stato
continuare	l'istituzione	il parlamento	televisivo/a
credibile	locale	politico/a	il valore
eccessivo/a	il/la leader	il/la presidente	

Nomi

l'alba (*f.*) dawn
l'altalena ups and downs, see-saw
l'annunciatore (*m.*)/**l'annunciatrice** (*f.*) newscaster
il cambio rate of exchange
il canale channel
la destra right (side)
la disgrazia accident, misfortune
l'elettore (*m.*)/**l'elettrice** (*f.*) voter
l'incidente (*m.*) accident
l'incontro meeting
la nave ship
la notizia news
il Papa Pope
il re king
la rete network
lo sbarco landing
lo schieramento alignment
la sinistra left (side)
il telegiornale TV newscast
il telespettatore (*m.*)/**la telespettatrice** (*f.*) TV viewer
il titolo headline
la velocità speed

Aggettivi

automobilistico/a car
mortale fatal

Verbi

recarsi to go
ricordare to remind
sbarcare to land
succedere to happen

Altre parole ed espressioni

andare in onda to be broadcast; to go on the air
appena just
come al solito as usual
dare il benvenuto to welcome
fare parte di to be a member of
la maggior parte majority
per lo più mostly

Pronuncia

Ripasso della consonante *r*

As you learned in **Lezione 6**, Italian /r/ represents a trill sound, which has no exact equivalent in English. Practice the trill by vibrating the tip of the tongue against the gum ridge behind the upper front teeth. This produces a sound similar to the *tt* in the English words *bitter, better, butter,* when they are pronounced rapidly. Italian /**r**/ is pronounced with a single flutter of the tip of the tongue. The sound /**rr**/ is produced with a multiple flutter of the tip of the tongue.

A Ascolti e ripeta le parole. Faccia attenzione al suono della **r**.

dire	stare	corre	forte
trenta	mare	burro	esperto
camera	vero	aperto	corto
dare	zero	tradurre	birra

B Ascolti e ripeta le frasi. Faccia attenzione al suono della **r**.
Ieri è arrivato all'aeroporto Leonardo da Vinci il **r**e di Spagna. Alle **tr**e del pomeriggio si è **r**ecato dal **P**residente della **R**epubblica. Sui mercati finanziari, il dollaro perde valore **r**ispetto all'euro. I **r**appresentanti europei ne parleranno con il commissario **R**inaldi. Grazie ed arrivederci a domani sera.

Ampliamento del vocabolario

Paesi e capitali d'Europa

Here is a partial list of European countries and their capitals.

l'Austria   Vienna
il Belgio   Bruxelles
la Danimarca   Copenaghen
la Francia   Parigi
la Germania   Berlino
la Gran Bretagna   Londra
la Grecia   Atene
l'Irlanda   Dublino
l'Italia   Roma
l'Olanda   Amsterdam
la Polonia   Varsavia
il Portogallo   Lisbona
*la Russia   Mosca
la Spagna   Madrid
*la Svizzera   Berna
l'Ungheria   Budapest

*Not EU members

1. The definite article is generally used with the names of countries. The article contracts with the preposition **di.**

L'Italia è un paese affascinante. *Italy is a fascinating country.*
La capitale **del Portogallo** è Lisbona. *The capital of Portugal is Lisbon.*
Parigi è la capitale **della Francia.** *Paris is the capital of France.*

2. The definite article is not used with the preposition **in** + *name of country*, except before a plural or modified noun.

Vado **in Francia.** *I'm going to France.*
I miei amici sono **in Spagna.** *My friends are in Spain.*

But: Abito **negli** Stati Uniti. *I live in the United States.*
Nella Spagna centrale ci *In central Spain there are many*
sono molte belle città. *beautiful cities.*

> Remember that *a* is used with a city or town to mean *in* or *to*: *Abito a Roma. Andiamo a Roma.*

 In gruppi di due o tre: Fate le domande ai vostri compagni basate sulle informazioni che seguono.

▶ la capitale dell'Italia — Qual è la capitale dell'Italia?
— Roma.

1. la capitale della Gran Bretagna
2. dov'è Lisbona
3. le nazioni che confinano con l'Italia
4. le lingue ufficiali della Svizzera
5. dov'è Atene
6. la capitale e la lingua ufficiale della Francia
7. due isole del Nord Europa che sono nazioni importanti
8. tre paesi europei che non confinano con il mare
9. tre paesi europei sul Mediterraneo
10. due paesi europei con le coste sull'Atlantico e sul Mediterraneo

La politica e il governo

l'ambasciatore ambassador
la Camera dei deputati house of representatives
il comune city hall
il consiglio dei ministri council of ministers (cabinet)
la costituzione constitution
democratico/a democratic
il deputato representative
governare to govern
il governo government; administration
la manifestazione demonstration
il ministro minister;
il presidente del consiglio/il primo ministro prime minister

la monarchia monarchy; **la monarchia costituzionale** constitutional monarchy
il partito political party
il/la presidente president
il re king
la regina queen
la repubblica republic
repubblicano/a republican
il senato senate
il senatore/la senatrice senator
il sindaco mayor
lo stato state

> Use these expressions to create a crossword puzzle.

B In coppia: Dia la parola giusta per ciascuna delle seguenti definizioni.

▶ la moglie del re   — Come si chiama la moglie del re?
                     — Si chiama la regina.

1. la persona che rappresenta il proprio paese in una nazione straniera
2. tipo di governo dove c'è una famiglia reale (*royal*)
3. il documento che contiene le leggi fondamentali di un paese
4. un membro del senato
5. il capo della repubblica
6. governa una città o un paese
7. il posto del governo di una città o di un paese
8. il posto dove si riuniscono i rappresentanti eletti dalla gente
9. la persona che è a capo di una monarchia
10. vi fanno parte tutti i ministri del governo
11. il ministro più importante di tutti
12. il femminile di *senatore*

C In gruppi di due o tre: Faccia le seguenti domande agli altri studenti.

1. Sai i nomi dei senatori del tuo stato? Quali sono?
2. Ti piacerebbe dedicarti alla politica? Perché?
3. Quali sono i partiti più importanti nel tuo paese?
4. Sai il nome del Presidente dell'Italia? del Presidente del Consiglio dell'Italia? del primo ministro del Canadà? del Commissario dell'UE?
5. Sai dirmi quali sono alcuni paesi in cui c'è la monarchia? Conosci il nome del re/della regina?
6. Si è mai dimesso (*resigned*) un presidente degli Stati Uniti? Chi?
7. Quando è stata firmata (*signed*) la Costituzione degli Stati Uniti?
8. Quanti deputati ci sono negli Stati Uniti? Quanti senatori?
9. Quali sono i problemi politici più importanti del paese?
10. In quali città ci sono spesso manifestazioni? Che tipo di manifestazioni?

D In gruppi di due o tre: Lei vuole presentarsi come candidato/a alla presidenza del comitato studentesco. Prepari insieme ai suoi compagni un messaggio pubblicitario da mandare in onda alla radio dell'università. Ecco alcuni problemi (*issues*) che possono interessarvi.

il rapporto fra studenti e professori
l'orario della biblioteca
luoghi di studio e di riposo necessari agli studenti pendolari
il cibo della mensa (*cafeteria*) universitaria
le attività sportive nell'università

Struttura ed uso

Congiuntivo presente: verbi irregolari

— Preferisco che tu **abbia** un'espressione un po' più seria.

1. As you learned in **Lezione 14,** the subjunctive is used in a subordinate clause introduced by **che** after verbs that express a desire, a hope, or a demand.

Insiste che suo figlio **torni** a casa presto.   *She insists her son come home early.*
Speriamo che i politici **prendano** presto   *We hope the politicians make*
   una decisione sull'economia.   *a decision soon about the economy.*

2. The following common verbs have irregular present subjunctive forms. Note that all the endings have the same characteristic vowel, **a,** regardless of whether they are **-are, -ere,** or **-ire** verbs. For the present subjunctive of additional irregular verbs, see Appendix F.

infinitive	present subjunctive
andare	vada, vada, vada, andiamo, andiate, vadano
avere	abbia, abbia, abbia, abbiamo, abbiate, abbiano
bere	beva, beva, beva, beviamo, beviate, bevano
dare	dia, dia, dia, diamo, diate, diano
dire	dica, dica, dica, diciamo, diciate, dicano
dovere	debba, debba, debba, dobbiamo, dobbiate, debbano
essere	sia, sia, sia, siamo, siate, siano
fare	faccia, faccia, faccia, facciamo, facciate, facciano
potere	possa, possa, possa, possiamo, possiate, possano
rimanere	rimanga, rimanga, rimanga, rimaniamo, rimaniate, rimangano
stare	stia, stia, stia, stiamo, stiate, stiano
uscire	esca, esca, esca, usciamo, usciate, escano
venire	venga, venga, venga, veniamo, veniate, vengano
volere	voglia, voglia, voglia, vogliamo, vogliate, vogliano

Notice that the endings of irregular verbs are the same as the endings of regular *-ere* and *-ire* verbs.

Spero che **stiano** bene.   *I hope that they're all right.*
I professori insistono che io **faccia** più   *My professors insist that I pay more*
   attenzione durante le lezioni.   *attention during the lessons.*

A In coppia: Fino ad oggi voi avete sempre cercato di avere pazienza con il vostro compagno/la vostra compagna di camera (*roommate*) che fa molte cose che non vi piacciono. Per esempio:

Va a dormire alle tre di mattina.
Non ha nessun senso di responsabilità.
Fa molte telefonate interurbane, ma non vi dà mai i soldi per
    pagare il telefono.
Ascolta la musica di Pink Floyd.
Non vi dice quando qualcuno vi ha telefonato.
Esce sempre senza pulire la cucina.
È troppo generoso/a con le vostre cose: le presta a tutti i suoi amici.
Fa molte feste e invita molte persone sconosciute (*unknown*) nel vostro
    appartamento.

Finalmente avete deciso di dirgli/le esattamente quello che volete che lui/lei faccia. Cosa gli/le dite?

▶ Vogliamo che tu vada a dormire più presto. Insistiamo che tu non faccia rumore dopo mezzanotte ...

B Forse *avere* un figlio o una figlia è ancora più difficile di *essere* un figlio o una figlia. Pensi a quando lei forse sarà una madre o un padre, e quello che lei vorrà che suo figlio faccia o non faccia. Scriva almeno cinque frasi utilizzando espressioni come **Insisto che mio figlio/mia figlia ... , Preferisco che ... , Voglio che ... ,** ecc.

▶ Voglio che mia figlia faccia molto sport, ma insisto che sia anche brava a scuola. Spero che abbia molti amici e preferisco che ...

C In coppia: Discutete i desideri possibili delle seguenti persone e finite le frasi con due o tre possibilità per ogni frase.

Gli elettori preferiscono che i candidati ...
Il presidente di un paese vuole che ...
I politici della destra insistono che ...
I politici della sinistra desiderano che ...
Il Papa spera che ...
Il sindaco di una grande città vuole che ...

D In coppia: Pensi ad una persona con cui ha un rapporto molto stretto (*close relationship*): un parente, un amico/un'amica, la sua ragazza o il suo ragazzo. Poi scriva:

tre cose che lei vuole che questa persona faccia
tre cose che questa persona vuole che lei faccia
due cose che voi sperate di fare insieme

Poi riferisca l'informazione ad un altro studente/un'altra studentessa.

▶ Voglio che lui sia sempre onesto. Voglio che mi aiuti a studiare, e non voglio che esca con il suo amico Mark che non mi piace.
Lui vuole che io ...
Noi speriamo di andare ...

> Remember: if there is no change of subject, an infinitive follows the main verb.

E In coppia: Pensi ad un viaggio che lei spera di fare. Dica ad un amico/un'amica quello che lei spera di fare e quello che lei spera che succeda durante il viaggio.

▶ Spero di partire per la Florida il 13 febbraio.
Spero che faccia bel tempo, ecc.

Interno dell'elegante Galleria Umberto I di Napoli.

Congiuntivo con espressioni impersonali

— È bene che **pulisca** la casa.
— Sì, ma è impossibile che **sia** sempre così allegra!

1. The subjunctive is used after certain expressions of necessity, possibility, probability, and opinion that indicate the speaker's attitude.

È necessario che i capi dell'UE discutano il problema.
Ma non **è probabile** che trovino facilmente una soluzione.

These common impersonal expressions usually require the subjunctive.

è bene	it's good	**è opportuno**	it's appropriate, suitable
è giusto	it's right		
è importante	it's important	**è ora**	it's time
è impossibile	it's impossible	**è possibile**	it's possible
è improbabile	it's unlikely	**è preferibile**	it's preferable
è inopportuno	it's inappropriate, unsuitable	**è probabile**	it's probable
		sembra }	it seems
è meglio	it's better	**pare**	
è necessario	it's necessary		

È probabile che oggi il re di Spagna si rechi dal Papa.

It's probable that the king of Spain is going to visit the Pope today.

Sembra che l'eccessiva velocità sia la causa dell'incidente.

It seems that excessive speed is the cause of the accident.

È necessario che la banca prenda decisioni immediate.

It's necessary that the bank make some immediate decisions.

È ora che gli immigrati clandestini vengano rimpatriati.

It's about time that illegal aliens be sent back home.

2. If no subject is specified, an infinitive is used after an impersonal expression.

È importante **seguire** le notizie politiche.	*It's important to follow the political news.*
È importante **che tu segua** le notizie politiche.	*It's important that **you** follow the political news.*
È bene **sapere** quello che succede nel mondo.	*It's good to know what's going on in the world.*
È bene **che noi sappiamo** quello che succede nel mondo.	*It's good that **we** know what's going on in the world.*

3. With impersonal expressions that indicate certainty, the indicative is used in the **che** clause.

È vero che il governo è in crisi.	*It's true that the government is in crisis.*
È chiaro che le elezioni sono alle porte.	*It's clear that the elections are just around the corner.*

F In coppia: Con un compagno/una compagna, commentate su quello che voi e gli altri fate questo fine settimana. Formulate frasi complete con gli elementi delle tre colonne.

▶ È meglio che tu stia a casa.

È necessario	che noi	uscire con Michele
È bene	che gli amici	andare ad una festa
È meglio	che tu	venire a casa mia
È possibile	che io	stare a casa
È preferibile	che tu e Gina	divertirsi
È importante		assistere ad un concerto
È probabile		giocare a pallavolo
		guardare un vecchio film
		lavorare

G Lei fa parte della squadra di pallavolo della sua università. Un suo amico/Una sua amica vorrebbe partecipare, ma prima vuole sapere che cosa deve fare. Gli/Le dica le regole (*rules*) di comportamento della squadra come indicato nel modello.

▶ È importante andare a dormire presto.
   È importante che tu vada a dormire presto.

1. È necessario dormire otto ore.
2. È necessario alzarsi alle sei e mezzo ogni mattina.
3. È importante venire a tutti gli allenamenti (*practices*).
4. È necessario non arrivare in ritardo.
5. È importante fare ginnastica tre volte alla settimana.
6. È importante non mangiare troppo.
7. È necessario prendere voti buoni.
8. È importante avere molta pazienza.

H Finisca le frasi in maniera logica.

1. È bene che i giovani ...
2. È importante che gli studenti universitari ...
3. Sembra che il governo ...
4. Spero che i capi di tutti i paesi del mondo ...
5. È opportuno che il nostro presidente ...

I **Signora Sapienza.** Lei scrive una rubrica (*column*) su un giornale in cui dà consigli alle persone che hanno problemi. Con un amico/un'amica, leggete le seguenti lettere e date risposte appropriate usando frasi quali **è necessario che, è opportuno che, non è giusto che,** ecc.

Cara signora Sapienza,

Sono una ragazza simpatica e ho sempre molti impegni e appuntamenti. Mia nonna, che abita dall'altra parte del bosco, insiste che io vada a trovarla ogni giorno, e che le porti qualcosa da mangiare. Io voglio bene alla nonna ma la sua casa è lontana e non ho la macchina: devo andare a piedi. E poi il bosco è pericoloso (*dangerous*) e sembra che ci siano i lupi (*wolves*). Mi dica cosa devo fare?

C. R.

Cara signora Sapienza,

Sono un principe allegro e disinvolto. Un mese fa, mentre camminavo nel bosco ho visto una principessa che dormiva sull'erba (*grass*). Era così bella che mi sono innamorato immediatamente. Ma questa principessa non mi parla, non mi guarda e non ascolta le mie canzoni d'amore. Dorme e basta. Cosa posso fare per farmi notare?

Disperato

Cara signora Sapienza,

Noi siamo sette piccoli fratelli e viviamo in una bella casetta nel bosco. Fino a due settimane fa, non avevamo problemi. Giorni fa, però, siamo ritornati dal lavoro e abbiamo trovato una signorina che puliva la nostra casa. Da quel giorno questa signorina è stata sempre con noi: canta, pulisce, balla e cucina. Noi preferiamo che la nostra casa sia sporca (*dirty*), e non vogliamo più sentirla. Cosa ci consiglia di fare, lei che sa tutto?

Scocciati (*Fed up*)

> Did you recognize these traditional stories? In Italian they are called *Cappuccetto Rosso, La bella addormentata nel bosco,* and *Biancaneve e i sette nani.*

Superlativo relativo e superlativo assoluto

The symbol M on political messages means *abbasso* (down with . . .). Its opposite, W, means *viva* or *evviva* (long live . . .).

la manifestazione **più** importante   la manifestazione **più** personale

1. The relative superlative is used to single out people or things from others in the same group or with similar characteristics. The superlative is formed by using a *definite article* + **più/meno** + *adjective* + **di. Di** contracts with a definite article in the usual prepositional contractions.

Roma è forse **la** città **più bella** d'Italia.	*Rome is perhaps the most beautiful city in Italy.*
Il San Carlo è **il** teatro **più importante di** Napoli.	*San Carlo is the most important theater in Naples.*
Bologna è fra **le** città **meno conosciute** d'Italia.	*Bologna is among the least well-known cities in Italy.*
Io abito nel**la** strada **meno tranquilla della** città.	*I live on the least quiet street in the city.*

2. The absolute superlative expresses the highest possible degree of a quality or characteristic. The absolute superlative can be expressed with **molto,** or by adding the suffix **-ssimo (-ssima, -ssimi, -ssime)** to the masculine plural form of adjectives.

adjective	masc. pl.	suffix	superlative
bello	belli	+ ssimo	bellissimo/a
grande	grandi	+ ssimo	grandissimo/a
bianco	bianchi	+ ssimo	bianchissimo/a
lungo	lunghi	+ ssimo	lunghissimo/a
simpatico	simpatici	+ ssimo	simpaticissimo/a

— È stato **grave** l'incidente?   — Sì, è stato **gravissimo.**

— Sono **veloci** le Lamborghini?   — Sì, sono **velocissime!**

— Sembra che sia **difficile** prendere una decisione.   — Infatti, è **difficilissimo!**

3. The suffix **-issimo** can also be added to some adverbs after dropping the final vowel.

— Parlano bene l'italiano?　　— Sì, lo parlano **benissimo.**
— Ti senti male?　　　　　　— Sì, **malissimo.**
— Studiate molto?　　　　　　— Sì, ma non **moltissimo.**

　Qual è? Abbinate le cose o persone di sinistra con le frasi di destra.

Il Vesuvio	il fiume più lungo d'Italia
La Ferrari e la Lamborghini	le città più industrializzate d'Italia
Giuseppe Garibaldi	il lago più grande d'Italia
La torre pendente	le scarpe più eleganti del mondo
(*leaning tower*)	le macchine più veloci di tutte
Il Lago di Garda	il vulcano più famoso del mondo
Milano e Torino	l'eroe più amato del Risorgimento
Il Po	italiano
Quelle di Ferragamo	la montagna più alta degli Appennini
Il Gran Sasso	il monumento più famoso di Pisa

Mount Vesuvius is an active volcano on the Bay of Naples; it destroyed the city of Pompeii in A.D. 79.

The Leaning Tower of Pisa was built in the thirteenth century as a belltower for the city's cathedral.

Veduta panoramica del golfo di Napoli con la città, il porto e il Vesuvio.

K In coppia: Parlate dei monumenti e luoghi d'interesse a Roma, usando il superlativo relativo come nel modello.

▶ Villa Borghese / parco / bello   Villa Borghese è il parco più bello di Roma.

1. la Galleria Borghese / museo / importante
2. San Pietro / monumento / grandioso
3. il Pantheon / edificio / antico
4. via Condotti / via / elegante
5. l'Antico Caffè Greco / bar / caratteristico
6. l'Hassler / albergo / costoso
7. Battistoni e Bulgari / negozi / cari
8. via del Corso / strada / trafficata

L In coppia: Parlate delle cose della vostra città secondo le categorie indicate.

▶ strada più importante   S1: Qual è la strada più importante di questa città?
                            S2: Main Street è la strada più importante della città.

1. palazzo più alto
2. zona più caratteristica
3. negozio più elegante
4. negozio meno elegante
5. ristorante più costoso
6. ristorante meno costoso
7. piazza più bella
8. discoteca più bella

M In coppia: Fate una lista di quattro film che avete visto, film eccellenti o film ... meno belli. Commentate i film, usando superlativi o comparativi dove possibile, ed aggettivi come **bello, brutto, banale, divertente,** ecc.

— Episodio 3 di *Guerre stellari* è un bel film. Anzi, bellissimo.
— Macché! (*Are you kidding?*) È un film banalissimo!
— Secondo me è il film più divertente ...
— Sì ma ...

N In coppia: Voi lavorate in un'agenzia pubblicitaria e dovete creare degli slogan per i seguenti prodotti. Cercate di usare il superlativo negli slogan pubblicitari che create.

▶ Acecasa (un detersivo per i pavimenti)
  Usate Acecasa: il detersivo più efficace per pavimenti bellissimi!

1. Ultrabrill (uno shampoo per signora)
2. Leggilux (un sistema di software per aiutare i bambini a leggere)
3. Snellabell (una linea di cibi dietetici)
4. Odorstop (un deodorante)
5. Autoflash (un olio per la macchina)
6. Cioccodent (un dentifricio al cacao)

O In gruppi di tre: Parlate della vostra università facendo riferimento ai seguenti temi.

1. il corso più difficile
2. il corso meno difficile
3. la specializzazione più impegnativa (*challenging*)
4. la specializzazione più utile
5. la specializzazione più popolare
6. il luogo più tranquillo per studiare
7. il luogo meno tranquillo per studiare
8. i/le professori/esse più bravi/e dell'università

Comparativi e superlativi irregolari

il **migliore** film dell'anno   il **peggiore** film dell'anno

1. The adjectives **buono, cattivo, grande,** and **piccolo** have both regular and irregular comparative and relative superlative constructions. The regular and irregular forms are often interchangeable, although the context sometimes determines when each should be used. The following chart shows the irregular forms.

adjective	comparative	irregular superlative			
buono	migliore/i		migliore		migliori
cattivo	peggiore/i	il	peggiore	i	peggiori
grande	maggiore/i	la	maggiore	le	maggiori
piccolo	minore/i		minore		minori

> The irregular forms of *grande* and *piccolo* often refer to numbers rather than physical size: *È il maggiore della famiglia* (in years); *È il più grande della famiglia* (in size).

Il tempo oggi è **peggiore** di quello di ieri.   *The weather today is worse than yesterday's.*

Credo che Mirella Rossi sia la **migliore** candidata.   *I think Mirella Rossi is the best candidate.*

Il **maggior** numero di elettori in questa città sono donne.   *The greater number of voters in this city are women.*

Maggiore and **minore** are often used in the sense of *older/oldest* and *younger/youngest.*

Giuseppe è il **minore** di quattro fratelli.   *Giuseppe is the youngest of four brothers.*

Chiede consigli ai suoi fratelli **maggiori.**   *He asks his older brothers for advice.*

2. Buono, cattivo, grande, and **piccolo** also have regular and irregular absolute superlative forms. The irregular forms are not always interchangeable with the regular forms.

buono	{ buonissimo/a ottimo/a		grande	{ grandissimo/a massimo/a
cattivo	{ cattivissimo/a pessimo/a		piccolo	{ piccolissimo/a minimo/a

Queste torte sono **ottime** (buonissime)!	*These cakes are excellent!*
Quel vino è **pessimo** (cattivissimo)!	*That wine is awful!*
Oggi la temperatura **massima** è di 20° C.	*Today the highest temperature is 20° C.*
Qual è stata la temperatura **minima** di ieri?	*What was the lowest temperature yesterday?*

3. The adverbs **bene, male, poco,** and **molto** have irregular forms when used in comparative constructions.

adverb	comparative
bene	meglio
male	peggio
molto	più
poco	meno

— Oggi mi sento bene. Mi sento **meglio** di ieri.	*— I feel fine today. I feel better than yesterday.*
— Io invece mi sento male. Mi sento **peggio** di ieri.	*— I on the other hand feel badly. I feel worse than yesterday.*
— Tu usi molto la macchina. La usi **più** di me.	*— You use the car a lot. You use it more than I do.*
— Sì, ma tu esci poco. Esci **meno** di me.	*— Yes, but you don't go out much. You go out less often than I do.*

Ⓟ Paragoni (*Compare*) le seguenti persone. Formuli frasi complete, usando la forma *irregolare* del comparativo degli aggettivi indicati.

▶ Laura / grande / me
Laura è maggiore di me.

1. mio cugino / cattivo / tuo cugino
2. tu / piccolo / Luigi
3. i miei amici / buono / i suoi amici
4. mia sorella / grande / la sorella di Carlo
5. i miei fratelli / piccolo / i tuoi fratelli
6. voi / cattivo / loro
7. la signora Speroni / grande / il signor Dini
8. lui / buono / lei

Q Completi le frasi con il nome di una persona della sua famiglia, di un amico/un'amica o di una persona famosa. Poi confronti se stesso/a con queste persone, come nel modello.

▶ scrivere bene   Jane Austen scrive bene. Scrive meglio di me.
  parlare molto   Mio fratello Giorgio parla molto, ma io parlo più di lui.

1. studiare molto
2. cantare male
3. giocare bene a pallacanestro
4. cucinare male
5. mangiare poco
6. parlare bene l'italiano
7. uscire molto
8. guidare male

R In coppia: Compilate una lista delle cose migliori e peggiori della vostra città. Categorie possibili:

migliore/peggiore pizza
migliore/peggiore gelato
migliore/peggiore club o discoteca
migliori/peggiori negozi (di scarpe, di vestiti, ecc.)
migliori/peggiori ristoranti (italiano, cinese, ecc.)

▶ La migliore pizza si mangia alla Pasquale's House of Pizza. La peggiore
  pizza si mangia alla mensa universitaria.

S In gruppi di tre: Pensate ai film che avete visto l'anno scorso. Adesso viene il momento di dare i premi Oscar. Proponete un candidato per ogni categoria.

Migliore film dell'anno
Migliore attore
Migliore attrice
Migliore attore non protagonista
Migliore attrice non protagonista
Migliore regista
Migliore colonna sonora (*soundtrack*)

  For further practice of lesson
topics, log on to the *Oggi in Italia* website and/or do the CD-ROM activities.

Parliamo un po'

A **Noleggiare un video.** In coppia: È venerdì sera e lei vorrebbe noleggiare un DVD: ma dove? Chieda al compagno/alla compagna di casa se sa dov'è possibile noleggiarlo. Lei vuole sapere:

dove andare
il nome del negozio
l'indirizzo
se il negozio è vicino o lontano dal
    vostro appartamento
che genere di film hanno

VIDEO NOLEGGIO
La Mela
VIA SPINOZA 65-ROMA

classici
commedia
avventura
cartoni animati
fantascienza
dramma
videogiochi
etc. etc.

girare ←

finalmente un VIDEOCLUB a due passi da casa tua!

B **Scegliere un film.** In gruppi di tre: Lei e due amici arrivate al Videoclub La Mela e trovate che sono rimasti solo quattro DVD. Sono:

Le nuove avventure dei Puffi (Smurfs) *nello spazio.* Cartoni animati.
Morte e distruzione. Un film italiano degli anni cinquanta; in bianco e
    nero con sottotitoli in inglese.
Venerdì tredici VII: Il terrore finale.
Baciami, cretino! (Kiss me, stupid!). Film comico del 1964 con Doris
    Day e Rock Hudson.

Scelga uno dei quattro film e convinca i suoi amici a noleggiarlo.

MULTISALA EURCINE
2F091582EB9A52AD-A0001636
ALLA LUCE DEL SOLE
01-02-05 h16:45 [20050201 16:22]
5,00Euro INTERO
Euro
[4-210001] 00194578
Lire 9.681
4
033164
CIRCUITO CINEMA SRL
VIA DELLE QUATTRO FONTANE, 23
00184 ROMA - TEL. 06.4746040
P.I 05093591004

C **Guarda il telegiornale?** Lei vuole fare un sondaggio per sapere
se gli altri studenti della classe guardano regolarmente il telegiornale.
Parli con tre studenti, e prenda appunti.

	1	2	3
guarda il telegiornale?	_____	_____	_____
quale canale?	_____	_____	_____
a che ora?	_____	_____	_____
quante volte alla settimana?	_____	_____	_____
annunciatore/annunciatrice preferito/a?	_____	_____	_____
È importante seguire regolarmente le notizie.	sì / no	sì / no	sì / no
È importante che i giovani sappiano quello che succede nel mondo.	sì / no	sì / no	sì / no
I giovani di oggi sono molto informati.	sì / no	sì / no	sì / no
Il telegiornale presenta:			
sufficienti notizie locali.	sì / no	sì / no	sì / no
sufficienti notizie nazionali.	sì / no	sì / no	sì / no
sufficienti notizie internazionali.	sì / no	sì / no	sì / no

D **Le ultime notizie.** In gruppi di quattro: Preparate un telegiornale
su quello che è successo ieri nella vostra città, o la settimana scorsa
nella vostra università. Siete tre annunciatori/annunciatrici (uno/a di
sport) e un meteorologo.

E **Un'intervista particolare.**

S1
Lei è un/una giovane giornalista che deve intervistare un famoso senatore/una famosa senatrice americano/a. Lei vuole sapere da questa persona:

da quanti anni fa questo lavoro
come ha cominciato a fare politica
la persona più interessante che abbia mai conosciuta
il momento più comico durante le campagne elettorali
il momento più brutto
cosa consiglia a una persona giovane che desidera fare politica

S2
Lei è un famoso senatore/una famosa senatrice americano/a e ha accettato un'intervista da parte di un/una giovane giornalista.
Risponda alle domande del/della giornalista usando la fantasia per provvedere le informazioni richieste. Deve anche dare consigli ai giovani che vogliono fare politica. (È opportuno che …)

Conoscere l'Italia

 Definizioni. Abbini le definizioni con una parola della lista di destra. Ci sono due parole in più nella lista.

1. piccole montagne
2. che ha lo stesso nome
3. la bella veduta di un posto
4. indica il tempo che fa in un determinato posto
5. statue e palazzi famosi
6. una piccola piazza
7. il contrario di *pochi/e*
8. il contrario di *vecchio/a*
9. luogo religioso
10. il contrario di *moderno/a*

a. la chiesa
b. la piazzetta
c. il golfo
d. il panorama
e. il fascino
f. il clima
g. i monumenti
h. antico/a
i. le colline
j. omonimo/a
k. numerosi/e
l. nuovo/a

NAPOLI

Napoli si estende ad anfiteatro[1] sulle colline di Posillipo e del Vomero e si affaccia[2] sul golfo omonimo. Questa città fu fondata nel secolo VIII (ottavo) avanti Cristo dai greci che la chiamarono "Neapolis", che vuol dire "nuova città". Conquistata poi dai romani, Napoli attraverso[3] i secoli è stata governata da numerose famiglie reali[4] e da Giuseppe Buonaparte e Gioacchino Murat.

Napoli è una città incantevole[5] il cui fascino[6] deriva non solo dallo splendido panorama e dal clima mite della zona, ma anche dalla ricchezza di monumenti e musei e dalla caratteristica struttura della città. Dominato dal vulcano Vesuvio, il golfo di Napoli è uno dei più belli del mondo. Fra i monumenti ricordiamo il Teatro San Carlo, che ha un'acustica perfetta ed è uno dei più importanti teatri lirici italiani. Il Museo Archeologico Nazionale è uno dei più ricchi del mondo per quanto riguarda[7] l'arte della Grecia antica e l'arte romana. La vita cittadina si svolge nella bella piazza del Plebiscito e alla Galleria Umberto I. I vecchi quartieri[8] sono molto caratteristici, con numerose chiese, piazzette pittoresche e moltissimi vicoli[9] sempre pieni di vita.

L'incantevole isola di Capri nel golfo di Napoli.

1. like an amphitheater   2. looks out   3. through   4. royal
5. charming   6. whose charm   7. with regard to
8. neighborhoods   9. alleys

Negli ultimi tempi, sotto la direzione delle nuove amministrazioni comunali[10], molte parti di Napoli sono state rimesse a nuovo[11]. Dopo tanti anni di trascuratezza[12], chiese barocche e bei palazzi sono stati ripuliti[13] e aperti al pubblico. La città è diventata di nuovo la meta turistica di molti italiani e stranieri. L'antico detto popolare "Vedi Napoli e … poi muori" suggerisce che non c'è al mondo città più incantevole di Napoli.

10. municipal   11. have been renovated   12. neglect   13. cleaned up

Napoleon Buonaparte appointed his brother Giuseppe (1768–1844) king of Naples in 1806. Two years later he appointed his aide Gioacchino Murat (1767–1815) to succeed his brother as king of Naples.

Locate Napoli on the map on p. 14. *In che regione si trova Napoli? Come si chiama un'altra città della stessa regione? Quale vulcano importante è vicino a Napoli? Con quali regioni confina la Campania? Come si chiamano le isole che si trovano nel golfo di Napoli? Come si chiama il mare che bagna la costa campana?*

B **Che cosa ricorda?** Dia il nome o la descrizione delle seguenti caratteristiche di Napoli.

1. il clima
2. due monumenti famosi
3. cosa rende spettacolare il panorama
4. alcuni aspetti dei vecchi quartieri
5. chi ha fondato la città e quando
6. significato della parola *Napoli*
7. il vulcano di Napoli
8. un vecchio detto popolare associato con Napoli

A **Definizioni.** Abbini le definizioni con una parola della lista di destra. Ci sono due parole in più nella lista.

1. aggettivo derivato da *fascino*
2. sinonimo di *gente*
3. sinonimo di *atmosfera*
4. nome da cui deriva *generoso/a*
5. contrario di *buono/a*
6. una bevanda che eccita
7. il contrario di *sorella*
8. un cantante
9. composizione di musica e parole

a. la generosità
b. la canzone
c. cattivo/a
d. il fratello
e. l'ambiente
f. il tenore
g. affascinante
h. gli spaghetti
i. la partita di calcio
j. il popolo
k. il caffè

IL POPOLO NAPOLETANO

Napoli: Un'esibizione di Pulcinella, caratteristica maschera del teatro napoletano.

Esistono molti stereotipi sulla gente di diverse parti e città d'Italià. Si dice che i genovesi sono avari, i romani, estroversi, e così via[1]. Gli abitanti di Napoli sono conosciuti come gente vivace e ricca di fantasia. Il genio napoletano nasce e cresce nell'atmosfera cittadina, esuberante e briosa[2]. Si dice che l'arte del vivere dei napoletani si basa sull'improvvisazione, sulla poesia, sulla generosità e sul senso pratico. Il loro stile di vita ha caratteristiche particolari. Essi amano le feste sia popolari che religiose. Le partite di calcio della squadra napoletana diventano spesso manifestazioni di entusiasmo e di un irresistibile spirito di identità con la propria città. In esse compaiono[3] spesso i simboli associati alle tradizioni e alle credenze[4] popolari. I napoletani hanno la fama di essere molto superstiziosi e fanno di tutto[5] per tenere[6] lontana la cattiva sorte[7].

I piatti tipici dei napoletani sono la pizza e gli spaghetti al pomodoro. Nella cucina essi utilizzano i prodotti freschi che crescono nei fertili campi della Campania.

I napoletani amano la musica, e alcune bellissime canzoni popolari come "O sole mio" sono conosciute in tutto il mondo. Il dialetto napoletano è colorito, musicale e molto espressivo. Esso ha dato vita a una tradizione letteraria molto vasta che va dalla poesia al teatro. La simpatica maschera di Pulcinella è un contributo napoletano alla commedia dell'arte. E non si possono ignorare i fratelli De Filippo, specialmente Edoardo (1900–1984), che hanno avuto un ruolo molto importante nel teatro napoletano del ventesimo secolo. Napoli è anche la città di musicisti, cantanti, poeti, artisti e filosofi. In questa città sono nati il tenore Enrico Caruso (1873–1921), il compositore Ruggero Leoncavallo (1858–1919), lo scultore, pittore e architetto Gian Lorenzo Bernini (1598–1680), e il filosofo Giambattista Vico (1668–1744).

1. and so on 2. full of life 3. appear 4. beliefs
5. do all they can 6. to keep 7. luck

G. Bernini designed the beautiful colonnade in St. Peter's Square and created one of the fountains in Piazza Navona in Rome.

 B **Vero o falso?** In coppia: A turno identificate le seguenti frasi come vere o false secondo il brano precedente. Correggete le frasi false.

1. Si dice che il popolo napoletano ha poca fantasia.
2. A Napoli non si fanno molte feste popolari.
3. La superstizione fa parte del carattere napoletano.
4. La pizza e gli spaghetti al pomodoro sono i piatti più popolari della cucina napoletana.
5. Le canzoni napoletane non sono molto conosciute fuori dall'Italia.
6. Il napoletano è un dialetto monotono e poco comprensibile.
7. Arlecchino è una maschera del teatro napoletano.
8. A Napoli sono nati molti atleti famosi.
9. Enrico Caruso era un compositore.
10. Edoardo De Filippo è stata una figura di rilievo (*important*) della canzone napoletana.

The *Notte bianca* is an all-night festival sponsored by the city and region that features events such as music, dance, and theatrical performances, art exhibits, boat excursions on the bay, all-night shopping, and fireworks. Museums and historical sites are open all night as well.

Lezione 16

Da qualche anno il Colosseo fa da sfondo a numerosi concerti, come questo di Paul McCartney nel 2003.

Che cosa è in programma?

Communicative Objectives

- Discuss various kinds of music
- Express personal preferences
- Express emotions, doubts, and beliefs about events in the present and the past
- Express opinions about past events

Mariella Vanini, Giuliana Liverani e Carlo Masina sono seduti a un bar all'aperto in piazza del Duomo° a L'Aquila. Giuliana legge un opuscolo sulle manifestazioni culturali della stagione estiva in Abruzzo.

cathedral

GIULIANA: Ragazzi, guardate, sabato in piazza del Teatro si dà l'*Aida* di Verdi all'aperto. Vogliamo andare a vederla?

MARIELLA: Mi sorprende che tu voglia andare all'opera. Non ti ricordi che sabato ai Fori Imperiali a Roma c'è un concerto di beneficenza per aiutare a combattere la fame in Africa? Ci saranno complessi e cantanti famosi di vari paesi europei. Perché non si va lì invece?

CARLO: Ma … non so. Sebbene io abbia già visto alcune opere, non ho mai visto l'*Aida*. Quindi penso che potrà essere una serata divertente.

GIULIANA: È vero. Il dramma di Aida, i bellissimi costumi, la musica e le luci in uno scenario all'aperto sono qualcosa di indimenticabile.

MARIELLA: Sì, però ai Fori Imperiali si possono ascoltare dal vivo cantanti eccezionali. Ci sarà anche Jovanotti che canta e suona la chitarra. E poi c'è quel nuovo cantante inglese …

GIULIANA: Mariella, io non credo che ti faccia male ascoltare un po' di musica classica!

CARLO: Ma forse dovremmo seguire il consiglio di Mariella benché non mi piaccia molto Jovanotti. Ascolteremo della buona musica e allo stesso tempo faremo un'opera buona. Mi dispiace però di non poter vedere l'*Aida*.

MARIELLA: Mi fa piacere di avervi convinti. Stasera telefonerò per prenotare i biglietti.

The Fori Imperiali are the ruins of an ancient Roman forum located near the Colosseum in Rome. The forum was a public square or marketplace where people used to assemble. Recent outdoor concerts held at the Fori Imperiali include performances by Elton John, Sting, and Mariah Carey.

Jovanotti: popular Italian singer

L'Aquila — Piazza del Teatro
Sabato 25 luglio 2005 — Ore 21.30
A I D A
Opera in quattro atti
Musica di **Giuseppe Verdi**

Personaggi	*Interpreti*
Aida	Matilde Braga
Radames	Filippo Lambertini
Amneris	Eva Spini
Amonasro	Tiberio Ponzi
Direttore d'orchestra	*Scene e costumi*
Alessandro Biasi	Patrizia Selva
Direttore del Coro	*Regia*
Luigi Abate	Silvano Bravetta

Informazioni e prenotazioni presso la biglietteria del Teatro Comunale:
tel. 0862/25584   Orario: dalle 14.00 alle 19.30.

Giuseppe Verdi (1813–1901) was an Italian composer. Among his many operas are *Rigoletto*, *La Traviata*, and *Il Trovatore*.

Domande

1. Che cosa si presenta sabato a piazza del Teatro?
2. Che cosa è in programma ai Fori Imperiali a Roma?
3. Perché secondo Giuliana l'*Aida* è indimenticabile?
4. Chi preferisce andare ai Fori Imperiali? Perché?
5. Che cosa fa piacere a Mariella? Cosa farà stasera?

Domande personali

1. Ha mai visto un'opera? Quale? Dove?
2. A lei piace l'opera? Perché?
3. Quale opera conosce?
4. Conosce qualche tenore o soprano famoso? Quale?
5. Qual è il suo cantante o la sua cantante preferito/a? E il suo complesso preferito?
6. Ha mai visto uno spettacolo di beneficenza? Quale? Dove?

Pratica

1. In coppia: Domandi ad un amico/un'amica se vuole andare al Festival di Puccini. Risponda alle domande dell'amico/a che vuole sapere che cosa è in programma, dove si possono comprare i biglietti e qual è il numero di telefono e l'e-mail della biglietteria.

2. Riassuma in cinque o sei frasi il dialogo a pagina 358, dichiarando (*stating*) dove vuole andare ogni persona, che cosa vuole vedere, quando e perché.

La musica e i giovani

I giovani italiani amano molto la musica. I concerti all'aperto o nei teatri, i festival della canzone, gli spettacoli dei cantanti e le discoteche sono i luoghi di ritrovo[1] di ragazzi e ragazze. Attraverso la musica, i giovani si incontrano, si conoscono e scoprono[2] interessi comuni.

La musica americana e anglosassone, trasmessa nei programmi della radio e della televisione, esercita una grande influenza sulla gioventù italiana. Per i giovani questa musica è il naturale complemento al fast-food, molto diffuso nelle maggiori città, e all'abbigliamento "casual", che caratterizza il vestire del giovane italiano.

Ma non è solo la musica leggera che va di moda in Italia. Molti giovani seguono anche la musica classica e l'opera, che hanno in Italia una lunga tradizione. Per avvicinare ancor più[3] i giovani alla musica in generale, molti spettacoli musicali, inclusa l'opera, vengono allestiti[4] durante l'estate in quasi tutti i paesi e città d'Italia. Questi spettacoli si danno in piazze, cortili[5] di antichi palazzi, chiostri[6] di monasteri e altri luoghi suggestivi.

- Che tipo di musica preferiscono i giovani americani?
- Agli studenti americani piace l'opera?
- Quali sono i teatri dell'opera più famosi degli Stati Uniti?
- Quali sono alcuni luoghi all'aperto dove si presentano spettacoli musicali importanti?

Il cantante italiano Jovanotti si esibisce in un concerto al Garden Festival di Berna in Svizzera (2005).

1. gathering places   2. they discover   3. to bring even closer   4. produced   5. courtyards   6. cloisters

Vocabolario

Parole analoghe

l'atto	il coro	l'orchestra
classico/a	il dramma	lo scenario
il concerto	eccezionale	il soprano
convincere (*p.p.* convinto)	l'informazione (*f.*)	il tenore

Nomi

la beneficenza   benefit
la biglietteria   ticket office
il/la cantante   singer
la chitarra   guitar
il complesso   (musical) group
la fame   hunger
l'interprete (*m.* or *f.*)
   interpreter; performer
la luce   light
la manifestazione   exhibition
l'opera   opera; deed
l'opuscolo   pamphlet
il personaggio   character
la prenotazione   reservation
la serata   evening

Verbi

combattere   to fight
prenotare   to reserve, to make
   reservations
suonare   to play (*an instrument*)

Aggettivo

indimenticabile   unforgettable

Altre parole ed espressioni

benché   even though
sebbene   even though
all'aperto   open air
che cosa è in programma?
   what's playing?
dal vivo   live
fare piacere   to please

Pronuncia

Ripasso della consonante *c*

The Italian letter **c** before **e** and **i** is similar to English *ch* as in the word *chimney*. The same applies to **cc.** When the letter **c,** or **cc,** appears before **a, o,** or **u,** it is always pronounced with a hard sound, /**k**/ as in *cold*. The combination **ch** is always pronounced hard.

 Ascolti e ripeta le parole.

cenare	certo	cantante	costume
trecento	cinema	bocca	cugino
centro	spinaci	chitarra	macchina
luce	invece	accordo	complesso
cinese	violoncello	amiche	chiesa
eccezionale	cappuccino	orchestra	discoteca

B Ascolti e ripeta le frasi. Faccia attenzione ai suoni della **c.**

Giuliana si ricorda **ch**e questo sabato **c**'è un **c**oncerto al li**c**eo.
Vuole **c**onvin**c**ere Enri**c**o ad andar**c**i **c**on lei.
Enri**c**o è d'a**cc**ordo. E **c**osì de**c**ide di a**cc**ettare l'invito.
Sarà una serata **c**aratterizzata da **c**ostumi, musi**c**a e lu**c**i brillanti.
Che serata magnifi**c**a! Sarà indimenti**c**abile.

Ampliamento del vocabolario

Gli strumenti musicali

l'armonica harmonica
l'arpa harp
la batteria drums
la chitarra guitar
il clarinetto clarinet
il clavicembalo harpsichord
la fisarmonica accordion
il flauto flute
l'oboe (*m.*) oboe
l'organo organ
il pianoforte piano
il sassofono saxophone
il tamburo drum
la tromba trumpet
il violino violin
il violoncello cello

 In coppia: Siete in un negozio di musica. Leggete il ruolo di S1 o S2 per sapere cosa fare.

S1

Lei vuole comprare uno strumento musicale per un/una nipote da parte di tutta la famiglia. Non sa che cosa comprare, ma vuole qualcosa che sia facile da imparare e che non sia troppo costosa. (Cerchi anche di contrattare sul prezzo.)

S2

Lei vende molti strumenti di seconda mano:

chitarra €100	violino €250
organo elettronico €300	tromba €75
clarinetto €60	sassofono €200
armonica €10	flauto €90

Aiuti il/la cliente a decidere quale strumento comprare e mettetevi d'accordo sul prezzo. Si prepari a suggerire lo strumento più adatto e più facile da imparare.

▶ S1: Buon giorno. Desidero comprare uno strumento musicale per mio/a nipote.
    S2: Ho qui vari strumenti …
    S1: Non voglio spendere … Vorrei uno strumento …
    S2: Bene, vediamo un po' …

B In coppia: Domandi ad un altro studente/un'altra studentessa:

1. se suona uno strumento musicale; quale?
2. se non lo suona, vuole imparare a suonare uno strumento musicale; quale? perché?
3. quali strumenti musicali preferisce ascoltare; perché?
4. se gli/le piace la musica della fisarmonica; perché? e dell'arpa?
5. se è mai andato/a ad ascoltare un'orchestra sinfonica; quale? dove?

I prefissi *in-*, *s-*, *dis-* e *ri-*

The addition of the prefixes **in-**, **s-**, and **dis-** to certain words reverses their meaning, just as *un-* and *dis-* do in English. **In-** is normally used only with adjectives; **s-** and **dis-** may be added to certain adjectives, verbs, and nouns. The prefix **ri-** added to certain verbs signifies repetition.

in-	utile *useful*	**in**utile *useless*
	felice *happy*	**in**felice *unhappy*
s-	fortuna *luck*	**s**fortuna *bad luck*
	consigliare *to advise*	**s**consigliare *to advise against*
	conosciuto/a *known*	**s**conosciuto/a *unknown*
dis-	piacere *pleasure*	**dis**piacere *displeasure, misfortune*
	fare *to do*	**dis**fare *to undo*
	organizzato/a *organized*	**dis**organizzato/a *disorganized*
	occupato/a *occupied; employed*	**dis**occupato/a *unoccupied; unemployed*
ri-	leggere *to read*	**ri**leggere *to read again*
	aprire *to open*	**ri**aprire *to reopen*
	fare *to do*	**ri**fare *to do again*
	aggiustare *to fix*	**ri**aggiustare *to fix again*

C In coppia: Risponda alle domande o osservazioni di un altro studente/un'altra studentessa, usando il contrario delle parole indicate. Per ogni gruppo di frasi, usi il prefisso suggerito.

▶ — Sei *felice* adesso?　　　— No. Sono *infelice*.

in-

1. Sei *capace* di suonare il violino?
2. È *utile* fare questo lavoro ogni giorno?
3. Sei *disciplinato/a*?
4. È *soddisfacente* la tua vita sociale?
5. Ti senti *soddisfatto/a* di te stesso/a?
6. È *sufficiente* quello che guadagni (*earn*)?

s-

7. Anna è *fortunata*, non è vero?
8. Sono *conosciute* le sue canzoni?
9. La critica le è sempre *favorevole*?
10. Il suo ultimo concerto è stato un'esperienza *piacevole*, non è vero?
11. Dovremmo *consigliarle* di fare un altro concerto?

dis-

12. Siete in *accordo* adesso?
13. È *abitata* la casa che volete comprare?
14. È *attento/a* il tuo amico/la tua amica?
15. Sei una persona *ordinata*?
16. Avete una vita *agiata* (*comfortable*)?
17. C'è molta *armonia* fra voi due?

D A lei piace rifare le cose che ha già fatto. Dica quello che vuole rifare, aggiungendo il prefisso *ri-* alle parole in corsivo.

▶ Vorrei *vedere* l'*Aida*.　　　Vorrei *rivedere* l'*Aida*.

1. Vorrei *leggere* Via col vento.
2. Vorrei *provare* quel vestito.
3. Penso di *andare* al teatro La Scala.
4. A me piace *fare* un viaggio in Italia.
5. Vorrei *vedere* un film di Fellini.

Struttura ed uso

Congiuntivo con espressioni di emozione, dubbio o convinzione

— **Credi** ancora che l'opera **sia** noiosa?

1. The subjunctive is used in dependent **che** clauses after expressions of emotion such as **essere contento/scontento, essere felice/infelice, piacere/dispiacere, avere paura, temere, sorprendere,** and **essere sorpreso/a,** when the subjects of the two clauses are different.

Carla, sono contenta che tu **venga** con noi.	*Carla, I'm happy that you are coming with us.*
Sono felice che **possiamo** passare un po' di tempo insieme.	*I'm pleased that we will be able to spend some time together.*
Ho paura che mio fratello non **possa** venire.	*I'm afraid my brother can't come.*

2. The subjunctive is used in a dependent **che** clause if the main clause expresses an opinion or belief. **Credere, immaginare, sembrare, parere,** and **pensare** take the subjunctive in the subordinate clause if the subjects of the two clauses are different.

> *Sembrare* and *parere* function like *piacere: Gli pare che sia difficile.*

Noi giovani pensiamo che la musica classica **abbia** poco da dirci.	*We young people think that classical music has little to offer us.*
Ci sembra che la musica moderna **rifletta** il mondo attuale.	*It seems to us that modern music reflects today's world.*
Allora ti pare che Eros Ramazzotti **canti** meglio di Andrea Bocelli?	*So you think that Eros Ramazzotti sings better than Andrea Bocelli?*

Andrea Bocelli prova un'aria prima di un concerto in programma all'Arena di Verona.

3. The subjunctive is also used after expressions of doubt, disbelief, and uncertainty. **Dubitare, non essere sicuro, non sapere, non credere,** and **non pensare** take the subjunctive in the subordinate clause if the subjects of the two clauses are different.

Dubito che tu **voglia** vedere l'opera alle Terme di Caracalla.	*I doubt that you want to see the opera at the Baths of Caracalla.*
Non sappiamo che cosa **sia** in programma.	*We don't know what is on the schedule.*
Non sono sicuro se **diano** *Tosca* o *Rigoletto*.	*I'm not sure if they're performing* Tosca *or* Rigoletto.

> *Terme di Caracalla:* Ancient thermal baths in Rome built during the reign of the Emperor Caracalla. They were inaugurated in A.D. 216.

Main clauses expressing certainty, however, take the indicative in the subordinate clause.

Sappiamo che **danno** un'opera di Verdi.	*We know that they are doing an opera by Verdi.*
Sono sicuro che ci **sono** ancora biglietti per lo spettacolo di domani.	*I'm sure that there are still tickets for tomorrow's show.*

4. The infinitive is used when there is no change of subject. The preposition **di** is often required before the infinitive.

È contenta **di essere** qui.	*She's happy to be here.*
È contenta che tu **sia** qui.	*She's happy that you are here.*
Credo **di capire** adesso.	*I think I understand now.*
Credo che voi **capiate** adesso.	*I think you understand now.*

A Reagisca alle seguenti affermazioni, usando le parole fra parentesi.

▶ Parlo con mia zia. (Sono felice che ...)
  Sono felice che tu parli con tua zia.

1. La professoressa arriva tardi. (Temo che ...)
2. Riceviamo tante telefonate. (Sono sorpreso/a che ...)
3. Non finiscono il progetto per domani. (Non credo che ...)
4. Non possiamo andare in vacanza. (Mi dispiace che ...)
5. C'è un problema. (Ho paura che ...)
6. Mi piace questo esercizio. (Sono contento/a che ti ...)
7. Vanno bene in quel corso di informatica. (Dubito che ...)
8. Mi sono fidanzata. (Sono felice che ...)

B Dica che lei è contento/a delle seguenti cose.

▶ Oggi è venerdì.   Sono contento/a che oggi sia venerdì.
  Non ho lezioni domani.   Sono felice di non avere lezioni domani.

1. Stasera c'è il concerto di Jovanotti.
2. Alcuni amici hanno i biglietti per il concerto.
3. Posso andare con loro.
4. Non lavoro domani.
5. I miei genitori vanno in montagna per il fine settimana.
6. Voi venite a trovarmi nel pomeriggio.
7. Vi aiuto un po' a studiare la biologia.
8. Dopo andiamo a mangiare qualcosa in una pizzeria.

C Pensi alla sua vita: alle cose che fa, ai suoi amici, alla sua famiglia, ecc. Finisca le frasi in maniera logica, esprimendo opinioni e sentimenti su vari aspetti della sua vita. Poi riferisca l'informazione a un compagno/una compagna.

1. Io sono contento/a che ...   5. A volte mi sembra che ...
2. Sono contento/a di ...   6. Ho paura che ...
3. Mi piace che ...   7. Sono sicuro/a che ...
4. Mi dispiace che ...   8. Non so se ...

D In gruppi di tre: Chieda alle altre persone del gruppo se credono che le seguenti frasi siano vere.

▶ Il cinema hollywoodiano riflette i gusti del pubblico?
  S1: Voi credete che il cinema hollywoodiano rifletta i gusti del pubblico?
  S2: Sì, mi pare che rifletta i gusti di una società violenta.
  S3: No, io non credo che il cinema rifletta i gusti del pubblico in generale.

1. Un titolo universitario è necessario nel mondo di oggi.
2. Un titolo universitario garantisce un buon lavoro.
3. Il matrimonio ha una funzione vitale nella società moderna.
4. I politici vogliono aiutare la gente.
5. Gli esseri umani sono buoni per natura.
6. Nel mondo siamo tutti fratelli.
7. È essenziale imparare una lingua straniera.

E Risponda alle seguenti domande.

1. Crede che il calcio sia uno sport interessante?
2. Pensa che la musica leggera sia migliore (*better*) della musica classica?
3. Le pare che oggi l'opera lirica sia una rappresentazione valida?
4. Pensa che sia piacevole essere famoso/a?
5. Crede che i genitori di oggi capiscano i loro figli?
6. Crede che i politici siano onesti?
7. Le sembra che il telegiornale sia imparziale?

F In gruppi di tre: Discutete quello che vi piace e quello che non vi piace della vostra università. Trovate:

tre aspetti positivi   tre aspetti negativi   i tre problemi più gravi

Usate espressioni quali **ci piace che, siamo contenti che, non ci piace che, non è giusto che, ci sembra che, crediamo che,** ecc. Poi riferite le vostre opinioni al resto della classe.

G In coppia: Dica ad un amico/un'amica cosa pensa dell'attuale presidente degli Stati Uniti. Pensa che faccia un buon lavoro? Crede che sia onesto? Intelligente? Le sembra che rappresenti gli interessi del popolo americano? Le pare che sia troppo liberale? Troppo conservatore?

Congiuntivo passato

—Quel rumore? Niente! Sembra che papà **abbia ricevuto** la bolletta del telefono!

1. The past subjunctive is used in a dependent **che** clause to describe a past action when the verb in the main clause is in the present tense and calls for the subjunctive.

Non credo che tu **sia stata** ai Fori Imperiali.	*I don't think you've been to the Fori Imperiali.*
È impossibile che tu **abbia** mai **visto** un concerto così.	*It's impossible that you've ever seen a concert like this one.*
Sono contento che **abbiano cantato** anche la mia canzone preferita.	*I'm glad (that) they sang my favorite song too.*
Penso che ci **siano stati** più di ventimila spettatori.	*I think there were more than 20,000 spectators.*

2. The past subjunctive is formed with the present subjunctive of the auxiliary **avere** or **essere** and the past participle. The past participle of a verb conjugated with **essere** agrees with the subject. The following chart shows the past subjunctive of **trovare** and **partire**.

> Follow the rules you already know for the *passato prossimo* to choose the auxiliary verb and for agreement. Refer to *Lezione 6* if you need a review.

	trovare	**partire**
... che io	abbia trovato	sia partito/a
... che tu	abbia trovato	sia partito/a
... che lui/lei	abbia trovato	sia partito/a
... che noi	abbiamo trovato	siamo partiti/e
... che voi	abbiate trovato	siate partiti/e
... che loro	abbiano trovato	siano partiti/e

— Spero che Michele e Antonella **siano arrivati.**
— È possibile che Michele **sia** già **arrivato,** ma credo che Antonella **sia partita** più tardi e che arrivi fra poco.

— *I hope that Michele and Antonella have arrived.*
— *It's possible that Michele has already arrived, but I think that Antonella left later and will arrive soon.*

H Ieri sera lei è andato/a a sentire un'opera lirica. Esprima un'opinione sulle seguenti frasi, secondo le parole fra parentesi.

▶ È stata un'*Aida* bellissima. (Sono contento/a ...)
   Sono contento/a che sia stata un'*Aida* bellissima.

1. Lo spettacolo è cominciato un po' tardi. (Mi dispiace ...)
2. Matilde Braga ha cantato divinamente. (Credo ...)
3. Filippo Lambertini ha recitato la parte di Radames con energia. (Mi pare ...)
4. Eva Spina si è sentita male e non ha potuto cantare. (Mi dispiace ...)
5. Alla fine Aida e Radames sono morti insieme. (È triste ...)
6. È stata l'ultima rappresentazione della stagione estiva. (Penso che ...)
7. Anche voi vi siete divertiti all'opera. (Sono felice ...)

I Le cose che succedono oggi sono successe anche ieri. Metta la frase subordinata al congiuntivo passato come nel modello.

▶ Non credo che il Napoli vinca la partita.
   Non credo che il Napoli abbia vinto la partita.

1. La mamma dubita che io ritorni prima di mezzanotte.
2. Mi dispiace che il tuo amico non mangi con noi.
3. È bene che voi sentiate le notizie.
4. Sembra che tu non capisca.
5. Speriamo che non ti succeda niente.
6. È possibile che i nonni vengano dopo pranzo.
7. Siamo felici che Roberto e Sandra si divertano.
8. Pare che gli altri vadano a casa.
9. Dubito che la mia ragazza voglia rivedere quel film.

J In coppia: Si pubblicano le cose più strane sui giornali. S1 crea titoli per gli articoli pubblicati su *Novella 2000*, usando le parole ed espressioni indicate. S2 reagisce a queste cose, usando frasi come **dubito che ...** , **è impossibile che ...** , ecc.

> Cristina Aguilera /   S1: Cristina Aguilera è uscita con Usher.
> uscire / con Usher   S2: Non è possibile che Cristina Aguilera sia
>   uscita con Usher.

1. I romani / vendere / il Colosseo ai giapponesi
2. Io / sposarmi / con un extraterrestre
3. Noi / vedere Elvis / nel nostro frigorifero
4. Donald Trump / perdere / tutti i suoi milioni / e rimanere / senza un soldo
5. Bambina torinese / nascere / con tre teste
6. Condoleezza Rice / suonare la chitarra / per i Grateful Dead

> *Novella 2000* is a weekly magazine that specializes in celebrity gossip, scandals, and photographs taken by *paparazzi*.

K In coppia: Dica al suo compagno/alla sua compagna alcune cose che le sono successe durante il primo anno all'università. Il suo compagno/La sua compagna esprime un'opinione su quello che lei ha detto.

> S1: Ho incontrato alcuni buoni amici durante il primo anno qui.
> S2: Sono contento che tu abbia incontrato buoni amici.
>
> S1: Ho preso una D in economia.
> S2: Mi dispiace che tu abbia preso una D in economia.

> Condoleezza Rice's name comes from the Italian musical term *con dolcezza* = with sweetness.

L In coppia: È lunedì mattina, e alcune persone nella sua classe sembrano diverse da com'erano venerdì scorso. Con un compagno/una compagna dica quale possa essere il motivo di questa differenza.

> Gino sembra   S1: È possibile che abbia vinto alla lotteria.
> molto contento.   S2: È anche possibile che sia uscito con la sua ragazza.

1. Michele si è tagliato i capelli molto corti e porta la cravatta.
2. Pietro e Laura non sono in classe.
3. Quelle due ragazze sembrano molto stanche.
4. A Massimo fa male la gamba.
5. Margherita porta un anello (*ring*) con un diamante enorme.
6. Tre ragazzi che amano lo sport sembrano piuttosto tristi.

Cerimonia di premiazione nel cortile del Palazzo Ducale di Venezia in occasione della Mostra Internazionale del Cinema.

M In gruppi di tre o quattro: Una persona del gruppo dice il nome di una persona famosa nel mondo della musica. Le altre persone dicono tutto quello che sanno di questa persona, per esempio: dove e quando è nata, le cose che ha fatto, ecc.

▶ S1: Giacomo Puccini
S2: Credo che sia nato in Italia.
S3: Penso che abbia scritto *Tosca*.
S4: Credo che sia morto negli anni venti.

Congiuntivo dopo le congiunzioni

— Va bene. Stasera andiamo al concerto che preferisci tu **a condizione che** domani tu **venga** a quello che preferisco io.

1. The subjunctive is used in dependent clauses introduced by the following conjunctions.

> A conjunction is a part of speech that joins two complete phrases.

affinché perché	*so that, in order that*	Lavora **affinché** i figli possano frequentare l'università. Parlate lentamente **perché** tutti vi capiscano.
benché sebbene	*although, even though*	Suona ancora il sassofono **benché** sia dopo mezzanotte. Voglio uscire **sebbene** faccia molto freddo.
in caso che	*in case, in the event that*	Lascia il tuo numero di telefono **in caso che** io debba parlarti.
a condizione che	*provided that, as long as*	Te lo presto **a condizione che** tu me lo ridia subito.

2. The preceding conjunctions take the subjunctive in the subordinate clause even if the subject of the two clauses is the same.

Paolo ha comprato un violino **benché** non **sappia** suonare.

Paolo bought a violin even though he doesn't know how to play.

N Usi le congiunzioni tra parentesi per unire le due frasi.

▶ Spiego l'inglese a Tullio. Lo impara bene. (affinché)
Spiego l'inglese a Tullio affinché lo impari bene.

1. Ti presto la mia macchina. Me la riporti stasera. (a condizione che)
2. Metti le fotografie qui! Le possiamo guardare insieme. (perché)
3. Offrono i biglietti per il concerto a prezzo ridotto. Tutti possono andarci. (affinché)
4. Vado a telefonare agli amici. Vogliono venire con me. (in caso che)
5. Vado in Grecia a settembre. Non ho molto denaro. (benché)
6. Mangio a mezzogiorno. Ho fatto la prima colazione alle dieci. (sebbene)
7. Sandro mi aiuta. Posso finire i compiti. (affinché)
8. Non ho trovato una soluzione. Ho studiato attentamente il problema. (benché)

O Cambi le frasi, usando **sebbene** invece di **ma** come nel modello.

▶ Vado in centro ma è tardi.   Vado in centro sebbene sia tardi.

1. Voglio comprare una chitarra ma costa molto.
2. Voglio uscire stasera ma fa freddo.
3. Cerco lavoro ma è difficile trovarlo.
4. Vado alla partita ma piove.
5. Do un passaggio a Marina ma sono in ritardo.

P Completi il brano, usando le congiunzioni indicate.

sebbene   in caso che
affinché   a condizione che

Domani Lucio Dalla darà un concerto nel parco _____ faccia bel tempo. Hanno stabilito una data alternativa _____ piova. Lucio Dalla canta ancora divinamente, _____ non sia più troppo giovane. Offrono i biglietti a prezzi ridotti _____ tutti possano andare al concerto. Vado a comprare due biglietti _____ ci siano ancora.

> The Italian singer-songwriter Lucio Dalla has been popular since the 1970s.

Q Finisca le frasi in maniera logica.

1. I genitori lavorano molto affinché i loro bambini ...
2. Fanno molti sacrifici perché ...
3. Sperano che i figli ...
4. Mettono da parte (*They put aside*) molti soldi in caso che ...
5. Ci sono problemi in famiglia sebbene ...
6. I ragazzi vogliono essere indipendenti benché ...

R In coppia: Parli ad un amico/un'amica dei corsi che lei segue. Parli delle ragioni per cui li segue, e delle difficoltà che trova in questi corsi, usando espressioni quali **sebbene, affinché**, ecc.

▶ Seguo un corso di informatica affinché possa usare i computer. Il corso mi piace benché sia piuttosto difficile. Prenderò una B a condizione che finisca presto questo progetto di lavoro.

Costruzioni con *si*

È agosto! **Si parte** per le vacanze!

È settembre. **Si torna** in città.

1. Italians often use the construction **si** + *a third-person verb* to talk about actions that take place without specifying who is doing the action. English uses *one, they, you, we,* or the passive voice in these circumstances.

> You have seen this form since *Lezione 3: Dove si va? Si va a ballare?*

Domenica **si vota!**	*On Sunday we are voting!*
Non **si deve** parlare così.	*You (One) shouldn't talk like that.*
In questa classe non **si parla** inglese.	*In this class English is not spoken.*
Stasera **si darà** un concerto di jazz.	*Tonight a jazz concert will be given.*

2. When **si** + *verb* is followed by a plural noun, the verb is in the third person plural.

In questo negozio **si parlano** tutte le lingue.	*All languages are spoken in this store.*
Le sigarette **si vendono** solo nelle tabaccherie.	*Cigarettes are sold only at tobacco stores.*
Non **si possono** trovare i giornali italiani qui.	*One can't find Italian newspapers here.*

S Cosa si fa al Circolo (*club*) Italiano? Un membro di un Circolo Italiano parla di tutte le attività organizzate dal circolo. Cambi ogni frase alla costruzione **si** + *verbo* come nell'esempio.

▶ Offriamo lezioni d'italiano.
   Si offrono lezioni d'italiano.

1. Parliamo sempre italiano.
2. Organizziamo cene e feste.
3. Vendiamo magliette con la scritta "Io ♥ l'Italia."
4. A volte andiamo all'opera.
5. Una volta al mese vediamo un film.
6. Prepariamo una conferenza sulla cultura italoamericana.

In coppia: Quando lei andrà in Italia, vedrà che lì la vendita dei prodotti è un po' diversa da quella americana. Determinati prodotti si possono comprare soltanto in certi negozi. Domandi ad un compagno/una compagna dove si comprano queste cose: in una tabaccheria, ad un'edicola di giornali o in una farmacia.

> ▶ francobolli (*stamps*)   S1: Dove si comprano i francobolli?
> S2: I francobolli si comprano alla tabaccheria.

1. le riviste
2. una scheda telefonica
3. un biglietto per l'autobus
4. la vitamina C
5. le aspirine
6. il giornale
7. le sigarette
8. una penna

 In gruppi di tre o quattro: Nella vostra città è possibile godere di prodotti e di aspetti della cultura italiana? Formulate domande con le frasi indicate e poi discutete le possibilità.

> ▶ comprare la pasta Barilla   S1: Dove si può comprare la pasta Barilla in questa città?
> S2: La pasta Barilla si compra al ...
> S3: Non si può comprare qui. Si deve andare a ...

1. comprare giornali e riviste italiani
2. mangiare piatti italiani autentici
3. vedere film italiani
4. vedere una partita di calcio
5. prendere un buon cappuccino
6. ammirare quadri italiani
7. trovare vestiti di stilisti italiani come Armani e Versace
8. vedere un'opera

 In coppia: Cosa si fa il fine settimana alla vostra università? Con un amico/un'amica fate una lista delle cose che si fanno il venerdì sera, il sabato e la domenica.

> ▶ Il venerdì sera di solito si esce. Si va alla ...
> Il sabato si dorme fino alle ...

  For further practice of lesson topics, log on to the *Oggi in Italia* website and/or do the CD-ROM activities.

Parliamo un po'

A Tutto rock e melodia.

In coppia: Come tutti i giovani del mondo, anche i giovani italiani amano molto la musica. Il sondaggio a fianco ha rilevato quali sono le loro preferenze musicali. Guardate i risultati del sondaggio e poi rispondete alle domande.

6-TUTTO ROCK E MELODIA

Rock	46,6
Canzone d'autore italiana	39,9
Discomusic	38,6
Tutta la musica moderna	27,2
Pop	15,1
Tutta (compresa la classica)	13,0
Classica e/o lirica	11,9
Jazz	9,5
Country/folk	9,5
Quello che capita	8,2
Altro tipo di musica	5,6
Non ascolta mai/quasi mai	1,9

Quali tipi di musica preferiscono i giovani italiani? Quali generi non piacciono tanto?

C'è molto interesse nella musica classica?

Quale percentuale non ascolta mai la musica?

Un'inchiesta fatta fra gli studenti della vostra università darebbe risultati differenti? Come?

B Un'inchiesta. Faccia un'inchiesta fra almeno quattro studenti della sua classe per sapere le loro preferenze musicali.

	Studente			
	1	2	3	4
cantante preferito/a				
gruppo/complesso preferito				
genere di musica che preferisce				
lo strumento musicale più bello				
il concerto più bello				
la stazione radio che ascoltano di più				
quante ore al giorno ascoltano la musica				
canzone preferita				

C **Il concerto più bello!** In coppia: Descriva al compagno/alla compagna un concerto molto bello a cui lei ha assistito. Può parlare di

quando è successo
dove ha avuto luogo
chi erano i musicisti
che cosa hanno cantato/suonato

se c'erano molti spettatori
perché le è piaciuto tanto
che cosa pensa di questo tipo di musica

D **Biografia di un musicista.** Faccia una ricerca sulla rete internazionale per avere informazioni biografiche di una persona italiana nota nel mondo della musica. Poi riferite le informazioni ai compagni della classe. Ecco alcuni nomi che vi suggeriamo.

Il regista Gillo Pontecorvo consegna il Leone d'oro alla carriera al famoso maestro e compositore Ennio Morricone.

La cantante Laura Pausini ha partecipato al concerto Live 8 del 2005.

Sono anni che la brava cantante Mina non appare in pubblico. Questa è una sua immagine che risale agli anni '70.

E **Suonerie telefoniche.** In coppia: Vuole che il suo telefonino cellulare abbia una suoneria originale? Ecco alcune possibilità popolari da scaricare dalla rete internazionale. Prima scelga la suoneria che le piace di più e poi spieghi ad un compagno/una compagna perché l'ha scelta. Infine scegliete insieme le suonerie che vanno bene per i vostri amici e per altre persone che conoscete e dite perché.

Missione impossibile	Il buono, il cattivo e il brutto	Für Elise
I Simpsons	Funkytown	Mozart: Rondo turco
La pantera rosa	Il padrino	Carmina Burana
Aida: Marcia trionfale	YMCA	Il signore degli anelli

► È possibile che a Jessica piaccia …
   Io credo che … vada bene per … perché …

Conoscere l'Italia

A **Definizioni.** Prima di leggere il seguente brano, abbini le definizioni con una parola della lista di destra. Ci sono due parole in più nella lista.

1. aggettivo derivato da *sabbia*
2. il contrario di *contaminato/a*
3. lo è una cosa che piace
4. la capitale di una regione
5. sinonimo di *incertezza*
6. aggettivo derivato da *montagna*
7. sinonimo di *villaggio*

   a. gli stranieri
   b. montuoso/a
   c. la precarietà
   d. incontaminato/a
   e. il borgo
   f. l'economia
   g. il capoluogo
   h. sabbioso/a
   i. piacevole

L'Abruzzo

Situato tra il centro e il sud d'Italia, l'Abruzzo è una regione prevalentemente montuosa. Qui si trovano il Gran Sasso (2914 m.) e la Maiella (2793 m.), le vette[1] più alte degli Appennini. Per la presenza di boschi e di paesaggi incontaminati e per l'aria pulita che vi si respira[2], l'Abruzzo è chiamato "il polmone verde d'Europa[3]". La regione ha 129 km. di costa sull'Adriatico, di cui quasi la metà[4] è costituita da spiagge sabbiose.

Le cime nevose del Gran Sasso attraggono sempre numerosi sciatori.

1. peaks   2. one can breathe
3. "Europe's green lung"   4. half

Le città principali dell'Abruzzo sono L'Aquila, capoluogo della regione, Pescara, Chieti e Teramo. Fino alla prima metà del secolo scorso l'economia dell'Abruzzo si basava sull'agricoltura e sulla pastorizia[5]. La precarietà economica ha spinto[6] molti abruzzesi, specialmente gli abitanti delle zone interne, a trasferirsi in altre città della regione o ad emigrare verso le Americhe, l'Australia e altri paesi europei.

Oggi le condizioni di vita sono migliorate[7]. Le tradizionali attività artigianali[8] quali i confetti[9] di Sulmona, le paste alimentari[10] di Chieti e di Pescara e i vini di varie località si sono trasformate in piccole industrie.

Grazie alle sue belle spiagge, alla sua natura montuosa, selvaggia[11] e intatta, l'Abruzzo con i suoi tre splendidi parchi nazionali, due parchi regionali e varie riserve naturali sta diventando oggi una importante meta del turismo nazionale e internazionale. Diverse iniziative sono in atto[12] per la riabilitazione urbana di piccoli borghi[13] delle zone interne della regione. Il Club dei Borghi più Belli d'Italia dà una certificazione di qualità a quei villaggi capaci di creare servizi che rispettino l'ambiente e proteggano i centri storici. Così questi borghi possono tornare a vivere e diventare piacevoli luoghi di brevi soggiorni[14] ed anche di residenza stabile.

5. sheep farming   6. drove   7. have improved   8. handicraft   9. sugar-coated almonds   10. pasta   11. wild   12. are taking place   13. villages   14. short stays

Sulmona, the birthplace of the Latin poet Ovid, author of *The Metamorphosis,* is a town in the southern part of Abruzzo.

Il Club dei Borghi più Belli d'Italia was formed to protect, promote, and develop small towns known as the most beautiful villages in Italy.

Sabato 24 Luglio

ORE 18.00 apertura delle mostre
I magnifici 7 del Parco

Ore 19.00 Inaugurazione
della **Fiera del Gusto**
II edizione

In **70** stand espositivi

• i 44 Comuni del Parco
• le 5 Province
• le 8 Comunità Montane
• le 3 Regioni
• il Ministero dell'Ambiente e della Tutela del Territorio
• Federparchi
• Compagnia dei Parchi

i magnifici 7

7 mostre fotografiche per

7 animali
tra i più belli del Parco

7 paesaggi agrari
tra i più affascinanti

7 paesaggi
tra i più suggestivi

7 capolavori
tra i più straordinari

7 fiori
tra i più rari

7 mestieri
tra i più antichi

7 ambienti acquatici
tra i più freschi e limpidi

B **Informazioni.** Dia le seguenti informazioni basate sul brano precedente.

1. le vette più alte degli Appennini
2. il nome dato alla regione Abruzzo
3. le città principali d'Abruzzo
4. aspetti dell'economia abruzzese del passato
5. ragioni per cui sono emigrati molti abruzzesi
6. aspetti dell'attuale economia abruzzese
7. le attrazioni turistiche della regione
8. l'organizzazione che contribuisce alla trasformazione dei piccoli borghi
9. lo scopo (*aim*) della riabilitazione urbana dei piccoli borghi

La parola giusta. Prima di leggere il seguente brano, completi queste frasi con le parole appropriate fra quelle indicate. Ci sono due parole in più nella lista.

epoca
dea
palazzo
omerico/a
archeologia
omonimo/a
romano/a
urbano/a

1. L' _____ è una disciplina che studia le evidenze di civiltà antiche.
2. _____ è un aggettivo che si riferisce alla città.
3. Si dice che sono _____ due persone o cose che hanno lo stesso nome.
4. La _____ è una divinità femminile.
5. _____ è l'aggettivo che si riferisce a Omero, lo scrittore greco dei poemi epici l'*Iliade* e l'*Odissea*.
6. L' _____ è riferita ad un periodo di tempo nella storia.

CHIETI
Alla scoperta[1] dell'archeologia
Di Roberto Caramelli

Pescara
L'Aquila **Chieti**
ABRUZZO

Città dell'archeologia, città della storia, crocevia[2] di popoli e di civiltà diverse. Molti conoscono Chieti come alternativa estiva alle affollate[3] spiagge abruzzesi. La città è invece una di quelle mete da visitare anche nelle altre stagioni, alla ricerca di emozioni e scoperte culturali. La leggenda vuole che il primo nucleo urbano, chiamato Teate, fosse stato fondato addirittura[4] da Achille. L'eroe omerico[5] l'avrebbe chiamata così in onore di sua madre, la dea[6] Teti.

1. discovery   2. crossroad   3. crowded   4. directly   5. of Homer   6. goddess

Achille: main character in Homer's epic poem *The Iliad.*

L'organizzazione urbanistica romana, ancora riconoscibile nel rione[7] Civitella, risale[8] al I secolo a.C. All'epoca[9] la città aveva le terme[10], un foro, templi e un anfiteatro. Oggi, uno dei motivi[11] più validi per visitare la città è proprio la storia antica: Chieti, caso raro in Italia, ha addirittura due musei archeologici. Il primo, La Civitella, è stato progettato con criteri d'avanguardia. Costruito intorno al complesso archeologico omonimo si affaccia[12] sull'anfiteatro romano. Il secondo è il Museo Archeologico Nazionale d'Abruzzo che ospita la celebre ed enigmatica statua del guerriero[13] di Capestrano, simbolo storico della regione.

7. district   8. dates back   9. At that time
10. thermal baths   11. reasons   12. looks on to
13. warrior

Guerriero di Capestrano: Statue of a warrior dating back to the sixth century B.C., found in 1934 by a farmer while working in his field near Capestrano.

Capestrano: town near L'Aquila, birthplace of San Giovanni, whose name was given by the Spaniards to the California town of San Juan Capistrano.

B **Domande.** Risponda alle seguenti domande basate sull'articolo.

1. Quali sono alcune caratteristiche della città di Chieti?
2. Secondo la leggenda, chi ha fondato questa città?
3. Quale civiltà ha influenzato l'organizzazione urbanistica della città?
4. Quali strutture c'erano a Chieti nell'epoca romana?
5. Quali tipi di musei ci sono in questa città? Quanti ne sono? Come si chiamano?
6. Quale statua celebre si trova a Chieti? Dove?
7. Qual è il significato di questa statua?

Lezione 17

Questo bellissimo palazzo rinascimentale è la sede di una scuola di istruzione secondaria.

E dopo la laurea?

Communicative Objectives

- Talk about job prospects and qualifications
- Express emotions, thoughts, and opinions about the past
- Describe hypothetical situations

Giovanni Conti, giornalista di una stazione radio privata di Urbino, intervista tre studenti universitari.

> Urbino: university town known for its medieval and Renaissance art and architecture and for being the birthplace of the painter Raphael.

GIORNALISTA: Amici ascoltatori, buona sera. Per la trasmissione
"I nostri giovani" abbiamo qui con noi tre laureandi°:
Giorgio Salviati, in scienze politiche, Patrizia Ranieri, in
architettura, e Claudia Massoni, in ingegneria. Giorgio, tu
5   pensi che la tua preparazione accademica sia sufficiente
per trovare un buon lavoro?

> *degree candidates*

> See *Lezione 2* to review names of academic subjects.

GIORGIO: Sfortunatamente no. Io sono convinto che noi potremmo
avere una preparazione migliore e quindi più possibilità
d'impiego se avessimo una migliore assistenza dai
10   professori e se l'università avesse più soldi a disposizione°.
Inoltre° sarebbe più facile trovare lavoro se esistessero
contatti più stretti fra l'università e le imprese.

> *at (its) disposal*
> *In addition*

GIORNALISTA: E tu, Patrizia, sei d'accordo con Giorgio?

PATRIZIA: Sì. A volte penso che avrei dovuto scegliere un'altra laurea.
15   Penso che sarebbe stato più facile trovare lavoro se mi
fossi specializzata in chimica o informatica. Ma a me piace
l'architettura e sono sicura che prima o poi riuscirò a
sistemarmi.

GIORNALISTA: Sentiamo adesso il parere di Claudia.

20 CLAUDIA: Io non sapevo che ingegneria fosse una facoltà così difficile.
Adesso però che sto per laurearmi, credo che per me sarà
facile trovare un buon lavoro.

GIORNALISTA: Ragazzi, avete qualche suggerimento da dare ai giovani
che sono in ascolto°?

> *are listening*

25 GIORGIO: Sì. È vero che oggi abbiamo la possibilità di lavorare
liberamente in tutti i paesi dell'UE, ma c'è una forte
concorrenza per ogni buon lavoro. Quindi è necessario
avere un'ottima laurea.

CLAUDIA: Però sarebbe bene che nel futuro i giovani si orientassero
30   anche verso una preparazione interdisciplinare. Combinare
la biologia con l'informatica, o le lingue straniere con
l'economia è molto utile per intraprendere le nuove
professioni.

GIORNALISTA: Bene, ragazzi. Adesso facciamo una breve pausa
35   pubblicitaria e poi continueremo a discutere.

Domande

1. Quale tema discutono il giornalista e gli studenti?
2. Quali sono le osservazioni che fa Giorgio?
3. Secondo Patrizia, in che cosa avrebbe dovuto specializzarsi per trovare subito lavoro?
4. Dove possono lavorare adesso i giovani italiani?
5. Quali suggerimenti dà Claudia ai giovani?

I giovani italiani e il lavoro

S pesso gli studenti italiani scelgono e frequentano una facoltà universitaria solo per il prestigio del titolo accademico o per una tradizione di famiglia. Questo è specialmente vero per le facoltà di medicina e di giurisprudenza[1]. Infatti oggi in Italia ci sono moltissimi laureati[2] in medicina e in legge, ma solo pochi di loro riescono a sistemarsi in professioni adeguate alla loro preparazione accademica. Per molti laureati la ricerca[3] di un lavoro è lunga e difficile e spesso bisogna adattarsi a un lavoro interinale[4] o ciò che si riesce a trovare.

Ma ora con la riforma della scuola e dell'università si parla molto di orientamento e informazione per aiutare i giovani a scegliere un lavoro. Si spera che con questi nuovi metodi la ricerca di lavoro diventi più facile. Si organizzano quindi[5] corsi di formazione[6] per dare ai diplomati[7] e a quelli che abbandonano la scuola prima di diplomarsi[8] l'opportunità di prepararsi per specifiche carriere. Nelle università invece, con la nuova riforma, sono previsti gli "stage"[9] presso aziende e società private. Gli stagisti[10] possono così acquisire esperienza in diversi campi di lavoro e prepararsi più adeguatamente per le carriere che vogliono intraprendere.

Migliaia di giovani, alla ricerca di un posto di lavoro, partecipano ad un concorso per un pubblico impiego.

- Nel suo paese, come si preparano i giovani per il mondo del lavoro?

- Come si svolge la ricerca di lavoro? È facile o difficile per i giovani trovare un lavoro?

1. law   2. graduates   3. search   4. temporary   5. therefore   6. training   7. high school graduates   8. getting a high school diploma
9. internships   10. interns

Domande personali

1. Lei è contento/a dei suoi corsi e dei suoi professori? Perché?
2. Quale corso di laurea ha scelto lei? È soddisfatto/a della scelta? Perché?
3. Secondo lei, quale laurea offre immediate possibilità di lavoro?
4. Per i laureati è difficile trovare lavoro nella sua città o nel suo paese? Perché?
5. Come vede il suo futuro nel mondo del lavoro? Perché?

Pratica

1. In gruppi di tre o quattro: Domandi ai suoi amici quale lavoro pensano di svolgere una volta laureati e se pensano di trovare subito un posto (*job*). Prenda appunti e paragoni (*compare*) i suoi risultati con quelli di altri gruppi.

2. In gruppi di tre o quattro: Domandi ai suoi amici di indicare qual è, secondo loro, l'ordine di importanza delle categorie (stipendio, possibilità di crescita, ecc.) riportate nel grafico e se piacerebbe loro lavorare all'estero o in un'altra parte del paese. Prenda appunti e paragoni (*compare*) i suoi risultati con quelli di altri gruppi.

Denaro e carriera ma espatriare è vietato

Quando è possibile seguire questi corsi? A che cosa preparano? Quanto tempo durano? Quali di questi corsi le piacerebbe seguire?

Vocabolario

> The plural of *il giornalista* is *i giornalisti;* the plural of *la giornalista* is *le giornaliste.*

Parole analoghe

accademico/a
l'assistenza
combinare
esistere
immediato/a
interdisciplinare
orientarsi
la possibilità
la preparazione
privato/a
la professione
specializzarsi
sufficiente
la trasmissione

Nomi

l'ascoltatore (*m.*) listener
la concorrenza competition
il/la giornalista journalist
l'impiego job, employment
l'impresa business firm
l'ingegneria engineering
la laurea degree
il parere opinion
il suggerimento suggestion

Aggettivi

migliore better
stretto/a close
stimolante challenging

Verbi

intervistare to interview
intraprendere to undertake
laurearsi to graduate
riuscire to succeed
sistemarsi to get a job,
  get settled

Altre parole ed espressioni

liberamente freely
il corso di laurea (university)
  major
la pausa pubblicitaria
  commercial break

Pronuncia

Ripasso della consonante *g*

In Italian, the letter **g** has a soft sound before **e** and **i,** similar to English *j* or *g* as in *jack* or *gem.* The same applies to **gg.** In all other positions and before the letters **a, o,** or **u, g** or **gg** is always pronounced with a hard sound, /**g**/, as in **gatto.** The combination **gh** is always pronounced hard.

A Ascolti e ripeta le parole.

giro	generale	pago	pigro
gente	giovane	guida	impiego
gita	Perugia	gusto	guardo
Giacomo	giornalista	tengo	spiegare
proteggere	peggio	leggo	laghi
maggio	suggerimento	spaghetti	ghiaccio

B Ascolti e ripeta le frasi. Faccia attenzione ai suoni della **g.**

Vi presento **G**iorgio, un in**g**egnere, e **Gh**erardo, un **g**iornalista.
Questi **g**iovani hanno un buon impie**g**o ma esso non dà loro molto **g**ioia.
Svol**g**ono queste professioni mal**g**rado la **g**rave situazione economica.
Ra**g**azzi, avete dei su**gg**erimenti per **G**iorgio e per **Gh**erardo?

Ampliamento del vocabolario

Mestieri, professioni e altre occupazioni -Jobs

1. Many nouns referring to occupations have both a masculine and a feminine form.

l'impiegato   (male) clerk   **l'impiegata**   (female) clerk
l'operaio   (male) blue-collar   **l'operaia**   (female) blue-collar
   worker   worker

2. Some masculine nouns that end in **-tore** have a feminine form that ends in **-trice.**

l'attore   actor   **l'attrice**   actress
lo scrittore   (male) writer   **la scrittrice**   (female) writer

3. Some masculine nouns form the feminine by dropping the final vowel and adding **-essa.**

il dottore   (male) doctor   **la dottoressa**   (female) doctor
il professore   (male) professor   **la professoressa**   (female) professor
lo studente   (male) student   **la studentessa**   (female) student

4. Some masculine nouns that end in **-ista, -ente,** or **-ante** can be feminine or masculine depending on the context.

il/la dentista   dentist   **il/la regista**   film director
l'elettricista   electrician   **l'agente**   agent
il/la farmacista   pharmacist   **il/la dirigente**   executive
il/la pianista   pianist   **il/la cantante**   singer

> Remember that nouns ending in *-ista* end in *-isti* in the masculine plural, and in *-iste* in the feminine plural: *i pianisti/le pianiste.*

il/la pianista   il/la cantante

il/la regista   l'elettricista

5. Some nouns have only a masculine or only a feminine form.

Masculine form only	*Feminine form only*
l'architetto architect	**la casalinga** homemaker
l'avvocato lawyer	**la donna d'affari** businesswoman
il meccanico mechanic	
il medico doctor	
l'uomo d'affari businessman	

l'uomo d'affari   la donna d'affari   il medico

Espressioni utili

che lavoro fa (fai)? what work
  do you do?
che mestiere fa (fai)? what is
  your occupation?
**esercitare (svolgere) una
  professione (un mestiere)** to
  practice a profession (a skilled craft)

**faccio il meccanico
  (l'avvocato)** I'm a mechanic
  (lawyer)
**scegliere una professione o un
  mestiere** to choose a
  profession or occupation

 In coppia: Faccia le seguenti domande ad un altro
studente/un'altra studentessa.

1. Quando finisci di studiare, quale professione ti piacerebbe
   svolgere o quale mestiere vorresti fare?
2. Che tipo di preparazione devi avere per svolgere la
   professione o fare il mestiere che hai scelto (*chosen*)?
3. Preferisci svolgere un lavoro che ti dia molti soldi,
   molta soddisfazione o molto tempo libero? Perché?
4. Quale professione o quale mestiere svolge tuo padre? Tua
   madre? Tuo fratello o tua sorella?

**Quale affermazione esprime meglio
ciò che pensi della tua futura vita lavorativa?**

**Ho le idee chiare sul lavoro
che voglio fare**
52%

**Non indica
2%**

**Non credo che seguirò
una carriera in particolare:
farò lavori di volta in volta
diversi a seconda
di come mi conviene
12%**

**Probabilmente
farò una serie
di lavori diversi
e poi
ne sceglierò uno
35%**

B In coppia: Lei chiede ad un altro studente/un'altra studentessa come si chiamano le persone che fanno i seguenti lavori.

▶ chi disegna palazzi e costruzioni — Come si chiama chi disegna palazzi e costruzioni?
— L'architetto.

1. chi scrive per un giornale
2. chi suona il pianoforte
3. quelli che vendono medicine
4. le donne che non lavorano fuori casa
5. chi aggiusta i motori delle macchine
6. chi dirige (*directs*) un film
7. la donna che scrive libri
8. chi lavora in una fabbrica
9. chi interpreta i personaggi di un film
10. quelli che lavorano in un ufficio

Il mondo del lavoro

Nomi	Verbi
il capo chief, boss	**assumere** to hire
la carriera career	**gestire** to manage
il colloquio job interview	**guadagnare** to earn
la disoccupazione unemployment	**licenziare** to fire
la fabbrica factory	**licenziarsi** to quit (*a job*)
le ferie vacation	**richiedere** to require, seek
la gestione management	
l'impiegato/a employee	
l'impiego job, employment	**Altre parole ed espressioni**
il posto job, position	
la qualifica qualification	**guadagnarsi la vita** to earn one's living
il salario wage, pay	**sostenere un colloquio** to have a job interview
lo stipendio salary	

C In coppia: Intervisti un altro studente/un'altra studentessa per sapere se cerca lavoro per l'estate prossima e che tipo di lavoro vorrà fare.

1. Cerchi lavoro per l'estate prossima? Che tipo d'impiego pensi di trovare?
2. Cos'è più importante per te in questo impiego: lo stipendio o un'esperienza utile per fare carriera nel futuro?
3. Quanto ti piacerebbe guadagnare al mese?
4. Lavori adesso? Dove lavori?
5. Per quale lavoro sei qualificato/a?
6. Come ti vesti per andare a sostenere un colloquio per un posto di lavoro? Come ti prepari?
7. Quanti giorni di ferie all'anno ti piacerebbe avere?
8. C'è molta disoccupazione nella tua città o nel tuo paese, oppure (*or*) è abbastanza facile trovare lavoro?

In coppia: Leggete i seguenti annunci. Poi a turno fate le domande che seguono e rispondete ad esse.

OFFERTE DI LAVORO

INDUSTRIA RICERCA

Laureato in chimica in possesso dei seguenti requisiti:
- età tra i 25 e 35 anni
- 2 o 3 anni di esperienza

Il candidato sarà responsabile per:
- lo studio e lo sviluppo di nuovi prodotti
- l'assistenza tecnica ai clienti.

Inviare dettagliato Curriculum vitae a: Agenzia Parini, Casella Postale 35, 22100 Como

---

Società[4] multinazionale americana cerca

GIOVANI DIPLOMATI E LAUREATI

per una carriera dinamica e stimolante nel mondo delle vendite. I candidati, massimo venticinquenni e militesenti, devono possedere:
- ✓ una forte aspirazione al successo personale
- ✓ elevato impegno[5]
- ✓ determinazione e solide motivazioni
- ✓ buon rapporto interpersonale

L'attività lavorativa si svolgerà nel Centro-Sud d'Italia. Inviare dettagliato curriculum con recapito telefonico[6] a: Selezione e Consulenza, Casella Postale 155, 20100 Milano

---

Azienda[1] importanza nazionale cerca giovane laureato in

ECONOMIA E COMMERCIO

Si richiede:
- Buona votazione[2] di laurea
- Ottima conoscenza ragioneria[3]
- Ottima conoscenza inglese
- Età massima 26 anni

Inviare dettagliato curriculum vitae a: Agir Selezione, Casella 70, 00100 Roma

---

Assumiamo GRAFICO/A[7] con esperienza di 2 o 3 anni presso agenzia di pubblicità. Età tra i 24 e 30 anni. Telefonare al (045) 2076935 di Verona

1. firm   2. grades   3. accounting
4. company   5. commitment
6. phone number   7. graphic designer

> In Italy it is commonplace to indicate desired age range for jobs in newspaper ads. There are no antidiscrimination laws for age (or sex).

1. Quali sono le responsabilità di lavoro del candidato ricercato dall'industria chimica?
2. Chi cerca giovani laureati e diplomati?
3. Quali caratteristiche devono avere i candidati?
4. Che tipo di laurea è richiesta da un'azienda d'importanza nazionale?
5. Quale tipo di esperienza e quanti anni di attività nel ramo (*field*) deve avere il candidato/la candidata per l'impiego offerto a Verona? Secondo lei, sono sufficienti le informazioni sul lavoro offerto?

E In coppia: Telefoni ad un amico/un'amica e gli/le parli di uno degli annunci di lavoro riportati in alto. Risponda all'amico/a che vuole sapere il nome della ditta, i requisiti (*qualifications*) necessari e dove può telefonare o scrivere per quest'impiego.

In coppia: Supponga di dover sostenere un colloquio per ottenere un lavoro presso un'agenzia di viaggi. Prepari un curriculum vitae riempiendo (*filling out*) il seguente modulo (*form*) e lo presenti al capo del personale.

Curriculum vitae

Qualifiche accademiche: _____

Esperienza di lavoro: _____

_____

Caratteristiche personali: _____

Lingue straniere conosciute: _____

Altre qualifiche: _____

Referenze: _____

Poi risponda alle domande del capo che vuole sapere:

quando può cominciare a lavorare
se le piace viaggiare
quanto desidera guadagnare al mese

Struttura ed uso

Imperfetto del congiuntivo

— Mamma e papà volevano che io **avessi** una posizione importante nel mondo dello spettacolo!

1. The imperfect subjunctive is used in dependent **che** clauses when the verb in the main clause is in a past tense or in the present conditional and requires a subjunctive form.

Io non sapevo che ingegneria **fosse** così difficile.	*I didn't know that engineering was so difficult.*
Pensavo che **esistessero** più possibilità di lavoro.	*I thought that there were more employment possibilities.*
Sarebbe bene che voi **sceglieste** un'altra facoltà.	*It would be better if you were to choose another field of study.*
Vorrei che ci **fosse** più tempo per pensarci.	*I wish there were more time to think about it.*

2. To form the imperfect subjunctive of most verbs, drop the **-re** from the infinitive and add the endings **-ssi, -ssi, -sse, -ssimo, -ste,** and **-ssero**. The following chart shows the imperfect subjunctive of regular **-are**, **-ere**, and **-ire** verbs.

	studiare	**prendere**	**capire**
che io	studia**ssi**	prende**ssi**	capi**ssi**
che tu	studia**ssi**	prende**ssi**	capi**ssi**
che lui/lei	studia**sse**	prende**sse**	capi**sse**
che noi	studia**ssimo**	prende**ssimo**	capi**ssimo**
che voi	studia**ste**	prende**ste**	capi**ste**
che loro	studia**ssero**	prende**ssero**	capi**ssero**

> Notice that both types of *-ire* verbs—those that take *-isc* in the present tense and those that do not—are conjugated identically in the imperfect subjunctive.

3. The following verbs are irregular in the imperfect subjunctive.

bere:	bevessi, bevessi, bevesse, bevessimo, beveste, bevessero
dare:	dessi, dessi, desse, dessimo, deste, dessero
dire:	dicessi, dicessi, dicesse, dicessimo, diceste, dicessero
essere:	fossi, fossi, fosse, fossimo, foste, fossero
fare:	facessi, facessi, facesse, facessimo, faceste, facessero
stare:	stessi, stessi, stesse, stessimo, steste, stessero

> Notice that some of these verbs have the same irregular stem in the imperfect indicative: *fare: facevo/facessi; dire: dicevo/dicessi; bere: bevevo/bevessi.*

(A) Formuli frasi con le parole tra parentesi, come indicato nel modello.

▶ Giorgio studiava ingegneria. (Era opportuno …)
Era opportuno che Giorgio studiasse ingegneria.

1. Voleva diventare architetto. (Sembrava …)
2. I suoi corsi erano difficili. (Gli pareva …)
3. Ingegneria richiedeva una buona preparazione in matematica. (Pensava …)
4. Si preoccupava per il suo futuro. (Era normale …)
5. I suoi amici trovavano subito lavoro. (Era contento …)
6. La sua ragazza andava in un'altra città. (Gli dispiaceva …)
7. Lei rimaneva qui. (Giorgio preferiva …)
8. Lui le diceva la verità. (Sarebbe meglio …)

B Completi la seguente descrizione di una settimana veramente difficile, usando l'imperfetto del congiuntivo dei verbi fra parentesi.

Benché io (dovere) leggere duecento pagine di storia, lunedì i miei amici hanno voluto che io li (aiutare) a studiare il latino. Martedì, la mia compagna di camera ha voluto che io le (dare) un passaggio con la macchina. Poi non sapevo che mercoledì ci (essere) l'esame di economia, e quindi non ho studiato. Ma il professore ha insistito che io (fare) l'esame lo stesso. Giovedì è stato necessario che io (parlare) con il professore. Poi i miei genitori hanno voluto che io (tornare) a casa venerdì per il fine settimana. Gli ho detto che andavo a casa a condizione che loro mi (permettere) di invitare alcuni amici. Che settimana!

C In coppia: Dica ad un compagno/una compagna cinque cose che i suoi professori volevano la settimana scorsa.

▶ La settimana scorsa la professoressa d'inglese voleva che noi leggessimo *Antonio e Cleopatra* e che ne scrivessimo una relazione (*report*). Il professore d'italiano voleva che io parlassi della mia famiglia in classe ...

D Lei è andato/a a sostenere un colloquio di lavoro per un posto in una fabbrica. Siccome lei non è ben preparato/a, risponde all'intervistatore dicendo che lei immaginava che le cose stessero in maniera diversa.

▶ Questa fabbrica produce asciugacapelli.
  Oh! Ma io pensavo che producesse videoregistratori!

1. Il giorno lavorativo comincia alle sette e mezzo.
2. La fabbrica non offre l'assistenza sanitaria (*health insurance*).
3. La posizione richiede una laurea in economia.
4. Ci sono più di duecento impiegati nella fabbrica.
5. La fabbrica chiude per ferie ad agosto.
6. Preferiamo assumere persone con molta esperienza.
7. Lo stipendio aumenta automaticamente ogni due anni.
8. Non abbiamo posizioni a tempo parziale (*part-time*).

E In coppia: Dica ad un amico/un'amica cosa pensava prima di cominciare a frequentare questa università.

Prima di venire qui, ...

1. pensavo che ...
2. non sapevo che ...
3. speravo che ...
4. speravo di ...
5. avevo paura che ...
6. avevo paura di ...

> Don't forget to use an infinitive if the subject of both clauses is the same: *Speravo di specializzarmi in ingegneria.*

Trapassato del congiuntivo e correlazione dei tempi

— E il pallone? Dov'è?

— Ma io pensavo che lo **avessi portato** tu!

1. Compare the forms of the verb in the following examples.

I genitori credevano che Maria Luisa **andasse** a scuola.	*Her parents thought that Maria Luisa was going to school.*
I genitori credevano che Maria Luisa **fosse andata** a scuola.	*Her parents thought that Maria Luisa had gone to school.*

The verb in bold type in the second sentence is in the **trapassato del congiuntivo** (pluperfect subjunctive), which is used when the action of the dependent clause takes place before that of the main clause.

I genitori non sapevano (domenica) che Maria Luisa **fosse andata** ad una festa (sabato).	*Her parents didn't know (on Sunday) that Maria Luisa had gone to a party (on Saturday).*

2. The **trapassato del congiuntivo** is a compound form consisting of an auxiliary verb (**avere** or **essere**) in the imperfect subjunctive and a past participle.

	arrivare	finire
che io	fossi arrivato/a	avessi finito
che tu	fossi arrivato/a	avessi finito
che lui/lei	fosse arrivato/a	avesse finito
che noi	fossimo arrivati/e	avessimo finito
che voi	foste arrivati/e	aveste finito
che loro	fossero arrivati/e	avessero finito

Ci sembrava che i candidati **si fossero preparati** abbastanza e che **avessero risposto** bene alle domande.	*It seemed to us that the candidates had prepared themselves enough and that they had answered the questions well.*

3. The following charts summarize the sequence of tenses when the verb in the dependent **che** clause is in the subjunctive.

main clause	*che* + dependent clause (describing simultaneous or future action)
presente } futuro	**che** + congiuntivo presente

Spero che lui **arrivi.**	*I hope he arrives.*
È possibile che **si incontrino** domani.	*It's possible that they will meet each other tomorrow.*
Vorrà che tu **venga** con noi.	*He'll want you to come with us.*

main clause	*che* + dependent clause (describing prior action)
presente } futuro	**che** + congiuntivo passato

Spero che lui **sia arrivato.**	*I hope he has arrived.*
È possibile che **si siano** già **conosciuti.**	*It's possible that they already met each other.*
Penserà che voi **abbiate** già **letto** il messaggio.	*He'll think that you already read the message.*

main clause	*che* + dependent clause (describing simultaneous or future action)
imperfetto passato prossimo trapassato condizionale }	**che** + imperfetto del congiuntivo

Speravo che lui **arrivasse.**	*I hoped that he was arriving.*
Ci **sembrava** che **si sistemasse** nel nuovo posto.	*It seemed to us that he was getting settled in his new job.*
Avevamo pensato che **fosse** troppo tardi.	*We had thought it was too late.*
Vorrei che me lo **chiedeste** domani.	*I wish you would ask me tomorrow.*

main clause	*che* + dependent clause (describing prior action)
imperfetto passato prossimo trapassato condizionale }	**che** + trapassato del congiuntivo

Speravo che lui **fosse arrivato.**	*I hoped that he had arrived.*
Vorrei che me lo **avessi chiesto** ieri.	*I wish you had asked me yesterday.*
Ho voluto che lei **fosse stata** la prima a parlare.	*I wanted her to have been the first to speak.*
Avevano pensato che noi **avessimo sentito** la notizia.	*They had thought that we had heard the news.*

F Formuli frasi che descrivono quello che è successo nella facoltà di lingue dell'università. Scelga gli elementi appropriati dalle tre colonne, e usi il trapassato del congiuntivo nella frase subordinata.

Sembrava	la professoressa	fare i compiti
Era importante	noi	licenziarsi — resign
Dubitavo	lo studente	usare il computer
Era meglio	gli studenti	uscire subito alla fine della
Temevo	i professori	lezione
Era bene	io	guadagnare poco
	le segretarie	parlare bene l'italiano
		lasciare i libri a casa — f
		perdere il quaderno
		arrivare prima dei professori

▶ Era importante che gli studenti fossero arrivati prima dei professori.

G Spesso quando i genitori partono per il fine settimana, i figli fanno cose diverse da quelle che i genitori si aspettano. Dica quello che i genitori pensavano che i figli avessero fatto durante la loro assenza.

▶ Maria Luisa è andata ad una festa.
  I genitori non sapevano che Maria Luisa fosse andata ad una festa. Pensavano che Maria Luisa fosse andata in chiesa.

1. Maria Luisa è ritornata alle tre di mattina.
2. Ha invitato alcuni amici a casa.
3. Maria Luisa e gli amici hanno giocato a poker.
4. Bruno ha preso la macchina della mamma.
5. È andato al centro con alcuni amici.
6. È tornato a casa domenica mattina.
7. Il fratellino non ha mangiato niente.
8. Maria Luisa e Bruno non hanno fatto attenzione al fratellino.

H In coppia: Dica ad un amico/un'amica tre o quattro cose del suo passato (per esempio: dov'è nato/a, quale liceo ha frequentato, un luogo interessante che ha visitato, un corso che ha seguito, ecc.). L'amico/a risponde che non sapeva queste cose, o credeva qualche altra cosa.

▶ S1: Sono nata in Florida.
  S2: Non sapevo che tu fossi nata in Florida./Credevo che tu fossi nata in Louisiana.

I Riscrivete tutte le frasi nel passato.

▶ Ho paura che il mio ragazzo non mi ami più.
  Avevo paura che il mio ragazzo non mi amasse più.

1. Mi dispiace che lui non mi chiami spesso.
2. Sembra strano che non mi abbia telefonato ieri.
3. Non credo che lui abbia un'altra ragazza.
4. Voglio che facciamo la pace e che parliamo chiaramente.
5. Gli scrivo delle poesie, affinché lui possa capire i miei sentimenti.
6. È possibile che si sia dimenticato di me.
7. È impossibile che io abbia fatto qualcosa di male.
8. Gli telefono prima che sia troppo tardi.

Quando si vive in famiglia, ogni dichiarazione (*statement*) provoca reazioni diverse dai vari membri della famiglia. Esprima queste reazioni, come nel modello.

▶ Ho avuto un altro incidente con la macchina!
  Non posso credere che tu ...
  Non posso credere che tu abbia avuto un altro incidente con la macchina.
  Immaginavo che tu ...
  Immaginavo che tu avessi avuto un altro incidente con la macchina.

1. Aspetto un bambino!
   Non è possibile che tu ...
   Vorrei tanto che tu ...
   Sono veramente contento/a che tu ...

2. I miei genitori hanno intenzione di farci una visita!
   Mi dispiace che i tuoi genitori ...
   Speravo che ...
   Dubito che ...

3. Ho trovato un lavoro!
   Non posso credere che ...
   Sarebbe bellissimo che ...
   La mamma sarà contentissima che tu ...

4. Abbiamo vinto alla lotteria!
   Sarebbe un miracolo se ...
   Non sapevo che ...
   È incredibile che ...

5. La mia ragazza ha venti anni più di me!
   Non sembra che la tua ragazza ...
   Non mi piace che ...
   Infatti, avevo l'impressione che ...

Frasi introdotte da *se*

— Sì, ma se **studiassi** di più non **avrei** il tempo per le cose importanti.

1. When the word **se** (*if*) is used to talk about circumstances that are real or likely to occur, the indicative is used in the **se** clause and the indicative or the imperative is used in the main clause.

Se **ho** bisogno di soldi, **lavoro** con mio zio.	*If I need money, I work for my uncle.*
Se **hai** bisogno di soldi, **trova** un lavoro!	*If you need money, find a job!*
Se **andrai** all'ufficio di colloca-mento, **troverai** molte possibilità di lavoro.	*If you go to the employment office, you'll find many job possibilities.*
Da giovane, se mio nonno non **trovava** lavoro, **vendeva** i giornali.	*As a young man, if my grandfather didn't find work, he would sell newspapers.*

> In those real or likely situations, *se* often means "when" or "whenever."

2. **Se** can also be used to talk about imaginary, unlikely, and impossible situations. In these cases the **se** clause is in the imperfect subjunctive and the main clause is in the conditional.

Se **avessi** un milione di euro, non **lavorerei** più.	*If I had a million euros, I wouldn't work anymore.*
Io invece se **fossi** milionario, **continuerei** a lavorare.	*If I were a millionaire, I'd continue to work.*
Se i miei genitori mi **ascoltassero**, **vedrebbero** che ho ragione.	*If my parents only listened to me, they would see that I am right.*

K In coppia: Dica ad un altro studente/un'altra studentessa quello che lei generalmente fa nelle seguenti situazioni.

▶ Se fa freddo ...   S1: Se fa freddo non esco.
                      S2: Se fa freddo mi metto una maglia.

1. Se ho molta fame ...
2. Se non capisco una cosa in classe ...
3. Se ho molti compiti da fare e poco tempo ...
4. Se ho bisogno di parlare con qualcuno ...
5. Se mi telefona un amico noioso ...
6. Se non riesco a dormire ...
7. Se arrivo in ritardo a lezione ...

L Trasformi queste frasi, usando il condizionale nella frase principale e l'imperfetto del congiuntivo nella subordinata, come nel modello.

▶ Se posso, lo faccio.   Se potessi, lo farei.

1. Se parli, ti ascolto.
2. Se mangiamo poco, ci sentiamo meglio.
3. Se abbiamo bisogno di soldi, li chiediamo a papà.
4. Se ho tempo, cucino qualcosa.
5. Se non corro ogni giorno, mi sento più stanco.
6. Se vuole parlare con te, ti telefona.
7. Se è possibile, veniamo.

M Dica quello che lei farebbe nelle seguenti situazioni.

1. Se fossi donna/uomo ...
2. Se potessi essere un personaggio storico ...
3. Se adesso fossi in Italia ...
4. Se avessi più tempo ...
5. Se fossi invisibile ...
6. Se potessi uscire con qualsiasi persona ...
7. Se fossi professore universitario ...

N In gruppi di tre: Domandi alle altre persone del gruppo cosa farebbero se succedessero le seguenti cose. Poi riferisca l'informazione alla classe.

se vedessero un UFO
se non potessero trovare un lavoro dopo aver finito l'università
se trovassero un portafoglio (*wallet*) con mille dollari
se vedessero la ragazza del migliore amico con un altro uomo
se durante un esame vedessero un altro studente copiare da un
   compagno/una compagna
se si trovassero in montagna senza cibo

▶ se vedessero un UFO   S1: Cosa faresti se vedessi un UFO?
                                  S2: Io telefonerei ai giornali.
                                  S1: E tu cosa faresti?
                                  S3: Io ...

Condizionale passato

— Massimo, **avresti dovuto** telefonare prima!

1. The past conditional is a compound form consisting of an auxiliary verb (**avere** or **essere**) in the present conditional plus a past participle. The following chart shows the forms of the past conditional.

	scegliere	**uscire**
io	avrei scelto	sarei uscito/a
tu	avresti scelto	saresti uscito/a
lui/lei	avrebbe scelto	sarebbe uscito/a
noi	avremmo scelto	saremmo usciti/e
voi	avreste scelto	sareste usciti/e
loro	avrebbero scelto	sarebbero usciti/e

2. The past conditional corresponds to *would have (done something)*. It is also used to report a future action *as viewed from the past*, which English expresses with the simple conditional.

Giorgio ha scelto ingegneria ma io **avrei scelto** matematica.

Giorgio chose engineering, but I would have chosen math.

Patrizia si è iscritta ad architettura ma noi **ci saremmo iscritti** a scienze politiche.

Patrizia enrolled in architecture, but we would have enrolled in political science.

Claudia ha detto che **avrebbe scelto** la facoltà l'anno dopo.

Claudia said that she would choose a major the following year.

3. The past conditional of **dovere** + *infinitive* means *should have (done something)*. Similarly, the past conditional of **potere** + *infinitive* means *could have (done something)*.

Avrebbero dovuto parlare prima con me.

They should have spoken to me first.

Avresti potuto lavorare a tempo parziale.

You could have worked part-time.

4. To talk about a contrary-to-fact or imaginary situation entirely in the past, use **se** + **trapassato del congiuntivo** + *past conditional*.

Se lo **avessi saputo** prima, non ci **sarei andato.**

If I had known sooner, I wouldn't have gone.

Se non **avessero incontrato** Gianni, non **avrebbero saputo** la buona notizia.

If they hadn't run into Gianni, they wouldn't have learned the good news.

> The order of the two clauses can be switched: *Non ci sarei andato se lo avessi saputo prima.*

◉ In coppia: Riferisca all'amico/all'amica quello che le seguenti persone hanno detto riguardo alla festa che avrebbero organizzato.

▶ Caterina: Io porterò le bibite.

S1: Cosa ha detto Caterina?
S2: Ha detto che avrebbe portato le bibite.

1. Marcella: Arriverò un po' tardi.
2. Tina e Giuseppe: Noi aiuteremo con le decorazioni.
3. Tuo cugino: Porterò i CD e le cassette.
4. Massimo: Mio fratello non verrà.
5. Angela e Caterina: Prepareremo cinquanta panini.
6. Betti: Dovrò andare via presto.
7. Gli amici: Ci divertiremo tanto!

P   In coppia: Ieri lei non aveva molta voglia di lavorare. Quando il suo compagno/la sua compagna le chiede perché non ha fatto le seguenti cose, risponda con una scusa appropriata.

▶ fare i compiti   S1: Hai fatto i compiti?
S2: No. Li avrei fatti, ma ho perduto il mio libro d'italiano.

1. scrivere il tema
2. preparare la relazione per il corso d'ingegneria
3. andare al laboratorio
4. finire gli esercizi di grammatica
5. leggere due capitoli nel libro di storia
6. guardare il documentario per il corso di antropologia
7. dormire abbastanza

Q   In gruppi di tre: Decidete che cosa avrebbero dovuto fare queste persone.

▶ Quando si è svegliata una   S1: Avrebbe dovuto chiamare
vostra amica aveva la febbre.   subito il dottore.
La sua temperatura era di 104 gradi F.   S2: Sarebbe dovuta andare
                                             all'ospedale.
                                         S3: Avrebbe dovuto prendere due
                                             aspirine.

1. Un vostro amico ha sostenuto un colloquio di lavoro. Ma non si è preparato bene per il colloquio, si è vestito in maniera un po' informale e non ha risposto bene alle domande. Quindi il colloquio è andato male.
2. Una vostra amica era seduta in un caffè e ha visto un ragazzo che le piaceva molto. Ma, poverina, era timida e non sapeva che cosa dire. Lui è andato via prima che lei potesse parlargli.
3. Un vostro amico è disperato perché dopo tre anni capisce di avere sbagliato quando ha scelto la facoltà. Non gli piace per niente la biologia!
4. La vostra compagna di camera non ha potuto trovare un lavoro per l'estate ed è rimasta a casa a fare niente.
5. Un vostro amico ha dimenticato il compleanno della sua ragazza. Adesso la ragazza non vuole più parlare con lui.

R   Risponda alle seguenti domande.

1. Che cosa avrebbe fatto se la sua università non l'avesse accettato/a?
2. Quale università avrebbe frequentato se fosse stato possibile?
3. Cosa avrebbe fatto l'estate scorsa se avesse avuto i soldi?
4. Come sarebbe stato il mondo se gli Europei non avessero scoperto l'America?
5. Come sarebbe stato il mondo se lei non fosse nato/a?

For further practice of lesson topics, log on to the *Oggi in Italia* website and/or do the CD-ROM activities.

Parliamo un po'

A **Un sondaggio.** Intervisti quattro studenti per sapere in che cosa vogliono specializzarsi e perché. Se una persona non ha ancora deciso, chieda quale sarà la sua specializzazione più probabile.

Studente	Specializzazione	Perché
1. _____	_____	_____
2. _____	_____	_____
3. _____	_____	_____
4. _____	_____	_____

> Remember to use an infinitive if the subject of both clauses is the same: *Vorrei trovare un posto nella mia città.*

B **Il primo lavoro.** In coppia: Quale sarà il suo primo posto di lavoro quando uscirà dall'università? Dica ad un amico/un'amica come vorrebbe che fosse questo lavoro. Quando è possibile, usi espressioni quali **vorrei che, sarebbe bello se, preferirei che,** ecc.

> On official documents, Italians generally write their last name followed by their first name.

▶ Sarebbe bello se potessi lavorare in una grande banca. Vorrei che il mio stipendio fosse ...

C **In cerca di lavoro.** Lei è in cerca di lavoro e va all'ufficio di collocamento affinché l'aiutino nelle sue ricerche. La prima cosa che deve fare quando arriva è compilare il modulo (*fill out the form*) a destra.

Data _____

I. Dati personali

Nome _____

Indirizzo _____

Numero di telefono _____

Luogo e data di nascita _____

II. Titoli di studio

Istituto _____ Anno _____

Specializzazione _____

Lingue straniere _____

III. Lavori precedenti

Nome della ditta	Data d'impiego	Responsabilità
_____	_____	_____
_____	_____	_____

Candidati per un posto.

In gruppi di quattro: Le tre persone rappresentate nel disegno sono venute alla società BigBog a sostenere un colloquio per una posizione con questa azienda. Con il gruppo, usate la fantasia e per ogni candidato compilate il modulo presentato nell'attività C. Poi, scrivete un breve paragrafo per ogni candidato in cui la persona spiega perché dovrebbe avere la posizione in questione.

▶ Se la società BigBog mi offrisse questo posto, farei ...

E Il colloquio.
Negli stessi gruppi di quattro: Uno studente fa la parte del direttore/della direttrice della società BigBog, che conduce i colloqui con i tre personaggi dell'attività D (gli altri tre studenti). Il direttore/La direttrice guarda il modulo di ogni candidato e prepara almeno tre domande che vuole fare a tutti e tre. Dopo aver sentito le loro risposte, il direttore/la direttrice prende una decisione.

Conoscere l'Italia

A Definizioni.
Abbini le definizioni con una parola della lista a destra. Ci sono tre parole in più nella lista.

1. un mare del Mediterraneo del sud
2. sinonimo di *montagna*
3. aggettivo derivato da *collina*
4. nome che comprende il frigorifero, la lavatrice, l'aspirapolvere, ecc.
5. nome che comprende camicie, pantaloni, vestiti, gonne, ecc.
6. nome che comprende il divano, il tavolo, le sedie, ecc.
7. scrive opere musicali
8. scrive poesie

a. l'abbigliamento
b. l'industria
c. il mobilio
d. collinoso/a
e. il compositore
f. Egeo
g. il poeta
h. il pittore
i. il monte
j. gli elettrodomestici
k. Adriatico

Le Marche

La donna velata, un bellissimo dipinto di Raffaello Sanzio (1483–1520), può essere ammirato nel museo di Palazzo Pitti a Firenze.

Le Marche è una regione del centro Italia situata fra l'Appennino e il mare Adriatico. Il suo nome deriva da "marca" che significa "regione di confine[1]". Il capoluogo della regione è Ancona, un importante porto sull'Adriatico da dove partono navi e traghetti[2] diretti a Venezia, e alla Croazia, alla Grecia, alla Turchia e a varie isole del mare Egeo. Altre città marchigiane[3], capoluoghi di provincia, sono Ascoli Piceno, Macerata, Pesaro e Urbino.

Una grande risorsa delle Marche è la costa che, durante l'estate, attrae molti turisti italiani e stranieri. Le spiagge sono basse e spesso sabbiose o ghiaiose[4]. Un'eccezione è il Conero, un pittoresco monte al sud di Ancona alto quasi 600 metri, che si affaccia a picco[5] sul mare. Il resto del territorio è prevalentemente[6] collinoso ma nel sud della regione, ai confini con l'Umbria e l'Abruzzo ci sono le montagne che formano il Parco Nazionale dei Monti Sibillini.

La popolazione delle Marche è di quasi un milione e mezzo di abitanti, molti dei quali vivono lungo la costa dove c'è stato un maggiore sviluppo economico. Negli ultimi decenni[7], in questa regione si sono sviluppate molte piccole industrie e attività commerciali particolarmente nei settori dell'abbigliamento, delle calzature[8], del mobilio, della carta, degli elettrodomestici e degli strumenti musicali.

Il porto di Ancona è anche un comodo luogo di sosta per le grandi navi da crociera.

Alcuni personaggi importanti nella storia della cultura italiana sono nati nelle Marche. Ricordiamo il famoso pittore[9] rinascimentale Raffaello Sanzio, nato ad Urbino nel 1483; il compositore Gioacchino Rossini, autore dell'opera *Il Barbiere di Siviglia*, nato a Pesaro nel 1792, e il poeta romantico Giacomo Leopardi, nato a Recanati nel 1798.

1. border   2. ships and ferries   3. adjective related to Le Marche   4. sandy or gravelly
5. looks out vertically onto   6. mainly   7. decades   8. footwear   9. painter

Recanati: small town south of Ancona.

Informatore turistico Porto Recanati.

 Che cosa ricorda? Dia il nome o la descrizione dei seguenti aspetti delle Marche.

1. derivazione del nome della regione Le Marche
2. le principali città delle Marche
3. che cosa è il Conero
4. il nome del parco nazionale delle Marche
5. alcune industrie marchigiane
6. nome di un pittore famoso delle Marche
7. nome del compositore di *Il Barbiere di Siviglia*

Quella che segue è la prima strofa (*stanza*) di una lunga e bellissima poesia di Giacomo Leopardi. In questo canto notturno (*night song*), il poeta domanda alla luna (*moon*) che cosa essa fa nel cielo (*sky*). Poi dice che la vita della luna che sorge (*rises*) e tramonta (*sets*) in maniera ripetitiva, è simile a quella del pastore errante (*wandering shepherd*) dell'Asia. Poi sempre alla luna chiede qual è lo scopo (*purpose*) della vita dei satelliti e dei pianeti e della vita del pastore stesso. Alla fine fa una domanda sul significato dell'esistenza quando chiede qual è lo scopo del corso immortale della vita della luna e del breve corso della vita mortale del poeta.

Legga la poesia a bassa voce e poi risponda alle domande basate su di essa. Quindi rilegga la poesia, prima a bassa voce e poi ad alta voce.

Canto notturno di un pastore errante dell'Asia

Giacomo Leopardi

Che fai tu, luna in ciel? dimmi, che fai,
silenziosa[1] luna?
Sorgi la sera, e vai,
contemplando i deserti; indi ti posi[2].
Ancor non sei tu paga[3]
di riandare i sempiterni calli?
Ancor non prendi a schivo[4], ancor sei vaga
di mirar queste valli[5]?
Somiglia[6] alla tua vita
la vita del pastore.
Sorge in sul primo albore[7];
move la greggia[8] oltre pel campo, e vede
greggi, fontane ed erbe[9];
poi stanco si riposa[10] in su la sera:
altro mai non ispera.
Dimmi, o luna: a che vale[11]
al pastor la sua vita,
la vostra[12] vita a voi? Dimmi: ove tende
questo vagar[13] mio breve,
il tuo corso immortale?

> indi = quindi
> sempiterni calli = eterne vie
> vaga = desiderosa
> mirar = guardare
> move = muove
> ispera = spera
> ove = dove

1. silent   2. you set   3. content
4. doesn't it bother you   5. valleys
6. Is similar   7. at dawn   8. flock
9. grasses   10. he rests   11. what's it worth   12. your life and that of the other stars and planets
13. wandering

LIBRIA LEOPARDI

Domande

1. Dov'è la luna?
2. Secondo il poeta, com'è la luna?
3. Quando sorge la luna?
4. Che cosa guarda la luna durante la notte?
5. A quale vita somiglia la vita della luna?
6. Quando si alza il pastore?
7. Che cosa fa il pastore dopo che si è alzato?
8. Che cosa vede il pastore durante il giorno?
9. Quando si riposa il pastore?
10. Che cosa vuole sapere il poeta dalla luna?

Lezione 18

Una domenica ecologica in una città italiana. Tutti vanno a piedi e non ci sono automobili. Il centro è riservato ai cittadini che vanno a piedi o in bicicletta.

Abiti sempre in città?

Communicative Objectives

- Talk about advantages and disadvantages of city living
- Discuss environmental problems
- Talk about means of transportation
- Talk about what you are/were doing
- Express when, where, how, and how frequently actions occur

Sono le otto di mattina. Luca Rosati, un giovane laureato in economia del turismo, è sulla metropolitana di Roma e incontra il suo amico Giuliano Moretti, laureando in scienze politiche.

LUCA:	Giuliano! È molto tempo che non ci vediamo. Dove stai andando?	
GIULIANO:	All'università. Ma tu, che fai qui? Dove vai?	
LUCA:	Io ho cominciato a lavorare da sei mesi e ora sto passando un po' di giorni con i miei genitori. Adesso abito nel Friuli e lavoro in un agriturismo vicino a Udine.	
GIULIANO:	Non ti piace più abitare in città?	
LUCA:	Roma è bellissima. Forse è la più bella città d'Italia, ma per me stava diventando invivibile. Non c'è niente di peggio del traffico romano. Per non parlare poi° dell'inquinamento.	*Not to mention*
GIULIANO:	È vero. Tutti vorremmo vivere meglio e il mio desiderio maggiore è di poter vivere una vita meno stressante.	
LUCA:	Ecco perché ho deciso di vivere fuori città. Tu, invece, abiti sempre a Piazza Risorgimento?	
GIULIANO:	E dove vuoi che vada? Non è facile trasferirsi in un'altra città. Ormai mi sono abituato al traffico, ai rumori e all'inquinamento di Roma.	
LUCA:	Ma, dimmi, la statua di Garibaldi in mezzo alla° piazza è stata più pulita?	*in the middle of*
GIULIANO:	Sì, e adesso stanno pensando di prendere dei provvedimenti prima che cominci a sgretolarsi°.	*to fall to pieces*
LUCA:	Certo, l'inquinamento è un problema da prendere molto seriamente.	
GIULIANO:	Eh, sì, in città non si respira più. Oggi tutti abbiamo bisogno di fuggire verso il verde e la campagna. Ma Roma ha sempre un suo fascino particolare.	

(Line numbers in margin: 5, 10, 15, 20, 25)

> **Risorgimento:** Historical process that led to the unification of Italy in 1870.

> Giuseppe Garibaldi (1807–1882) was a general who fought for Italian independence.

Domande

1. Dove si incontrano Luca e Giuliano?
2. Dove sta andando Giuliano?
3. Quando ha cominciato a lavorare Luca? Dove lavora?
4. Dove abita Luca adesso?
5. Cosa dice di Roma Luca?
6. A che cosa si è abituato Giuliano?
7. Dove va ad abitare la gente per fuggire dall'inquinamento della città?
8. A Giuliano piace Roma? Cosa dice di questa città?

Domande personali

1. Di solito quali mezzi pubblici usa lei?
2. In città preferisce usare la macchina, l'autobus o la metropolitana? Perché?
3. Preferisce vivere in una metropoli o in una cittadina? Perché?
4. Lei vivrebbe in campagna? Quali vantaggi e svantaggi offre la vita in campagna?
5. Secondo lei, quali sono gli svantaggi della vita in città? E quali i vantaggi?
6. Nella sua città o nel suo paese ci sono problemi di inquinamento? Quali sono?
7. Lei è mai stato/a in un agriturismo? Dove? Le è piaciuta l'esperienza? Perché? Se no, le piacerebbe fare una vacanza in un agriturismo?

Pratica

1. In gruppi di tre o quattro: Faccia un sondaggio per sapere quali sono, secondo i suoi compagni, i problemi ambientali più seri della vostra città. Servitevi della lista indicata per fare una graduatoria (*to make a rating scale*). Prenda appunti e riferisca alla classe i risultati del suo sondaggio.

   il traffico intenso e disordinato
   i fumi di scarico (*exhaust fumes*) delle auto
   il rumore delle macchine
   il rumore delle fabbriche
   i rifiuti (*solid waste*) urbani
   il fumo di scarico del riscaldamento dei palazzi
   l'acqua inquinata dei fiumi, dei laghi e del mare

2. In coppia: Intervisti un compagno/una compagna sui vantaggi e gli svantaggi della vita in città e della vita in campagna. Gli/Le chieda dove preferisce vivere e perché.

Il traffico e l'ambiente nelle città italiane

L'automobile è il mezzo di trasporto più diffuso nelle città italiane. Lo sviluppo industriale, non solo automobilistico, degli ultimi sessanta anni ha trasformato completamente il paese. Da nazione essenzialmente agricola, l'Italia è oggi uno dei sette paesi più industrializzati del mondo.

Ma questo progresso ha anche portato un grande caos e l'inquinamento dell'ambiente, specialmente nelle grandi città. Le strade strette e irregolari, gli antichi palazzi addossati[1] l'uno all'altro e i monumenti storici delle città non sopportano[2] più il traffico causato principalmente dai mezzi di trasporto privati. In alcuni centri cittadini gli ingorghi[3] automobilistici durano tutto il giorno. I fumi di scarico[4] delle auto, i rumori assordanti dei clacson[5] e dei motori e l'eccessivo traffico causano danni[6] non solo alle strade, ai palazzi e ai monumenti ma anche alle persone.

Per far fronte a[7] questo problema ogni città ha provato soluzioni diverse. Sono nate così le isole pedonali[8], il centro storico è stato chiuso al traffico, sono state create corsie preferenziali[9] per autobus e taxi e si sono stabiliti giorni e ore in cui le automobili non possono circolare. Così sono tornate di moda le biciclette e le moto alle quali si aggiungono[10] tantissimi motorini. Questi mezzi possono circolare sempre e tranquillamente, ma essi creano spesso confusione, disordine e, in molti casi, anche inquinamento. In alcune grandi città come Roma, Milano e Torino, la metropolitana ha dato un po' di respiro[11] al movimento dei cittadini. Ma a tutt'oggi il problema del grande traffico nelle città italiane non è stato ancora risolto molto bene.

- Com'è il traffico nelle città americane? Quali sono i maggiori problemi ambientali nel suo paese?

Moto e motorini sono importanti mezzi di trasporto per moltissimi giovani che vivono in città.

1. huddled 2. cannot withstand 3. traffic jams 4. exhaust 5. deafening car horns 6. harm 7. To address 8. traffic-free zones 9. designated lanes 10. are added 11. respite

Parole analoghe

l'autobus	la statua
la metropoli	il traffico
particolare	il turismo
seriamente	

Nomi

l'agriturismo   vacation farm; agritourism
la campagna   countryside
il desiderio   wish
il fascino   charm
l'inquinamento   pollution
la metropolitana   subway
il provvedimento   measure, precaution
il rumore   noise
lo svantaggio   disadvantage
il vantaggio   advantage

Aggettivi

invivibile   unlivable
stressante   stressful

Verbi

abituarsi (a)   to get used to
fuggire   to flee
respirare   to breathe

Altre parole ed espressioni

meno   less
sempre   still
i mezzi pubblici   public transportation

> The adjective *stressante* derives from *lo stress,* borrowed from English.

Pronuncia

Ripasso delle combinazioni *sc* e *sch*

The letters **sc** before **i** or **e** have a soft sound, /ʃ/ as in *shell*. **Sc** before **a, o,** and **u** and **sch** before **i** or **e** have a hard sound /sk/as in *skill*.

 Ⓐ Ascolti e ripeta le parole.

sciare	**sc**elta	li**sc**io	**sch**erzare	**sc**usare
scegliere	**sc**ena	u**sc**ire	pe**sch**e	di**sch**i
pe**sc**e	**sc**ienza	la**sc**iare	tede**sch**i	**sc**arpe

Ripasso di *gl* + *i*

The combination **gli** is pronounced like *lli* in *million*. It is articulated with the top of the tongue against the hard palate or roof of the mouth.

 Ⓑ Ascolti e ripeta le parole.

fi**gli**	**gli**elo	fo**gli**o	consi**gli**o	sba**gli**ato
de**gli**	sve**gli**o	fi**gli**a	tova**gli**olo	ma**gli**a
bi**gli**etto	lu**gli**o	vo**gli**o	me**gli**o	abbi**gli**amento

 Ⓒ Ascolti e ripeta le frasi. Faccia attenzione alle combinazioni **sc, sch** e **gli.**

Vo**gli**amo andare al negozio di abbi**gli**amento per **sc**egliere dei vestiti.
Ed io vo**gli**o anche dei di**sch**i e de**gli sc**i nuovi.
Ma **sch**erzi! Non capi**sc**i che il traffico è intenso a lu**gli**o?

Ampliamento del vocabolario

I mezzi di trasporto

l'aereo

l'autobus

il treno

la motocicletta (la moto)

l'automobile (l'auto)/la macchina

il traghetto

la metropolitana

l'elicottero

il tassì (il taxi)

il tram

la nave

l'autocarro (il camion)

andare in macchina (in aereo, in autobus, in tram, in treno, in moto(cicletta), in traghetto, in elicottero, in tassì) to go by car (by plane, by bus, by tram, by train, by motorcycle, by boat, by helicopter, by taxi)

andare con la nave to go by ship
andare a piedi to go on foot
prendere la metropolitana to take the subway

A In coppia: Faccia le seguenti domande ad un altro studente/ un'altra studentessa.

1. Se (tu) dovessi andare in Italia, quale mezzo di trasporto useresti? Perché?
2. Se (tu) abitassi a New York, prenderesti la metropolitana o l'autobus per andare a scuola o a lavorare? Perché?
3. Se devi andare dalla tua città a San Francisco, quale mezzo di trasporto preferisci prendere?
4. Secondo te, qual è il mezzo di trasporto più sicuro (*safe*)? Perché?
5. Pensi che la gente dovrebbe usare di più i mezzi pubblici? Perché?
6. Dove è possibile prendere il traghetto?
7. Chi prende l'elicottero per andare a lavorare?

> *La metropolitana* is frequently referred to as *il metro*.

B In coppia: Preparate una lista dei mezzi di trasporto che si usano nella vostra città. Dite quali sono le zone della città che servono e quanto costano. Indicate se e quali altri mezzi di trasporto sarebbero necessari per servire meglio la gente che vive in città.

L'ambiente

l'ambiente (*m.*) environment	**il riciclaggio** recycling
l'ecologia ecology	**riciclare** to recycle
l'inquinamento pollution	**i rifiuti** (solid) waste, rubbish
inquinare to pollute	**salvaguardare** to save,
la pioggia acida acid rain	preserve

Il riciclaggio viene fatto dappertutto. Nella foto vediamo una campana per la raccolta della carta.

Qual è il messaggio di quest'annuncio? Qual è uno degli oggetti che è possibile fabbricare con la plastica?

la panchina = bench

Riciclo della plastica

Plastic.   Replastic.

In gruppi di tre o quattro: Faccia un sondaggio per sapere che cosa pensano i suoi compagni dell'inquinamento e quali provvedimenti sono necessari per salvaguardare l'ambiente naturale. Prenda appunti e paragoni i suoi risultati con quelli di altri gruppi.

1. Quali sono alcuni aspetti evidenti dell'inquinamento, dell'ambiente naturale?
2. Secondo te, quali sono le principali cause dell'inquinamento dell'aria? E del mare? E della terra?
3. Quali provvedimenti aiutano a salvaguardare l'ambiente?
4. C'è l'inquinamento nella tua città? Da che cosa è causato?
5. A quale forma di riciclaggio partecipi? A quello della carta, del vetro (*glass*), dei metalli o della plastica? O a tutti e quattro?
6. Secondo te, quali sono i paesi più inquinati del mondo? Perché?
7. Nella tua città ci sono associazioni che difendono l'ambiente? Quali sono e che cosa fanno?
8. Sei iscritto/a a qualche associazione ambientalista? Quale? Di che cosa si occupa?
9. Pensi che l'effetto serra (*greenhouse effect*) sia una vera minaccia per la terra e per l'umanità? Perché?

Struttura ed uso

Tempi progressivi

— Cosa **stai facendo?**
— **Sto aggiustando** il mio computer!

1. As you know, Italian often uses present or imperfect verb forms to talk about ongoing actions for which English uses progressive forms.

— Che **fai?**   — *What are you doing?*
— **Guardo** questi annunci.   — *I'm looking at these ads.*

— Ti **disturbo?**   — *Am I bothering you?*
— No, non **facevo** niente di   — *No, I wasn't doing anything*
  speciale.   *special.*

Italian also has progressive tenses, which are used when the speaker wants to stress that the action is going on at the moment, or was going on when something else occurred.

— Cosa **stai facendo?**
— **Sto guardando** questi annunci.

— Ti **sto disturbando?**
— No, non **stavo facendo** niente di speciale in questo momento.

2. The progressive tenses are made up of **stare** plus the **-ando** or **-endo** form of the verb: **-ando** is added to the infinitive stem of **-are** verbs, and **-endo** to the infinitive stems of **-ere** and **-ire** verbs.

studiare: **sto studiando**   *I am studying*
leggere: **sto leggendo**   *I am reading*
dormire: **sto dormendo**   *I am sleeping*

The following chart shows the present and past progressive of **studiare.**

	present progressive	past progressive
io	sto studiando	stavo studiando
tu	stai studiando	stavi studiando
lui/lei	sta studiando	stava studiando
noi	stiamo studiando	stavamo studiando
voi	state studiando	stavate studiando
loro	stanno studiando	stavano studiando

3. The verbs **fare, bere,** and **dire** have irregular progressive forms.

Sto facendo i compiti.   *I am doing my homework.*
Cosa **stai bevendo?**   *What are you drinking?*
Ieri **stavo dicendo** a Michele ...   *Yesterday I was saying to Michele . . .*

4. Object and reflexive pronouns may precede **stare,** or they may follow and be attached to the gerund.

Lo stiamo finendo adesso.   *or*   Stiamo finendo**lo** adesso.
Mi stavo lavando i denti.   *or*   Stavo lavando**mi** i denti.

(A) Metta le frasi nel progressivo presente o passato.

▶ Che cosa fa Francesca?   Che cosa sta facendo Francesca?

1. Francesca cerca un agriturismo per le vacanze.
2. Legge tutti gli annunci.
3. Chiama tutti i suoi amici.
4. Noi la aiutiamo.
5. Aspettiamo la risposta da un'agenzia di viaggi.
6. Ma Francesca arriva alla fine della sua ricerca.
7. Ieri infatti Francesca tornava ad Udine.
8. Viaggiava con altre tre ragazze.
9. Una delle ragazze lavora in un agriturismo molto carino.

(B) Rivolga queste domande ad un altro studente/un'altra studentessa, che risponderà usando i pronomi nelle risposte.

▶ Guardi la televisione?   Sì, la sto guardando ora./Sì, sto guardandola ora.

1. Leggi il giornale?   4. Ti prepari per uscire?
2. Ti diverti?   5. Ti alzi adesso?
3. Aspetti il treno?   6. Telefoni al tuo amico?

(C) In coppia: Copra la lista del suo compagno/della sua compagna con un foglio di carta. A turno, mimate (*act out*) le attività della vostra lista. Ognuno di voi deve indovinare quello che il compagno/la compagna sta mimando.

▶ cercare le chiavi   S1: [mima l'azione di cercare le chiavi]
                     S2: Stai cercando qualcosa. Stai cercando le chiavi!

S1	telefonare a qualcuno
	guardare una partita di tennis
	aspettare un autobus
	sciare
	fare la doccia

S2	fare una fotografia
	giocare con un videogioco
	guidare una motocicletta
	mettersi un paio di jeans stretti (*tight*)
	mangiare gli spaghetti

(D) In gruppi di quattro: Trovi in questo libro una fotografia con alcune persone e attività diverse. Domandi ai suoi compagni cosa stanno facendo le persone della foto.

▶ S1: Cosa stanno facendo le persone in questa foto a pagina _____ ?
    S2: L'uomo sta suonando la chitarra.
    S3: Alcune persone stanno ascoltandolo.
    S4: Queste persone stanno prendendo il caffè ...

E In coppia: Dica ad un amico/un'amica che cosa stava facendo in determinati periodi.

▶ stamattina alle   S1: Che cosa stavi facendo stamattina alle sette e mezzo?
sette e mezzo   S2: Stamattina alle sette e mezzo stavo
                         dormendo/radendomi la barba/guidando ...

1. ieri a mezzogiorno
2. sabato scorso alle dieci di sera
3. a mezzanotte in punto di Capodanno (*New Year's*)
4. il pomeriggio del giorno prima di Natale
5. la sera del suo compleanno

Avverbi di tempo, luogo, modo e quantità

— Mi scusi, ma deve proprio guidare così **velocemente?**

1. Adverbs are words that modify a verb, an adjective, or another adverb. They generally tell *when*, *where*, *how*, and *how often* something happens.

— Sono arrivati **ieri.**   — Quando?   — Ieri.
— Dormono **qui.**   — Dove dormono?   — Qui.
— Parlano **bene** l'inglese. — Come lo parlano?   — Bene.
— Escono **spesso.**   — Quanto?   — Spesso.

2. Adverbs ending in **-mente** correspond to English adverbs ending in *-ly*. They are formed by adding **-mente** to the feminine singular form of the adjective.

È una ragazza **allegra.** Canta **allegramente.**
È un treno **lento.** Va **lentamente.**
Sono studenti **attenti.** Studiano **attentamente.**

Adjectives that end in a vowel + **-le** or **-re** drop the final **-e** before adding **-mente.**

È un corso **facile.** Capiamo **facilmente** i concetti.
È una giornata **particolare,** e siamo **particolarmente** contenti.

3. Most adverbs immediately follow the verb.

Emilio si è svegliato **tardi.**	*Emilio woke up late.*
Mi ha telefonato **dopo.**	*He called me afterwards.*
Ci vediamo **raramente.**	*We see each other rarely.*

In sentences with compound verbs, the adverbs **già, mai, ancora,** and **sempre** generally occur between the auxiliary verb and the past participle.

— Hai **già** letto gli annunci?	— *Have you read the announcements yet?*
— No, non li ho **ancora** letti.	— *No, I haven't read them yet.*
Luca non si è **mai** abituato ai rumori della città.	*Luca has never gotten used to the noise in the city.*
Ha **sempre** vissuto in campagna.	*He's always lived in the country.*

F Completi il seguente brano con gli avverbi suggeriti.

bene	finalmente
mai	recentemente
spesso	vicino
disperatamente	lì
prima	sempre
rapidamente	troppo

Giampaolo cercava _____ una casa. Leggeva _____ gli annunci sui giornali di Pisa e girava _____ la città in cerca di un appartamento in affitto. _____ abitava a Lucca perché la sua famiglia era _____ . Non è andato ad un'agenzia immobiliare perché diceva che costava _____ . _____ una persona che Giampaolo conosce _____ si è trasferita _____ in un'altra città, lasciando libero un appartamento _____ all'università.

G Come fa certe cose Angela? Completi le frasi con gli avverbi derivati dagli aggettivi della prima parte della frase.

▶ Angela è una ragazza tranquilla; fa ogni cosa …
Angela è una ragazza tranquilla; fa ogni cosa tranquillamente.

1. Angela sta attenta quando parla il professore; lo ascolta …
2. Ama le macchine veloci e ama guidare …
3. Trova molto facile la chimica e finisce … i suoi compiti.
4. Le sue parole sono sempre chiare; parla …
5. È una persona cortese; saluta … ogni persona che vede.
6. I suoi vestiti sono sempre eleganti; si veste …
7. È una persona quasi perfetta, e lo sa …

H In coppia: Rispondete alle domande personali.

1. Sei mai andato/a in elicottero?
2. Hai già compiuto ventun anni?
3. Ti sei già iscritto/a per votare?
4. Hai mai guidato una motocicletta?
5. Hai mai letto un giornale italiano?
6. Sei già andato/a dal dentista quest'anno?
7. Ti è sempre piaciuto studiare le lingue straniere?
8. Hai già mangiato oggi?

Verbi che richiedono una preposizione

— Come **riusciamo ad** andare via?

1. The following verbs require the preposition **a** before an infinitive.

Verb + *a* + infinitive	
aiutare a to help to	**imparare a** to learn to
andare a to go to	**insegnare a** to teach to
cominciare a to begin to	**mettersi a** to begin to
continuare a to continue to	**riuscire a** to succeed at
divertirsi a to have fun	**venire a** to come to

La banda **ha cominciato a** suonare alle nove.	*The band started playing at nine o'clock.*
E **ha continuato a** suonare fino a tardi.	*And it continued playing until late.*
Ci siamo divertiti a ballare.	*We had fun dancing.*
Chi ti **ha insegnato a** ballare così?	*Who taught you to dance like that?*
Non **sono** mai **riuscito a imparare a** ballare bene.	*I've never managed to learn to dance well.*

2. The following verbs and expressions require the preposition **di** before an infinitive.

> **Verb + *di* + infinitive**
>
> | | |
> |---|---|
> | **avere bisogno di**   to need to | **dire di**   to say, to declare |
> | **avere paura di**   to be afraid to | **finire di**   to finish |
> | **cercare di**   to try to | **pensare di**   to think about |
> | **chiedere di**   to ask to | **permettere di**   to allow to |
> | **consigliare di**   to advise to | **promettere di**   to promise to |
> | **credere di**   to believe | **ricordarsi di**   to remember to |
> | **decidere di**   to decide to | **sperare di**   to hope to |
> | **dimenticarsi di**   to forget to | **suggerire di**   to suggest |

Abbiamo bisogno di utilizzare nuove fonti di energia.	*We need to use new sources of energy.*
Cerchiamo di riciclare quanto più possibile.	*Let's try to recycle as much as possible.*
Le leggi attuali non **permettono di** inquinare i mari.	*Current laws do not permit polluting of the seas.*
Non **dimentichiamoci di** usare i mezzi pubblici.	*Let's not forget to use public transportation.*

3. The following verbs require no preposition before an infinitive.

> **Verb + infinitive**
>
> | | |
> |---|---|
> | **amare**   to love to | **preferire**   to prefer to |
> | **desiderare**   to wish to | **sapere**   to know how to |
> | **dovere**   to have to | **volere**   to want to |
> | **potere**   to be able to | |

I miei amici **amano** vivere in campagna.	*My friends love living in the country.*
Anch'io **vorrei** trasferirmi in un piccolo paese.	*I'd like to move to a small town too.*
Così non **dovremmo** mai usare la macchina.	*That way we wouldn't ever have to use our car.*

Roma ha una grande aspirazione: rendere l'aria più pulita.

STOP al benzene

I Formuli frasi di senso compiuto abbinando le espressioni delle tre colonne e usando la preposizione appropriata.

mio fratello	sperare	guardare la TV
la mamma	cominciare	mettere i bicchieri a tavola
Claudia	promettere	telefonare ad un cliente
io	dire	bere un caffè
mia zia	avere paura	rimanere a casa
mio padre	riuscire	trovare il mio telefonino
mia nonna	continuare	chiudere la porta del garage
io e Gigi	chiedere	tornare a casa alle undici
mia sorella	aiutare	prestarmi la macchina
mio zio e mia zia		cenare presto
mio cugino		cucinare il mio piatto preferito
		andare a letto tardi
		riciclare la carta

▶ Mio fratello promette di rimanere a casa.

J Completi le descrizioni, aggiungendo **a** o **di** dov'è necessario.

1. Durante la festa, Mario ed io abbiamo cominciato _____ cantare mentre gli altri continuavano _____ mangiare. Poi volevamo _____ suonare alcune canzoni nuove, ma ci siamo dimenticati _____ portare la chitarra. Allora ci siamo messi _____ ballare.

2. Nella classe di russo, non ho imparato _____ parlare bene. Quindi ho deciso _____ studiare con un maestro privato. Il maestro desiderava _____ darmi tre lezioni alla settimana, ma gli ho detto che dovevo _____ lavorare dopo la scuola. Allora abbiamo pensato _____ fare una lezione di tre ore ogni sabato mattina.

3. Gli studenti della nostra classe hanno promesso _____ riciclare il più possibile. Sperano _____ evitare la creazione di rifiuti eccessivi. Sono già riusciti _____ riciclare numerose tonnellate di giornali e riviste. Continuano _____ cercare modi alternativi per proteggere l'ambiente.

Un cartello pubblicitario invita a riciclare il vetro usato.

Racconti la vita di un famoso poeta italiano, formulando frasi complete con le parole ed espressioni indicate.

> ▶ il poeta / cominciare / scrivere / poesie / all'età di dodici anni
> Il poeta ha cominciato a scrivere poesie all'età di dodici anni.

1. la maestra / insegnargli / amare / buoni libri
2. lui / cercare / scrivere / poesie in stile classico
3. decidere / seguire / lo stile moderno
4. non dimenticarsi / aiutare / giovani poeti
5. a Parigi / lui / mettersi / insegnare corsi di poesia
6. non riuscire mai / guadagnare molti soldi
7. consigliare ai giovani / studiare i poeti antichi

 In coppia: Uno di voi fa la parte di un personaggio famoso dello sport o dello spettacolo (*show business*). L'altro fa la parte di un giornalista che intervista questa persona famosa per poi scrivere un articolo. Parlate delle seguenti cose.

quando ha cominciato a svolgere quest'attività
come e quando ha imparato a farlo
cosa desiderava fare da giovane
perché ha deciso di fare quest'attività
cosa spera di fare in futuro
cosa consiglia di fare ai giovani che vogliono svolgere quest'attività
cosa deve fare una persona per avere successo in questo campo (*field*)

> ▶ Signor King, quando ha cominciato a scrivere libri dell'orrore?
> Ho cominciato a scrivere quando avevo sette anni ...

Parli della sua vita, finendo le frasi in maniera logica con la preposizione appropriata e un verbo all'infinito.

1. Quando ero giovane i miei genitori non mi permettevano ...
2. Avevo sempre paura ...
3. Il mio migliore amico/La mia migliore amica mi ha insegnato ...
4. Non sono mai riuscito/a ...
5. Mi dimentico troppo spesso ...
6. Nel futuro vorrei continuare ...
7. Ho fatto bene quando ho deciso ...
8. I miei amici mi suggeriscono ...

For further practice of lesson topics, log on to the *Oggi in Italia* website and/or do the CD-ROM activities.

Parliamo un po'

A I mezzi di trasporto: vantaggi e svantaggi.

In coppia: Parlate degli aspetti positivi e negativi dei seguenti mezzi di trasporto.

▶ Quando si viaggia con l'aereo si può ...
  Con il treno si arriva ... ma bisogna ...
  Se vai in bicicletta puoi ...

Mezzo di trasporto	Vantaggi	Svantaggi
l'aereo	_____	_____
l'automobile	_____	_____
il treno	_____	_____
l'autobus	_____	_____
la bicicletta	_____	_____

B Il giro del mondo in otto giorni.

In coppia: Avete otto giorni per fare un viaggio intorno al mondo. Programmate il viaggio e i vari mezzi di trasporto che intendete utilizzare.

▶ Partiamo da ... Prendiamo l'aereo fino all'aeroporto di Londra. A Londra prendiamo un tassì alla stazione del treno e poi ... Il secondo giorno andiamo a ...

C Facciamo il riciclaggio!

In coppia: Guardate il disegno di tutte le cose da riciclare. Poi parlate di quello che bisogna fare con i vari articoli.

▶ Prendiamo le bottiglie e le mettiamo nella campana per la raccolta del ...

RACCOLTA CARTA   RACCOLTA VETRO   RACCOLTA PLASTICA   RACCOLTA METALLI   SOSTANZE TOSSICHE

D **Che tipo di consumatore sei?** In coppia o gruppi di tre: Fate una lista delle attività "ecologiche" che si possono fare per aiutare l'ambiente (riciclare, usare i mezzi pubblici, ecc.). Poi chiedetevi se fate queste attività sempre, spesso, raramente o mai.

▶ Si possono riciclare le bottiglie. Tu ricicli le bottiglie?

CHE TIPO DI CONSUMATORE SEI?

Valori in percentuale

ECOLOGICO (evita qualsiasi tipo di spreco)

PENTITO (consumista, ma vorrebbe cambiare)

DOC (la sua massima é : usa e getta)

1 24 75

Il grafico illustra i risultati del sondaggio "Meno e meglio". Le tre categorie di consumatori sono state elaborate in base alle risposte fornite dai lettori al questionario.

Nel grafico sono riassunti i risultati più significativi del sondaggio sugli "Stili di vita", promosso dal Wwf e dall'"Espresso", sulle abitudini dei consumatori.

Valori in percentuale

COSA FA UN CONSUMATORE ECOLOGICO ?

Rinuncia all'automobile

Non acquista oggetti inutili

Separa i rifiuti

40 67 55

E **Ci stiamo divertendo!** In coppia: Voi avete deciso di passare una settimana nell'agriturismo "Casaforte di Bergum" a contatto con la natura. Guardate l'opuscolo Casaforte e poi scrivete una cartolina ad un vostro amico/una vostra amica e dite quello che state facendo.

CASAFORTE DI BERGUM
"Ospitalità in Agriturismo"
Remanzacco (UD)

piscina

campo da golf

equitazione

noleggio biciclette

escursioni alpinistiche

degustazione vini DOC

festa del vino

Conoscere l'Italia

A **Definizioni.** Abbini le definizioni con una parola della lista a destra. Ci sono due parole in più nella lista.

1. aggettivo derivato da *mondo*
2. aggettivo derivato da *Trieste*
3. sostantivo derivato da *attratto/a*
4. aggettivo derivato da *Irlanda*
5. va oltre (*beyond*) le Alpi
6. sinonimo di *educazione*
7. abita nel Friuli
8. scrive romanzi

a. transalpino/a
b. urbanistica
c. il romanziere
d. il/la friulano/a
e. l'istruzione
f. il luogo
g. triestino/a
h. l'attrattiva
i. mondiale
j. irlandese

Veduta notturna della bella Piazza dell'Unità d'Italia a Trieste.

Il Friuli-Venezia Giulia è una regione situata nel nord-est d'Italia, fra il Veneto, l'Austria, la Slovenia e il mare Adriatico. Con lo statuto speciale approvato nel 1963, il Friuli è diventato una regione autonoma della Repubblica italiana.

Locate Friuli and Trieste on the map on p. 14. Due to the long name, Friuli-Venezia Giulia is often called just Friuli.

Veduta aerea della caratteristica città fortezza di Palmanova.

Le città principali del Friuli sono Trieste, Pordenone, Udine e Gorizia. Di origini antichissime, Trieste ha un aspetto moderno, con una grande piazza, Piazza dell'Unità d'Italia, che si affaccia[1] direttamente sul mare. Capoluogo della regione, Trieste è il principale porto dell'Adriatico, da cui parte l'oleodotto[2] transalpino per la Baviera e l'Austria. Oltre al traffico petrolifero, nel porto triestino c'è anche un grande movimento di merci[3]. A Trieste ci sono anche cantieri navali[4] dove si costruiscono navi di grosso tonnellaggio.

Nella prima metà del Novecento a Trieste si godeva di[5] un'attività letteraria molto intensa con la presenza di letterati quali il romanziere Italo Svevo (1861–1928), il poeta Umberto Saba (1883–1957) e lo scrittore irlandese James Joyce. Oggi il livello di istruzione dei friulani è molto elevato e Trieste è all'avanguardia nella ricerca[6] scientifica in Italia con il suo Centro internazionale di fisica teorica e il suo Centro internazionale di ingegneria genetica e di biotecnologia.

Da secoli sono presenti in questa regione minoranze etnico-linguistiche slovene e tedesche e nei paesi o nelle città dove esse vivono c'è il bilinguismo nelle scuole e nei comuni. Un'altra minoranza della regione sono i friulani di origine ladina che parlano il ladino-friulano e vivono principalmente nella provincia di Udine.

Ogni anno circa otto milioni di turisti visitano il Friuli, attratti dalle bellezze artistiche e naturali della regione. Fra le tante attrattive c'è la città-fortezza di Palmanova, esempio di urbanistica[7] militare rinascimentale, costruita nel XVI (sedicesimo) secolo. Fra i turisti ci sono anche molte persone che vanno a visitare i sacrari[8] militari della prima guerra[9] mondiale come quelli di Redipuglia e Caporetto in suolo[10] sloveno.

1. looks onto   2. oil pipeline   3. goods   4. shipyards   5. enjoyed   6. research
7. city planning   8. war memorials   9. war   10. soil

Baviera = Bavaria, a state in the southeast of Germany.

Italo Svevo was a good friend of James Joyce. Joyce lived for about ten years in Trieste, where he wrote and also taught English at the Berlitz School.

Ladino/a = name given to the Jewish people expelled from the Iberian peninsula in the 15th century. Ladino is the language spoken by this group of people who number about 800,000 in the Friuli area.

Informazioni. Dia le seguenti informazioni basate sul brano precedente.

1. i confini del Friuli
2. città principali del Friuli e il suo capoluogo
3. alcune caratteristiche di Trieste
4. tre personaggi letterari associati con questa città
5. due importanti centri di ricerca triestini
6. minoranze etnico-linguistiche del Friuli
7. caratteristica di Palmanova
8. attrattive turistiche friulane visitate da molte persone

 Definizioni. Abbini le definizioni con una parola della lista a destra. Ci sono due parole in più nella lista.

1. parola composta da agricoltura e turismo
2. persona che coltiva i campi
3. luoghi che offrono turismo in campagna
4. aggettivo derivato da *lavoro*
5. un animale domestico
6. luogo dove si nuota
7. verbo derivato da *alimentazione*
8. insieme di cibi cotti e crudi

a. le aziende agricole
b. la campagna
c. il cavallo
d. agriturismo
e. alimentarsi
f. l'agricoltore
g. la cucina
h. la piscina
i. la bicicletta
j. lavorativo/a

L'AGRITURISMO

Negli ultimi anni l'agriturismo è diventato una forma popolare di vacanza alternativa specialmente fra i giovani e le famiglie con bambini. L'interesse nella campagna come meta[1] di turismo è cominciato negli anni '60 per iniziativa di alcuni giovani agricoltori[2] che nel 1968 fondarono l'Associazione Nazionale Agricoltura e Turismo. La legge che riguarda[3] questo settore è stata poi pubblicata nel 1985 e da allora ogni regione regolamenta l'agriturismo locale.

Oltre all'ospitalità, le aziende agricole[4] qualificate offrono al turista anche un'esperienza della vita di campagna facendolo partecipare, se vuole, a varie attività lavorative. Si organizzano anche passeggiate[5] ecologiche, escursioni a piedi, in bicicletta o a cavallo per boschi e sentieri campestri o montani[6]. Alcune aziende agrituristiche sono persino dotate di piscina e di altri impianti[7] sportivi. La loro cucina è basata sui cibi prodotti o coltivati sul luogo e spesso i proprietari si siedono a tavola con i loro clienti. Una vacanza agrituristica non solo è economica ma è anche sana[8] e rigenerativa perché permette di vivere a contatto con la natura, stare all'aria aperta in ambienti tranquilli e puliti, conoscere percorsi[9] naturalistici e incontaminati ed alimentarsi[10] con prodotti freschi e genuini.

1. destination   2. farmers   3. concerns   4. farms   5. walks   6. through woods and rural or mountain paths   7. facilities   8. healthy   9. ways, paths   10. to eat

Simboli Agriturismo

F R I U L I · D O C

1995/2004
decima edizione

Ospiti di gente unica

VINI·VIVANDE·VICENDE·VEDUTE

Info:
Comune Udine. Ufficio Turismo 0432.271275
www.comune.udine.it
turismo@comune.udine.it

Pernottamento:
www.turismo.fvg.it
Regione Friuli-V.G. numero verde 800.016044

B **Domande.** Risponda alle seguenti domande.

1. Chi ha fondato l'Associazione Nazionale Agricoltura e Turismo? Quando?
2. Quali sono alcune attività che si svolgono nell'agriturismo?
3. Che cosa si mangia in un agriturismo?
4. Quali sono i vantaggi di una vacanza presso un agriturismo?
5. Le piacerebbe andare in vacanza in uno di questi luoghi? Perché?
6. Quali attività o aspetti agrituristici le interessano?

Reference Section

Argomenti supplementari

Numeri ordinali

1. Ordinal numbers are used to rank things. The ordinal numbers from *first* to *tenth* are listed below.

primo/a	first
secondo/a	second
terzo/a	third
quarto/a	fourth
quinto/a	fifth
sesto/a	sixth
settimo/a	seventh
ottavo/a	eighth
nono/a	ninth
decimo/a	tenth

2. After **decimo,** ordinal numbers are formed by dropping the final vowel of the cardinal number and adding **-esimo** or **-esima.** Numbers ending in accented **-é** (**ventitré, trentatré,** etc.) retain the final **-e** without the accent.

undicesimo/a	eleventh
ventesimo/a	twentieth
ventitreesimo/a	twenty-third
cinquantesimo/a	fiftieth
centesimo/a	hundredth
millesimo/a	thousandth

3. Ordinal numbers agree in gender and number with the nouns they modify. They generally precede the noun.

Lunedì è il **primo** giorno della settimana.
Monday is the first day of the week.

I **primi** mesi dell'anno sono gennaio e febbraio.
The first months of the year are January and February.

4. Roman numerals are generally used as ordinals when referring to centuries, and to popes and royalty. The Roman numeral may precede or follow the noun when referring to centuries; it follows the noun when referring to popes and royalty.

il **XXI (ventunesimo)** secolo }
il secolo **XXI (ventunesimo)** } *the twenty-first century*

Papa Giovanni **XXIII**
   (ventitreesimo) *Pope John the Twenty-third*

Umberto **I (primo)** *Umberto the First*

 Risponda alle seguenti domande.

   1. Qual è il secondo giorno della settimana?
   2. Qual è il decimo mese dell'anno?
   3. Quale lezione segue la nona?
   4. Chi è stato il primo presidente degli Stati Uniti?
   5. In che secolo viviamo?
   6. Chi era Enrico VIII?

Nomi alterati

1. The meanings of many Italian nouns and some adjectives can be altered by adding special suffixes **(suffissi speciali).** These suffixes, which signify smallness, bigness, affection, and disparagement, are added to nouns and sometimes to adjectives after dropping the final vowel. The more common suffixes are: **-ino, -etto, -ello, -one,** and **-accio.**

> Be careful when altering nouns, since their exact meaning can depend on the situation. For instance, *il volante* means "steering wheel," but *il volantino* means "flyer." Also, the three suffixes denoting smallness aren't usually interchangeable: *casina* and *casetta* both denote a small house, but *casella* means "pigeonhole."

2. Suffixes that denote smallness or affection are **-ino, -etto,** and **-ello.**

Ho un gatt**ino** bianco. *I have a (nice) little white cat.*
Abbiamo una cas**etta** in   *We have a (nice) little house in the*
   montagna.   *mountains.*
Sei proprio cattiv**ello/a!** *You're really naughty!*

3. The suffix **-one** denotes bigness.

Chi ha scritto quel libr**one?** *Who wrote that big book?*
Federica è una ragazz**ona.** *Federica is a big girl.*

4. The suffix **-accio** signifies badness or unpleasantness and is used to give a pejorative meaning to nouns.

Non comprate quel giornal**accio.** *Don't buy that trashy newspaper.*
Quei ragazzi dicono parol**acce**   *Those boys use vulgar words even*
   anche a casa.   *at home.*

B Completi questo brano con la forma appropriata delle parole della lista dopo aver aggiunto i suffissi indicati. Alcune parole possono essere usate più di una volta.

-etto/a	-ino/a	-one	-accio/a
l'animale	l'appartamento	la casa	la giornata
il giardino	il paese		
la villa	il gatto		
la casa			
la stanza			
la cucina			
il bagno			

I miei amici abitano in una bella _____ in un _____ ad una ventina di chilometri dalla mia città. Fuori la _____ è circondata da un bel _____ dove c'è molto verde. Dall'altra parte della loro strada c'è un _____ enorme che qualcuno sta ristrutturando (*remodeling*). Sembra che vogliano farci tre _____ e ai miei amici piacerebbe che ne comprassi uno quando saranno pronti. Attualmente io abito in un _____ al centro della città dove ci sono due _____ , una _____ e un _____ . Con me abitano due _____ molto graziosi che stanno sempre in casa. Ma ieri un _____ è fuggito da casa senza che me ne accorgessi. Sono andata a cercarlo dappertutto sotto la pioggia. Che _____ ! Vorrei proprio avere una _____ in campagna o una _____ come quella dei miei amici. In questo caso i miei _____ potrebbero entrare e uscire a piacere. Potrei avere anche qualche altro _____ perché io adoro gli animali.

Aggettivi e pronomi indefiniti

1. Indefinite adjectives are used to express indefinite quantities.

> **alcuni (alcune)**   some
> **altro (altra, altri, altre)**   other
> **ogni**   each
> **molto (molta, molti, molte)**   a lot of, many
> **poco (poca, pochi, poche)**   little, few
> **qualche**   some
> **troppo (troppa, troppi, troppe)**   too much, too many
> **tutto (tutta, tutti, tutte)**   all, the whole

2. Alcuni/e and **qualche** both mean *some*. **Alcuni/e** always takes a plural noun, and **qualche** always takes a singular noun.

Puoi distribuire **alcuni volantini?**
Puoi distribuire **qualche volantino?** } *Can you pass out some flyers?*

3. The singular forms **molto/a, poco/a,** and **troppo/a** are used with singular nouns and mean *a lot of, a little,* and *too much.*

C'è **molta/poca/troppa**   *There is a lot of/little/too much*
   corruzione nel governo.   *corruption in the government.*

The plural forms **molti/e, pochi/e,** and **troppi/e** are used with plural nouns and mean *many, few,* and *too many.*

Molti/Pochi/Troppi italiani dubitano della serietà dei politici.

4. The singular **tutto/a** means *the whole.* The plural **tutti/e** means *all (the).* Both forms are usually followed by the definite article.

tutto il Senato   *the whole Senate*
tutta l'Europa   *all of Europe*
tutti i rappresentanti   *all the representatives*
tutte le stazioni radiofoniche   *all the radio stations*

5. **Ogni** is invariable and always takes a singular noun.

Ogni cittadino ha il dovere   *Every citizen has the duty to vote.*
   di votare.
Ogni candidato è contro la   *Every candidate is against crime.*
   criminalità.

6. Indefinite pronouns are used to refer to unspecific people and things. Here are the most common indefinite pronouns that refer to people and things.

to refer to people		to refer to things	
qualcuno	someone, anyone	**qualcosa**	something
ognuno	everyone	**tutto**	everything
tutti	everybody		

— C'è **qualcuno** in casa?   — *Is there anyone home?*
— No, sono usciti **tutti.**   — *No, everyone's gone out.*

— Ho **qualcosa** da dirti.   — *I have something to tell you.*
— Sì, dimmi **tutto.**   — *Yes, tell me everything.*

C Scelga quale delle due parole tra parentesi è quella corretta.

1. Alla nostra università ci sono (~~molti~~/qualche) problemi.
2. (~~Alcuni~~/Qualche) studenti danno (qualcuno/~~troppa~~) importanza ai voti (*grades*).
3. È lo stesso con (~~ogni~~/tutti i) corso di studio.
4. Il voto è usato da (~~molti~~/tutti) professori come un premio, e da (qualche/~~altri~~) professori come una punizione (*punishment*).
5. Per (~~qualche~~/alcuni) studente, il voto è diventato più importante della conoscenza della materia.
6. (~~Ognuno~~/Tutti) deve pensare a quello che vuole dallo studio.

In gruppi di tre: Decidete quale delle parole tra parentesi si applica meglio alla situazione della vostra università. Poi riferite le vostre opinioni alla classe.

1. Gli studenti dell'università hanno (poco/molto/troppo) tempo libero.
2. I professori danno (pochi/molti/troppi) compiti.
3. (Pochi/Alcuni/Molti/Quasi tutti gli) studenti sono contenti della libreria dell'università.
4. (Pochi/Alcuni/Molti/Troppi) studenti bevono spesso bevande alcoliche.
5. La vita sociale offre (poche/molte/troppe) attività.
6. Ci sono (pochi/alcuni/molti) problemi tra l'università e la comunità in cui si trova.
7. C'è (poca/qualche/molta) possibilità di violenza nel campus.
8. Ci sono (pochi/alcuni/molti/troppi) problemi di razzismo all'università.

Pronomi possessivi

1. Possessive pronouns take the place of noun phrases with possessive adjectives.

Hai letto la sua lettera o **la mia?**   *Did you read her letter or mine?*
Guardiamo prima le mie fotogra-   *Let's look at my pictures first and*
  fie e poi vediamo **le vostre.**   *then we'll see yours.*

2. Possessive pronouns are identical in form to the possessive adjectives. They agree in gender and number with the thing possessed, not the possessor. The following chart shows the forms of the possessive pronouns.

	masculine		feminine	
	singular	**plural**	**singular**	**plural**
mine	il mio	i miei	la mia	le mie
yours (tu)	il tuo	i tuoi	la tua	le tue
his, hers, its, yours (lei)	il suo	i suoi	la sua	le sue
ours	il nostro	i nostri	la nostra	le nostre
yours (voi)	il vostro	i vostri	la vostra	le vostre
theirs, yours (loro)	il loro	i loro	la loro	le loro

3. Possessive pronouns are generally preceded by the definite article. Use of the definite article is optional after **essere.** The possessive pronoun **loro,** however, always requires the article.

— Sono i suoi biglietti?
— No, non sono **(i) miei.**

— È la loro macchina?
— Sì, è **la loro.**

E Completi le frasi in maniera logica usando dei pronomi possessivi.

1. Io pago il mio biglietto e tu paghi _____ .
2. Marcello parlava con il suo avvocato mentre Franco e Daria parlavano con _____ .
3. Noi scriviamo ai nostri genitori e voi scrivete a _____ .
4. Tu scrivi la tua lettera in italiano e io scrivo _____ in inglese.
5. Le nostre vacanze sono finite; come avete passato _____ ?
6. Tu studi per i tuoi esami, ma i tuoi amici non studiano per _____ .
7. Ecco alcune fotografie che ho fatto; quando mi mandi _____ ?

F In coppia: Lei fa un complimento ad un amico/un'amica che risponde con lo stesso complimento, usando un pronome possessivo.

▶ amiche: simpatiche
  S1: Le tue amiche sono molto simpatiche.
  S2: Grazie, anche le tue sono simpatiche.

1. parenti: generosi
2. casa: elegante
3. fratelli: divertenti
4. famiglia: gentile
5. ragazzo/a: bello/a
6. paese: ricco di cose interessanti
7. idee: originali

Passato remoto

1. The preterit (**passato remoto**) is a past tense used frequently in writing, especially in narratives, to recount past events unrelated to the present. It is sometimes called the *historical past.*

Francesco Petrarca **nacque** ad Arezzo nel 1304.	*Francesco Petrarca was born in Arezzo in 1304.*
Scrisse sonetti in italiano e **fu** uno dei primi umanisti.	*He wrote sonnets in Italian, and was one of the first humanists.*
Ricevette la corona di alloro nel 1341, e la **mise** sulla tomba dell'Apostolo a San Pietro.	*He received the laurel crown in 1341, and placed it on the Tomb of the Apostle at St. Peter's Basilica.*

The preterit is used in speaking when the speaker perceives the action described as unconnected to the present.

— Hai mai letto una poesia di Francesco Petrarca?	*— Have you ever read any of Francesco Petrarca's poems?*
— **Lessi** tutto il *Canzoniere* quando ero al liceo.	*— I read the whole Canzoniere when I was in high school.*

> Southern Italians tend to use the *passato remoto* more than northern Italians, even when speaking of recent events.

> Francesco Petrarca (1304–1374), known today for his lyric poems in Italian, was crowned poet laureate for his writings in Latin.

> Petrarca's *Canzoniere* is a collection of lyric poems in Italian extolling his beloved Laura.

2. The preterit is formed by adding the characteristic endings to the infinitive stem. The following chart shows the preterit forms of regular **-are**, **-ere**, and **-ire** verbs.

	passare	**ricevere**	**finire**
io	pass**ai**	ricev**ei** (**-etti**)	fin**ii**
tu	pass**asti**	ricev**esti**	fin**isti**
lui/lei	pass**ò**	ricev**è** (**-ette**)	fin**ì**
noi	pass**ammo**	ricev**emmo**	fin**immo**
voi	pass**aste**	ricev**este**	fin**iste**
loro	pass**arono**	ricev**erono** (**-ettero**)	fin**irono**

Note that regular **-ere** verbs have two different forms for the first and third person singular and for the third person plural.

3. Many verbs have irregular forms in the preterit. Here are some of the most common. A more complete list appears in Appendix F.

avere	ebbi, avesti, ebbe, avemmo, aveste, ebbero
conoscere	conobbi, conoscesti, conobbe, conoscemmo, conosceste, conobbero
dare	diedi, desti, dette (diede), demmo, deste, dettero (diedero)
essere	fui, fosti, fu, fummo, foste, furono
fare	feci, facesti, fece, facemmo, faceste, fecero
leggere	lessi, leggesti, lesse, leggemmo, leggeste, lessero
nascere	nacqui, nascesti, nacque, nascemmo, nasceste, nacquero
prendere	presi, prendesti, prese, prendemmo, prendeste, presero
sapere	seppi, sapesti, seppe, sapemmo, sapeste, seppero
scrivere	scrissi, scrivesti, scrisse, scrivemmo, scriveste, scrissero
vedere	vidi, vedesti, vide, vedemmo, vedeste, videro
venire	venni, venisti, venne, venimmo, veniste, vennero

Notice that many of the verbs are irregular in the *io, lui/lei,* and *loro* forms, but regular in the other forms.

G Quando successero i seguenti avvenimenti? Ogni data a sinistra corrisponde ad un avvenimento a destra. Abbinate date e avvenimenti con frasi complete.

▶ L'Italia diventò una repubblica nel ...

nel 200	L'Italia diventò una repubblica.
nel 300	La chiesa condannò Galileo Galilei come eretico.
nel 400	Dante Alighieri morì.
nel 500	Milioni di italiani immigrarono nelle Americhe.
nel 600	Marco Polo arrivò in Cina.
nel 700	Cristoforo Colombo arrivò a San Salvador.
nell'800	Michelangelo creò la famosa statua del *David*.
nel 900	Antonio Vivaldi scrisse quasi 500 concerti per violino e altri strumenti.

H Chi fu Marco Polo? Completi il brano con il passato remoto dei verbi tra parentesi.

1. Marco Polo (nascere) nel 1254 a Venezia.
2. A 19 anni (partire) con lo zio Matteo per la corte del Gran Khan.
3. I due (fare) un viaggio lungo e faticoso e (incontrare) pericoli (*dangers*) di ogni genere.
4. (Vedere) i primi mongoli tre anni dopo la loro partenza.
5. Quando i Polo (arrivare) a Pechino, il Gran Khan li (ricevere) cortesemente.
6. Marco (imparare) a scrivere e a leggere il cinese.
7. Marco Polo e Kublaij Khan (fare) amicizia.
8. Marco e lo zio (tornare) a Venezia ventiquattro anni dopo.
9. Marco (scrivere) le sue avventure in un libro intitolato *Il milione*.

Voce passiva

1. In passive sentences, the subject is the recipient of the action, rather than the agent who performs the action.

I giovani **hanno eletto** Luisa Lanciani al Parlamento.	*The young people have elected Luisa Lanciani to Parliament.*
Luisa Lanciani **è stata eletta** al Parlamento dai giovani.	*Luisa Lanciani was elected to Parliament by the young people.*

2. The passive voice (**la voce passiva**) consists of **essere** in the appropriate tense + *the past participle* of the verb. The past participle agrees with the subject. The agent of the action, if mentioned, is introduced by **da.**

Annunci politici **sono mandati** in onda **da**lle stazioni radiofoniche.	*Political messages are transmitted by radio stations.*
Il maggior numero di voti è **stato conquistato da**l partito democratico.	*The greatest number of votes was won by the Democratic party.*
I risultati **saranno discussi** per giornate intere.	*The results will be discussed for days on end.*

Ⓘ Trasformi le seguenti frasi alla voce passiva, secondo il modello.

▶ All'estero l'ambasciatore rappresenta una nazione.
    Una nazione è rappresentata all'estero dall'ambasciatore.

1. Il re e la regina rispettano le tradizioni di un paese.
2. La costituzione stabilisce le leggi di un paese.
3. Deputati e senatori formano il Parlamento.
4. I partiti politici annunciano i candidati.
5. Il potere legislativo crea nuove leggi.
6. Il sindaco governa la città.
7. Quattro partiti formano la coalizione.
8. Il governo sceglierà un nuovo ministro del Tesoro.
9. Il regime fascista ha modificato la costituzione originale.

Ⓙ Risponda alle domande, cercando le informazioni nella lettura a pagina 335 se è necessario.

1. Quando è stato formato lo stato italiano?
2. In quale periodo è stata molto cambiata la Costituzione italiana?
3. Quale tipo di governo è stato scelto dagli italiani nel 1946?
4. Da che cosa sono stabiliti i limiti del potere esecutivo, del potere legislativo e del potere giudiziario?
5. Da chi è determinata la linea politica del governo?
6. Da quali organi è formato il Parlamento italiano?

Appendices

A. Spelling/sound correspondences

ortografia		suono	esempi
a		/a/	casa
b		/b/	bicicletta
c	before **a, o,** and **u**	/k/	amica, amico, culturale
	before **e** and **i**	/č/	cento, ciao
	ch before **e** and **i**	/k/	che, chi
d		/d/	dieci
e		/e/	bene
f		/f/	favore
g	before **a, o,** and **u**	/g/	larga, governo, guidare
	before **e** and **i**	/ǧ/	gelato, gita
	gh before **e** and **i**	/g/	lunghe, dialoghi
	gli before **e** and **i**	/ʎ/	luglio
	gn	/ɲ/	signora
h		*silent*	ho
i		/i/	idea
l		/l/	lettera
m		/m/	mano
n		/n/	nome
o		/o/	poco
p		/p/	pratica
q	always in combination with **u**	/kw/	qui
r		/r/	radio
s	at the beginning of a word	/s/	signore
	ss between vowels	/s/	classe
	s between vowels	/z/	rosa, così
	s before **b, d, g, l, m, n, r, v**	/z/	sbagliato, sdoppiare, sveglia
	sc before **a, o,** and **u**	/sk/	scarpa, esco, scusa
	sc before **e** and **i**	/ʃ/	scientifico, conoscere
	sch before **e** and **i**	/sk/	fresche, freschi
t		/t/	telefono
u		/u/	uno
v		/v/	venire
z		/ts/	zio, piazza
		/ds/	zero, azzurro

1. When a consonant is doubled, the sound is lengthened (held) slightly in speech.
2. The letters **j, k, w, x,** and **y** occur only in foreign words.

B. *Avere* and *essere*

				avere				
present	**imperfect**	**future**	**conditional**	**preterit**	**present subjunctive**	**imperfect subjunctive**	**commands**
ho	avevo	avrò	avrei	ebbi	abbia	avessi	
hai	avevi	avrai	avresti	avesti	abbia	avessi	abbi
ha	aveva	avrà	avrebbe	ebbe	abbia	avesse	abbia
abbiamo	avevamo	avremo	avremmo	avemmo	abbiamo	avessimo	abbiamo
avete	avevate	avrete	avreste	aveste	abbiate	aveste	abbiate
hanno	avevano	avranno	avrebbero	ebbero	abbiano	avessero	abbiano

past participle: avuto
present perfect: ho avuto, hai avuto, ha avuto, abbiamo avuto, avete avuto, hanno avuto

				essere				
present	**imperfect**	**future**	**conditional**	**preterit**	**present subjunctive**	**imperfect subjunctive**	**commands**
sono	ero	sarò	sarei	fui	sia	fossi	
sei	eri	sarai	saresti	fosti	sia	fossi	sii
è	era	sarà	sarebbe	fu	sia	fosse	sia
siamo	eravamo	saremo	saremmo	fummo	siamo	fossimo	siamo
siete	eravate	sarete	sareste	foste	siate	foste	siate
sono	erano	saranno	sarebbero	furono	siano	fossero	siano

past participle: stato
present perfect: sono stato/a, sei stato/a, è stato/a, siamo stati/e, siete stati/e, sono stati/e

C. Regular verbs: simple tenses and compound tenses with *avere* and *essere*

	verbi in *-are*		verbi in *-ere*	verbi in *-ire*	
	compr*are*	**entr*are***	**vend*ere***	**dorm*ire***	**fin*ire***
indicative present	compro	entro	vendo	dormo	finisco
	i	i	i	i	isci
	a	a	e	e	isce
	iamo	iamo	iamo	iamo	iamo
	ate	ate	ete	ite	ite
	ano	ano	ono	ono	iscono

	verbi in *-are*		verbi in *-ere*	verbi in *-ire*	
	comp**r***are*	ent**r***are*	vend**ere**	dorm**ire**	fin**ire**
imperfect	compr**avo**	entr**avo**	vend**evo**	dorm**ivo**	fin**ivo**
	avi	avi	evi	ivi	ivi
	ava	ava	eva	iva	iva
	avamo	avamo	evamo	ivamo	ivamo
	avate	avate	evate	ivate	ivate
	avano	avano	evano	ivano	ivano
future	compr**erò**	entr**erò**	vend**erò**	dorm**irò**	fin**irò**
	erai	erai	erai	irai	irai
	erà	erà	erà	irà	irà
	eremo	eremo	eremo	iremo	iremo
	erete	erete	erete	irete	irete
	eranno	eranno	eranno	iranno	iranno
preterit	compr**ai**	entr**ai**	vend**ei**	dorm**ii**	fin**ii**
	asti	asti	esti	isti	isti
	ò	ò	è	ì	ì
	ammo	ammo	emmo	immo	immo
	aste	aste	este	iste	iste
	arono	arono	erono	irono	irono
present perfect	ho compr**ato**	sono entr**ato/a**	ho vend**uto**	ho dorm**ito**	ho fin**ito**
	hai	sei	hai	hai	hai
	ha	è	ha	ha	ha
	abbiamo	siamo entr**ati/e**	abbiamo	abbiamo	abbiamo
	avete	siete	avete	avete	avete
	hanno	sono	hanno	hanno	hanno
pluperfect	avevo compr**ato**	ero entr**ato/a**	avevo vend**uto**	avevo dorm**ito**	avevo fin**ito**
	avevi	eri	avevi	avevi	avevi
	aveva	era	aveva	aveva	aveva
	avevamo	eravamo entr**ati/e**	avevamo	avevamo	avevamo
	avevate	eravate	avevate	avevate	avevate
	avevano	erano	avevano	avevano	avevano

	verbi in -*are*		verbi in -*ere*	verbi in -*ire*	
	comp*rare*	**ent***rare*	**vend***ere*	**dorm***ire*	**fin***ire*
commands	compra	entra	vendi	dormi	finisci
	i	i	a	a	isca
	iamo	iamo	iamo	iamo	iamo
	ate	ate	ete	ite	ite
	ino	ino	ano	ano	iscano
conditional present	comprerei	entrerei	venderei	dormirei	finirei
	eresti	eresti	eresti	iresti	iresti
	erebbe	erebbe	erebbe	irebbe	irebbe
	eremmo	eremmo	eremmo	iremmo	iremmo
	ereste	ereste	ereste	ireste	ireste
	erebbero	erebbero	erebbero	irebbero	irebbero
present subjunctive	compri	entri	venda	dorma	finisca
	i	i	a	a	isca
	i	i	a	a	isca
	iamo	iamo	iamo	iamo	iamo
	iate	iate	iate	iate	iate
	ino	ino	ano	ano	iscano
imperfect subjunctive	comprassi	entrassi	vendessi	dormissi	finissi
	assi	assi	essi	issi	issi
	asse	asse	esse	isse	isse
	assimo	assimo	essimo	issimo	issimo
	aste	aste	este	iste	iste
	assero	assero	essero	issero	issero
past participle	comprato	entrato	venduto	dormito	finito

D. Verbs conjugated with *essere*

The following verbs are conjugated with **essere**. In addition, all reflexive verbs are conjugated with **essere** (for example, **lavarsi**, *to wash oneself*): **mi sono lavato/a, ti sei lavato/a, si è lavato/a, ci siamo lavati/e, vi siete lavati/e, si sono lavati/e.**

andare to go
arrivare to arrive
cadere to fall
costare to cost
diminuire to diminish, decrease
dispiacere to mind; to be sorry
diventare to become
entrare to enter
essere (stato) to be
mancare to lack
morire (morto) to die
nascere (nato) to be born
partire to depart

piacere to like
restare to remain
rimanere (rimasto) to remain
ritornare to return
riuscire to succeed
salire* to climb up
scendere (sceso)* to go down; to get off
sembrare to seem
stare to be
succedere (successo) to happen
tornare to return
uscire to go out
venire (venuto) to come

* Conjugated with **avere** when used with a direct object

E. Verbs with irregular past participles

accendere (acceso) to turn on
affiggere (affisso) to post; to affix
aggiungere (aggiunto) to add
apparire (apparso) to appear
appendere (appeso) to hang
apprendere (appreso) to learn
aprire (aperto) to open
assumere (assunto) to hire
bere (bevuto) to drink
chiedere (chiesto) to ask
chiudere (chiuso) to close
cogliere (colto) to gather
comprendere (compreso) to understand
concludere (concluso) to conclude
convincere (convinto) to convince
coprire (coperto) to cover
correre (corso) to run
correggere (corretto) to correct
cuocere (cotto) to cook
decidere (deciso) to decide
dire (detto) to say
discutere (discusso) to discuss
eleggere (eletto) to elect
esprimere (espresso) to express

essere (stato) to be
fare (fatto) to do; to make
indire (indetto) to call, announce
interrompere (interrotto) to interrupt
leggere (letto) to read
mettere (messo) to put
morire (morto) to die
muovere (mosso) to move
nascere (nato) to be born
nascondere (nascosto) to hide
offrire (offerto) to offer
perdere (perso *or* perduto) to lose
permettere (permesso) to permit
porre (posto) to place
prendere (preso) to take
prevedere (previsto) to expect; to foresee
promettere (promesso) to promise
promuovere (promosso) to promote
proporre (proposto) to propose
proteggere (protetto) to protect
raggiungere (raggiunto) to arrive; to reach
rendere (reso) to render
richiedere (richiesto) to require; to seek
ridere (riso) to laugh

ridurre (ridotto)   to reduce
rimanere (rimasto)   to remain
riprendere (ripreso)   to start again
risolvere (risolto)   to resolve
rispondere (risposto)   to answer
rompere (rotto)   to break
scegliere (scelto)   to select
scendere (sceso)   to go down; to get off
scomparire (scomparso)   to disappear
scrivere (scritto)   to write
soffrire (sofferto)   to suffer

sorridere (sorriso)   to smile
spegnere (spento)   to turn off
spendere (speso)   to spend
succedere (successo)   to happen
togliere (tolto)   to remove
trarre (tratto)   to draw, pull
trasmettere (trasmesso)   to transmit
vedere (visto *or* **veduto)**   to see
venire (venuto)   to come
vincere (vinto)   to win

F. Irregular verbs

The verbs in this section are irregular in the following tenses only.

accendere	to turn on
Preterit:	accesi, accendesti, accese, accendemmo, accendeste, accesero
affiggere	to post; to affix
Preterit:	affissi, affiggesti, affisse, affiggemmo, affiggeste, affissero
andare	to go
Pres. ind.:	vado, vai, va, andiamo, andate, vanno
Future:	andrò, andrai, andrà, andremo, andrete, andranno
Commands:	va', vada, andiamo, andate, vadano
Conditional:	andrei, andresti, andrebbe, andremmo, andreste, andrebbero
Pres. subj.:	vada, vada, vada, andiamo, andiate, vadano
apprendere	to learn (*compound of* **prendere**)
assumere	to hire
Preterit:	assunsi, assumesti, assunse, assumemmo, assumeste, assunsero
bere	to drink
Pres. ind.:	bevo, bevi, beve, beviamo, bevete, bevono
Imperfect:	bevevo, bevevi, beveva, bevevamo, bevevate, bevevano
Future:	berrò, berrai, berrà, berremo, berrete, berranno
Preterit:	bevvi, bevesti, bevve, bevemmo, beveste, bevvero

Commands:	bevi, beva, beviamo, bevete, bevano
Conditional:	berrei, berresti, berrebbe, berremmo, berreste, berrebbero
Pres. subj.:	beva, beva, beva, beviamo, beviate, bevano
Imp. subj.:	bevessi, bevessi, bevesse, bevessimo, beveste, bevessero
cadere	to fall
Future:	cadrò, cadrai, cadrà, etc.
Preterit:	caddi, cadesti, cadde, cademmo, cadeste, caddero
Conditional:	cadrei, cadresti, cadrebbe, etc.
chiedere	to ask for
Preterit:	chiesi, chiedesti, chiese, chiedemmo, chiedeste, chiesero
chiudere	to close
Preterit:	chiusi, chiudesti, chiuse, chiudemmo, chiudeste, chiusero
comprendere	to understand (*compound of* **prendere**)
concludere	to conclude
Preterit:	conclusi, concludesti, concluse, concludemmo, concludeste, conclusero
conoscere	to know
Preterit:	conobbi, conoscesti, conobbe, conoscemmo, conosceste, conobbero

convincere	to convince (*compound of* **vincere**)
dare	to give
Pres. ind.:	do, dai, dà, diamo, date, danno
Preterit:	detti (diedi), desti, dette (diede), demmo, deste, dettero (diedero)
Commands:	da', dia, diamo, date, diano
Pres. subj.:	dia, dia, dia, diamo, diate, diano
Imp. subj.:	dessi, dessi, desse, dessimo, deste, dessero
decidere	to decide
Preterit:	decisi, decidesti, decise, decidemmo, decideste, decisero
dire	to say, tell
Pres. ind.:	dico, dici, dice, diciamo, dite, dicono
Imperfect:	dicevo, dicevi, diceva, etc.
Preterit:	dissi, dicesti, disse, dicemmo, diceste, dissero
Commands:	di', dica, diciamo, dite, dicano
Pres. subj.:	dica, dica, dica, diciamo, diciate, dicano
Imp. subj.:	dicessi, dicessi, dicesse, etc.
discutere	to discuss
Preterit:	discussi, discutesti, discusse, discutemmo, discuteste, discussero
dovere	to have to, must
Pres. ind.:	devo, devi, deve, dobbiamo, dovete, devono
Future:	dovrò, dovrai, dovrà, etc.
Conditional:	dovrei, dovresti, dovrebbe, etc.
Pres. subj.:	debba, debba, debba, dobbiamo, dobbiate, debbano
eleggere	to elect
Preterit:	elessi, eleggesti, elesse, eleggemmo, eleggeste, elessero
esprimere	to express
Preterit:	espressi, esprimesti, espresse, esprimemmo, esprimeste, espressero
fare	to do; to make
Pres. ind.:	faccio, fai, fa, facciamo, fate, fanno
Imperfect:	facevo, facevi, faceva, etc.
Preterit:	feci, facesti, fece, facemmo, faceste, fecero

Commands:	fa', faccia, facciamo, fate, facciano
Pres. subj.:	faccia, faccia, faccia, facciamo, facciate, facciano
Imp. subj.:	facessi, facessi, facesse, etc.
indire	to call (*compound of* **dire**)
interrompere	to interrupt
Preterit:	interruppi, interrompesti, interruppe, interrompemmo, interrompeste, interruppero
leggere	to read
Preterit:	lessi, leggesti, lesse, leggemmo, leggeste, lessero
mettere	to place, put
Preterit:	misi, mettesti, mise, mettemmo, metteste, misero
morire	to die
Pres. ind.:	muoio, muori, muore, moriamo, morite, muoiono
Future:	morrò, morrai, morrà, etc.
Pres. subj.:	muoia, muoia, muoia, moriamo, moriate, muoiano
nascere	to be born
Preterit:	nacqui, nascesti, nacque, nascemmo, nasceste, nacquero
nascondere	to hide
Preterit:	nascosi, nascondesti, nascose, nascondemmo, nascondeste, nascosero
ottenere	to obtain (*compound of* **tenere**)
permettere	to permit (*compound of* **mettere**)
piacere	to like; to please
Pres. ind.:	piaccio, piaci, piace, piacciamo, piacete, piacciono
Preterit:	piacqui, piacesti, piacque, piacemmo, piaceste, piacquero
Pres. subj.:	piaccia, piaccia, piaccia, piacciamo, piacciate, piacciano
potere	to be able
Pres. ind.:	posso, puoi, può, possiamo, potete, possono
Future:	potrò, potrai, potrà, etc.
Conditional:	potrei, potresti, potrebbe, etc.
Pres. subj.:	possa, possa, possa, possiamo, possiate, possano

prendere	to take
Preterit:	presi, prendesti, prese, prendemmo, prendeste, presero
prevedere	to foresee (*compound of* **vedere**)
promettere	to promise (*compound of* **mettere**)
promuovere	to promote
Preterit:	promossi, promovesti, promosse, promovemmo, promoveste, promossero
raggiungere	to reach
Preterit:	raggiunsi, raggiungesti, raggiunse, raggiungemmo, raggiungeste, raggiunsero
richiedere	to require; to seek (*compound of* **chiedere**)
ridere	to laugh
Preterit:	risi, ridesti, rise, ridemmo, rideste, risero
ridurre	to reduce
Pres. ind.:	riduco, riduci, riduce, riduciamo, riducete, riducono
Future:	ridurrò, ridurrai, ridurrà, etc.
Preterit:	ridussi, riducesti, ridusse, riducemmo, riduceste, ridussero
Conditional:	ridurrei, ridurresti, ridurrebbe, etc.
Pres. subj.:	riduca, riduca, riduca, riduciamo, riduciate, riducano
rimanere	to remain
Pres. ind.:	rimango, rimani, rimane, rimaniamo, rimanete, rimangono
Future:	rimarrò, rimarrai, rimarrà, etc.
Preterit:	rimasi, rimanesti, rimase, rimanemmo, rimaneste, rimasero
Commands:	rimani, rimanga, rimaniamo, rimanete, rimangano
Conditional:	rimarrei, rimarresti, rimarrebbe, etc.
Pres. subj.:	rimanga, rimanga, rimanga, rimaniamo, rimaniate, rimangano
riprendere	to start again (*compound of* **prendere**)
rispondere	to answer
Preterit:	risposi, rispondesti, rispose, rispondemmo, rispondeste, risposero

salire	to go up
Pres. ind.:	salgo, sali, sale, saliamo, salite, salgono
Pres. subj.:	salga, salga, salga, saliamo, saliate, salgano
sapere	to know
Pres. ind.:	so, sai, sa, sappiamo, sapete, sanno
Future:	saprò, saprai, saprà, etc.
Preterit:	seppi, sapesti, seppe, sapemmo, sapeste, seppero
Commands:	sappi, sappia, sappiamo, sappiate, sappiano
Conditional:	saprei, sapresti, saprebbe, etc.
Pres. subj.:	sappia, sappia, sappia, sappiamo, sappiate, sappiano
scegliere	to choose
Pres. ind.:	scelgo, scegli, sceglie, scegliamo, scegliete, scelgono
Preterit:	scelsi, scegliesti, scelse, scegliemmo, sceglieste, scelsero
Commands:	scegli, scelga, scegliamo, scegliete, scelgano
Pres. subj.:	scelga, scelga, scelga, scegliamo, scegliate, scelgano
scendere	to go down; to get off
Preterit:	scesi, scendesti, scese, scendemmo, scendeste, scesero
scrivere	to write
Preterit:	scrissi, scrivesti, scrisse, scrivemmo, scriveste, scrissero
sedere	to sit
Pres. ind.:	siedo, siedi, siede, sediamo, sedete, siedono
Commands:	siedi, sieda, sediamo, sedete, siedano
Pres. subj.:	sieda, sieda, sieda, sediamo, sediate, siedano
sorridere	to smile (*compound of* **ridere**)
Preterit:	sorrisi, sorridesti, sorrise, sorridemmo, sorrideste, sorrisero
spegnere	to turn off
Preterit:	spensi, spegnesti, spense, spegnemmo, spegneste, spensero
stare	to be
Preterit:	stetti, stesti, stette, stemmo, steste, stettero
Commands:	sta', stia, stiamo, state, stiano

Pres. subj.:	stia, stia, stia, stiamo, stiate, stiano
Imp. subj.:	stessi, stessi, stesse, stessimo, steste, stessero

tenere to keep

Pres. ind.:	tengo, tieni, tiene, teniamo, tenete, tengono
Future:	terrò, terrai, terrà, etc.
Preterit:	tenni, tenesti, tenne, tenemmo, teneste, tennero
Commands:	tieni, tenga, teniamo, tenete, tengano
Conditional:	terrei, terresti, terrebbe, etc.
Pres. subj.:	tenga, tenga, tenga, teniamo, teniate, tengano

trasmettere to transmit (*compound of* **mettere**)

uscire to go out

Pres. ind.:	esco, esci, esce, usciamo, uscite, escono
Commands:	esci, esca, usciamo, uscite, escano
Pres. subj.:	esca, esca, esca, usciamo, usciate, escano

vedere to see

Future:	vedrò, vedrai, vedrà, etc.
Preterit:	vidi, vedesti, vide, vedemmo, vedeste, videro
Conditional:	vedrei, vedresti, vedrebbe, etc.

venire to come

Pres. ind.:	vengo, vieni, viene, veniamo, venite, vengono
Future:	verrò, verrai, verrà, etc.
Preterit:	venni, venisti, venne, venimmo, veniste, vennero
Commands:	vieni, venga, veniamo, venite, vengano
Conditional:	verrei, verresti, verrebbe, etc.
Pres. subj.:	venga, venga, venga, veniamo, veniate, vengano

vincere to win

Preterit:	vinsi, vincesti, vinse, vincemmo, vinceste, vinsero

vivere to live

Future:	vivrò, vivrai, vivrà, etc.
Preterit:	vissi, vivesti, visse, vivemmo, viveste, vissero
Conditional:	vivrei, vivresti, vivrebbe, etc.

volere to want

Pres. ind.:	voglio, vuoi, vuole, vogliamo, volete, vogliono
Future:	vorrò, vorrai, vorrà, etc.
Preterit:	volli, volesti, volle, volemmo, voleste, vollero
Conditional:	vorrei, vorresti, vorrebbe, etc.
Pres. subj.:	voglia, voglia, voglia, vogliamo, vogliate, vogliano

Italian-English Vocabulary

The Italian-English vocabulary contains most of the basic words and expressions presented in the lessons for active use. It also includes words from exercises and instructions that are intended for recognition only. The number after a vocabulary entry refers to the lesson where the word first appears in the lesson's lists for active use; the letters "LP" refer to the **Lezione preliminare.** Definitions are primarily those used in the book.

Gender of all nouns is indicated except for feminine nouns that end in **-a** and masculine nouns that end in **-o.**

Stress is indicated with a dot under the stressed letter of the main entry when it does not fall on the next-to-last syllable. A subscript dot also indicates vowel combinations that are not diphthongs. An asterisk (*) indicates that a verb is irregular and can be found in the irregular verb listing in Appendix F; this includes verbs derived from irregular verbs (*e.g.,* **uscire/riuscire, mettere/promettere,** etc.). Forms of the irregular verbs **avere** and **essere** are found in Appendix B.

The following abbreviations are used.

adj.	= adjective	*m.*	= masculine
adv.	= adverb	*pl.*	= plural
f.	= feminine	*p.p.*	= past participle
inf.	= infinitive		

A

a (*frequently* **ad** *before a vowel*) to; at 1; in 3; **a condizione che** provided that, as long as 16; **a proposito** by the way 9; **a turno** take turns

abbastanza enough; **abbastanza bene** quite well LP

abbigliamento clothing 10

abbinare to combine; to match

abbraccio hug 9

abilità (*f.*) ability

abitante (*m. or f.*) inhabitant, resident

abitare to live 2

abito dress 10; suit 10

abituarsi to get used to 18

accademia academy 9

accademico/a academic 9

acceleratore (*m.*) accelerator

accendere* (*p.p.* **acceso**) to turn on

accessorio accessory 10

accidenti! my goodness! 6

accompagnare to accompany

accordo: d'accordo agreed, OK 3; **andare* d'accordo (con)** to get along with; **essere* d'accordo** to agree

accuratamente accurately, carefully

aceto vinegar 7

acqua (minerale) (mineral) water 4

acquisto purchase 5

addormentarsi to fall asleep 7

adeguato/a adequate

adesso now 3

adorare to adore

aereo plane 18; **andare* in aereo** to go by plane 18

aeroporto airport

afa: c'è afa it's sultry, it's muggy 9

affascinante fascinating

affatto: non ... affatto not at all 9

affermazione (*f.*) affirmation, assertion

affetto affection 9

affinché so that, in order that 16

affitto rent 14; rental; **prendere in affitto, dare* in affitto** to lease, to rent 14

affreschi (*pl.*) frescoes

afoso: è afoso it's sultry, it's muggy 9

agente (*m. or f.*) agent 17; **agente immobiliare** real estate agent

agenzia: agenzia immobiliare real estate agency 14; **agenzia di viaggi** travel agency 8

aggettivo adjective

aggiungere to add

aggiustare to fix 16

aglio garlic 7

agnello lamb 7

agosto August 6

agriturismo vacation farm 18; agritourism 18

aiutare (a) to help (to) 13; **aiutarsi** to help each other 11; to help oneself

aiuto help 3

alba dawn 15

albergo hotel 3

albero: albero genealogico genealogical tree 8

albicocca apricot 7

alcolico (*noun or adj.*) alcoholic; alcoholic drink

alcuni/e some 7

alfabeto alphabet

alimento food

allegato attachment (e-mail) 9

allegramente gaily, happily 18

allegria joy 5

allegro/a happy 5

allenamento practice

alloggio apartment, lodging 14

allontanarsi to go away

allora well, then 3

almeno at least

alpinismo mountain climbing 12

altalena ups and downs 15; see-saw 15

alto/a high, tall 5

altrettanto likewise, same to you

altro/a other, another 5

alzare to raise; to turn up; **alzarsi** to get up 7

amare to love 18; **amarsi** to love each other 11

ambasciatore (*m.*) ambassador 15

ambientale environmental

ambiente (*m.*) environment 18

americano/a American 1

amico/a friend 2

amoroso/a amorous

analcolico nonalcoholic

ananas (*m.*) pineapple 7

anche also, too 1; **anch'io** I too, me too 1

ancora yet 5; **non ... ancora** not yet 8

andare* (a) to go (to) 3; **andare a piedi** to go on foot 18; **andare con la nave** to go by ship 18; **andare in giro** to go around 5; **andare in macchina (in aereo, in autobus, in treno)** to go by car (by plane, by bus, by train) 18; **andare in onda** to be broadcast, to go on the air 15; **andare via** to go away; **va bene?** OK?, is that all right? 3; **si va?** are we going? 4

anello ring

animale (*m.*) animal 2

anniversario anniversary; **buon anniversario!** happy anniversary!

anno year 1

annoiarsi to be bored 7

annunciare to announce 15

annunciatore/annunciatrice newscaster 15

annuncio ad(vertisement) 14

anticipo: essere* in anticipo to be early LP

antico/a old, ancient 9

antipasto hors d'oeuvre, appetizer 13

antipatico/a unpleasant 5

antropologia anthropology 2

anzi indeed

aperto: all'aperto outdoors 4; open air 16

appartamento apartment 2; **appartamentino** small apartment

appena as soon as 11; just 15

appropriato/a appropriate

appunti notes; **prendere appunti** to take notes

aprile (*m.*) April 6

aprire* (*p.p.* **aperto**) to open 5; **all'aperto** outdoors 4

aragosta lobster 7

arancia orange (*fruit*) 7

aranciata orange soda 3

arancione (*invariable*) orange (*color*) 10

architetto architect 2

architettura architecture 2

armadio armoire, wardrobe, closet 14

armonica harmonica 16

arpa harp 16

arrabbiato/a angry

arrivare to arrive 3

arrivederci good-bye (*informal*) LP; **arrivederla** good-bye (*formal*) LP

arrivo arrival 9

arte (*f.*) art 2

articolo article 10

artigianato handicraft

asciugacapelli (*m.*) hair dryer 11

asciugamano (*m.*) towel 11

asciugarsi le mani (la faccia) to dry one's hands (face) 11

asciugatrice (*f.*) clothes dryer 14

ascoltare to listen (to) 3

ascoltatore (*m.*) listener 17

asparagi (*m. pl.*) asparagus 7

aspettare to wait (for) 3; **aspetta un momento** wait a minute

aspetto aspect

aspirapolvere (*m.*) vacuum cleaner 14; **pulire con l'aspirapolvere** to vacuum 14

assaggiare to taste 7

assegnare to award

assistenza assistance, help 17

associare to associate

assumere* (*p.p.* **assunto**) to hire 17; to assume

assurdo/a absurd

atmosfera atmosphere 5

atomico/a: fissione atomica (*f.*) atomic fission

attaccato/a attached 14

attentamente carefully 18

attento/a attentive 18

attenzione (*f.*) attention

attesa wait

attitudine (*f.*) attitude

attività (*f.*) activity

atto act 16

attore/attrice actor/actress 10

attrarre to attract

attuale actual

audace bold, daring 5

audiocassetta cassette 1

auguri! (*pl.*) best wishes!; **tanti auguri!** all the best! 13; **fare gli auguri** to wish someone well 13

australiano/a Australian 5

Austria (*f.*) Austria 15

auto (*f.*) automobile 18

autobus (*m.*) bus 18; **andare* in autobus** to go by bus 18

autocarro truck 18; **andare* in autocarro** to go by truck 18

automobile (*f.*) car 8; automobile 18

automobilistico/a car, automotive 15

autonomo/a independent 14

autunnale (*adj.*) fall-like, autumnal 6

autunno autumn, fall 6

avere* to have 1; to possess; **avere ... anni** to be . . . years old 1; **avere a che fare con** to have to deal with; **avere bisogno (di)** to need (to) 3; **avere caldo** to be warm 3; **avere fame** to be hungry 3; **avere freddo** to be cold 3; **avere in mente** to intend, have in mind 9; **avere intenzione di** to intend to; **avere luogo** to take place; **avere modo di** to have a chance to; **avere paura (di)** to be afraid (of) 3; **avere ragione** to be right 3; **avere sete** to be thirsty 3; **avere sonno** to be sleepy 3; **avere torto** to be wrong; **avere voglia di** (+ *infinitive or noun*) to feel like (doing or having something) 3

avvenimento event

avvocato (*m. or f.*) lawyer 17

azione (*f.*) action 10
azzurro/a sky-blue 10

B

Babbo Natale Santa Claus
bacheca bulletin board 14
bagagli (*m. pl.*) baggage 8
bagnino lifeguard
bagno bathroom 14
baia bay LP
balcone (*m.*) balcony 14
ballare to dance 1
ballo dance, ball; **un ballo in maschera** a masked ball 5
bambino/a baby, child
bambola doll
banale banal
banana banana 7
banca bank 3
bancarella stall 7
banda band
bar (*m.*) bar, café 3
barca boat 12; **andare* in barca** to go boating; to go sailing 12
barista (*m. or f.*) bartender
basare to base
baseball (*m.*) baseball 12
basso/a short 5; **in basso** below
bastare to be enough 14
batteria drum set 16
Belgio (*m.*) Belgium 15
bellissimo/a very beautiful
bello/a beautiful, handsome 5; nice 5; **che bello!** how nice! 15
benché although, even though 16
bene well, good, fine LP
beneficenza benefit 16
benissimo just great! LP; very well 5
benvenuto: dare il benvenuto to welcome 15
benzina gasoline 8
bere* (*p.p.* **bevuto**) to drink 4; **qualcosa da bere** something to drink
bevanda drink 13
bianco/a white 10
bibita drink 7
biblioteca library 3
bicchiere (*m.*) (drinking) glass 4
bicicletta bicycle 1; **andare* in bicicletta** to ride a bike 12
bifamiliare two-family
biglietteria ticket office 16
biglietto ticket 4; **biglietto di andata e ritorno** round-trip ticket;

biglietto aereo (ferroviario) airline (train) ticket 8
biologia biology 2
biondo/a blond 11
birra beer 6
bisogna it's necessary
bistecca steak 7
blu (*invariable*) blue 10
bocca mouth 11
borsa handbag, purse 10
bottiglia bottle 6
braccio (**le braccia**, *f. pl.*) arm 11
brano paragraph
bravo/a good 5; capable 5
breve brief, short 11
brevemente briefly
brindisi (*m.*) toast (*in someone's honor*) 13
broccoli (*m. pl.*) broccoli 7
brodo broth 7
brutto/a ugly 5; unpleasant 5
buco hole
buffo: che buffo! how funny! 15
bugia lie 10
buono/a good 3; **a buon mercato** inexpensive, cheap 7; **buon compleanno!** happy birthday! 13; **buon giorno** hello, good morning LP; **buona giornata** have a good day LP; **buona notte** good night; **buona sera** good evening LP
burattino puppet
burro butter 7
busta envelope

C

caffè (*m.*) café 4; coffee 4; **caffè all'aperto** outdoor café
calamari (*m. pl.*) squid 7
calcio soccer 12; **giocare al calcio** to play soccer 12
calcolatrice (*f.*) calculator 1
caldo: avere* caldo to be warm 3; **fare* caldo** to be warm (*weather*) 4
calendario calendar 1
calmo/a calm, tranquil 5
calzare to fit (*shoes, gloves*) 10
calze (*f. pl.*) stockings, hose 10
calzini (*m. pl.*) socks 10
calzoncini (*m. pl.*) shorts 10
cambiamento change
cambiare to change 6; **cambiare casa** to move
cambio the rate of exchange (*for currencies*) 15

camera room, bedroom 14; **camera da letto** bedroom 14; **camera dei deputati** chamber of representatives 15
cameriera waitress 6
cameriere (*m.*) waiter 4
camicetta blouse 10
camicia man's shirt 10
camino fireplace 14
camion (*m.*) truck 18
campagna countryside 18
campeggio campsite
campo field
Canadà (*m.*) Canada 6
canadese Canadian 5
canale (televisivo) (*m.*) (TV) channel 15
cancellare to erase; to cancel 6
cancro cancer
candidato candidate 15
cane (*m.*) dog 2
cantante (*m. or f.*) singer 16
cantare to sing 3
cantina cellar 14
canto song, chant 4
canzone (*f.*) song
capelli (*m. pl.*) hair 10
capire to understand 5
capitale (*f.*) capital (city) LP
capitare to happen 11
capo chief, boss 17
Capodanno New Year's
capoluogo capital of a region LP
cappello hat 10
cappotto (over)coat 10
cappuccino espresso coffee with steamed milk 3
caratteristica characteristic 5
carciofo artichoke 7
carino/a cute 5
carne (*f.*) meat 7
Carnevale (*m.*) Mardi Gras
caro/a expensive 5; dear
carota carrot 7
carriera career 5
carrozza carriage 6
carta paper 1; map; card 3; **carta telefonica** telephone card; **foglio di carta** sheet of paper 1
cartina map
cartolina postcard
cartoncino card
cartoni animati (*m. pl.*) cartoons 10
casa house 2; **a casa** at home; **a casa tua** at your house
casalinga homemaker 17

caso: in caso che   in case, in the event that 16; **per caso**   by chance

cassa   cashier's desk, counter

cassata   Sicilian ice cream with candied fruit

cassetta   cassette

castano/a   brown (*hair, eyes*) 11

castello   castle

casuale   casual

catena di montagne   mountain chain LP

cattivo/a   bad 5

causa   cause 15

cavallo   horse 6; **andare* a cavallo**   to go horseback riding 12

caviglia   ankle 11

CD (ciddì) (*m.*)   compact disc 1

celebre   famous

cellulare (*m.*)   cell phone 1

cena   supper 8

centesimo   cent 7

cento   one hundred 1; **cento di questi giorni!**   many happy returns! 13

centro   downtown, center; **al centro**   downtown 2; **il centro commerciale**   shopping center 3

cerca: in cerca di   in search of 14

cercare   to look (for) 3; **cercare (di)**   to try to 18

certamente   certainly

certo/a   certain

cervello   brain

che   what; that, who 5; **che cosa?**   what? 1; **che cosa fai di bello oggi?**   what are you up to today? 3; **che si fa?**   what are we going to do? 4

chi?   who(m)? 3; **a chi?**   to whom? 3; **chi altro?**   who else?; **con chi?**   with whom? 3; **di chi?**   whose?

chiamare   to call 3; **chiamarsi**   to be named, be called (to call oneself) 7; **come si chiama lei?**   what is your name? (*formal*) LP; **come ti chiami?**   what is your name? (*informal*) LP; **mi chiamo ...**   my name is . . . LP

chiedere* (*p.p.* **chiesto**)   to ask (for) 4; **chiedere di**   to ask to 18

chiesa   church 3

chilo: al chilo   per kilo (*metric weight*) 7

chimica   chemistry 2

chissà   who knows

chitarra   guitar 16

chiudere* (*p.p.* **chiuso**)   to close 4

ci   there 12; about it 12; us; to us 11; ourselves; **c'è**   there is 3; **ci sono**   there are 3

ciao   hi; bye (*informal*) LP

ciascuno/a   each

cibo   food 13

ciclismo   bicycle riding 12

ciliegia   cherry 7

cinema (*m.*)   movie house 3; cinema 10

cinese (*m.*)   Chinese language 2; (*adj.*) Chinese 2

cinquanta   fifty 1

cinque   five LP

cipolla   onion 7

circolo   club

circondare   to surround

circondato/a   surrounded

circostanza   circumstance

città (*f.*)   city LP

cittadina   town 6

cittadino/a (*m. or f.*)   citizen; (*adj.*) (of the) city

clandestino   clandestine, secret person 15

clarinetto   clarinet 16

classico/a   classical 16

clavicembalo   harpsichord 16

clima (*m.*)   climate

cognata   sister-in-law 8

cognato   brother-in-law 8

cognome (*m.*)   last name

colazione (*f.*)   lunch; **(prima) colazione**   breakfast 7

collaborare   to collaborate

collo   neck 11

colloquio   job interview 17

colonna   column; **colonna sonora**   soundtrack 10

colore (*m.*)   color 10

coltello   knife 13

combattere   to fight 16

combinare   to combine 17

come   like, as 6; **come?**   how? 4; **come al solito**   as usual 15; **come mai?**   how come?; **come sempre**   as usual 9; **come sta (stai)?**   how are you? LP

comico/a   comical

cominciare (a)   to begin (to) 3

commedia   comedy 10; **commedia musicale**   musical comedy 10

commentare   to comment

commesso/a   salesclerk

commissario   commissioner 15

comò (*m.*)   chest of drawers 14

comodo/a   comfortable

compagno/a   companion; **compagno/a di camera**   roommate; **compagno/a di classe**   classmate 10

compagnia   company 5

compiere   to complete 13; to accomplish

compilare   to complete; **compilare il modulo**   to fill out the application

compiti (*m. pl.*)   homework

compiuto: di senso compiuto   coherent, complete

compleanno   birthday 13; **buon compleanno!**   happy birthday! 13

complesso   (musical) group 16

completare   to complete

complimenti!   (my) compliments! congratulations! 13

complimento: fare* un complimento   to pay a compliment

componimento   composition

comporre   to compose

comportarsi   to behave

comprare   to buy 3

computer (*m.*)   computer 1

comune (*m.*)   city hall 15

con   with LP

concerto   concert 16

concetto   concept

concorrenza   competition 17

concorso   competition, contest 10

condividere   to share 14

condizione (*f.*)   condition; **a condizione che**   provided that, as long as 16

conferire   to award

confezione: confezione di caffè   packaged coffee

confrontare   to compare 10

confusione (*f.*)   confusion 4

congettura   conjecture

conoscere*   to know (*someone or a place*) 4; to meet 4; **conoscersi**   to meet each other (*for the first time*) 11; to know each other 11

conosciuto/a   known 16

conservatore   conservative

consigliare (di)   to advise (to) 9

consiglio   advice; **consiglio dei ministri**   council of ministers 15

consumatore (*m.*)   consumer

contattare   to contact 14

contatto   contact 8

contento/a   happy, glad 9

continente (*m.*)   continent

continuare (a)   to continue (to) 15

contorno   side dish 13

contrario/a opposite
contrasto contrast 10; **mettere in contrasto** to contrast
controllare to check, to control; to rule
controllo check, inspection 6
convenire* to be convenient 14
convincere (*p.p.* **convinto**) to convince 16
convivere to live together 8
coppia couple, pair 8
coraggio courage
coro chorus 16
corpo body 11
correggere* (*p.p.* **corretto**) to correct
correre to run 12
corretto/a correct
corsa race; running 12
corso course; **corso di laurea** (university) major 16
cortese courteous, kind, polite 5
cortile (*m.*) courtyard 14
corto/a short 11
cosa thing 8; **che cosa?** what? 1
così so, like that; **così così** so-so LP; **così ... come** as . . . as 14
cosmetico/a cosmetic
costare to cost 7
costituzione (*f.*) constitution 15
costoso/a costly, expensive 14
costruire to build
costume (*m.*) costume 5; **costume da bagno** bathing suit 10
cotone (*m.*) cotton 10
cotto/a cooked
cravatta (neck)tie 10
creare to create
credenza sideboard 14
credere (di) to believe 4; to think 4; **credo di sì (no)** I (don't) think so 4; **non ci credo proprio!** I don't believe it! 15
credibile believable 15
credito: carta di credito credit card
crostata pie 7
crudo/a raw
cucchiaino teaspoon 13
cucchiaio spoon 13
cucina kitchen 3; cooking 13
cucinare to cook 13
cugino/a cousin 8
cui who, whom 13
culturale cultural 9
cuoio leather, hide 10
curiosità (*f.*) curiosity
curioso/a curious 10

D

da from, by 3; at (*someone's house, office*); **da molto tempo** for a long time; **da quanto tempo?** for how long?; **da solo/a** alone 2; **vado da Laura** I'm going to Laura's house; **vengo da te** I'm coming to your house
d'accordo agreed, OK 3
Danimarca (*f.*) Denmark 15
danza dance 4
dare* to give 4; to take (*an exam*) 4; **da'** give (*informal*) 7; **dare il benvenuto** to welcome 15
davanti (a) in front (of) 3
davvero? really? 5
decidere* (*p.p.* **deciso**) to decide 3; **decidere di** (+ *inf.*) to decide to (*do something*) 4
decisione (*f.*) decision; **prendere una decisione** to make a decision
definire to define 11
democratico/a democratic 15
denaro money 12
dente (*m.*) tooth 1
dentifricio toothpaste 11
dentista (*m. or f.*) dentist 17
deputato representative 15
descritto/a described
descrizione (*f.*) description
desiderare to wish, want 3; to desire 14
desiderio desire 18
destra right (side) 15; **a destra** on the right; (*adj.*) right 11
determinato/a specific, particular
dettare to dictate 14
di (**d'** *before vowels*) of LP; from LP; about 3
dialetto dialect
dialogo dialogue 10
diamante (*m.*) diamond
dicembre (*m.*) December 6
diciannove nineteen LP
diciassette seventeen LP
diciotto eighteen LP
dieci ten LP
difficile difficult 1
difficoltà (*f.*) difficulty
digestivo liqueur thought to aid digestion
dimenticare to forget 3; **dimenticarsi di** to forget (to) 18
dimettersi* (*p.p.* **dimesso**) to resign
dimostrativo/a demonstrative
dinamico/a dynamic, energetic 5

Dio: oh, mio Dio! Oh, my God! 15
dipendere (da) to depend on 12; **dipende** that depends 12
diploma di maturità high school diploma 1
dire* (**di**) to say (to), to tell 6; to declare 18
direttore/direttrice director, manager
dirigente (*m. or f.*) executive 17
discesa downhill; descent
discorso talk
discoteca discotheque 3
discutere (di) to discuss (*something*) 4; to argue 8
disegno drawing 5
disfare* to undo 16
disgrazia accident, misfortune 15; **che disgrazia!** what a disaster! 15
disinvolto/a carefree, self-possessed 5
disoccupato/a unoccupied 16; unemployed 16
disoccupazione (*f.*) unemployment 17
disonesto/a dishonest 5
disorganizzato/a unorganized 16
disperatamente desperately
dispiacere* to be sorry, to mind 11; (*m.*) displeasure, misfortune 16; **ti dispiace se ... ?** do you mind if . . . ?; **mi dispiace** I'm sorry 4
distratto/a absent-minded
disturbare to disturb
dito (**le dita**, *f. pl.*) finger 11; **dito del piede** toe
ditta company
dittatore (*m.*) dictator
divano sofa 14
diventare to become 6
diverso/a different
divertente amusing 5
divertimento fun 12
divertirsi (a) to enjoy oneself, to have fun (doing) 7
divorziare to divorce 8
divorziato/a divorced 8
dizionario dictionary
documentario documentary 10
dodici twelve LP
dolce (*m.*) dessert 7; (*adj.*) sweet 7
domanda question; **fare* una domanda** to ask a question 4
domandare to ask 4
domani tomorrow LP; **a domani** until tomorrow LP; **domani mattina** tomorrow morning 4

domattina tomorrow morning 4
domenica Sunday 4
dominante dominating
donna woman 5; **donna d'affari** businesswoman 17
dopo after 4
dopodomani the day after tomorrow 4
doppiare to dub 10
doppiato/a dubbed 10
dormire to sleep 5
dottore/dottoressa doctor LP
dove? where? 2; **di dov'è?** where is he/she from?, where are you (*formal*) from? 1; **di dove sei?** where are you (*informal*) from? 1
dovere* to have to, must, ought 8
dramma (*m.*) drama 16
drammatico/a dramatic 10
dritto straight ahead
dubitare to doubt 16
due two LP; **due volte** twice, two times 9
dunque therefore; well then 6
durare to last
DVD (*m.*) DVD 1

E

e (*frequently* **ed** *before a vowel*) and LP
eccessivo/a excessive 15
eccezionale exceptional 16
ecco there is, there are LP; **eccolo** here he is
ecologia ecology 18
economia economics 2
economico/a cheap, inexpensive 5
edificio building 18
effetti speciali (*m. pl.*) special effects 10
efficace effective
efficiente efficient
egoista (*m. or f.*) selfish 5
elegante elegant 5
elementare elementary
elenco list
elettore/elettrice voter 15
elettricista (*m. or f.*) electrician 17
elettronico/a electronic 9; **indirizzo elettronico** e-mail address 9; **posta elettronica** e-mail 9
elezione (*f.*) election 15
elicottero helicopter 18; **andare* in elicottero** to go by helicopter 18
eliminare to eliminate
emozionante emotional

energia energy
entrare to enter 3
equitazione (*f.*) horseback riding 12
equivalente equivalent
esagerare to exaggerate 12
esagerato/a exaggerated
esame (*m.*) exam 3; **dare un esame** to take a test 4
escluso/a excluded
esempio example
esercitare to exercise 17; **esercitare una professione (un mestiere)** to practice a profession (skilled craft) 17
esigere to carry out
esistere to exist 17
esperienza experience 8
espresso strong coffee without milk 3
esprimere* to express
essere* (*p.p.* **stato**) to be 1; **essere d'accordo** to agree 8
est (*m.*) east LP
estate (*f.*) summer 6
estero: all'estero abroad 6
estivo/a (*adj.*) summer 6
euro euro (*European currency*) 7
europeo/a European 15
evitare to avoid

F

fa ago 6; **due giorni fa** two days ago 6; **un'ora fa** one hour ago 6
fabbrica factory 17
faccia (**le facce,** *f. pl.*) face 10
facile easy 11
facilità (*f.*) ease, facility
facilmente easily 18
facoltà (*f.*) school (*of medicine, law, etc.*) 8
fagiolini (*m. pl.*) string beans 7
falso/a false; insincere 5
fama fame
fame (*f.*) hunger 16
famiglia family 2
famoso/a famous LP
fantascienza science fiction 10
fantasia imagination
fantino jockey
fare* (*p.p.* **fatto**) to do 3; to make 3; **fare (l'avvocato, il meccanico,** etc.) to be (a lawyer, a mechanic, etc.) 17; **fare acquisti** to make purchases 5; **fare dell'alpinismo** to go mountain climbing 12; **fare**

attenzione to pay attention; **fare gli auguri** to wish someone well 13; **fare il bagno (la doccia)** to take a bath (a shower) 11; **fare bel tempo** to be nice (*weather*) 4; **fare bella figura** to cut a fine figure, make a good impression; **fare il bravo/la brava** to be good 12; **fare caldo** to be hot (*weather*) 4; **fare cattivo tempo** to be bad weather 9; **fare colazione** to have breakfast/lunch 4; **fare controllare (l'olio)** to have the (oil) checked 8; **fare la doccia** to take a shower 11; **fare una domanda** to ask a question 4; **fare due passi** to go for a short walk 4; **fare una festa** to have a party 13; **fare una fotografia** to take a picture 4; **fare freddo** to be cold (*weather*) 4; **fare fresco** to be cool (*weather*) 9; **fare le gare** to compete 12; **fare ginnastica** to work out; **fare un giro** to take a ride 4; to take a short walk 4; **fare una gita** to take a short trip 4; **fare una graduatoria** to rate; **fare male** to hurt, feel pain 11; **fare il meccanico (l'avvocato)** to be a mechanic (lawyer) 17; **fare parte di** to be a member of 15; **fare la parte (di)** to take the part (of); **fare una passeggiata** to take/go for a walk 4; **fare il/la pendolare** to commute 14; **fare piacere** to please 16; **fare il pieno** to fill it up (*the gas tank*) 8; **fare presto** to hurry up; **fare programmi** to make plans 12; **fare quattro salti** to dance (a few steps) 4; **fare regali** to give gifts; **fare sapere** to let know 12; **fare la spesa** to shop (*for food*) 7; **fare le spese** to shop (*for clothes, etc.*); **fare dello sport** to engage in (play) sports 12; **fare uno spuntino** to have a snack 3; **fare una telefonata** to make a phone call 11; **fare il tifo** to root, cheer 12; **fare vedere** to let see; **fare un viaggio** to take a (long) trip 4; **farsi il bagno** to take a bath 11; **farsi la doccia** to take a shower 11; **farsi male** to get hurt
farmacia pharmacy, drugstore 3
farmacista (*m. or f.*) pharmacist 17
fascino charm 18

fata fairy; **fata madrina** fairy godmother 6

fattura bill; **compilare la fattura** to fill out the bill

favoloso/a fabulous 6

favore (*m.*) favor; **per favore** please 3

febbraio February 6

febbre (*f.*) fever 11

fedele faithful

felice happy 16

ferie (*f. pl.*) vacation 17

fermarsi to stop 7

fermata stop (*e.g., bus stop, etc.*)

ferro da stiro iron (*appliance*) 14

festa party 5; **fare una festa** to have a party 13

festeggiare to celebrate 13

festival (*m.*) festival 10

fidanzarsi to become engaged 8

figliastro/a stepson/stepdaughter

figlio/a son/daughter 2; **figli** children 2

film (*m.*) film 10; **film d'azione** action film 10; **film di fantascienza** science fiction movie 10; **film giallo** thriller 10; **film dell'orrore** horror film 10

filosofia philosophy 2

finalmente finally

finanziario/a financial 15

fine (*f.*) end; **alla fine** in the end 10; **fine settimana** (*m. or f.*) weekend 4

finestra window 1

finire (di) to finish 5

fino until

finora until now

fiore (*m.*) flower

fisarmonica accordion 16

fiscale fiscal

fisica physics 2

fisico/a physical

fiume (*m.*) river LP

flanella flannel

flauto flute 16

foglio di carta sheet of paper 1

folclore (*m.*) folklore 4

folcloristico/a folkloric 4

fondo: in fondo at the bottom

forbici (*f. pl.*) scissors 11

forchetta fork 13

formaggio cheese 7; **formaggio mascarpone** Italian-type cream cheese

formulare to formulate; to create

forno (a microonde) (microwave) oven 14

forse perhaps 5

forte strong

fortuna luck, fortune 11; **avere* fortuna** to be lucky; **che fortuna!** what luck! 11

forza: a tutta forza! all out!

foto(grafia) photograph 9

fotografo photographer

fra between, among 3; **fra cinque minuti** in five minutes LP; **fra poco** soon, shortly LP

fragola strawberry 7

francese (*m.*) French language 2; (*adj.*) French 5

Francia France 15

francobollo stamp

frase (*f.*) sentence

fratello brother 1

freddo cold; **fare* freddo** to be cold (*weather*) 4

freno brake 8

frequentare to attend 1

fresco/a fresh, cool 4; **fare* fresco** to be cool (*weather*) 9

fretta hurry

frigo(rifero) refrigerator 13

frutta fruit 7

fruttivendolo/a fruit vendor 7

fuga escape

fuggire to flee 18

funghi (*m. pl.*) mushrooms 7

funzionare to work, function 14

funzionario manager

fuoco fire

fuori outside 2

furbo/a shrewd 5

furto robbery

futuro future

G

gamba leg 11

gamberi (*m. pl.*) shrimp 7

gara competition (*sports*) 12

garage (*m.*) garage 14

gatto cat 2

gelateria ice cream parlor 3

gelato ice cream 3

generale (*m.*) general 5

generalmente generally, usually

generazione (*f.*) generation

genero son-in-law 8

generoso/a generous 5

genitori (*m. pl.*) parents 8

gennaio January 6

gente (*f.*) people 5

gentile kind, courteous 5

geologia geology 2

Germania Germany 15

gestione (*f.*) management 17

gestire to manage 17

ghiaccio ice

già already 5

giacca jacket 10

giaccone (*m.*) heavy jacket, outerwear 10

giallo/a yellow 10

giapponese (*m.*) Japanese language 2; (*adj.*) Japanese 5

giardino garden 14

ginnastica gymnastics

ginocchio (**le ginocchia**, *f. pl.*) knee 11

giocare to play (*a game*) 3; to play (*a sport*) 12

gioco game 10

giornale (*m.*) newspaper 1

giornaliero/a daily

giornalista (*m. or f.*) journalist 17

giornata day LP; **buona giornata** have a good day LP

giorno day 4; **buon giorno** good morning LP; **cento di questi giorni!** many happy returns! 13

giovane (*adj.*) young 5; (*m. or f.*) young person 9

giovedì (*m.*) Thursday 4

girare to turn; to go around; **girare a destra (sinistra)** to turn to the right (left); to film 10

gita trip, ride; **fare* una gita** to take a short trip 4

giugno June 6

giusto/a correct, right 15

gola throat 11; **mi fa male la gola** my throat hurts 11

golfo gulf LP

gomito elbow 11

gomma tire (*car*) 8

gonna skirt 10

governare to govern 15

governo government 15; administration 15

Gran Bretagna Great Britain 15

grande big 2; large, great 5

granita grainy ice cream; **granita al caffè** ice cream with grains of frozen coffee

grasso/a fat 5

grave serious 11

grazie thanks, thank you LP
grazioso/a charming 14
Grecia Greece 15
greco/a Greek 10
grigio/a gray 10
gruppo group 4
guadagnare to earn 17;
  guadagnarsi la vita to earn one's
  living 17
guanti (*m. pl.*) gloves 10
guardare to watch, to look (at) 3;
  guardarsi allo specchio to look at
  oneself in the mirror 11
guardaroba (*m.*) closet 14
guidare to drive 3
gusto taste

H

hockey (*m.*) hockey 12

I

idea idea 3
ieri yesterday 6; **l'altro ieri** the
  day before yesterday 6; **ieri
  mattina** yesterday morning 6;
  ieri pomeriggio yesterday
  afternoon 6; **ieri sera** last
  evening (night) 10; **ieri notte** last
  night
igienico/a hygienic
immaginare to imagine 16;
  immaginarsi to imagine
immagine (*f.*) image 10
immediato/a immediate 15
imparare (a) to learn (to) 3
impartire ordini to give orders 5
imparziale impartial
impegnato/a busy, engaged 4
impegno appointment; obligation,
  commitment 12
impermeabile (*m.*) raincoat 10
impiegato/a clerk 17; employee
  17
impiego job, employment 17
importante important 15
importanza importance
importare to matter
impossibile impossible 15
impresa business firm 17
impressione (*f.*) impression
improbabile improbable 15
improvvisamente suddenly 17
in in 2; into; at 3
incidente (*m.*) accident 15

incontrare to meet 3; **incontrarsi**
  to meet (each other) (*at a place*) 11
incontro sports match 12; meeting
  15
incoraggiamento encouragement 9
indicato/a indicated
indietro back, behind; **andare***
  indietro to back up
indimenticabile unforgettable 16
indipendente independent
indire* (*p.p.* **indetto**) to arrange,
  organize
indirizzo address 9; **indirizzo
  elettronico** e-mail address 9
indossare to wear 5; to try on 5;
  to put on 10
indovinare to guess 12
industrializzato/a industrialized
infelice unhappy 16
informatica computer science 2
informazione (*f.*) information LP
ingegnere (*m.*) engineer
ingegneria engineering 17
ingenuo/a naive 5
inglese (*m.*) English language LP;
  (*adj.*) English 5
ingredienti (*m. pl.*) ingredients 7
ingresso admission 12
iniziare to begin, start 9
innamorarsi to fall in love 8; to fall
  in love with each other 11
inopportuno/a inappropriate,
  unsuitable 15
inquinamento pollution 18
inquinare to pollute 18
insalata salad 7
insegnare (a) to teach (to) 2
insieme together
insistere to insist 14
insultare to insult 12
intanto meanwhile, in the meantime
  4
intelligente intelligent 5
intensivo/a intensive
interdisciplinare interdisciplinary
  17
interessante interesting LP
interessare to interest; **interessarsi**
  to be interested
internazionale international 5
intero/a entire, whole 8
interprete (*m. or f.*) interpreter 16;
  performer 16
intervista interview
intervistare to interview 17
intervistatore (*m.*) interviewer

intraprendere* to undertake 17
inutile useless 16
invece (di) instead (of) 4
invernale (*adj.*) winter-like 6
inverno winter 6
invertire to reverse
investigatore (*m.*) investigator
investigazione (*f.*) investigation
invitare to invite
invitato/a guest 5
invivibile unlivable 18
Irlanda Ireland 15
irlandese (*m. or f.*) Irish 5
iscriversi (a) to enroll (at) 8
isola island LP
istituzione (*f.*) institution 15
Italia Italy LP
italiano (*m.*) Italian language LP;
  italiano/a Italian 1
italo-americano/a Italian-American

J

jeans (*m. pl.*) blue jeans 10

L

là there 6
labbro (**le labbra**, *f. pl.*) lip 11
ladro thief
lago lake LP
lamentarsi to complain
lampada lamp 14
lana wool 10
lasciare to leave (behind) 9
lattaio/a milkman/milkwoman 13
latte (*m.*) milk 7
latteria dairy store 13
lattuga lettuce 7
laurea degree 17; **corso di laurea**
  (university) major 17
laureando/a degree candidate
laurearsi to graduate 17
lavarsi to wash (oneself) 7; **lavarsi i
  denti** to brush one's teeth 11;
  lavarsi le mani to wash one's
  hands 11
lavastoviglie (*f.*) dishwasher 14
lavatrice (*f.*) washing machine 14
lavorare to work 2
lavoro work 17; **che lavoro (fa)
  fai?** what work do you do? 17
leader (*m. or f.*) leader 15
legge (*f.*) law 1
leggere* (*p.p.* **letto**) to read 4
lentamente slowly 6

letteratura literature 2
letto bed 14
lettore (*m.*) cassette player (*e.g.,*
  Walkman) 1; CD player 1;
  lettore DVD DVD player 1
levarsi to take off (*clothing*) 10
lezione (*f.*) lesson LP; **hai lezione?**
  do you have (a) class? LP
lì there 6
liberale liberal
liberamente freely 17
libero/a free 4
libreria bookstore 3; bookcase 14
libro book 1
liceale (*adj.*) high school 1
licenziare to fire (*from a job*) 17;
  licenziarsi to quit (*a job*) 17
liceo high school 1
lieto/a glad 13
limonata lemonade 4
limone (*m.*) lemon 7
lingua language; **lingue straniere**
  (*f. pl.*) foreign languages 2
lino linen 10
lista list
litigare to argue, quarrel, fight 12
locale local 15
località (*f.*) locale
logico/a logical
lontano (da) far away; far (from) 3
lotteria lottery
luce (*f.*) light 16
luglio July 6
lunedì (*m.*) Monday 4
lungo/a long 5
luogo place 7
lupo: in bocca al lupo! good luck!
lusingato/a flattered 13

M

ma but LP
macchina car 6; **andare* in**
  macchina to go by car 18
macellaio/a butcher 13
macelleria butcher shop 13
madre (*f.*) mother 2
madrina godmother
maga witch, magician
maggio May 6
maggiore greater 15; older 15;
  la maggior parte the majority 15
maglia sweater 10
maglietta T-shirt 10
magnifico/a magnificent
magro/a thin 5
mah oh LP

mai ever, never; **non ... mai** never,
  not . . . ever 8
maiale (*m.*) pork 7
maiuscola capital (letter)
male bad LP; **meno male!** all the
  better! 15; **non c'è male** not too
  bad LP
mamma mother 1
mancia tip, gratuity 3
mandare to send 3
mangiare to eat 3
manica sleeve 10
maniera manner
manifestazione (*f.*) demonstration
  15; exhibition 16
mano (*f.*) hand 11
marca make, brand name 6
mare (*m.*) sea LP
marito husband 2
marrone (*invariable*) brown 10
martedì (*m.*) Tuesday 4
marzo March 6
maschera mask 5
mascherato/a masked
massimo/a greatest, maximum 15
matematica mathematics LP
materiale (*m.*) material 10
matita pencil 1
matrigna stepmother 8
mattina morning 2; in the morning
  4; **di mattina** in the morning 2;
  domani mattina (domattina)
  tomorrow morning 4
meccanico/a mechanic 6
medicina medicine 1
medico doctor 17
Medioevo Middle Ages
meglio (*adv.*) better 8
mela apple 7
melanzana eggplant 7
membro member 15
meno less, minus (*with time*) 2; **a**
  meno che unless; **meno ... di**
  less . . . than 14; **meno male!** all
  the better! 15
mensile (*adj.*) monthly 14
mente: in mente on one's mind;
  avere* in mente to intend, to have
  in mind 9
mentre while 3
menù (*m.*) menu 4
meravigliarsi to be surprised (at)
mercato market 3
mercoledì (*m.*) Wednesday 4
merito merit 13
merluzzo cod 7
mese (*m.*) month 6

messaggio message 9
messicano/a Mexican 5
mestiere (*m.*) trade, profession 17;
  che mestiere (fa) fai? what is your
  occupation? 17
metropoli (*f.*) metropolis 18
metropolitana subway 18;
  prendere la metropolitana to take
  the subway 18
mettere* (*p.p.* **messo**) to put, place
  4; **mettersi** to put on (*clothing*) 7;
  mettersi a (+ *inf.*) to begin, start to
  (*do something*) 7
mezzanotte midnight 2
mezzo/a half 2; **sono le ... e**
  mezzo it's half-past . . . 2; **mezzo**
  di trasporto means of
  transportation 18; **mezzo**
  pubblico public transportation
  18
mezzogiorno noon 2
mezz'ora half-hour 6
migliore (*adj.*) better 15
milione (*m.*) one million 7
militare military 5
mille one thousand 1
mimare to act out
minacciare to threaten
minestra soup 7
minimo/a smallest, minimum 15
ministro minister 15; **primo**
  ministro prime minister 15
minore less 15; younger 15
minuscola lowercase (letter)
misura size (*clothing, shoes*) 10
misurare to measure
moda fashion 10
moderno/a modern 4
modificazione (*f.*) modification LP
modo manner, way, means; **di modo**
  che so that, in order that
moglie (*f.*) wife 2
molti/e many 5
moltissimo/a very much
molto (*adv.*) very, a lot, a great deal
  LP; much, a lot 5; **molto bene**
  very well LP
molto/a much, many
momento moment; **per il momento**
  for the time being
monarchia monarchy 15;
  monarchia costituzionale
  constitutional monarchy 15
mondo world
moneta money
montagna mountain LP; **in**
  montagna to the mountains 8

monumento monument 9
morire* (*p.p.* **morto**) to die 6
mortale fatal 15
mostra exhibit 10
mostrare to show
motivo reason
moto(cicletta) motorcycle 6; **andare* in motocicletta** to go by motorcycle 18
motorino moped 1
museo museum 3
musica music 1; **musica leggera** popular music

N

nascere* (*p.p.* **nato**) to be born 6
naso nose 11
nave (*f.*) ship 9; **andare* con la nave** to go by ship 18
nazione (*f.*) nation, country 15
nazionale national LP
ne of it, of them 12; about it, about them 12
né ... né: non ... né ... né neither ... nor 9
neanche: non ... neanche not even 9
nebbia fog 9; **c'è la nebbia** it's foggy 9
necessario/a necessary 15
negozio store 3
nemico/a enemy 10
nemmeno: non ... nemmeno not even 9
neppure: non ... neppure not even 9
nero/a black 10
nervoso/a nervous 5
nessuno/a nobody; **non ... nessuno/a** not any 9; nobody 9
netto/a sharp, distinct 10
neve (*f.*) snow 11
nevicare to snow 9
niente no, none, nothing; **non ... niente** nothing 9; **niente di speciale** nothing special 3; **per niente** at all; **proprio un bel niente** absolutely nothing 10
nipote (*m.*) grandson 8; nephew 8; (*f.*) granddaughter 8; niece 8
no no LP
noioso/a boring 5
noleggiare to rent (*a car*) 8
nome (*m.*) name; noun
nominato/a appointed, named

non not; **non c'è male** not too bad LP; **non ... ancora** not ... yet 8; **non ... mai** never 8
nonna grandmother 8
nonno grandfather 8; **nonni** (*m. pl.*) grandparents 8
nonostante although, even though
nord (*m.*) north LP
nostalgia nostalgia; **provare nostalgia (di)** to be homesick 9
notizia news 9; news item
notte (*f.*) (at) night 4
novanta ninety 1
nove nine LP
novembre (*m.*) November 6
nulla: non ... nulla nothing 9
numero (shoe) size 10; number
nuora daughter-in-law 8
nuotare to swim 11
nuoto swimming 12
nuovo/a new 5
nuvoloso/a cloudy; **è nuvoloso** it's cloudy 9

O

o or 1
oboe (*m.*) oboe 16
occasione (*f.*) occasion 13; **avere* l'occasione** to have the chance 13
occhiali (*m. pl.*) eyeglasses; **occhiali da neve** ski goggles; **occhiali da sole** sunglasses
occhio eye 11
occuparsi (di) to attend to 13
occupato/a occupied 9; employed 16
odiare to hate; **odiarsi** to hate each other 11
odori (*m. pl.*) herbs 7
offerta offer 14
offrire* (*p.p.* **offerto**) to offer 5
oggetto object
oggi today 3
ogni (*invariable*) every 4; each, every 9; **ogni anno** each year 9; **ogni tanto** once in a while 9
ognuno/a each one
Olanda Holland 15
olio oil 7; **olio d'oliva** olive oil 7
oliva olive
omaggio: in omaggio complimentary, free
omicidio homicide, murder
onda: andare* in onda to be broadcast, to go on the air 15
onesto/a honest 5

opera opera 16; deed 16; **opera d'arte** work of art 9
operaio/a blue-collar worker 17
opinione (*f.*) opinion
opportuno/a appropriate, suitable 15
opposto/a opposite; opposing 15
opuscolo pamphlet 16
ora (*adv.*) now; (*noun*) hour 2; **a che ora?** at what time? 2; **che ora è?/che ore sono?** what time is it? 2; **è ora** it's time 15; **sarebbe ora!** it's about time! 15
orario schedule
orchestra orchestra 16
ordinare to order 3
ordine (*m.*) order 5
orecchio ear 11
organizzare to organize
organizzato/a organized 16
organo organ 16
orientarsi to orient oneself 17
originale original LP
ormai by now
orologio watch 1; clock 1
orrore (*m.*) horror; **film dell'orrore** (*m.*) horror film 10
orsacchiotto teddy bear
ospedale (*m.*) hospital 3
ottanta eighty 1
ottenere* to obtain, get 8
ottimista (*m. or f.*) optimist
ottimo/a excellent 15
otto eight LP
ottobre (*m.*) October 6
ottocento nineteenth century, the 1800s 5
ovest (*m.*) west LP

P

pacchetto package
padre (*m.*) father 2
paese (*m.*) country LP; small town LP
pagare to pay (for) 3
paio (**le paia**, *f. pl.*) pair 11
palazzo building; palace; apartment house
palestra gym
pallacanestro basketball 12; **giocare a pallacanestro** to play basketball 12
pallavolo volleyball 12
pallone (*m.*) soccer 12; **giocare a pallone** to play soccer 12
pane (*m.*) bread 7

panetteria bakery 13
panettiere/a baker 13
panino sandwich 3; **panino al prosciutto** ham sandwich 4
panorama (*m.*) panorama 6
pantaloni (*m. pl.*) pants, trousers 10
Papa (*m.*) Pope 15
papà (*m.*) dad, father
paragonare to compare
paragrafo paragraph
parcheggiare to park 8
parcheggio parking (lot, garage) 3; **parcheggio a pagamento** pay parking 8
parco park 3
parente (*m.*) relative 8
parentesi (*f. pl.*) parentheses
parere (*m.*) opinion 17; (*verb*) to seem 16; **pare (che)** it seems (that) 15
parete (*f.*) (interior) wall 14
parlamentare parliamentary 15
parlamento parliament 15
parlare to speak, talk 3; **parlarsi** to speak to each other 11
parola word; **parola analoga** cognate
parte: la maggior parte the majority 15; **fare parte di** to be a member of 15
partenza: in partenza leaving, setting out on a trip
particolare (*adj.*) particular 18; special
particolarmente particularly 18
partire to leave, depart 5
partita game (*sports*) 12
partito political party 15
passaporto passport 8
passare to pass 3; to come by 3; to proceed; to spend time 3; **passo da te** I'll come by your house 3
passeggiare to walk, to take a walk 3
passeggiata: fare* una passeggiata to take/go for a walk 4
passaggio ride
passione (*f.*) passion 10
pasta pasta 7; pastry 7
pastasciutta pasta dish (*served with a sauce*) 7
pasticceria pastry shop 13
pasticciere/a confectioner 13
pasto meal 13
patata potato 7
patente di guida (*f.*) driver's license 8
patrigno stepfather 8
pattinaggio skating 12
pattinare to skate 12

paura fear; **avere paura (di)** to be afraid (of) 3
pausa: la pausa pubblicitaria commercial break 17
pavimento floor 14
pazzo/a crazy
peccato: che peccato! what a shame! LP
peggio (*adv.*) worse 15
peggiore (*adj.*) worse 15
pelle (*f.*) leather, hide 10
pendolare (*m. or f.*) commuter; **fare* il/la pendolare** to commute 14
penisola peninsula LP
penna pen 1
pensare to think (of) 3; **pensare a** (+ *noun*) to think of 3; **pensare di** to intend to 8; to think to 8; to think about 18; **pensare di** (+ *inf.*) to plan to (*do something*) 9
pepe (*m.*) pepper 7
peperone (*m.*) pepper 7
per for 3; **per lo più** mostly 15; **per me** for me 3; **per tutti e due** for both 12
pera pear 7
perché? why? 3; **perché** because 3; in order that, so that 16; **perché no?** why not? 4
perciò therefore 10
perdere* (*p.p.* **perso, perduto**) to lose 4; **perdere tempo** to waste time 4
pericolo danger
pericoloso/a dangerous
periferia suburb
permettere* (di) to allow to 18
però but, however
persona person 12
personaggio character 16; celebrity 10
personalità (*f.*) personality
pesante heavy
pesca peach 7
pesce (*m.*) fish 7
pescheria fish market 13
pescivendolo/a fish vendor 13
peso weight
pessimista (*m. or f.*) pessimist
pessimo/a terrible, awful 15
pettinarsi i capelli to comb one's hair 11
pettine (*m.*) comb 11
piacere* to like, to be pleasing LP; **mi piace** I like LP; **mi piacciono** (+ *plural noun*) I like 2; **non mi piace** I don't like LP; **ti piace?**

do you like? LP; **a lei piace?** do you like? (*formal*) 1; **a lui/a lei piace?** does he/she like? 1; **piacere** (*m.*) pleasure 16; **piacere!** how do you do! LP; **fare* piacere** to please 16
pianista (*m. or f.*) pianist 17
pianoforte (*m.*) piano 16
piattino saucer 13; small plate
piatto dish, plate 13; dish (*food*) 13; **primo piatto** first course 13; **secondo piatto** second course 13
piazza square
piccolo/a small, little 2
piede (*m.*) foot 11; **andare* a piedi** to go on foot 18; **mettere* piede (su)** to set foot (on)
pigro/a lazy 5
pioggia acida acid rain 18
piovere to rain 9
piscina swimming pool 12
piselli (*m. pl.*) peas 7
pista trail 11
pittoresco/a picturesque 6
più more; **non ... più** not anymore 9; no longer 6; **per lo più** mostly 15; **più ... di** more . . . than 14
piuttosto rather
pizza pizza 6
pizzeria pizza parlor 6
po' (*contraction for* **poco**) little; **un bel po' di** quite a lot of 8; **un po' di** (+ *noun*) a little bit of (*something*) 4
poco/a (*pl.* **pochi/poche**) little, few; **fra poco** soon, shortly LP
poema (*m.*) poem
poi then, afterwards 7; after (all)
polemica argument; controversy
poliestere (*m.*) polyester 10
politica politics 15
politico/a (*noun*) politician 15; (*adj.*) political 15
pollo chicken 7
Polonia Poland 15
poltrona armchair 14
pomeriggio afternoon 3; **del pomeriggio** in the afternoon 2; **domani pomeriggio** tomorrow afternoon 4; **giovedì pomeriggio** Thursday afternoon 4; **oggi pomeriggio** this afternoon 3
pomodoro tomato 7
pompelmo grapefruit 7
popolo people, public
porco pig 10
porta door
portare to bring 3; to wear 3

portiere (*m.*) doorman
porto port LP
Portogallo Portugal 15
possibile possible LP
possibilità (*f.*) possibility 17
posta mail 9; **posta elettronica** e-mail 9
posto seat 12; place 11; job, position 17; **al posto di** in place of; **posto riservato** reserved seat
potere* (*verb*) to be able (to), can 8; (*noun m.*) power
povero/a poor 5
pranzo dinner 13; lunch, main meal taken at noon 13
pratica practice 10
praticare to practice
pratico/a practical
precisamente precisely 9
preciso/a precise
predizioni (*f. pl.*) predictions
preferibile preferable 15
preferire to prefer (to) 5; **preferisce ... ?** do you (*formal*) prefer . . . ?
preferito/a favorite 10
pregare to pray; to beg; **ti prego** I beg you 8
prendere* (*p.p.* **preso**) to take 3; to get 4; to have (*in the sense of to eat or drink*) 3; to pick up 3; **prendere in affitto** to lease, to rent 14; **prendere appunti** to take notes; **prendere la metropolitana** to take the subway 18
prenotare to make reservations, reserve 8
prenotazione (*f.*) reservation 16; **fare* le prenotazioni** to make reservations 8
preoccuparsi (di) to worry (about) 7
preparare to prepare; **prepararsi** to get ready 7; **prepararsi per** (+ *inf.*) to prepare oneself to, to get ready to 7
preparazione (*f.*) preparation 17
presentare to introduce; to present 10; **presentarsi** to introduce oneself
presentato/a presented
presentazione (*f.*) introduction
presidente (*m. or f.*) president 15; **Presidente del Consiglio** Prime Minister 15
presso at 14; near 14
prestare to lend, loan 11; **prestare attenzione** to pay attention
presto early 7; soon; **a presto** see you soon LP; **al più presto** as soon as possible

previsioni del tempo (*f. pl.*) weather forecast
prezzo price 11; **a buon prezzo** at a good price 11
prima before 9; **prima di** before; **quanto prima** as soon as possible; **prima che** before
primavera spring 6
primaverile (*adj.*) spring-like 6
privato/a private 17
probabile probable 15
probabilmente probably
problema (*m.*) problem 5
produttore/produttrice producer 10
professione (*f.*) profession 17
professore/professoressa professor LP
progetto project
programma (*m.*) program 4; plan 8; **che cos'è in programma?** what's playing? 4; what's planned?
programmare to plan, program 11
promessa promise
promettere* (**di**) (*p.p.* **promesso**) to promise (to) 4
pronto/a (*adj.*) ready; **pronto?** hello? (*on the phone*) 3
pronuncia pronunciation
proposito purpose; **a proposito** by the way
proprio really 13; (*adj.*) one's own 12
prosciutto cured ham 7; **panino al prosciutto** ham sandwich 4
prossimo/a next 8
provare to feel, experience 9; **provare nostalgia di** to be homesick for 9
provincia province LP
provvedimento measure, precaution 18
prudente careful, cautious 5
psicologia psychology 2
psicologo psychologist 10
pubblicare to publish
pubblici: mezzi pubblici (*m. pl.*) public transportation 18
pugliese from the region of Puglia
pulire to clean 5
punto point; period (*punctuation*); **punto esclamativo** exclamation point; **punto interrogativo** question mark; **punto di vista** point of view
puntuale: essere* puntuale to be on time LP
purché provided that, as long as

Q

qua here 14
quaderno notebook 1
quadrato/a square; **metro quadrato** square meter
quadri: a quadri checked (*pattern*) 10
quadro painting 14
qualche some
qualcosa something 3; **qualcosa da mangiare e da bere** something to eat and drink
qual/e? (*pl.* **quali**) which? 4; which one?
qualifica qualification 17
qualità (*f.*) quality
qualsiasi whichever, any
quando when; whenever 3; **di quando in quando** from time to time 9; **quando?** when? 4
quantità (*f.*) quantity 7
quanto/a? how much? 4; **quanti/e** how many? 4; **quante volte** how many times; **quanti anni ha?** how old is he/she? how old are you (*formal*)? 1; **quanti anni hai?** how old are you (*informal*)? 1; **quanto costa?** how much is it? 7
quaranta forty 1
quartiere (*m.*) neighborhood 7
quarto quarter 2; **sono le ... meno un quarto** it's a quarter to . . . 2
quasi almost
quattordici fourteen LP
quattro four LP
quello/a that, that one 8; **quello che** that which, the one that
questionario questionnaire
questo/a this 3; this one 8
qui here 5
quindi therefore
quindici fifteen LP

R

raccontare to tell, narrate
radersi (la barba) to shave (one's beard) 11
radio (*f.*) radio 1
radiologo radiologist 10
rado: di rado seldom 9
raffigurato/a drawn, sketched
raffreddore (*m.*) cold (*illness*)
ragazza girl 5; girlfriend 6
ragazzo boy 6; boyfriend 6
ragione (*f.*) reason; **avere* ragione** to be right 3

rapidamente rapidly

rapporto: rapporto molto stretto close relationship

rappresentante (*m. or f.*) representative 15

rappresentato/a represented

raramente rarely 18

rasoio (elettrico) (electric) razor 11

rayon (*m.*) rayon 10

re (*m.*) king 15

reagire to react

realtà (*f.*) reality

recarsi to go 15

recentemente recently 11

reciproco/a reciprocal

recitare to recite; to play a part

regalare to give as a gift 11

regalo gift

regina queen 15

regione (*f.*) region LP

regista (*m. or f.*) film director 10

registratore (*m.*) cassette recorder 1; **registratore (di) DVD** DVD recorder 1

regola rule

religioso/a religious

repubblica republic 15

repubblicano/a republican 15

respirare to breathe 18

responsabile responsible 8

responsabilità (*f.*) responsibility

restare to stay, remain 6

restituire to give back 5

resto remainder, rest 12

rete (televisiva) (*f.*) (TV) network 15

riaggiustare to fix again 16

riaprire to open again 16

ricco/a rich 5

ricevere to receive 4

richiedere* to require 17; to seek 17

riciclaggio recycling 18

riciclare to recycle 18

riconoscere* to recognize

ricordare to remember 3; to remind 15; **ricordarsi (di)** to remember (to)

riempire to fill out

rifare* to do again 16

riferire to refer

rifiuti (urbani) (*m. pl.*) waste, rubbish 18

riga line

righe: a righe striped 10

rileggere* to read again 16

rimanere* (*p.p.* **rimasto**) to remain 6

ringraziare to thank 13

rinomato/a well-known; celebrated

ripagare to pay back

ripetizione (*f.*) repetition

riposante slow, restful

ripresa: essere* in ripresa to have a revival 10

ripulire to clean up

riscaldamento heat 14

riservato/a reserved 12

riso rice 7

rispetto a with regard to

rispondere* to answer, respond 4

risposta answer

ristorante (*m.*) restaurant 3

risultato result

ritardo: essere* in ritardo to be late LP

riunirsi to get together 13

riuscire* (a) to succeed (in, at) 17

rivelare to reveal

rivenditore (*m.*) dealer, seller 12

rivista magazine 1

rivolgersi (a) to turn (to) 13

romano/a Roman 5

romantico/a romantic

rompere* (*p.p.* **rotto**) to break 11; **rompersi (un braccio,** etc.**)** to break (one's arm, etc.) 11

rosa (*invariable*) pink 10

rosso/a red 6

rubrica newspaper column

rumore (*m.*) noise 2

rumoroso/a noisy

ruolo role

Russia Russia 15

russo (*m.*) Russian language 2; **russo/a** Russian 5

S

sabato Saturday 4; **sabato sera** Saturday evening 4

sala da pranzo dining room 14

salame (*m.*) salami 7

salario wage, pay 17

sale (*m.*) salt 7

salire* to get on, board; to rise; to climb

salotto living room 14

salumeria delicatessen 13

salumiere/a delicatessen owner 13

salutare to greet 9; **salutarsi** to greet one another 11

salute (*f.*) health; **salute!** bless you!

salvaguardare to save, safeguard, preserve 18

salve hello LP

sandali (*m. pl.*) sandals 10

sapere* to know 10; to know how to 10; **non lo so** I don't know 5

sapone (*m.*) soap 11

sardo/a Sardinian 4

sassofono saxophone 16

sbagliato/a wrong

sbarcare to land 15

sbarco landing 15

scaffale (*m.*) shelf 14

scalare to climb; **scalare una montagna** to climb a mountain

scale (*f. pl.*) stairs 14

scalinata stairs, steps

scambio exchange

scampi (*m. pl.*) prawns 7

scapolo: essere* scapolo to be single (*male*)

scarpa shoe 10

scarpetta slipper 6; **scarpette da ginnastica** (*f. pl.*) sneakers 10

scarponi (*m. pl.*) boots

scegliere* (*p.p.* **scelto**) to choose 8; **scegliere una professione (un mestiere)** to choose a profession (occupation) 17

scelta choice 7

scena scene 13

scenario scenery 16

sceneggiatore/sceneggiatrice screenwriter 10

sceneggiatura screenplay 10

scendere* (*p.p.* **sceso**) to go down, descend 6

schema (*m.*) pattern

scherzare to joke 13

schieramento alignment 15

sci (*m.*) ski 11; skiing 11; **lo sci di fondo** cross-country skiing

sciare to ski 11

sciarpa scarf

scientifico/a scientific 1

scienza science; **scienze naturali** natural sciences 2; **scienze politiche** political science 2

scienziato/a scientist

sciocco/a foolish 12

sciogliersi to melt

scodella bowl 13

sconfiggere to defeat

sconosciuto/a unknown 16

sconsigliare to advise against 16

scontento/a unhappy 16

scontrino receipt

scoperto/a discovered
scoprire to discover
scorso/a last, previous, past 5; **la settimana scorsa** last week 6
scortese unkind, rude 5
scremato/a without cream, skim (*milk*)
scrittore/scrittrice writer 17
scrivania desk 14
scrivere* (*p.p.* **scritto**) to write 4; **scriversi** to write to each other 11
scuola school
scusa excuse
scusare to excuse 13; **scusa** excuse me (*informal*) LP; **scusi** excuse me (*formal*) 4
se if 4
sebbene although, even though 16
secolo century
secondo according to; (*adj.*) second
sedersi* to sit
sedia chair 1
sedici sixteen LP
seguente following
seguire to follow 5; to take (*courses*) 5
sei six LP
sembrare to seem 14; **mi sembra** it seems to me, I think 7; **sembra (che)** it seems (that) 15
semplice simple 5
sempre always 6; still 18
senato senate 15
senatore/senatrice senator 15
senso: di senso compiuto coherent, complete
sentimento feeling
sentire to hear 5; to listen; to feel 5; **sentirsi** to feel 7; to talk with each other 11
senza without; **senza che** without
separato/a separated 8
sera evening 4; **di sera** in the evening 2; **domani sera** tomorrow night 4
serata evening 16
sereno/a clear; **è sereno** it's clear 9
serie (*f.*) series
seriamente seriously 18
serio/a serious 15; **parlare sul serio** to be serious
servire to serve; to be useful 5; **servirsi** to help oneself 13
sessanta sixty 1
seta silk 10
settanta seventy 1

sette seven LP
settembre (*m.*) September 6
settimana week 4; **fine settimana** (*m. or f.*) weekend 4; **settimana bianca** week of skiing
sfidare to challenge
sfortuna bad luck 16
sgarbato/a rude 5
sgargiante gaudy 10
sgretolarsi to fall to pieces
shampoo (*m.*) shampoo 11
sì yes LP
sicuro/a sure, certain; fine 16
significato meaning; **di significato opposto** of opposite meaning
signor (+ *last name*) Mr. LP
signora Ma'am LP; **signora** (+ *last name*) Mrs. LP
signore (*m.*) sir LP
signorina Miss LP; **signorina** (+ *last name*) Miss LP
simpatico/a nice, pleasant 5
sincerità (*f.*) sincerity
sincero/a sincere 5
sindaco mayor 15
sinistra left (side) 15; **a sinistra** to, at the left 7; (*adj.*) left 11
sistema (*m.*) system
sistemare to resolve; **sistemarsi** to get a job 17; to get settled 17
smettere* (**di**) to stop
sociale social 9
società (*f.*) society 5
sociologia sociology 2
soffitta attic 14
soffitto ceiling 14
soffocare to suffocate
soffrire* (*p.p.* **sofferto**) to suffer 5
soggetto subject, topic 1
soggiorno stay 11
sogliola sole (*fish*) 7
soldi (*m. pl.*) money 7
sole: c'è il sole it's sunny 9
solito/a same old, usual 13; **di solito** usually 4; **come al solito** as usual 15
solo/a only; **da solo/a** alone 2
sommato: tutto sommato all told; in sum
sondaggio survey
sonno sleep; **avere* sonno** to be sleepy 3
soprano soprano 16
sorella sister 1
sorellastra stepsister 6
sorprendere* to surprise 16
sorpreso/a surprised 16

sostenere* un colloquio to have a job interview 17
sostituire (con) to replace (with)
sotto under
sottotitolo subtitle 10
Spagna Spain 9
spagnolo (*m.*) Spanish language 2; **spagnolo/a** Spanish 5
spalla shoulder 11
spazzola per capelli hairbrush 11
spazzolino da denti toothbrush 11
specchio mirror 11
speciale special LP; **niente di speciale** nothing special 3
specialità (*f.*) specialty
specializzarsi (a) to specialize (in) 17
specifico/a specific
spedire to send 5
spendere* (*p.p.* **speso**) to spend (*money*) 4
sperare (di) to hope (to) 14
spesa expense 8; **fare* la spesa** to shop (*for food*) 7; **fare* le spese** to shop (*for clothes, etc.*)
spesso often 4
spettacolare spectacular 12
spettacolo show 4; show business
spiaggia beach 6
spiegare to explain 11
spinaci (*m. pl.*) spinach 7
spiritoso/a wise guy 13; (*adj.*) witty, clever; **fare* lo spiritoso** to be a wise guy
spogliarsi to undress 10
sporco/a dirty
sport (*m.*) sport 1
sportivo/a pertaining to sports 11
sposarsi to get married 8; to marry each other 11
sposato/a married 2
spremuta d'arancia freshly squeezed orange juice 4
spugna sponge 11
spumante (*m.*) sparkling wine 13
spuntino snack 3; **fare* uno spuntino** to have a snack 3
squadra team 1
squillare to ring 3
squisito/a delicious 13
stabilire to establish
stabilizzare to stabilize 15
stadio stadium 3
stagione (*f.*) season 6
stamattina this morning 4
stanco/a tired 10
stanotte tonight 4

stanza room 14

stare* to be 4; to stay, be in a place 4; **come sta?** (*formal*) how are you? LP; **come stai?** (*informal*) how are you? LP; **stare per** (+ *inf.*) to be about to (*do something*)

stasera this evening 4

Stati Uniti (*m. pl.*) United States 6

stato state 15

statua statue 18

stazione (*f.*) train station 3; **stazione di servizio** service station 8; **stazione sciistica** ski resort

stella star 10

stereo stereo 1

stesso/a same 5

stilista (*m. or f.*) designer 10

stimolante challenging 17

stipendio salary 17

stirare to iron 14

stiro: ferro da stiro iron (*appliance*) 14

stivali (*m. pl.*) boots 10

stomaco stomach 11

storia history LP; story

storico/a historical

stoviglie (*f. pl.*) utensils

straniero/a foreign 9; **lingue straniere** (*f. pl.*) foreign languages 2

stressante stressful 18

stretto strait LP; **stretto/a** close, tight 17

strumento: strumento musicale musical instrument 16

studente/studentessa student LP

studiare to study 1

studio study, den 14; **studio medico** doctor's office

stupendo/a stupendous 6

stupido/a stupid 5

su on 3

subito right away, immediately 4

succedere (*p.p.* **successo**) to happen 15

sud (*f.*) south LP

sufficiente sufficient, enough 17

suggerimento suggestion 17

suggerire (di) to suggest 5

suggerito/a suggested

suocera mother-in-law 8

suocero father-in-law 8

suonare to play (*music, an instrument*) 16

supermercato supermarket 3

supporre to suppose, assume

svantaggio disadvantage 18

svegliarsi to wake up 7

sviluppo development

Svizzera Switzerland 15

svolgere* (*p.p.* **svolto**) to carry out (*an order*); **svolgere una professione (un mestiere)** to practice a profession (skilled craft) 17

T

tacchino turkey 7

taglia size (*clothing*) 10

tagliacarte (*f.*) letter opener

tagliare to cut; **tagliarsi i capelli (le unghie)** to cut one's hair (nails) 11

tamburo drum 16

tanto/a so much, so; **di tanto in tanto** every now and then 9; **tanto ... quanto** as . . . as 14

tappeto rug 14

tardare to be late

tardi late 4; **a più tardi** until later LP

tasca pocket

tassì (*m.*) taxi 18; **andare* in tassì** to go by taxi 18

tavolo table 1; **tavola** table 8; **a tavola** at the (dinner) table 8

tazza cup 13

tazzina small cup, demitasse

tè (*m.*) tea 4; **tè freddo** iced tea 4

teatro theater 3

tedesco (*m.*) German language 2; **tedesco/a** German 5

telefonare to telephone 3

telefonino cell phone 1

telefono telephone 1

telegiornale (*m.*) TV newscast 15

telegramma (*m.*) telegram

telenovella soap opera

telespettatore/telespettatrice TV viewer 15

televisione (*f.*) TV

televisivo/a televised 15

televisore (*m.*) television set 1

tema (*m.*) theme

temere to fear 16

tempo weather 9; time; **a tempo parziale** part-time; **a tempo pieno** full-time; **che tempo fa?** what's the weather like? 9; **da molto tempo** for a long time; **da quanto tempo?** for how long?; **fare bel tempo** to be nice weather 4; **fare cattivo tempo** to be bad weather

9; **molto tempo fa** a long time ago 6; **poco tempo fa** not long ago, a little while ago 6; **qualche tempo fa** some time ago 6; **quanto tempo fa?** how long ago? 6

tenda curtain 14; tent

tennis (*m.*) tennis 12

tenore (*m.*) tenor 16

teorema (*m.*) theorem

tesi (*f.*) thesis

tessuto cloth 10

testa head 11; **ti (le) fa male la testa?** do you have a headache? 11

testimoniare to witness

tifoso/a fan 12

timido/a shy, timid 5

tinta: a tinta unita solid color 10

tiramisù (*m.*) a dessert made with coffee, marscarpone cheese, cream, and chocolate 7

titolo title; headline 15

tivvù (*f.*) TV; **tivvù a pagamento** pay TV

toga toga 5

topolino mouse 6

torinese from Turin 11

tornare to return 3

torta cake 7

totalmente totally

tovagliolo napkin 13

tra between, among 3; **tra l'altro** besides

tradizione (*f.*) tradition LP

traffico traffic 2

traghetto ferry 18; **andare* in traghetto** to go by boat/ferry 18

traguardo finish line

tram (*m.*) streetcar, trolley 18; **andare* in tram** to go by trolley 18

tramezzino sandwich 4; **tramezzino al tonno** tuna sandwich 4

tranquillo/a tranquil, quiet 14

trascorrere* (*p.p.* **trascorso**) to spend (*time*) 9

trasferirsi to move (oneself) 14

trasformare to transform

trasmettere* to broadcast; to communicate (*p.p.* trasmesso)

trasmissione (*f.*) broadcast, transmission 17

trattare (di) to be about, to deal with 10; **trattarsi (di)** to be about 8; **di che si tratta?** what is it all about?

trattoria small family restaurant
tre three LP
tredici thirteen LP
tremendo/a tremendous 12
treno train 18; **andare* in treno** to go by train 18
trenta thirty 1
triste unhappy, sad 5
tristemente sadly
tromba trumpet 16
troppo too, too much 8
trovare to find 3
turismo tourism 18
turno: a turno in turn
tutto/a all 5; everything; **tutte le sere (settimane)** every evening (week) 9; **tutti** everybody 9; **tutti i giorni (mesi)** every day (month) 9; **in tutto** on the whole 7; **per tutti e due** for both 12

U

ubbidire to obey 5
ufficio office 3; **ufficio postale** post office 3
uguale equal
ultimo/a latest 6; last (*in a series*) 6
umanità (*f.*) humanity 5
umido/a humid 9
umore (*m.*) humor
umorismo humor; **senso dell'umorismo** sense of humor
undici eleven LP
Ungheria Hungary 15
unghie (*f. pl.*) nails 11
unificare to unite, unify
uniforme (*f.*) uniform 5
Unione europea (Ue) (*f.*) European Union
università (*f.*) university LP; **all'università** at the university 2
universitario/a pertaining to the university 1
uno/a one LP
uomo (**uomini,** *pl.*) man; **uomo d'affari** businessman 17
uovo (**le uova,** *f. pl.*) egg 7
usare to use 3
usato/a used
uscire* to go out 3

utenze (*f. pl.*) utilities 14
utile useful 16
uva grape(s) 7

V

vacanza vacation 6; **in vacanza** on vacation 6
vado I go 1
vai you go (*informal*) 1
valido/a valid 14
valigia suitcase 8; **fare* le valige** to pack the suitcases 8
valore (*m.*) value 15
vantaggio advantage 18
vario/a various, several
vecchio/a old 5
vedere* (*p.p.* **visto, veduto**) to see 4; **ci vediamo domani** see you tomorrow LP; **vedersi** to see each other 11
vedova widow
vela sailing 12
velluto velvet; **velluto a coste** corduroy 10
velocemente fast 6
velocità (*f.*) speed 15
vendere to sell 4
vendita sale; **in vendita** on sale
venerdì (*m.*) Friday 4
venire* (a) (*p.p.* **venuto**) to come (to) 5
venti twenty LP
vento: tira vento it's windy 9
veramente really 5
verde green 10
verdura green vegetables 7
verità (*f.*) truth
vero/a true 5; real; **non è vero?** isn't it true? 4; **sarà vero?** could it be true? 15
verso toward; **verso le sei** around six o'clock 3
vestire to dress 5; **vestirsi** to get dressed 7
vestito dress 5; suit 10; **vestiti** (*m. pl.*) clothing 10
vetrina store window 5
vetta peak
via street 5; **andare* via** to go away
viaggiare to travel 1
viaggio trip 8

viceversa vice-versa
vicino/a (a) near 3; **qui vicino** near here
videocassetta videocassette
videogioco video game 6
videoregistratore (*m.*) video recorder 1
villa country house 2
villeggiatura vacation; summer vacation
vincere* (*p.p.* **vinto**) to win 6
vincitore/vincitrice winner
vino wine 6
viola (*invariable*) purple 10
violino violin 16
violoncello cello 16
virgola comma
visita visit 13
visitare to visit 3
viso face 11
vista view 14
vita life 10
vitello veal 7
vittoria victory
vivace vivacious
vivere* (*p.p.* **vissuto**) to live 8
vivo/a alive; **dal vivo** live (*broadcast*) 16
vocale (*f.*) vowel
voce (*f.*) voice 5
volentieri gladly 11
volere* to want (to), wish 8
volgere (*p.p.* **volto**) to pursue
volo flight 8; **volo diretto** direct flight
volpe (*f.*) fox
volta time; **a volte** at times, sometimes 9; **due volte** twice 9; **qualche volta** sometimes 9; **questa volta** this time; **una volta** once, one time 9; **una volta (al giorno)** once (a day) 9
vongole (*f. pl.*) clams 7

Z

zaino backpack 1
zero zero LP
zia aunt 8
zio uncle 8
zona area 11
zucchero sugar 7
zucchini zucchini squash 7

English-Italian Vocabulary

The following vocabulary list contains some basic words and expressions that you may wish to use in preparing guided oral and written compositions. The definitions are limited to those used in the book. Word sets such as numbers, sports terms, adjectives of nationality, etc., can be located by referring to the index.

Abbreviations: *adj.* = adjective; *f.* = feminine; *m.* = masculine; *inv.* = invariable; *pl.* = plural.

A

abroad l'estero
accessory l'accessorio
accident l'incidente (*m.*)
acquainted: be acquainted with conoscere
action l'azione (*f.*)
activity l'attività
actor l'attore (*m.*)
actress l'attrice (*f.*)
address l'indirizzo
adequate adeguato/a
administration il governo
admittance l'adesione (*f.*)
advancement lo sviluppo
advertise fare la pubblicità
ad(vertisement) la pubblicità, l'annuncio
advertising la propaganda, la pubblicità; pubblicitario/a
advise consigliare (di); **advise against** sconsigliare
affectionately affettuosamente
afraid: be afraid of avere paura di
after, afterward dopo; **after that** poi
afternoon il pomeriggio; **in the afternoon** il pomeriggio
against contro
age l'età
agent l'agente (*m. or f.*)
ago: a little while ago poco tempo fa; **not long ago** poco tempo fa; **some time ago** qualche tempo fa; **two days ago** due giorni fa
agreed d'accordo
aid l'aiuto
air l'aria
all tutto/a

almost quasi
alone da solo/a
already già
also anche
although benché, nonostante che
always sempre
among fra, tra; **among themselves** fra (tra) di loro
amuse oneself divertirsi
amusing divertente
ancient antico/a
and e (*frequently* ed *before a vowel*)
animal l'animale (*m.*)
ankle la caviglia
announce annunciare
announcer l'annunciatore (*m.*), l'annunciatrice (*f.*)
another altro/a
answer rispondere
anthropology l'antropologia
anxiously con ansia
anyway tanto
apartment l'appartamento; **small apartment** l'appartamentino; **studio apartment** il miniappartamento
appear sembrare
apple la mela
appliances: household appliances gli elettrodomestici
application: job application la domanda d'impiego
appointment l'impegno
appreciate apprezzare
approve approvare
apricot l'albicocca
architect l'architetto
architecture l'architettura
arm il braccio (le braccia, *f. pl.*)
armchair la poltrona

armoire l'armadio
around (*time*) verso
arrival l'arrivo
arrive arrivare
art l'arte (*f.*)
artichoke il carciofo
as come; **as . . . as** tanto ... quanto; **as soon as** appena; **as usual** come al solito
ask domandare; **ask (for)** chiedere (di); **ask a question** fare una domanda
asparagus gli asparagi
at a (*frequently* ad *before a vowel*), presso
atmosphere l'atmosfera
attempt il tentativo
attend frequentare
attention l'attenzione
attractive simpatico/a
audience il pubblico
aunt la zia
authority l'autorità
automobile l'auto(mobile) (*f.*), la macchina
automotive automobilistico/a
autumn l'autunno; (*adj.*) autunnale; **in the middle of autumn** in pieno autunno
awarded assegnato/a

B

baby il bambino/la bambina
backpack lo zaino
bad cattivo/a, male; **not too bad** non c'è male; **from bad to worse** di male in peggio

baker il panettiere/la panettiera
bakery la panetteria
ball: masked ball il ballo in maschera
banana la banana
band il complesso
bank la banca
bar il bar
basketball la pallacanestro
bath: take a bath farsi il bagno
bathroom il bagno, la stanza da bagno
be essere, stare; **be . . . years old** avere ... anni; **be able** potere
beach la spiaggia
beautiful bello/a
because perché; **because of** a causa di
become diventare
bed il letto
bedroom la camera da letto
beer la birra
before prima di, prima che
beg pregare (di)
begin mettersi a, cominciare (a)
being essendo
believe credere (di)
believable credibile
better meglio; migliore
between fra, tra; **between themselves** fra (tra) di loro
bicycle la bicicletta; **bicycle racing** il ciclismo
big grande
biking andare in bicicletta
biology la biologia
birthday il compleanno; **happy birthday** buon compleanno
black nero/a
blackboard la lavagna
blouse la camicetta
blue blu (*inv.*); **sky-blue** azzurro/a
boat la barca
boating andare in barca
bold audace
book il libro
bookstore la libreria
boots gli stivali
boring noioso/a
born nato/a (*past participle*); **be born** nascere
both . . . and sia ... che
boy il ragazzo
boyfriend: my boyfriend il mio ragazzo
bread il pane
breakfast la prima colazione

breathe respirare
bride and groom gli sposi
brief breve
bring portare
broadcast andare in onda
broccoli i broccoli
broth il brodo
brother il fratello; **brother-in-law** il cognato; **little brother** il fratellino
brown marrone (*inv.*), castano/a (*eyes, hair*)
brush one's teeth lavarsi i denti
bus l'autobus (*m.*)
business activity l'impresa
businessman l'uomo d'affari
businesswoman la donna d'affari
busy impegnato/a, occupato/a; **be busy** avere da fare
but ma
butcher il macellaio/la macellaia
butter il burro
buy comprare, acquistare
by: by chance per caso; **by the way** a proposito
bye (*informal*) ciao

C

café il bar, il caffè
cake la torta
calculator la calcolatrice
calendar il calendario
call chiamare; **phone call** la telefonata
called: be called chiamarsi
calm calmo/a
can potere
can opener l'apriscatole (*m.*)
candidate il candidato
capable bravo/a
capital la capitale; **capital of a region** il capoluogo
car la macchina
card: birthday card la cartolina di buon compleanno; **telephone card** la carta telefonica
career la carriera
carefree disinvolto/a
careful prudente
cartoon il cartone animato
carrot la carota
case il caso; **in case (that)** in caso che
cassette la cassetta
cathedral il duomo, la cattedrale
cause causare; la causa

cautious prudente
ceiling il soffitto
celebrate festeggiare
celebrity il personaggio
cellar la cantina
cell phone il cellulare, il telefonino
cent il centesimo
central centrale
certain certo/a
certainly certo
chair la sedia
chance: by chance per caso
change cambiare; il cambiamento; **change one's mind** cambiare idea
chant il canto
character (*in a play, opera, etc.*) il personaggio
cheap a buon mercato
check the oil (tires) controllare l'olio (le gomme)
checkered a quadri
cheer up! coraggio!
cheese il formaggio
chemistry la chimica
cherry la ciliegia
chest of drawers il comò
child il bambino/la bambina; **children** i figli
choice la scelta
choose scegliere
church la chiesa
cinema il cinema
citizen il cittadino/la cittadina
city la città; (*adj.*) cittadino/a; **city hall** il municipio, il comune
civil civile
clandestine clandestino/a
classic classico/a
classical classico/a
classmate il compagno/la compagna di classe
classroom l'aula
clean pulire; pulito/a
clear chiaro/a, lampante; **clear** (*weather*) sereno/a; **clear the table** sparecchiare la tavola
clearly chiaramente
clerk l'impiegato/l'impiegata
climate il clima
close chiudere
closet il guardaroba, l'armadio
cloth il tessuto
clothes il vestiario; **clothes dryer** l'asciugatrice (*f.*)
clothing gli articoli di abbigliamento

cloudy   nuvoloso/a
coat   il cappotto
coffee   il caffè
cold: be cold (*person*)   avere freddo;
  be (quite) cold (*weather*)   fare
  (abbastanza) freddo
color   il colore; **solid color**   a
  tinta unita
comb   il pettine; **comb one's hair**
  pettinarsi i capelli
come   venire
comedy   la commedia
comfortable   comodo/a
commercial   la pubblicità
company   la compagnia
compete   fare le gare
competition   la gara
complete   compiere
computer   il computer; **computer
  science**   l'informatica
concert   il concerto
conclude   concludere
conclusion   la conclusione
confectioner   il pasticciere/la
  pasticciera; **confectioner's shop**
  la pasticceria
confused   confuso/a
confusion   la confusione
congratulations!   complimenti!
constitution   la costituzione
content: be content   accontentarsi
contest   il concorso
continue   continuare (a), proseguire
continuously   in continuazione
contrast   il contrasto, il paragone
control   il controllo
convince   convincere
cook   cucinare; il cuoco/la cuoca
cool   fresco; **be cool** (*weather*)
  fare fresco
cost   costare; **how much does it
  cost?**   quanto costa?
costume   il costume
cotton   il cotone
country   il paese; la campagna
couple   la coppia
course   il corso
courteous   gentile
cousin   il cugino/la cugina
crisis   la crisi
cup   la tazza
curious   curioso/a
curtain   la tenda
customer   il/la cliente
cut one's hair (nails)   tagliarsi i
  capelli (le unghie)
cute   carino/a

D

dairy   la latteria
dance   ballare; la danza; **to dance**
  (*a little*)   fare quattro salti
daring   audace
daughter   la figlia; **daughter-in-law**
  la nuora
dawn   l'alba
day   la giornata; **day after tomorrow**
  dopodomani; **day before yesterday**
  l'altro ieri
deal: deal with   trattare di
dear   caro/a
decade   il decennio
decide   decidere (di)
decision   la decisione; **make a
  decision**   prendere una decisione
degree candidate   il laureando/la
  laureanda
delicatessen   la salumeria;
  delicatessen owner   il salumiere/la
  salumiera
den   lo studio
dentist   il/la dentista
depart   partire
departure   la partenza
depends: that depends   dipende
descend   scendere
desk   la scrivania
dessert   il dolce
development   lo sviluppo
dictator   il dittatore
dictionary   il dizionario
die   morire
difficult   difficile
diminish   diminuire
dinner   il pranzo
director: movie director   il/la regista
dirty   sporco/a
discotheque   la discoteca
discuss   discutere
discussion   la discussione
dish   il piatto; **main dish**   il primo
  piatto
dishonest   disonesto/a
dishwasher   la lavastoviglie
dislocate   slogarsi
displeasure   il dispiacere
distinct   netto/a
divorce   divorziare
divorced   divorziato/a
do   fare; **do without**   fare a meno di
doctor   il medico, il dottore/la
  dottoressa
documentary   il documentario
door   la porta

doorman   il portiere
down there   laggiù
downtown   il centro; il centro
  commerciale
drama   il dramma
dress   il vestito; l'abito; vestire;
  vestirsi
dressed: get dressed   vestirsi
drink   bere; la bevanda
drinking glass   il bicchiere
drive   guidare
dry one's face (hands)   asciugarsi la
  faccia (le mani)
dryer: hair dryer   l'asciugacapelli
  (*m.*); **clothes dryer**   l'asciugatrice
  (*f.*)
dubbed   doppiato/a
due to   dovuto a
dynamic   dinamico/a

E

each   ogni
ear   l'orecchio
early   presto; **be early**   essere in
  anticipo
earn   guadagnare; **earn one's living**
  guadagnarsi la vita
easy   facile
eat   mangiare
ecology   l'ecologia
economic   economico/a
economics   l'economia
efficacious   efficace
egg   l'uovo (le uova, *f. pl.*)
elbow   il gomito
election   l'elezione (*f.*)
electrician   l'elettricista (*m. or f.*)
elegant   elegante
e-mail   la posta elettronica; **e-mail
  address**   l'indirizzo elettronico
employed   occupato/a
employment   l'impiego,
  l'occupazione (*f.*)
energetic   dinamico/a
engaged   impegnato/a; **become
  engaged**   fidanzarsi
engineering   l'ingegneria
enjoy oneself   divertirsi (a)
enough: it's enough   basta; **that's
  enough**   basta così
enter   entrare
environment   l'ambiente (*m.*)
euro (*European currency*)   l'euro
European   europeo/a
even: even though   benché,
  nonostante che, sebbene

evening la sera, la serata; **good evening** buona sera; **in the evening** la sera; **this evening** stasera
event l'avvenimento
ever mai
every (single) ogni; **every day (month)** tutti i giorni (mesi)
everybody tutti
everyone tutti
everything tutto
everywhere dappertutto; **everywhere else** altrove
exaggerate esagerare
exam l'esame (*m.*)
example l'esempio
exceptional eccezionale
excessive eccessivo/a
exchange lo scambio
excited emozionato/a
excuse la scusa; **excuse me** scusa, (*formal*) scusi
executive il/la dirigente
exhibit la mostra
expensive caro/a
experience provare; l'esperienza
expert l'esperto; **be an expert in** intendersi di
explain spiegare
express esprimere
exquisite squisito/a
eye l'occhio

F

fabric il tessuto
face il viso; la faccia
fact: in fact, as a matter of fact infatti
factory la fabbrica
fall: fall asleep addormentarsi; **fall in love** innamorarsi
family la famiglia
famous famoso/a
far from lontano/a da
fashion la moda
fashionable alla moda
fast velocemente
fat grasso/a
father il padre; **father-in-law** il suocero
favorite preferito/a
fear temere (di)
feel provare, sentire, sentirsi; **feel like (doing something)** avere voglia di (+ *infinitive*)
festival il festival
fever la febbre

few pochi/e
fill it up fare il pieno
film festival la mostra cinematografica
final finale
finally finalmente
financial finanziario/a
find trovare
fine bene
finger il dito (le dita, *f. pl.*) della mano
finish finire (di)
fire (*from a job*) licenziare
fireplace il camino
firm (business) la ditta
first primo/a; **first of all** innanzi tutto
fish il pesce; **fish market** la pescheria; **fish vendor** il pescivendolo/la pescivendola
fit (*shoes, gloves*) calzare
fix aggiustare
floor il pavimento, il piano
foggy: it's foggy c'è la nebbia
follow seguire
food il cibo
foolish sciocco/a
foot il piede
for per
foreign straniero/a
forget dimenticare, dimenticarsi (di)
fork la forchetta
fortunate fortunato/a
fortunately per fortuna
forward avanti
free libero/a
freely liberamente
fresh fresco/a
friend l'amico/l'amica
from da, da parte di, di (*frequently* d' *before a vowel*); **from time to time** di quando in quando
front: in front of davanti a
fruit la frutta; **fruit vendor** il fruttivendolo/la fruttivendola
full pieno/a
furniture i mobili
future il futuro

G

game la partita
garage il garage
garlic l'aglio
gasoline la benzina
gather riunirsi
gaudy sgargiante

general generale
generally generalmente
geology la geologia
get: get off/down scendere; **get ready** prepararsi (per); **get up** alzarsi, prendere
girl la ragazza
girlfriend: my girlfriend la mia ragazza
give dare; **give back** restituire
given dato/a
glad contento/a
gladly volentieri
glass: drinking glass il bicchiere
gloves i guanti
go andare, recarsi; **go around** girare; **go away** andare via; **go by bicycle** andare in bicicletta; **go by boat** andare in barca; **go by bus** andare in autobus; **go by car** andare in macchina; **go by motorcycle** andare in moto(cicletta); **go by plane** andare in aereo; **go by ship** andare con la nave; **go by taxi** andare in tassì; **go by train** andare in treno; **go by tram** andare in tram; **go horseback riding** andare a cavallo; **go on an excursion** fare una gita; **go on foot** andare a piedi; **go on vacation** andare in vacanza; **go skating** andare a pattinare; **go skiing** andare a sciare; **go to the country** andare in campagna; **go to the mountains** andare in montagna; **go to the seashore** andare al mare; **go out** uscire
good bene, bravo/a, buono/a
good-bye arrivederci; (*formal*) arrivederla
government il governo
graduate laurearsi
granddaughter la nipote
grandfather il nonno
grandmother la nonna
grandson il nipote
grainy ice cream la granita
grapefruit il pompelmo
grapes l'uva
gray grigio/a
great grande; ottimo!; **just great!** benissimo!
green verde
greet salutare; **greet each other** salutarsi
group il gruppo; **musical group** il complesso

guest l'invitato/a
guitar la chitarra
guitarist il/la chitarrista
gymnasium la palestra

H

hair i capelli; **hair dryer** l'asciugacapelli (*m.*)
hairbrush la spazzola per capelli
hall la sala
ham: cured ham il prosciutto
hand la mano (le mani, *f. pl.*)
handbag la borsa
handsome bello/a
happen succedere, capitare; **what happened?** che cosa è successo?
happy allegro/a, contento/a, felice
hat il cappello
hate each other odiarsi
have avere; **have** (*to eat, to drink*) prendere; **have a good time** divertirsi (a); **have a job interview** sostenere un colloquio; **have breakfast or lunch** fare colazione; **have the time to** avere il tempo di; **have to** dovere
head la testa
hear sentire
heating il riscaldamento
hello buon giorno; (*response on the phone*) pronto?
help aiutare; l'aiuto; **help each other** aiutarsi
hi ciao
high alto/a
hire assumere
history la storia
hold tenere
homemaker la casalinga
hope sperare (di), augurarsi; **let's hope so** speriamo di sì
horror l'orrore (*m.*)
hors d'oeuvre l'antipasto
horseback riding l'equitazione (*f.*)
hospital il policlinico, l'ospedale (*m.*)
hot: be hot (*weather*) fare caldo
hotel l'albergo
hour l'ora; **one hour ago** un'ora fa
house la casa; **country house** la villa
household appliances gli elettrodomestici
how come; **how are you?** come stai?, (*formal*) come sta?; **how many?** quanti/e?; **how many times?** quante volte?; **how much?** quanto/a?; **how much is it?** quanto costa?

however comunque, però
hug abbracciare
human body il corpo umano
hungry: be hungry avere fame
hurry affrettarsi; **be in a hurry** avere fretta
hurt fare male
husband il marito

I

ice cream il gelato; **ice cream parlor** la gelateria
idea l'idea
if se
image l'immagine (*f.*)
immediate immediato/a
immediately subito
important importante, notevole
impossible impossibile
improbable improbabile
in in
inexpensive a buon mercato
information l'informazione (*f.*)
insincere falso/a
instead (of) invece di
institution l'istituzione (*f.*)
intelligent intelligente
intend to avere intenzione di
interested: be interested (in) interessarsi
international internazionale
interpreter l'interprete (*m. or f.*)
interview intervistare; il colloquio
introduce fare conoscere, presentare
invite invitare (a)
invited invitato/a
iron (*appliance*) il ferro da stiro; stirare
itself stesso/a

J

jacket la giacca
jeans i jeans
job il posto (di lavoro), l'impiego; **job application** la domanda d'impiego; **job interview** il colloquio
joke scherzare
journalist il/la giornalista
joy l'allegria
just proprio

K

keep tenere
kind gentile
king il re
kitchen la cucina

knee il ginocchio (le ginocchia, *f. pl.*)
knife il coltello
know conoscere; **know (how)** sapere; **know by heart** sapere a memoria
known conosciuto/a, noto/a

L

lake il lago
lamb l'agnello
lamp la lampada
language: foreign languages le lingue straniere
large grande
last scorso/a; (*in a series*) ultimo/a; **at last** finalmente
late: I'm late sono in ritardo
later: until later a più tardi
latest ultimo/a
law la legge
lawyer l'avvocato
lazy pigro/a
leaflet il volantino
learn apprendere; imparare (a)
least: at least almeno
leather il cuoio, la pelle; **made of leather** di cuoio
leave partire, andare via; **leave** (*behind*) lasciare
left sinistro/a
leg la gamba
lemon il limone; **lemon soda** la limonata
lemonade la limonata
lend prestare
letter la lettera
lettuce la lattuga
library la biblioteca
license: driver's license la patente di guida
life la vita
light la luce; leggero/a
like come; piacere
listen sentire; **listen (to)** ascoltare; (*command*) senti
listening l'ascolto
literary letterario/a
literature la letteratura
little piccolo/a; **very little** ben poco, pochissimo/a
live abitare; vivere; **live together** convivere
live (*TV, radio*) in diretta
living il vivere; **living room** il salotto
loan prestare

lobster l'aragosta
local locale
long lungo/a
look (at) guardare; **look (for)** cercare; **look at oneself in the mirror** guardarsi allo specchio
lose perdere
lottery la lotteria
love l'amore (*m.*); **fall in love** innamorarsi; **love each other** amarsi
lower (*verb*) abbassare
luck la fortuna; **bad luck** la sfortuna
lucky: be lucky avere fortuna
lunch (*main meal at noon*) il pranzo

M

ma'am signora
magazine la rivista
magnificent magnifico/a
mail spedire; la posta
majority la maggior parte
make fare; rendere; **make a date** fissare un appuntamento; **make plans** fare programmi; **make purchases** fare acquisti; **make reservations** prenotare; **make sure** fare in modo
man l'uomo (gli uomini, *pl.*)
manage gestire
management la gestione
manager il funzionario, il direttore/la direttrice
managerial gestionale
many molti/e
market il mercato; **open-air market** il mercato all'aperto
married sposato/a
marry (get married) sposarsi
marvelous meraviglioso/a
mask la maschera
masquerade party la festa mascherata
match l'incontro; la gara
mathematics la matematica
maybe forse
meal il pasto
meaning il significato
means of transportation i mezzi di trasporto
meantime: in the meantime intanto, nel frattempo
meanwhile intanto
meat la carne (*f.*)
mechanic il meccanico
medicine la medicina
meet incontrare, riunirsi; **meet (each other)** incontrarsi

message il messaggio
midnight mezzanotte
military il militare
milk il latte
milkman il lattaio/la lattaia
million il milione
mind dispiacere; **do you mind if . . . ?** ti dispiace se ... ?; **have in mind** avere in mente; **if you don't mind** se non ti dispiace
minister il ministro; **Prime Minister** Presidente del Consiglio
mirror lo specchio
misfortune il dispiacere, la sfortuna
Miss signorina
mix-up: a little mix-up un po' di confusione
modern moderno/a
moment il momento
monarchy la monarchia
money i soldi, il denaro
month il mese
monument il monumento
more più; **more . . . than** più ... di
morning la mattina, il mattino; **good morning** buon giorno; **in the morning** la mattina; **this morning** stamattina
most: for the most part per lo più
mother la madre; **mother-in-law** la suocera
motorcycle la moto(cicletta)
mountain: in (to) the mountains in montagna; **mountain climbing** l'alpinismo
mouth la bocca
move trasferirsi
movie il cinema; **movie director** il/la regista
Mr. signor + *last name*
Mrs. signora + *last name*
much molto; **too much** troppo
muggy afoso/a
museum il museo
mushrooms i funghi
music la musica
musical (*adj.*) musicale; **musical group** il complesso
musician il/la musicista
must dovere
my mio/a

N

name (*first*) il nome; (*last*) il cognome; **brand name** la marca; **what's your name?** come ti chiami?; (*formal*) come si chiama?

named: be named chiamarsi
napkin il tovagliolo
nation la nazione
national nazionale
nature la natura
near vicino a
necessary necessario/a
neck il collo
need avere bisogno di; il bisogno
neighborhood le vicinanze, il vicinato; **neighborhood market** il mercato rionale
neither . . . nor non ... né ... né
nephew il nipote
nervous nervoso/a
never non ... mai
nevertheless nonostante ciò
new nuovo/a
news le notizie; **news** (*one item*) la notizia; **newscaster** (*TV and radio*) l'annunciatore (*m.*); l'annunciatrice (*f.*)
newspaper il giornale
next prossimo/a
nice bello/a, carino/a, simpatico/a; **be nice** (*weather*) fare bel tempo
niece la nipote
night la notte; **at night** la notte, di notte; **good night** buona notte
no no; **no longer** non ... più; **no more** non ... più; **no one** nessuno, non ... nessuno
noise il rumore
none niente
noon mezzogiorno
nose il naso
not non; **not any** non ... nessuno; **not at all** non ... affatto; **not even** non ... neanche, non ... nemmeno, non ... neppure; **not ever** non ... mai; **not too bad** non c'è male; **not yet** non ... ancora
notebook il quaderno
nothing niente; non ... niente, non ... nulla; **nothing special** niente di speciale
novel il romanzo
now adesso, ora; **by now** ormai

O

obey ubbidire
obtain ottenere
occasion l'occasione (*f.*)
occupation l'occupazione (*f.*)
occupied occupato/a
of di (*frequently* d' *before a vowel*); **of course** certo

offer offrire
office l'ufficio; **post office** l'ufficio postale
often spesso
OK d'accordo, va bene
old antico/a, anziano/a, vecchio/a
older maggiore
olive oil l'olio d'oliva
on su
once: every once in a while ogni tanto; **just once** una volta tanto; **once a day** una volta al giorno; **once again** ancora una volta; **once in a while** ogni tanto
oneself se stesso/a
onion la cipolla
only solo
open aprire
opera l'opera
opinion l'opinione (*f.*)
opposite opposto/a
optimistic ottimista (*inv. in the singular*)
or o
orange (*color*) arancione (*inv.*); (*fruit*) l'arancia; **orange juice** (*freshly squeezed*) la spremuta d'arancia; **orange soda** l'aranciata
orchestra l'orchestra
order (*food*) ordinare; **in order that** affinché, di modo che, perché
orders: to give orders dare ordini
organize organizzare
organized organizzato/a
original originale
other altro/a
outdoors all'aperto
outside fuori
overcoat il cappotto

P

painting il quadro; la pittura
pair il paio (le paia, *f. pl.*)
panorama il panorama
pants i pantaloni
paper: piece of paper il foglio di carta
parents i genitori
park parcheggiare; il parco, il giardino pubblico
parking: pay parking il parcheggio a pagamento
parliament il parlamento
parlor: ice cream parlor la gelateria

part: on the part of da parte di
particularly particolarmente
party la festa
pass the butter (salt, pepper) passare il burro (sale, pepe)
passion la passione
pasta la pasta
patience: a little patience un po' di pazienza
patient: be patient avere pazienza
pay il salario; **pay (for)** pagare; **pay back** ripagare
peace la pace
peach la pesca
pear la pera
pen la penna
pencil la matita
people la gente, il popolo
pepper il pepe, il peperone
per kilo (*metric weight*) al chilo
perfect perfetto/a
performer l'interprete (*m. or f.*)
perhaps forse
period il periodo
permit permettere (di)
person la persona
personnel il personale
pessimistic pessimista (*inv. in the singular*)
pharmacist il/la farmacista
pharmacy la farmacia
philosophy la filosofia
phone call la telefonata
photograph la foto(grafia)
photographer il fotografo
photography la fotografia
physics la fisica
pianist il/la pianista
piano il pianoforte
pick up: I'll pick you up (*informal*) passo a prenderti
pineapple l'ananas (*m.*)
pink rosa (*inv.*)
pizza la pizza; **pizza parlor** la pizzeria
place mettere; il luogo, il posto
plan programmare
plane l'aereo
play (*a game*) giocare; **play** (*music*) suonare; **play basketball** giocare a pallacanestro; **play soccer** giocare a pallone; **play tennis** giocare a tennis; **play volleyball** giocare a pallavolo
playing field il campo da gioco
pleasant simpatico/a

please piacere; per favore, per piacere, prego
pleased: I'm very pleased to meet you (*informal*) mi fa molto piacere (di) conoscerti
pleasing: be pleasing piacere
pleasure il piacere
pocket la tasca; **in his/her pocket** in tasca
poem il poema
political politico/a; **political science** le scienze politiche
pollute inquinare
pollution l'inquinamento
polyester il poliestere
pool la piscina
poor povero/a; **poor thing** poverino/a
pork il maiale
position il posto
possess (*something*) avere
possibility la possibilità
possible possibile
potato la patata
practical pratico/a
precise preciso/a
prefer preferire
preferable preferibile
prepare preparare
present presentare
president il/la presidente
pretty carino/a
price il prezzo; **what prices!** che prezzi!
probable probabile
probably probabilmente
problem il problema
profession il mestiere, la professione
professor il professore/la professoressa
program il programma
promise promettere
proper opportuno/a, dovuto/a
provided that purché
psychology la psicologia
purchase acquistare; l'acquisto
purple viola (*inv.*)
put mettere; **put on** (*clothing*) mettersi, indossare

Q

qualification la qualifica
quarrel (*verb*) litigare
queen la regina
quit (*a job*) licenziarsi

R

radio la radio; (*adj.*) radiofonico/a
rain piovere
raincoat l'impermeabile (*m.*)
raise alzare
rarely raramente
rather piuttosto
razor (*electric*) il rasoio (elettrico)
read leggere; **read again** rileggere
real vero/a
reality la realtà
really davvero; proprio; veramente
receive ricevere
recently recentemente
record registrare; il disco
recorder: video recorder il videoregistratore
red rosso/a
refrigerator il frigo(rifero)
relatives i parenti (*pl.*)
remain restare, rimanere
remainder il resto
remember ricordare, ricordarsi (di)
remind ricordare
rent affittare; **rent a car** noleggiare un'automobile
representative il deputato, il rappresentante
republic la repubblica
require richiedere
reservation la prenotazione
reserve prenotare
reserved riservato/a
respond rispondere
rest riposarsi
restaurant il ristorante
retailer il rivenditore
return restituire; tornare; **many happy returns!** cento di questi giorni!
revival: to have a revival essere in ripresa
rice il riso
rich ricco/a
right giusto/a; destro/a; **be right** avere ragione; **right away** subito
romantic romantico/a
room la camera, la stanza; **dining room** la sala da pranzo; **living room** il salotto
rude sgarbato/a

S

sad triste
sailing la vela

salami il salame
salary lo stipendio
sale la vendita; **on sale** in vendita
salt il sale
same stesso/a; **just the same** lo stesso; **same old** solito/a
sandwich: ham sandwich il panino al prosciutto; **tuna sandwich** il tramezzino al tonno
Sardinian sardo/a
save risparmiare; salvare
say dire (di)
scarf la sciarpa
scene la scena
scenery lo scenario
schedule l'orario
school: (Italian high school) il liceo
science: natural science le scienze naturali; **science fiction** la fantascienza
scientific scientifico/a
scissors le forbici
sea il mare; **at the seashore** al mare
season la stagione
seat il posto
second secondo/a
see vedere; **see each other** vedersi; **see you tomorrow** ci vediamo domani
seek cercare
seem sembrare; **it seems to me** mi sembra
see-saw l'altalena
seldom di rado
selfish egoista (*inv. in the singular*)
self-possessed disinvolto/a
sell vendere
senate il senato
senator il senatore
send mandare, spedire; **send back** rimandare
serious serio/a
seriousness la gravità
serve servire
set (*time*) stabilire; **set the table** apparecchiare la tavola
sew cucire
shame: what a shame che peccato!
sharp netto/a
ship la nave
shirt: man's shirt la camicia
shoes le scarpe
shop (*for food*) fare la spesa
short basso/a
shortly fra poco
shoulder la spalla

show mostrare; lo spettacolo
shower la doccia; **take a shower** farsi la doccia
shrimp gli scampi
shy timido/a
silk la seta
simple semplice
since siccome
sincere sincero/a
sing cantare
singer il/la cantante
sir signore
sister la sorella; **little sister** la sorellina; **sister-in-law** la cognata
situation la situazione
size (*clothing*) la taglia; (*clothing, shoes*) la misura
skate pattinare
skating il pattinaggio; **go skating** andare a pattinare
ski sciare; lo sci; **go skiing** andare a sciare
skirt la gonna
sleep dormire
sleepy: be sleepy avere sonno; **be very sleepy** morire di sonno
sleeve: with long (short) sleeves con le maniche lunghe (corte)
slowly lentamente
small piccolo/a
snow nevicare; la neve
so dunque; **so that** affinché, di modo che, perché
soap il sapone
soccer il calcio, il pallone
sociology la sociologia
socks i calzini (*pl.*)
sofa il divano
softly piano
sole (*fish*) la sogliola
some alcuni/e
something qualcosa
sometimes qualche volta
son il figlio; **son-in-law** il genero
song la canzone, il canto
soon: as soon as appena; **as soon as possible** al più presto, quanto prima; **quite soon** ben presto; **see you soon** a presto
sorry: be sorry dispiacere; **I'm sorry** mi dispiace
so-so così così
soup la minestra; **vegetable soup** il minestrone
spaghetti gli spaghetti; **carbonara style** gli spaghetti alla carbonara

speak parlare; **speak to each other** parlarsi
spectacular spettacolare
spend (*time*) passare; **spend** (*time/money*) spendere
spinach gli spinaci
spoon il cucchiaio
sport lo sport
sporting sportivo/a
sporty sportivo/a
spring la primavera; (*adj.*) primaverile
stadium lo stadio
stairs le scale
star la stella
start mettersi (a), cominciare (a); **start an argument** fare polemica
state lo stato; (*adj.*) statale
station la stazione; **gas station** la stazione di servizio
statue la statua
stay alloggiare, restare, rimanere; il soggiorno
steak la bistecca
stereo lo stereo
still ancora, pure
stomach lo stomaco
stop fermare, fermarsi
store il negozio
story la storia; **short story** il racconto
strawberry la fragola
street la via, la strada; **on the street** per strada
streetcar il tram
string beans i fagiolini
striped a righe
strive cercare (di)
student lo studente/la studentessa
study studiare; lo studio
stupid stupido/a
subtitle il sottotitolo
subway la metropolitana
succeed riuscire (a)
successfully con successo
suffer soffrire
suggest suggerire
suggestion il suggerimento
suit il vestito
suitcase la valigia (le valige, *pl.*)
sultry (*weather*) afoso/a
summer l'estate (*f.*); (*adj.*) estivo/a
sunny: it's sunny c'è il sole
supermarket il supermercato
supper la cena
support aderire, sostenere
surprised sorpreso/a

sweater la maglia, il maglione
sweet il dolce
swift veloce
swim nuotare
swimming il nuoto; **swimming pool** la piscina
system il sistema

T

table il tavolo; **at the (dinner) table** a tavola
take prendere; **take** (*courses*) seguire; **take off** (*clothing*) levarsi; **take part in** aderire (a); **take pictures** fare fotografie; **take place** avere luogo; **take the subway** prendere la metropolitana
tall alto/a
taxi il tassì
tea il tè; **iced tea** il tè freddo
teach insegnare (a)
team la squadra
teaspoon il cucchiaino
telegram il telegramma
telephone telefonare; il telefono; (*adj.*) telefonico/a; **cellular telephone** il cellulare, il telefonino
televised televisivo/a
television la televisione; (*adj.*) televisivo/a; **television set** il televisore; **television viewer** il telespettatore/la telespettatrice
tell dire, raccontare
tennis court il campo da tennis
tenor il tenore
terrible pessimo/a
thank ringraziare; **thank you** grazie
that che; quello; **that one** quello; **that which** quello che
theater il teatro
theme il tema
then allora, dunque, poi
there ci, là, lì; **there are** ecco, ci sono; **there is** c'è, ecco
therefore quindi, perciò
thin magro/a
thing la cosa
think credere (di); **think** (**of, about** + *verb*) pensare (di); **think** (**of, about** + *noun*) pensare (a); **I don't think so** credo di no; **I think so** credo di sì
thirsty: be thirsty avere sete
this ciò; questo/a; **this one** questo
thriller il film giallo

throat la gola
ticket il biglietto; **ticket office** la biglietteria
tie (*necktie*) la cravatta
time il tempo; la volta; **a long time ago** molto tempo fa; **at the same time** allo stesso tempo; **at times** a volte; **at what time?** a che ora?; **be on time** essere puntuale; **departure time** l'ora della partenza; **for the first time** per la prima volta; **for the time being** al momento; **full-time** a tempo pieno; **part-time** a tempo parziale; **what time is it?** che ore sono?
timid timido/a
tired stanco/a
title il titolo
to a (*frequently* ad *before a vowel*)
today oggi
toe il dito (le dita, *f. pl.*) del piede
together insieme; **all together** in tutto
tomato il pomodoro
tomorrow domani; **starting tomorrow** da domani; **until tomorrow** a domani
tonight stanotte
too anche; troppo
tooth il dente
toothbrush lo spazzolino da denti
toothpaste il dentifricio
topic il soggetto
total totale
tourism il turismo
toward verso
towel l'asciugamano
town: small town il paese, la cittadina
trade il mestiere; **what's your trade?** che mestiere fa (fai)?
traffic il traffico
trail la pista
train il treno
tranquil calmo/a, tranquillo/a
travel viaggiare; **travel agency** l'agenzia di viaggi
trip il viaggio
trolley il tram
trousers i pantaloni
truck il camion, l'autocarro
true vero/a
tuna il tonno
turn: turn off (*TV, radio*) spegnere; **turn on** accendere

TV la tivvù; **color TV** il televisore a colori; **TV channel** il canale televisivo; **TV network** la rete televisiva; **TV news** il telegiornale; **TV program** la trasmissione televisiva; **TV viewer** il telespettatore/la telespettatrice
type il tipo

U

ugly brutto/a
uncle lo zio
understand capire, comprendere
undertake intraprendere
undress spogliarsi
unemployed disoccupato/a
unforgettable indimenticabile
unfortunate sfortunato/a
unhappy infelice
united unito/a
university l'università; universitario/a; **university degree** la laurea
unknown sconosciuto/a
unless a meno che
unlucky sfortunato/a
unoccupied disoccupato/a
unpleasant antipatico/a
until fino a; **until now** finora
use usare
useful utile
useless inutile
usual: as usual come al solito
usually di solito
utensils le stoviglie (*f. pl.*)

V

vacation: on vacation in vacanza; **summer vacation** la villeggiatura; **vacation days** i giorni (*pl.*) di ferie
vacuum cleaner l'aspirapolvere (*m.*)
value il valore
various vario/a
veal il vitello
vegetables: green vegetables la verdura
velvet il velluto
vendor il rivenditore
video game il videogioco
video recorder il videoregistratore
videocassette la videocassetta
violin il violino
visit visitare; la visita

voice la voce
volleyball la pallavolo
voter l'elettore (*m. or f.*)
voyage il viaggio

W

wage il salario
wait (for) aspettare; **wait a minute** aspetta un minuto
waiter il cameriere
waiting l'attesa
wake up (*oneself*) svegliarsi
walk: take a walk fare una passeggiata
wall la parete
wallet il portafoglio
want desiderare; volere
wardrobe l'armadio
warm: be warm (*person*) avere caldo; **be warm** (*weather*) fare caldo
wash oneself lavarsi; **wash one's hands (face)** lavarsi le mani (la faccia)
washing machine la lavatrice
watch guardare; l'orologio
water (mineral) l'acqua (minerale)
way: that way così; **there's no way** non c'è modo
wear indossare
weather il tempo; **it's bad weather** fa cattivo tempo; **it's nice weather** fa bel tempo; **What's the weather forecast today?** Quali sono le previsioni del tempo di oggi?; **What's the weather like there?** Che tempo fa lì?
week la settimana
weekend il fine settimana
well allora; **(quite) well** (abbastanza) bene; **very well** molto bene
what ciò che; **what?** che cosa? (cosa?); **what are you up to today?** che cosa fai di bello oggi?; **what happened?** che cosa è successo?; **what is . . . like?** com'è . . . ?; **what is it?** che cos'è? **what's playing?** cosa è in programma?
when(ever) quando
when? quando?
where? dove?; **where are you** (*formal*) **from?** di dov'è?; **where is he/she from?** di dov'è?

which? qual/e?; **which one?** quale?
while mentre
who? chi?; **who else?** chi altro?
whom: to whom: a chi?; **with whom?** con chi?
why? perché?
wife la moglie
willingly volentieri
win vincere
window la finestra; **store window** la vetrina
windy: to be (very) windy tirare (molto) vento
wine il vino
winter l'inverno; (*adj.*) invernale
wish desiderare, volere; **wish** (*someone*) **well** fare gli auguri
wishes: best wishes! auguri! (*m. pl.*), tanti auguri!
with con
without senza che; **without a doubt** senza dubbio
woman la donna
wool la lana
work lavorare; **work** (*literary or artistic*) l'opera; **what work do you do?** che lavoro fa (fai)?
worker (*blue-collar*) l'operaio/l'operaia
world (*adj.*) mondiale; **working world** il mondo del lavoro
worry preoccuparsi (di); **don't worry** non ti preoccupare, non si preoccupi
worse peggio, peggiore; **from bad to worse** di male in peggio; **worse than ever** peggio che mai
write scrivere; **write to each other** scriversi
writer lo scrittore/la scrittrice
wrong: be wrong avere torto

Y

year anno; **be . . . years old** avere . . . anni
yellow giallo/a
yes sì
yesterday ieri
young giovane, giovanile
younger minore

Z

zone la zona

Index

Credits

OGGI IN ITALIA

Lab Manual

Merlonghi   Merlonghi   Tursi   O'Connor

Lezione preliminare

Il saluto

Here are some tips for listening and working with the lab manual exercises.

1. Read the instructions, questions, or items before doing the listening comprehension activities (for example, conversations, descriptions, ads, and other recorded messages).
2. Do not be concerned with understanding every word. As in real life, the listening passages contain words that will be unfamiliar to you. Concentrate on getting the gist or main ideas and on the information asked of you.
3. Listen to the activity a second or even a third time. With practice, you will find that you understand spoken Italian more and more easily.

Attività *1*. Comprensione dei dialoghi. You will hear two teachers introduce themselves to their students. As you listen, identify who is a teacher and who is a student.

	Studentessa	Studente	Professoressa	Professore
Giovanni Landini	_____	_____	_____	_____
Maurizio Ferroni	_____	_____	_____	_____
Luciana Venturi	_____	_____	_____	_____
Simona Barbieri	_____	_____	_____	_____

Attività *2*. Buona sera! Come sta? You will hear several people greet each other. As you listen, indicate how each person is feeling.

	Bene	Abbastanza bene	Molto bene
Il signor Carboni	_____	_____	_____
Il dottor Salvini	_____	_____	_____
La signorina Polidori	_____	_____	_____
La signora Masetti	_____	_____	_____

Attività 3. Che peccato! Giulia Campo is walking through piazza San Marco on her way to class when she meets her friend Giacomo Mannini. While Giulia and Giacomo chat, professor Renzi appears. As you listen to their conversation, match the characters with the descriptions provided.

	Giacomo	Giulia	Il professor Renzi
1. Sta bene.	_____	_____	_____
2. Risponde che non c'è male.	_____	_____	_____
3. È in ritardo.	_____	_____	_____
4. È professore d'italiano.	_____	_____	_____
5. Ha lezione fra cinque minuti.	_____	_____	_____

Pronuncia

Attività 4. Pronuncia: L'alfabeto italiano. Listen and repeat each letter of the Italian alphabet after the speaker.

Attività 5. L'alfabeto italiano. You will hear six words spelled out. As you listen, write each one.

1. _____

2. _____

3. _____

4. _____

5. _____

6. _____

Attività 6. I suoni delle vocali. Repeat each of the following words after the speaker. Pay attention to the vowel sounds.

abbastanza	sette	signorina	molto	puntuale
Barbara	sera	Silvia	dottore	undici
salve	entrare	inglese	domani	unione

Attività 7. Ciao, Giulia. Listen to the dialogue between Ugo and Giulia, and repeat each line after the speaker. Again, pay attention to the vowel sounds.

UGO: Ciao, Giulia. Come stai?
GIULIA: Benissimo, grazie. E tu?
UGO: Abbastanza bene, grazie. Sei in ritardo?
GIULIA: Sì. Ciao, Ugo.

Comprensione

Attività *8*. I numeri da 0 a 20. You will hear fifteen random numbers between 0 and 20. As you listen, write the corresponding numerals.

1. _____   6. _____   11. _____

2. _____   7. _____   12. _____

3. _____   8. _____   13. _____

4. _____   9. _____   14. _____

5. _____   10. _____   15. _____

Attività *9*. Parole analoghe. You will hear six words. Repeat each one after the speaker, and then add the missing letters. Don't forget to include accent marks as needed.

1. f _____ m _____ _____ o

2. _____ t _____ d _____ a _____ e

3. d _____ f _____ _____ co _____ t _____

4. le _____ _____ on _____

5. _____ n _____ v _____ rs _____ t _____

6. na _____ i _____ n _____ l _____

Attività *10*. Un po' di geografia. Look at the map as you listen to some statements about Italian geography. Then indicate whether each statement is true (**vero**) or false (**falso**).

	1	2	3	4	5	6	7	8
Vero	___	___	___	___	___	___	___	___
Falso	___	___	___	___	___	___	___	___

Nome _____ Data _____

Attività _11._ Indirizzi. Arturo tells a friend the addresses of Carla and Giovanni, who have gone home for the summer. As you listen, complete their addresses.

Carla: via _____ , _____ Firenze

Giovanni: via _____ , _____ Padova

Lab Manual ❀ Lezione preliminare

Lezione 1

Lei come si chiama?

Attività 1. Comprensione dei monologhi. You will hear two Italian students introduce themselves. Write **M** next to the statements about Marco, and **L** next to the statements about Lucia. Some information may not apply to either one.

1. _____ Ha vent'anni.

2. _____ È di Bologna.

3. _____ È studente.

4. _____ Frequenta il liceo.

5. _____ È professore.

6. _____ Ha sedici anni.

7. _____ Studia medicina.

Pronuncia

Attività 2. Pronuncia: Sillabazione e accento tonico. Listen and repeat the following words after the speaker. Be sure to stress the correct syllable.

fra · **tel** · lo	me · di · **ci** · na	**se** · di · ci
Gior · gio	ri · **tar** · do	u · ni · ver · si · **tà**
mu · si · ca	**sto** · ria	scien · **ti** · fi · co
Ve · **ro** · na	na · zio · na · li · **tà**	i · den · ti · **tà**

Attività 3. Sei studente? Listen to the dialogue between Gianfranco and Fabio, and repeat each line after the speaker. Pay attention to pronunciation and to stress.

GIANFRANCO: Sei studente?
FABIO: Sì, frequento l'università.
GIANFRANCO: Studi medicina?
FABIO: No, studio farmacia.

Comprensione

Attività 4. I numeri da 21 a 100. You will hear some random numbers between 21 and 100. As you listen, write each numeral.

_____, _____, _____, _____, _____, _____, _____, _____, _____, _____, _____, _____

Attività 5. I numeri di telefono. Caterina is talking on the phone to her friend Corrado. He is planning a party, and she is giving him the phone numbers of some classmates. As you listen, write the phone numbers next to the corresponding names.

Antonella: ____ ____ . ____ ____ . ____ ____ . ____ ____ . ____

Francesca: ____ ____ . ____ ____ . ____ ____ . ____ ____ . ____

Laura: ____ ____ . ____ ____ . ____ ____ . ____ ____ . ____

Attività 6. Hai tutto? Pietro is packing to go back to college. His mother asks if he has remembered to pack various items. Listen to their conversation, and indicate each object that Pietro has remembered to pack.

1. _____ 2. _____ 3. _____ 4. _____ 5. _____

6. _____ 7. _____ 8. _____ 9. _____ 10. _____

11. _____ 12. _____ 13. _____ 14. _____

Attività 7. Ad una festa. Michele and Silvia have just met at a party. Listen to the questions that Michele asks and number Silvia's responses in the most logical order. Before you begin the activity, read the possible responses.

_____ Sì, penso di andare all'università di Firenze.

_____ Silvia. Mi chiamo Silvia.

_____ Alla facoltà di archeologia.

_____ Sono ancora al liceo. Frequento l'ultimo anno.

_____ Sì, mi piace molto.

_____ Sì, anche la musica mi piace.

Attività 8. Una nuova amica. Listen as Sandra asks her brother Maurizio about his new girlfriend. Then complete Maurizio's responses.

1. _____ di Torino.

2. _____ vent'anni.

3. È _____ studentessa universitaria.

4. Ha _____ fratello e due _____ .

5. Sì. A lei _____ ballare e viaggiare. È _____ ragazza molto simpatica.

Attività 9. Dettato. You will hear a short passage read three times.
(a) First, just listen.
(b) Now listen again, and fill in the missing words.

Carla _____ . È di

Cuneo _____ anni. Frequenta _____

_____ Torino _____ .

Studia anche _____

_____ con il professor Menotti. Carla _____

_____ .

(c) Listen again, and check what you wrote.

Attività 10. Uno studente. A new Italian exchange student just arrived at your school. When you tell him that you're studying Italian, he tells you all about himself. Listen to what he says and answer the questions about him.

1. Come si chiama? _____ .

2. Di dov'è? _____ .

3. Quanti anni ha? _____ .

4. In Italia frequenta _____ .

5. Numero di telefono: _____

Lezione 2

Presentazioni

Attività 1. Comprensione dei monologhi. You will hear two professionals introduce themselves. Write **R** next to the statements about Raffaele, and **L** next to the statements about Lisa. Some information may not apply to either one.

1. _____ Ha trentadue anni.

2. _____ Non è sposata.

3. _____ Ha un figlio.

4. _____ È architetto.

5. _____ Insegna all'università.

6. _____ Abita con la moglie.

7. _____ Abita fuori Bologna.

8. _____ Ha un gatto.

Pronuncia

Attività 2. Pronuncia: Il suono della lettera t. Repeat the following words after the speaker. Pay attention to the sound of the letter *t*. Remember that in Italian the sound of the letter *t* is unaspirated. There is no little puff of air accompanying it.

traffico	capitale	città
Tina	trenta	stretto
Torino	Veneto	architetto

Attività 3. Che frequenta Teresa? Listen to the dialogue between Anna and Claudia, and repeat each line after the speaker. Pay attention to the pronunciation of the letter *t*.

ANNA: Quanti anni ha Teresa?
CLAUDIA: Ha diciassette anni.
ANNA: Frequenta il liceo scientifico?
CLAUDIA: No, frequenta l'istituto tecnico.

Attività 4. Pronuncia: Il suono della lettera d. Repeat the following words after the speaker. Pay special attention to the sound of the letter *d*. Remember that the letter *d* is pronounced more delicately in Italian than in English.

dove	padre	addio
dodici	tardi	addenda
difficoltà	calendario	Maddalena

Attività 5. Di dov'è? Listen to the dialogue between Vittoria and Alessio. Repeat each line after the speaker. Pay particular attention to the pronunciation of the letter *d*.

VITTORIA: Di dov'è Davide Ledda?
ALESSIO: È di Domodossola.
VITTORIA: È dottore?
ALESSIO: No, è studente di medicina.

Comprensione

Attività 6. Quali materie studi? Stefano wants to know what courses Bianca is taking this year. First, read the list of courses. Then, listen to the dialogue and indicate the courses that Bianca is taking.

1. _____ filosofia

2. _____ fisica

3. _____ chimica

4. _____ informatica

5. _____ arte

6. _____ antropologia

7. _____ architettura

8. _____ letteratura

9. _____ spagnolo

10. _____ storia

Attività 7. Che giornata! Diana has a busy day ahead of her. While she describes all the things she has to do, write next to each one what time she plans to do it.

1. _____ La lezione di musica

2. _____ L'appuntamento con il professore di storia

3. _____ Prende l'autobus

4. _____ L'appuntamento con il dottore

5. _____ Mangia con gli amici

6. _____ La lezione di giapponese

7. _____ È a casa

8. _____ Fino a quando dorme domani

Attività 8. Uno o più di uno? You will hear some statements about people and things. Indicate whether each statement refers to one or more than one person or thing. Read the list before listening to the sentences.

	Uno/a	Più di uno/a
1. studenti	_____	_____
2. quaderno	_____	_____
3. penna	_____	_____
4. fogli di carta	_____	_____
5. matita	_____	_____
6. città	_____	_____
7. ciddì	_____	_____
8. tavolo	_____	_____
9. sedia	_____	_____
10. stereo	_____	_____
11. signorine	_____	_____
12. amiche	_____	_____

Attività 9. Uno o più di uno? Rosella is planning a party. She is telling her mother who is coming and who isn't. Listen and indicate whether each sentence refers to one or more than one person.

	1	2	3	4	5	6	7	8
Uno/a	____	____	____	____	____	____	____	____
Più di uno/a	____	____	____	____	____	____	____	____

Attività 10. Dettato. You will hear a short passage read three times.
(a) First, just listen.
(b) Now listen again, and add the missing words.

_____ Laura Pastore _____

Umberto. _____ una laurea in _____ straniere ed

_____ Enrico Fermi

di Catania. _____ invece _____

_____ all'Università

di Palermo.

(c) Listen again, and check what you wrote.

Attività 11. Di chi è? Paolo's friends came to his apartment for pizza and left a lot of things behind. Paolo and a friend are trying to figure out to whom each item belongs. Listen to the conversation between Paolo and his friend and connect each item with its owner.

1. _____ libro   a. Marco

2. _____ quaderno   b. Marcello

3. _____ giornale   c. Luisa

4. _____ zaino   d. Alberto

5. _____ penna   e. Giovanni

6. _____ matita   f. Carlo

7. _____ rivista   g. Marisa

8. _____ cassetta   h. Marta

Lezione 3

Che cosa fai di bello?

Attività 1. Comprensione del dialogo. Listen carefully to the dialogue between Fabio and Paola. You will hear some statements about it in **Attività 2.** If necessary, listen to the dialogue again.

Attività 2. Chi dei due? You will hear five statements based on the dialogue you just heard. Write the number of the statement beside the name of the person to whom it refers, either Fabio or Paola.

Fabio   _____ _____ _____ _____ _____

Paola   _____ _____ _____ _____ _____

Pronuncia

Attività 3. Pronuncia: Il suono della lettera *l*. Repeat the following words after the speaker. Pay particular attention to the sound of the letter *l*. Remember that in Italian the sound of the letter *l* is pronounced nearer to the front of the mouth than it is in English.

Lazio	biblioteca	fratello
lingua	Paola	cellulare
letteratura	speciale	ballare

Attività 4. Il fratello di Daniele. Listen to the dialogue between Beatrice and Marco, and repeat each line after the speaker. Pay special attention to the pronunciation of the letter *l*.

BEATRICE: Ecco il fratello di Danilo.
MARCO: Il fratello di chi?
BEATRICE: Di Danilo.
MARCO: E allora, che fa? Lavora con te?
BEATRICE: No. Lavora all'università.

Attività 5. Pronuncia: Il suono della lettera _p_. Listen and repeat the following words after the speaker. Pay particular attention to the pronunciation of the letter _p_. Remember that in Italian the letter _p_ is unaspirated. It is not accompanied by a little puff of air, as it is in English.

pronto	spagnolo	Giuseppe
Piemonte	capitale	appunti
pomeriggio	capoluogo	rappresentare

Attività 6. L'appartamento. Listen to the dialogue between Pino and Angelica, and repeat each line after the speaker. Pay special attention to the pronunciation of the letter _p_.

ANGELICA: Pino, ti piace quest'appartamento?
PINO: Sì, mi piace, ma è troppo piccolo.
ANGELICA: Però è a due passi dalla pasticceria dove lavoro.
PINO: È vero, ma per due persone è proprio piccolo.

Comprensione

Attività 7. Dov'è, per favore? Listen to the dialogue between Alessandra and the concierge at her hotel. Follow the directions the concierge gives her and provide the identification number only for each building she asks about. There are extra buildings included in the list that Alessandra does not ask about.

LM-16   Lab Manual ❀ Lezione 3

Nome _____ Data _____

	Numero		Numero
la banca	_____	la biblioteca	_____
il cinema	_____	il museo	_____
il ristorante	_____	la stazione	_____
il bar	_____	l'ufficio postale	_____
l'ospedale	_____		

Attività 8. Descrizioni. You will hear some short dramatizations of idiomatic expressions using **avere.** Listen and match each numbered dramatization with the corresponding drawing. Don't worry if you don't understand every word. Just listen carefully for the expressions using **avere.**

_____   _____   _____

_____   _____   _____

_____

Attività 9. Domande e risposte. You will hear four questions. Complete each answer with the appropriate subject pronouns.

1. Perché non telefoni _____ a Carla? _____ telefono a Giulia.

2. _____ guarda la televisione ma _____ ascolto la musica.

3. _____ frequenta l'università. _____ lavorano.

4. _____ abitiamo al centro, _____ abita fuori città.

Attività 10. Marco Tirani. Listen to the following description of Marco's daily routine. Number his activities in the order in which you hear them. Then summarize what he usually does and what he is doing today, using the correct verb forms.

_____ mangiare un panino   _____ passare da Angela

_____ lavorare fino alle sei   _____ ascoltare un CD

_____ arrivare a casa verso le tre   _____ guardare la televisione

_____ tornare a casa tardi   _____ portare il cane al parco

Di solito _____

_____

_____

Oggi _____

_____

_____

Attività 11. Una telefonata. Marisa is calling Giorgio but his brother Dante answers the phone. You will hear only Marisa's portion of the conversation. After you hear each of her lines, complete Dante's replies.

DANTE: Giorgio non _____ in questo momento.

DANTE: È andato _____ supermercato.

DANTE: Sì. Va tutto bene?

DANTE: Si tratta _____ festa _____ domani sera?

DANTE: Hai bisogno _____ nostro aiuto?

DANTE: Certo, _____ piacere. Puoi contare _____

_____ noi.

DANTE: D'accordo. Giorgio torna _____ mezz'ora.

Nome _____ Data _____

Attività 12. Dettato. You will hear six questions and answers. Each question will be repeated, followed by a pause. During the pause, write the answer you hear.

▶ **Niente di speciale.**

1. _____

2. _____

3. _____

4. _____

5. _____

6. _____

Attività 13. Pronto? You will hear a telephone conversation between Luca and Valeria. Write **L** next to the statements about Luca, and **V** next to the statements about Valeria.

1. _____ Telefona all'amico.

2. _____ Non fa niente di bello.

3. _____ Deve andare in biblioteca.

4. _____ Ha bisogno di due libri.

5. _____ Ha bisogno di un libro.

6. _____ Ha l'esame domani.

7. _____ Passa fra quindici minuti.

Attività 14. Messaggio telefonico. Luciana has come to Ravenna to visit her friend Sabrina. Listen to the message that Luciana left on Sabrina's answering machine and fill in the missing information.

Nome dell'albergo: _____

Indirizzo dell'albergo: _____

Numero di telefono: _____

A che ora torna Luciana? _____ .

Cosa c'è nella sua camera? _____ .

Lezione 4

Cosa prendono i signori?

Attività 1. Comprensione del dialogo. Listen to the dialogue. You will hear several statements about it in **Attività 2**. If necessary, listen to the dialogue again.

Attività 2. Vero o falso? You will hear five statements based on the dialogue you just heard. Indicate whether each statement is true (**vero**) or false (**falso**).

	1	2	3	4	5
Vero	_____	_____	_____	_____	_____
Falso	_____	_____	_____	_____	_____

Pronuncia

Attività 3. Pronuncia: La lettera h. Listen and repeat the following sentences after the speaker. Remember that the letter *h* is always silent in Italian and that *ch* and *gh* before *e* and *i* are hard sounds.

Quanti anni ha Gherardo?   Che cosa hai?
Dov'è l'Hotel Honolulu?   L'Italia ha molti laghi.
Hanno pochi hobby.

Attività 4. Pronuncia: Il suono delle lettere qu. Listen and repeat the following words after the speaker. Remember that in Italian the letters *qu* are pronounced /kw/, as in **quando** and **quanti**.

questo   acqua
quanto   L'Aquila
quarto   venticinque
quaranta   squisito

Attività 5. Quel quadro. Listen to the dialogue between a customer and an artist, and repeat each line after the speaker. Pay special attention to the pronunciation of the letters *qu*.

CLIENTE:	Quanto costa quel quadro?
ARTISTA:	Quale? Quello grande?
CLIENTE:	No. Quello piccolo.
ARTISTA:	Quaranta euro.

Attività 6. Pronuncia: Dittonghi e trittonghi. Listen and repeat the following words after the speaker. Pay attention to the pronunciation of diphthongs and triphthongs.

lei	zaino	chiama	ciao
piace	stai	diciotto	miei
fuori	Italia	Europa	tuoi

Attività 7. Giochiamo a pallone? Listen to the dialogue between Gianfranco and Fabio, and repeat each line after the speaker. Pay attention to pronunciation and to stress.

GIANFRANCO:	Giochiamo a pallone?
FABIO:	Ma siamo quattro gatti!
GIANFRANCO:	Chiama i tuoi amici.
FABIO:	Non so se desiderano giocare.

Comprensione

Attività 8. Che settimana! Giulio is telling a friend how busy he is this week. Write next to each activity the day of the week he plans to do it.

1. Va al concerto: _____

2. Ha l'esame di matematica: _____

3. Studia con Carlo: _____

4. Parte per la montagna: _____

5. Va a sciare: _____

6. Torna a casa: _____

7. Va al museo: _____

Attività 9. Logica o no? You will hear seven statements using time expressions. Some make sense and some don't. Indicate which statements make sense.

1	2	3	4	5	6	7
___	___	___	___	___	___	___

Attività 10. Al picnic. Marta is in charge of the picnic basket and is asking her friends what they would like. Listen carefully and indicate what each friend wants to eat or drink.

	Luciano	Piero	Luisa	Angelica
acqua minerale	_____	_____	_____	_____
tramezzino al tonno	_____	_____	_____	_____
caffè	_____	_____	_____	_____
pezzo di pizza	_____	_____	_____	_____
panino al prosciutto	_____	_____	_____	_____
tè freddo	_____	_____	_____	_____

Attività 11. Che si fa sabato sera? A group of friends is discussing what to do on Saturday night. Listen carefully and indicate which activities they all eventually agree to do.

_____ andare a fare quattro salti in discoteca

_____ guardare un film

_____ andare a teatro

_____ andare a un ristorante

_____ fare una passeggiata nel centro

_____ andare a prendere una pizza

_____ andare ad un bar all'aperto

Attività 12. Formulare le domande. You will hear six statements. Supply the appropriate word or words to complete the corresponding question.

1. A _____ chiede un favore Silvana?

2. _____ legge il giornale Marisa?

3. _____ vede i suoi amici Nicola?

4. _____ chiudi la finestra?

5. _____ si chiama suo fratello?

6. _____ prendete?

Attività *13.* Dettato. You will hear five questions and answers. Each question will be repeated. Write the answer you hear in your lab manual.

▶ **Lunedì lavoro.**

1. _____

2. _____

3. _____

4. _____

5. _____

Attività *14.* Una piccola storia. You will hear three sentences—a, b, and c—that tell a story when arranged in the appropriate order. Write the order in which they should occur.

_____ ; _____ ; _____

Attività *15.* Domande. You will hear five questions. Choose the most logical response.

1. a. _____ No, mi dispiace, sono impegnato.

   b. _____ No, mi dispiace, passo subito a prenderti.

2. a. _____ Prendete una limonata, per favore.

   b. _____ Non abbiamo sete.

3. a. _____ Volentieri.

   b. _____ Niente di speciale.

4. a. _____ A mezzanotte.

   b. _____ La notte.

5. a. _____ Credo di no.

   b. _____ Sì, faccio qualcosa di bello domani.

Lezione 5

Ad un ballo in maschera

Attività 1. Comprensione del dialogo Listen to the dialogue. You will hear some questions about it in **Attività 2**. If necessary, listen to the dialogue again.

Attività 2. Vero o falso? You will hear five statements based on the dialogue you just heard. Indicate whether each statement is true (**vero**) or false (**falso**).

	1	2	3	4	5
Vero	____	____	____	____	____
Falso	____	____	____	____	____

Pronuncia

Attività 3. Pronuncia: I suoni delle lettere c e ch. Listen and repeat the following words after the speaker. Remember that *ch* is always pronounced hard, as in *chemistry*, and that *c* and double *c* before *e* and *i* are pronounced soft, as in *ancient*.

chiesa	bicchiere	accordo	invece	cellulare
chiudere	capire	peccato	cinema	città
Marche	scusa	semplice	farmacia	accidenti
chimica	Marco	società	bicicletta	piacciono

Attività 4. Che macchina piccola! Listen to the dialogue between Simonetta and Lorenzo, and repeat each line after the speaker. Pay attention to the sounds of the letter *c*.

SIMONETTA: Che macchina piccola!
LORENZO: Non ti piace la mia macchina?
SIMONETTA: Non mi piacciono le macchine piccole.
LORENZO: È piccola ma è veloce. Com'è la tua?
SIMONETTA: Vecchia e poco veloce.

Comprensione

Attività 5. Come sono i tuoi amici? Beatrice is asking Fabrizio about his friends Enrico and Massimo. Listen carefully to the dialogue and indicate which adjectives are used to describe each one.

Enrico

alto   gentile   magro   pigro   cortese   sgarbato   spiritoso   sincero

Massimo

grasso   magro   sportivo   basso   disinvolto   ricco   allegro   dinamico

Attività 6. La alta o la bassa? Alessandro and Daniela are talking about Margherita and Tiziana. Indicate which adjectives they use to describe Margherita, and which adjectives they use to describe Tiziana.

	Margherita	Tiziana
1. alta	_____	_____
2. bassa	_____	_____
3. magra	_____	_____
4. intelligente	_____	_____
5. antipatica	_____	_____
6. simpatica	_____	_____
7. carina	_____	_____
8. timida	_____	_____
9. divertente	_____	_____
10. dinamica	_____	_____

Attività 7. Che ne pensi? You will hear some young people ask their friends about certain people and things. Listen carefully, and complete each answer with the appropriate form of the adjective used in the question.

1. Sì, preferisco studiare le lingue _____ .

2. Sì. Solo Gianna e Pina non sono molto _____ .

3. In via Frattina ci sono solo negozi _____ .

4. Marisa e Delia sono _____ , ma Elena non è molto

   _____ .

5. Solo uno è _____ ; gli altri sono belli.

6. È veramente un _____ albergo.

7. Sì, è un _____ orologio.

8. Sì, è proprio una _____ bambina.

9. Sì, sono tutti _____ zaini.

10. Sì, a me piacciono solo le _____ macchine.

Attività 8. Domande. You will hear several questions. Complete the answers with the appropriate form of the verb used in the question.

1. No, non _____ le finestre perché ho freddo.

2. _____ di andare al mare questo pomeriggio.

3. Sì, _____ quasi tutto.

4. Maria e la sorellina _____ la camera tutti i giorni.

5. _____ un tè, grazie.

6. _____ questa cartolina ai nostri amici.

7. _____ di studiare fra un'ora.

8. Carlo _____ molto, ma Giulio e Laura

   _____ poco.

Attività *9*. Un'intervista. Pietro is asking Mrs. Monini where she prefers to do her shopping. Indicate the shopping places Mrs. Monini goes to often and the ones she does not go to.

	frequenta	non frequenta
i mercatini specializzati	_____	_____
i negozi di quartiere	_____	_____
i mercati all'aperto	_____	_____
i centri commerciali	_____	_____
i mercati dell'usato	_____	_____
i negozi del centro	_____	_____

Attività *10*. Dettato. You will hear a passage read three times.
(a) First, just listen.
(b) Now listen again, and fill in the missing words.

_____ . Domenica _____

_____ Porta Portese _____ acquisti.

_____

care. _____ a Marcella _____

_____ .

(c) Now listen once more, and check what you wrote.

Lezione 6

Dov'è andato in vacanza?

Attività 1. Comprensione del dialogo. Listen to the dialogue between Edoardo and Valerio. You will hear some questions about it in **Attività 2.**

Attività 2. Domande e risposte. You will hear five questions based on the dialogue you just heard. Answer each question with the appropriate word or expression.

1. Mangiano _____ .

2. Sergio ha _____ la sua vacanza all'estero.

3. È una bella _____ di marca _____ .

4. Sergio va _____ .

5. Valerio è _____ alle _____ .

Pronuncia

Attività 3. Pronuncia: Il suono della lettera r. Listen and repeat the following words after the speaker. Pay attention to the pronunciation of the letter *r.*

romano	caro	preferire	Mediterraneo
grande	fare	scorre	Carrara
magro	mentre	Tirreno	Inghilterra
triste	scorso	barriera	

Attività 4. A che ora arriva il treno? Listen to the dialogue between signorina Rosi and a clerk at the train station. Repeat each line after the speaker. Pay attention to the pronunciation of *r* and double *r*:

SIGNORINA ROSI: Scusi, signora.
IMPIEGATA: Prego, signorina. Desidera?
RIGNORINA ROSI: A che ora arriva il treno da Ravenna?
IMPIEGATA: Arriva fra mezz'ora.
SIGNORINA ROSI: Grazie. Arrivederci.
IMPIEGATA: Prego. Buon giorno, signorina.

Comprensione

Attività 5. Vero o no? Listen to the following statements about the seasons and months of the year. Identify the ones that make sense by indicating **vero**.

	1	2	3	4	5	6
Vero	_____	_____	_____	_____	_____	_____

Attività 6. Abbinamento. You will hear descriptions of four seasons. Match the number of the description you hear with the corresponding drawing.

_____   _____   _____   _____

Attività 7. Quanto tempo fa? You will hear Maria describe how long ago some of her relatives left for Italy. Respond by completing each sentence with the appropriate word or expression.

➤ Enrico è andato in Italia _____**ieri**_____.

1. Lino è andato in Italia due _____.

2. Mio padre è andato in Italia il _____.

3. Marco è andato in Italia l'_____.

4. Mia zia è andata in Italia la _____.

5. Rita è partita per l'Italia due _____.

Attività 8. La festa. Elena is asking Filippo about a party he attended. Write the information requested.

1. Dov'è stata la festa: _____

2. Com'è stata la festa: _____

3. Quello che gli invitati hanno mangiato: _____

4. Chi ha preparato la pizza: _____

5. Una cosa che gli invitati hanno bevuto: _____

6. Come sono i CD di Andrea: _____

7. Il numero di persone presenti alla festa: _____

8. Dov'è andata Elena con Leonardo: _____

9. Il film che Elena ha visto: _____

10. Dove il film ha vinto un premio: _____

Attività 9. Il fine settimana. Listen as Maria and Patrizia talk about how they spent their weekend. First, indicate who did each activity listed. Then write exactly when each activity was performed. Listen to the conversation again if necessary.

	Patrizia	Maria
1. È andata in centro.	_____ _____	_____ _____
2. È rimasta in casa.	_____ _____	_____ _____
3. È uscita con la sorella.	_____ _____	_____ _____
4. È andata con Luigi allo stadio.	_____ _____	_____ _____
5. È andata al Bar dello Sport.	_____ _____	_____ _____
6. Ha visitato un centro commerciale.	_____ _____	_____ _____
7. È andata in discoteca con Sergio.	_____ _____	_____ _____
8. È andata al mare.	_____ _____	_____ _____
9. Ha camminato sulla spiaggia.	_____ _____	_____ _____
10. Ha preso un po' di sole.	_____ _____	_____ _____

Attività *10.* Dettato. You will hear a passage read three times.
(a) First, just listen.
(b) Now listen again, and supply the missing words.

_____ Stati Uniti.

_____ il nove _____

quattro settimane. _____ interessanti

_____ giovani americani _____ .

_____ in Italia _____ .

(c) Now listen once more, and check what you wrote.

Attività *11.* La fortuna di Sergio. You will hear a short paragraph. First read the statements below. Then listen and indicate whether each statement is **corretto** (*correct*), **sbagliato** (*incorrect*), or contains **informazione non data** (*information not given*) in the paragraph.

	corretto	sbagliato	informazione non data
1. Sergio non compra mai i biglietti della lotteria.	_____	_____	_____
2. Domenica Sergio ha vinto un po' di soldi.	_____	_____	_____
3. Sergio ha voglia di andare in Irlanda.	_____	_____	_____
4. Il povero ragazzo non è stato fortunato abbastanza.	_____	_____	_____
5. Domani Sergio va a comprare una moto nuova.	_____	_____	_____

Lezione 7

Il mercato all'aperto

Attività *1*. Comprensione del dialogo. Listen carefully to the dialogue between Gabriella and the fruit vendor at an open-air market.

Attività *2*. Vero o falso? You will hear five statements based on the dialogue you just heard. Indicate whether each statement is **vero** or **falso**.

	1	2	3	4	5
Vero	_____	_____	_____	_____	_____
Falso	_____	_____	_____	_____	_____

Pronuncia

Attività *3*. Pronuncia: I suoni della lettera *s*. Listen and repeat the following words after the speaker. Pay attention to the sounds of the letter *s*. Remember that the letter *s* has two sounds in Italian, *s* as in *sing* and *z* as in *rose*.

società	benissimo	inglese	cinese
spiaggia	espresso	favoloso	filosofia
sardo	passare	sposato	svegliarsi
stato	spesso	fisica	sgarbato

Attività *4*. Senti, Susanna. Listen to the dialogue between Stefano and Susanna. Repeat each line after the speaker. Pay attention to the pronunciation of the letter *s*.

STEFANO: Senti, Susanna. Passo a prenderti stasera?
SUSANNA: Sì. Passa verso le sette.
STEFANO: Sarò a casa tua alle sette precise.
SUSANNA: Non ti sbagliare. Abito in corso Pesaro sedici.
STEFANO: Non mi sbaglio di sicuro.

Comprensione

Attività 5. Quanti? You will hear eight phrases containing numbers. Write each number you hear in the spaces provided.

▶ ____150____

1. _____
2. _____
3. _____
4. _____
5. _____
6. _____
7. _____
8. _____

Attività 6. Hai comprato tutto? Signora Lisi is talking to her housekeeper Vera, who has just returned from grocery shopping. As you listen, consult the grocery list. Indicate **sì** if Vera bought the item on the list or **no** if she didn't.

	Sì	No
1. pane	_____	_____
2. pasta	_____	_____
3. asparagi	_____	_____
4. fagiolini	_____	_____
5. pomodori	_____	_____
6. carciofi	_____	_____
7. ciliege	_____	_____
8. uva	_____	_____
9. pompelmi	_____	_____
10. limoni	_____	_____
11. carne	_____	_____
12. formaggio	_____	_____
13. latte	_____	_____

Attività 7. Dal dietologo. You will hear a conversation between Mrs. Paolini and her dietician. Listen carefully, and indicate which foods Mrs. Paolini can and cannot eat.

	Sì	No
1. la frutta	_____	_____
2. il pesce	_____	_____
3. la verdura	_____	_____
4. i dolci	_____	_____
5. il minestrone	_____	_____
6. il brodo vegetale	_____	_____
7. le uova	_____	_____
8. il formaggio magro	_____	_____
9. il gelato	_____	_____
10. la carne	_____	_____
11. la pastasciutta	_____	_____

Attività 8. Al ristorante. Antonio and Stefania are ordering dinner in a restaurant. Listen to their conversation with the waiter and write **A** (for Antonio) and **S** (for Stefania) next to the foods and drinks each, or both, orders.

_____ spaghetti alle vongole

_____ spaghetti al pomodoro

_____ spaghetti al burro e parmigiano

_____ riso con gli spinaci

_____ riso con asparagi e gamberi

_____ pollo arrosto

_____ merluzzo in umido

_____ patate fritte

_____ carciofi

_____ melanzane alla griglia

_____ gelato

_____ fragole al limone

_____ macedonia di frutta fresca

_____ crostata di mele

_____ tiramisù

_____ acqua minerale

_____ vino bianco della casa

_____ caffè

Attività 9. Dettato. You will hear a passage read three times.

(a) First, just listen.

(b) Now listen again, and supply the missing words.

Questa mattina _____ a fare

_____ all'aperto _____ casa nostra.

_____ un chilo _____ , un chilo _____

e mezzo chilo _____ . _____ anche _____

_____ : _____ , _____ , _____

e _____ . Ma _____ di

comprare _____ .

(c) Now listen once more, and check what you wrote.

Lezione 8

In famiglia

Attività 1. Comprensione del dialogo. Listen to the dialogue between each member of the Orlandi family as they sit down for dinner. Indicate the statements that refer to each person mentioned in the dialogue.

	Carlo	Luciana	Stefano	Alessandra
1. Frequenta il liceo.	_____	_____	_____	_____
2. È il nome del padre.	_____	_____	_____	_____
3. Giuliana è la sua amica.	_____	_____	_____	_____
4. Vuole andare in Inghilterra.	_____	_____	_____	_____
5. È il nome della madre.	_____	_____	_____	_____
6. Vuole andare nel Veneto.	_____	_____	_____	_____
7. Ha messo da parte un po' di soldi.	_____	_____	_____	_____

Pronuncia

Attività 2. Pronuncia: I suoni delle lettere *sc* e *sch*. Listen and repeat the following words after the speaker. Pay particular attention to the sounds of *sc* and *sch*. Remember that *sc* is pronounced in two ways, depending on the vowel that follows it: soft, as in **pesce**, before *e* and *i*; and hard, as in **pesca**, before *a*, *o*, and *u*. *Sch* is always pronounced hard, as in **scherzi**.

scegliere	pastasciutta	scampi	maschera
pesce	prosciutto	discoteca	boschi
scienze	pesca	Toscana	schema
conosci	fresco	scritto	

Attività 3. Il pesce fresco. Listen to the dialogue between Carlo and Luciana. Repeat each line after the speaker. Pay attention to the pronunciation of *sc* and *sch*.

CARLO: Preferisci comprare il prosciutto?
LUCIANA: No, preferisco il pesce fresco.
CARLO: Ecco una pescheria.
LUCIANA: Ma non c'è molta scelta!
CARLO: Allora, lascia stare il pesce fresco.
LUCIANA: Sì, scegliamo un bel prosciutto.

Comprensione

Attività 4. Ecco la mia famiglia. Serena is showing a friend a picture of her family. Indicate the phrase that best describes each relative, according to Serena.

	Patrigno	Madre	Nonno	Cognata	Sorella
1. È ingegnere.	_____	_____	_____	_____	_____
2. È dinamico.	_____	_____	_____	_____	_____
3. È magra.	_____	_____	_____	_____	_____
4. Le piace il tennis.	_____	_____	_____	_____	_____
5. È un avvocato in pensione.	_____	_____	_____	_____	_____
6. È separata.	_____	_____	_____	_____	_____
7. Si sposa fra un anno.	_____	_____	_____	_____	_____

Attività 5. Logica o no? You will hear eight questions or statements. Identify the sentences that make sense by indicating **logica** when appropriate.

	1	2	3	4	5	6	7	8
Logica	_____	_____	_____	_____	_____	_____	_____	_____

Attività 6. Il pieno, signore? You will hear a dialogue between a customer and a gas station attendant. Answer the questions about it.

1. È pigro o dinamico il benzinaio? _____

2. È simpatico o antipatico? _____

3. È sgarbato o gentile? _____

Nome _____ Data _____

Attività 7. Un messaggio telefonico. Antonella calls her sister Mirella at work. Listen carefully and write all the necessary information on the message slip.

```
┌─────────────────────────────────────────────────────────────┐
│                                                               │
│   Messaggio telefonico                                        │
│                                                               │
│   Per: _____                           │
│                                                               │
│   Ha chiamato: _____                │
│                                                               │
│   Telefono: _____                   │
│                                                               │
│   Messaggio: _____ │
│                                                               │
│   _____ │
│                                                               │
│   Ricevuto da: _____                 │
│                                                               │
└─────────────────────────────────────────────────────────────┘
```

Attività 8. La famiglia. Listen as Dina, an exchange student in Italy, talks with **i signori Magni,** her host family, about her own family. Write brief answers to the information requested. Review the list before listening to their conversation.

1. la situazione matrimoniale dei genitori di Dina: _____

2. dove e con chi abita la madre di Dina: _____

3. chi abita vicino alla madre di Dina: _____

4. dove e con chi abita il padre di Dina: _____

5. abitano in Florida: _____

6. chi sono Kim e John: _____

7. che cosa fa Kim: _____

8. dove abita John e perché: _____

9. abitano nello stesso palazzo dove vivono
   i signori Magni: _____

10. abitano nello stesso quartiere dove vivono
    i signori Magni: _____

Attività 9. Domande e risposte. You will hear several questions and answers. Each question will be repeated. During the pause, write the answer you hear.

➤➤ **Guido lentamente.**

1. _____

2. _____

3. _____

4. _____

5. _____

Attività 10. Una macchina di seconda mano. A buyer is talking to a vendor on the phone about buying his used car. Complete the information requested. Review the list of incomplete statements before listening to the conversation.

1. quello che vuole ricevere dalla vendita il venditore: _____

2. quando può vedere la macchina il compratore: _____

3. dove deve andare oggi il venditore: _____

4. quanti chilometri ha fatto la macchina: _____

5. le condizioni della macchina: _____

Nome _____ Data _____

Lezione 9

Un anno all'estero

Attività *1*. Comprensione del messaggio. Listen to Susanna's e-mail message to Roberto.

Attività *2*. Vero o falso? You will hear five statements based on Susanna's e-mail. Indicate whether each statement is **vero** or **falso**.

	1	2	3	4	5
Vero	_____	_____	_____	_____	_____
Falso	_____	_____	_____	_____	_____

Pronuncia

Attività *3*. Pronuncia: I suoni della lettera g. Listen and repeat the following words after the speaker. Pay attention to the sounds of the letter *g* and double *g*. Remember that the letter *g* is pronounced hard, as in **gatto**, before the letters *a*, *o*, and *u*; *gh* is always pronounced hard. Before *e* and *i*, *g* is pronounced soft, as in **gennaio**.

gladiatore	funghi	messaggio	gennaio
fragole	lunghe	oggi	valigia
guidare	toghe	viaggio	Sergio
bagagli	analoghi	parcheggiare	generoso

Attività *4*. Che giorno è oggi? Listen to the dialogue between Giorgia and Gina. Repeat each line after the speaker. Pay attention to the sounds of the letter *g*.

GIORGIA: Che giorno è oggi, Gina?
GINA: È giovedì. Oggi è il due maggio.
GIORGIA: Domani pomeriggio vado in Liguria.
GINA: A Genova, non è vero?
GIORGIA: Sì. Vado a Genova con i miei genitori.
GINA: Io invece raggiungo i miei colleghi sul Lago di Garda.

Comprensione

Attività 5. Che tempo fa? You will hear five brief statements about the weather. Match each statement with the most appropriate weather expression.

a. _____ È afoso.

b. _____ È sereno.

c. _____ Fa bel tempo.

d. _____ Fa freddo.

e. _____ Fa cattivo tempo.

Attività 6. Descrizioni. You will hear four different weather descriptions. Match the number of each description with the corresponding illustration.

_____   _____   _____   _____

Attività 7. Alcune espressioni di tempo con *volta, di, ogni, tutti, tutte*. You will hear five statements. Match each statement with the appropriate time expression.

a. _____ di solito

b. _____ ogni estate

c. _____ di rado

d. _____ tutti i giorni

e. _____ una volta alla settimana

Attività 8. Domande. Caterina is asking Tommaso about his trip to the United States. Listen to her questions and then complete Tommaso's answers by using the appropriate imperfect form of the verb.

1. Sì, lo _____ ogni giorno.

2. Sì, qualche volta _____ una partita di baseball alla TV, ma non l'ho capita per niente.

3. Sì, tutti i giorni _____ indicazioni (*directions*) in inglese.

4. Sì, a volte _____ il giornale in inglese.

5. Sì, di quando in quando _____ una telefonata in inglese.

6. Sì, ogni tanto _____ una Cherokee.

Attività 9. Cosa facevi in Italia? Paola wants to know about Nino's experiences in Italy during his year of study there. Listen carefully and write the information requested.

1. il tempo che Nino ha trascorso in Italia: _____

2. la città dove ha studiato: _____

3. l'anno in cui è stata istituita l'università di Padova: _____

4. quando Nino aveva lezione: _____

5. a che ora andava a mangiare e cosa mangiava Nino alla mensa universitaria:

   _____

6. dove passava il pomeriggio: _____

7. dove andava la sera e con chi andava: _____

8. che tempo faceva a Padova: _____

9. che faceva il sabato e la domenica: _____

10. cosa pensa di fare Paola: _____

Attività *10*. Dettato. You will hear a passage read three times.

(a) First, just listen.

(b) Now listen again, and supply the missing words.

L'estate _____ , quando _____ spesso

_____ . Qualche volta _____

_____ . _____

_____ vari paesi interessanti nei dintorni _____

_____ . _____ ad andare

in giro _____

ceramiche locali. _____ .

Raramente _____ ma _____ .

(c) Now listen once more, and check what you wrote.

Lezione 10

Ad una mostra cinematografica

Attività 1. Comprensione del dialogo. Listen to the following dialogue.

Attività 2. Vero o falso? You will hear five statements based on the dialogue. Decide whether each statement is **vero** or **falso**.

	1	2	3	4	5
Vero	_____	_____	_____	_____	_____
Falso	_____	_____	_____	_____	_____

Pronuncia

Attività 3. Pronuncia: Il suono delle lettere *gli*. Listen and repeat the following words after the speaker. Pay attention to the sound of the letters *gli*. Remember that *gli* is pronounced somewhat like the *lli* in *million*.

figli	sogliola	consigliare
sugli	taglia	spogliarsi
dagli	famiglia	foglio
quegli	scegliere	moglie

Attività 4. Dov'è Cagliari? You will hear a conversation between two tourists in Sardegna. Repeat each line after the speaker. Pay attention to the pronunciation of *gli*.

IL TURISTA: Cagliari è al nord.
LA TURISTA: No, ti sbagli. Cagliari è al sud.
IL TURISTA: Vogliamo andare a Cagliari stasera?
LA TURISTA: È meglio domani. Ora gli uffici sono chiusi.
IL TURISTA: Certo. Bisogna comprare i biglietti.

Comprensione

Attività 5. In un negozio di abbigliamento. You will hear a conversation between signor Landi and a clerk in a men's clothing store. Indicate the items that signor Landi finally decides to buy.

1. _____ guanti

2. _____ calzini

3. _____ camicia

4. _____ cappello

5. _____ cravatta

Attività 6. Gli annunci pubblicitari. You will hear three radio broadcasts announcing sales at various department stores (**grandi magazzini**). Choose the department store that would be of interest to each person listed. Before listening to the announcements, read the list of people and the items they need.

	Rinascente	Upim	Coin
1. Il signor Bini: un cappotto	_____	_____	_____
2. Tina: una camicetta di seta	_____	_____	_____
3. Massimo: scarpe	_____	_____	_____
4. Cristiano: una giacca	_____	_____	_____
5. Sandra: una gonna di lino	_____	_____	_____
6. Amerigo: una camicia con le maniche lunghe	_____	_____	_____
7. Diana: stivali	_____	_____	_____
8. Augusto: pantaloni di lana	_____	_____	_____

Attività 7. Contrasto fra l'imperfetto e il passato prossimo. Listen as Claudio describes a trip that he took to Venice. In your lab manual, write **R** to indicate each recurring past action and **C** to indicate each completed, non-recurring action.

1. _____ andare a Venezia

2. _____ prendere il treno

3. _____ arrivare a Venezia

4. _____ andare a Piazza San Marco

5. _____ visitare l'isola di Burano

6. _____ mangiare il pesce

7. _____ visitare il Museo dell'Accademia

Attività *8.* Un sondaggio. Marcello is interviewing Martina and Silvano about films and cinema in general. Listen to their conversation and indicate each of their preferences.

	Martina	Silvano
1. Guarda i film in lingua originale.	_____	_____
2. I film gialli sono la sua passione.	_____	_____
3. Guarda film italiani, francesi e americani.	_____	_____
4. Preferisce i film d'azione e di fantascienza.	_____	_____
5. Va al cinema anche due volte alla settimana.	_____	_____
6. Guarda i film alla televisione digitale.	_____	_____
7. Va al cinema sì e no una volta al mese.	_____	_____
8. Preferisce i film drammatici.	_____	_____

Attività *9.* Frasi incomplete. You will hear the beginning of a sentence, followed by two endings. The beginning of the sentence will then be repeated. Write it next to the correct ending.

▶   a. _____ ai modelli eleganti.

   b. **Alla mostra partecipavano** solo gli uomini.

1. a. _____ partecipato alla mostra.

   b. _____ alla regione Toscana.

2. a. _____ avuto molto successo.

   b. _____ agli studenti universitari.

3. a. _____ borsa e sandali.

   b. _____ indossava una giacca di seta.

4. a. _____ in una vetrina di un negozio.

   b. _____ portava un abito lungo.

5. a. _____ sono sensazionali.

   b. _____ elegante ma caro.

Attività _10._ Un vestito elegante. You will hear a conversation between a customer and a salesperson in a women's clothing store. Answer each question based on the dialogue by indicating **sí** or **no**.

	Sì	No
1. La signorina vuole un vestito costoso?	_____	_____
2. Ci sono nel negozio modelli di stilisti famosi?	_____	_____
3. Costa meno di un milione il vestito di Laura Biagiotti?	_____	_____
4. È possibile provare il vestito?	_____	_____
5. La commessa è disposta a fare uno sconto (*discount*)?	_____	_____

Lezione 11

La settimana bianca

Attività 1. Comprensione del dialogo. Listen to the dialogue between Flavia and Patrizia.

Attività 2. Vero o falso? You will hear five statements based on the dialogue. Indicate whether each statement is **vero** or **falso**.

	1	2	3	4	5
Vero	_____	_____	_____	_____	_____
Falso	_____	_____	_____	_____	_____

Pronuncia

Attività 3. Pronuncia: Il suono delle lettere *gn*. Listen and repeat the following words after the speaker. Pay attention to the sound of the letters *gn*. Remember that in Italian the letters *gn* are pronounced very much like the *ny* in *canyon*.

bagno	Bologna	matrigna	spagnolo
signore	compagno	vigneti	Sardegna
Benigni	compagnia	patrigno	Mantegna

Attività 4. Mio cognato è spagnolo. Listen to the dialogue between Cesare and Valerio. Repeat each line after the speaker. Pay attention to the *gn* sound.

CESARE: È spagnolo tuo cognato?
VALERIO: Sì, ma non insegna in Spagna.
CESARE: Dove insegna?
VALERIO: A Legnano.
CESARE: Lo vedi spesso?
VALERIO: Sì, quasi ogni mese.

Comprensione

Attività 5. Il corpo umano. You will hear three short dialogues. Indicate the parts of the body that are mentioned in each dialogue.

1. _____ il collo
2. _____ la testa
3. _____ la gola
4. _____ il ginocchio
5. _____ gli occhi

6. _____ i capelli
7. _____ i piedi
8. _____ le gambe
9. _____ le braccia
10. _____ la caviglia

Attività 6. Oggetti personali utili. You will hear five radio announcements for useful personal items. Number the drawing of each item you hear advertised in the corresponding announcement.

_____ _____ _____ _____

_____ _____ _____ _____

Attività 7. Domande. You will hear a series of questions, each followed by two possible responses. Each question will be repeated. Choose the most logical response, *a* or *b*.

	▶	1	2	3	4	5	6	7
a.	✓	___	___	___	___	___	___	___
b.	___	___	___	___	___	___	___	___

Nome _____ Data _____

Attività 8. La segreteria telefonica. Flavia is leaving a message on her uncle's voice mail. Listen carefully to her message, and then answer the questions.

1. Come si chiama lo zio di Flavia? _____

2. Che vuole chiedere Flavia allo zio? _____

   _____

3. Quando vogliono andare a sciare Patrizia e Flavia? _____

   _____

4. Che cosa vogliono utilizzare le due amiche? _____

   _____

5. Qual è il numero del telefonino di Flavia? _____

Attività 9. Domande e risposte. You will hear a series of questions and answers. Each question will be repeated. Write the answer that you hear.

▶ __No, non mi piacciono molto.__ _____

1. _____

2. _____

3. _____

4. _____

5. _____

Attività 10. Un completo da sci. You will hear a dialogue between a customer and a salesperson in a ski shop. Choose the phrase on the right that best completes each sentence on the left, based on the dialogue.

1. _____ Il cliente ha...   a. pantaloni; guanti

2. _____ Il negozio offre...   b. nero

3. _____ Nel completo di sci sono compresi... e... c. trecento euro

4. _____ Il cliente preferisce il completo...   d. una vendita promozionale

5. _____ Il prezzo del completo è...   e. bisogno di un paio di sci

                                                     f. di colore azzurro chiaro

Lezione 12

Chi gioca?

Attività 1. Comprensione del dialogo. Listen carefully to the dialogue between Alberto and Daniela as they talk about their plans for the weekend.

Attività 2. Vero o falso? You will hear five statements based on the dialogue. Decide whether each statement is **vero** or **falso**.

	1	2	3	4	5
Vero	_____	_____	_____	_____	_____
Falso	_____	_____	_____	_____	_____

Pronuncia

Attività 3. Pronuncia: I suoni della lettera z. Listen and repeat the following words after the speaker. Pay attention to the sounds of the letter z. Remember that the letter z is pronounced in two ways in Italian: *ts* as in *cats* and *dz* as in *fads*.

zeta	pizzeria	zii	apprezzare
calzini	ragazza	vacanze	organizzare
zitto	pezzo	divorziare	terrazze
benzina	indirizzo	zucchini	Svizzera

Attività 4. Lo zaino azzurro. Listen to the dialogue between Gastone and Lorenzo. Repeat each line after the speaker. Pay attention to the pronunciation of the letter z.

GASTONE: Di chi è quello zaino azzurro?
LORENZO: È dello zio Renzo.
GASTONE: E dov'è lo zio Renzo?
LORENZO: È andato a comprare la pizza.
GASTONE: Dove?
LORENZO: In una pizzeria in Piazza Mazzini.

Comprensione

Attività 5. Gli sport. You will hear five people talk about their favorite sports. Write each speaker's favorite sport.

Maurizio: _____

Silvia: _____

Renato: _____

Cristina: _____

Ottavio: _____

Attività 6. La pubblicità commerciale. You will hear an advertisement for a resort in the Alps. Indicate which sports can be enjoyed there.

1. _____   2. _____   3. _____   4. _____   5. _____

6. _____   7. _____   8. _____   9. _____   10. _____

Nome _____ Data _____

Attività 7. La posta elettronica. Listen to the e-mail that Andrea has just sent to his parents. Write the correct form of the verb in the future, *only* for those activities that Andrea is planning to do *this afternoon*, *this evening*, and *tomorrow*.

Andrea...

1. vedere una partita di pallacanestro   _____

2. andare in discoteca   _____

3. riposarsi   _____

4. andare a cavallo   _____

5. occuparsi della grigliata   _____

6. andare al mare   _____

7. nuotare   _____

8. prendere il sole   _____

9. andare in barca   _____

10. fare il bravo   _____

Attività 8. Dovrò chiamare Giuseppe. You will hear someone thinking out loud. Listen to what he says, and then answer the questions.

	Sì	No
1. Questa persona andrà ad una partita di calcio?	_____	_____
2. Andrà alla partita oggi pomeriggio?	_____	_____
3. Forse Giuseppe andrà con lui?	_____	_____
4. Sono andati a una partita un mese fa?	_____	_____
5. I posti erano scomodi (*uncomfortable*)?	_____	_____

Lezione 13

Cento di questi giorni!

Attività 1. Comprensione del dialogo. Giulio Forattini is celebrating his birthday with some friends. Listen to the conversations at the party and indicate the person to whom each statement applies.

	Franco	Paola	Luciana	Giulio
1. È lieta di conoscere Paola.	_____	_____	_____	_____
2. Ha venti anni.	_____	_____	_____	_____
3. È la cugina di Franco.	_____	_____	_____	_____
4. È di Napoli.	_____	_____	_____	_____
5. Presenta la cugina agli amici.	_____	_____	_____	_____
6. Festeggia il compleanno.	_____	_____	_____	_____
7. Ha sete.	_____	_____	_____	_____
8. Invita gli amici a servirsi da soli.	_____	_____	_____	_____

Pronuncia

Attività 2. Pronuncia: L'intonazione. Listen and repeat the following sentences after the speaker. Pay attention to intonation. Remember that generally in Italian the voice drops at the end of a declarative sentence and rises on the last syllable in interrogative sentences. **Ascolti e ripeta.**

1. Franco e Paola sono cugini.
2. Hai voglia di bere qualcosa?

3. I piatti e i bicchieri sono in cucina, vero?

4. Preparo la torta per il tuo compleanno.

5. Dove sono le bevande?

6. Gli piace mangiare, ma non gli piace cucinare.

7. La festa di compleanno, quando è?

8. Auguri, Patrizia, buon compleanno!

Comprensione

Attività 3. Alimenti e pasti. You will hear eight statements about foods and utensils used with foods. Choose the item that each statement describes.

▶ a. __✔__ bicchiere   b. _____ dolce   c. _____ coltello

1. a. _____ colazione   b. _____ brodo   c. _____ cena

2. a. _____ cucchiaino   b. _____ tovagliolo   c. _____ bicchiere

3. a. _____ coltello   b. _____ primo piatto   c. _____ forchetta

4. a. _____ sogliola   b. _____ insalata   c. _____ agnello

5. a. _____ primo piatto   b. _____ cucchiaio   c. _____ colazione

6. a. _____ tonno   b. _____ pranzo   c. _____ stoviglie

7. a. _____ torta   b. _____ pasta   c. _____ pasto

8. a. _____ tovagliolo   b. _____ bicchiere   c. _____ piatto

Attività 4. Cosa devo comprare? Ivana is going out to buy groceries for her mother. Listen to the conversation and select the shops Ivana must go to in order to buy everything her mother needs.

1. _____ pasticceria

2. _____ macelleria

3. _____ salumeria

4. _____ pescheria

5. _____ latteria

6. _____ panetteria

Attività 5. Organizziamo una festa. Arturo is talking to Bianca about organizing a party. In your lab manual write the information requested. Review the list before listening.

1. la festa è per: _____

2. motivo della festa: _____

3. giorno della festa: _____

4. il tipo di festa: _____

5. i cibi serviti alla festa: _____

6. cosa verrà servito alla fine della festa: _____

7. i cibi e le bevande verranno servite con: _____

8. cosa ascolteranno gli invitati durante la festa: _____

9. cosa porterà Bianca alla festa: _____

Attività 6. Domande. You will hear a series of questions, each followed by two possible responses. Each question will be repeated. Choose the appropriate response, by indicating *a* or *b*.

▶ a. __✔__ Sì, glielo chiedo.

  b. _____ Sì, lo chiedo loro.

1. a. _____ Sì, me li devi mandare.

  b. _____ Sì, glieli devi mandare.

2. a. _____ Sì, glieli ho fatti.

  b. _____ Sì, te li ho fatti.

3. a. _____ No, non glieli ho chiesti.

  b. _____ No, non gliene ho chiesti.

4. a. _____ Ce lo compra Tina.

  b. _____ Glielo compra Tina.

5. a. _____ Il cameriere gliela prepara.

  b. _____ Il cameriere ve la prepara.

6. a. _____ Sì, ce la facciamo.

   b. _____ Sì, gliela facciamo.

7. a. _____ No, non posso prestartelo.

   b. _____ No, non posso prestarmelo.

8. a. _____ Sì, me le lavo.

   b. _____ Sì, te li lavo.

Attività 7. Domande e risposte. You will hear a question followed by two possible answers. Write the correct answer. You will hear each question and answer twice.

1. _____

2. _____

3. _____

4. _____

5. _____

6. _____

Attività 8. Auguri! You will hear three toasts, each one offered at a different celebration. Write the occasion being celebrated based on what you hear.

1. Francesco e Lucia: _____

2. Nonno Paolo: _____

3. Giovanni: _____

Lezione 14

In cerca di un appartamento

Attività 1. Comprensione del dialogo. Listen to the dialogue between Francesca and Roberta.

Attività 2. Vero o falso? You will hear five statements based on the dialogue. Indicate whether each statement is **vero** or **falso**.

	1	2	3	4	5
Vero	____	____	____	____	____
Falso	____	____	____	____	____

Pronuncia

Attività 3. Pronuncia: Consonanti semplici e consonanti doppie. Listen and repeat the following words after the speaker. Pay attention to the sound of single consonants and the sound of double consonants. **Ascolti e ripeta.**

vale/valle	dici/dicci
pena/penna	dita/ditta
casa/cassa	base/basse
lega/legga	cane/canne

Attività 4. Pronuncia: consonanti doppie. Listen and repeat the following words after the speaker. Pay attention to the sound of double consonants. **Ascolti e ripeta.**

mm	ll	dd	ff
programma	spalla	freddo	affetto
commedia	capelli	Maddalena	caffè
immagine	stella	addio	affitto
drammatico	giallo	addizione	scaffale

gg	pp	bb	
viaggio	appena	abbraccio	
noleggiare	doppiare	nebbia	
spiaggia	cappotto	labbra	
parcheggio	cappello	abbastanza	

Attività 5. Consonanti doppie. Listen and repeat the following sentences after the speaker. Pay attention to the sound of double consonants. **Ascolti e ripeta.**

1. Arianna ha dei bellissimi occhi azzurri.

2. Anche Maddalena ha gli occhi azzurri, ma ha i capelli scuri.

3. Marianna invece ha i capelli biondi ed è bellissima.

4. Dobbiamo ammettere che tutte e due le ragazze sono belle.

Comprensione

Attività 6. La casa, i mobili e gli elettrodomestici. You will hear several descriptions of parts of a house, pieces of furniture, and household appliances. Write the name of each place or item described. Include the definite article in your response.

1. _____   5. _____

2. _____   6. _____

3. _____   7. _____

4. _____   8. _____

Attività 7. Annunci pubblicitari. You will hear four advertisements for furniture and appliances. Write the name of the room you could furnish with the items being advertised. Include the definite article in your response.

1. _____   3. _____

2. _____   4. _____

Nome _____ Data _____

Attività 8. Una proposta. You will hear Silvana and Corrado talking about Sandro and why he wants to buy a car. Read the statements below. Then listen carefully and match each statement with the appropriate person in each column.

	Corrado	Silvana	Sandro
1. Suggerisce di fare la proposta a Sandro.	_____	_____	_____
2. Dice che Sandro è seduto in salotto.	_____	_____	_____
3. Legge gli annunci pubblicitari.	_____	_____	_____
4. Spera di poter usare la macchina in caso di necessità.	_____	_____	_____
5. Sandro è suo fratello.	_____	_____	_____
6. Preferisce avere un motorino.	_____	_____	_____
7. Cerca una macchina di seconda mano.	_____	_____	_____
8. Vuole una macchina che consumi di meno.	_____	_____	_____
9. La sua macchina è tanto piccola quanto economica.	_____	_____	_____
10. Preferisce una macchina più piccola di quella che ha.	_____	_____	_____

Attività 9. Domande e risposte. You will hear a series of questions each followed by two possible responses. Each question will be repeated. Choose the most appropriate answer to each question, *a* or *b*.

	▶	1	2	3	4	5	6
a.	_____	_____	_____	_____	_____	_____	_____
b.	✓	_____	_____	_____	_____	_____	_____

Attività 10. Dettato. You will hear a passage read three times.
(a) First, just listen.
(b) Now listen again, and supply the missing words.

_____ vicinanze _____ Garibaldi, _____

_____ dall'Ospedale Gemelli, _____

primo piano. _____ , _____ , _____ ,

_____ , _____ , _____ , _____ .

Telefonare ore pasti _____ .

(c) Now listen once more, and check what you wrote.

Attività *11.* **La casa ideale.** You will hear three people describe their dream home. Listen and, in your lab manual, supply the information requested about the home that each person is dreaming of owning. If necessary, listen again.

	Uomo	Donna A	Donna B
Tipo di casa	_____	_____	_____
Luogo	_____	_____	_____
Caratteristiche	_____	_____	_____
	_____	_____	_____

Lezione 15

Il telegiornale

Attività *1*. Comprensione del telegiornale. Listen carefully to the following TV evening news broadcast.

Attività *2*. La scelta giusta. You will hear five questions based on the TV newscast, each followed by two possible answers. Choose the correct answer.

▶ _____ a Roma

_____ a Strasburgo

1. _____ in televisione

_____ allo stadio

2. _____ alla Banca centrale europea

_____ al Parlamento europeo

3. _____ la velocità

_____ la discoteca

4. _____ l'euro

_____ il dollaro

5. _____ alle ore quindici

_____ alle ore ventuno

Pronuncia

Attività *3*. Pronuncia: Ripasso della consonante *r*. Listen and repeat the following words after the speaker. Pay attention to the sound of *r*: **Ascolti e ripeta.**

re	repubblica	rete
squadra	serata	valore
incontro	sbarco	sperare

Attività 4. Pronuncia: Ripasso della doppia r. Listen and repeat the following words after the speaker. Pay attention to the sound of *r* (*rr*). **Ascolti e ripeta.**

trascorrere	territorio	barriera
ferrovia	correre	ferro
berrei	vorremmo	errore

Attività 5. Ripasso della r e della doppia r. Listen and repeat the following sentences after the speaker. Pay attention to the sounds of *r* and double *r* (*rr*). **Ascolti e ripeta.**

1. Tutti corrono a prendere il treno.

2. Andranno a vedere la partita.

3. La nostra squadra incontra la squadra dell'Inghilterra.

4. Anch'io vorrei correre allo stadio.

5. Purtroppo devo finire di tradurre un articolo per il giornale.

Comprensione

Attività 6. Sei mai stata in Europa? You will hear a conversation between Lorenzo and Susanna. Indicate the European countries that Susanna has visited and those that Lorenzo has visited.

	Susanna	Lorenzo
1. l'Italia	_____	_____
2. il Belgio	_____	_____
3. la Svizzera	_____	_____
4. la Francia	_____	_____
5. l'Irlanda	_____	_____
6. l'Olanda	_____	_____
7. la Gran Bretagna	_____	_____
8. la Grecia	_____	_____
9. la Danimarca	_____	_____
10. la Spagna	_____	_____
11. il Portogallo	_____	_____

Nome _____ Data _____

Attività 7. Visitate l'Europa con noi. Listen to the following TV commercial sponsored by *Il Globo* travel agency. Write the cities the tour plans to visit. Then add the name of the country in Italian where each city is located.

	Città	Paese
1.	_____	_____
2.	_____	_____
3.	_____	_____

Attività 8. La politica e il governo. You will hear several questions. Write the number of the question next to the correct answer. Read the list before you begin.

_____ il partito   _____ il sindaco

_____ la costituzione   _____ la repubblica

_____ la regina   _____ l'ambasciatore

_____ il re

Attività 9. Completi le frasi. You will hear the beginning of a sentence, followed by two possible endings. The beginning of the sentence will then be repeated. Write it next to the correct ending.

▶ a. _____**I miei amici vogliono che io**_____ vada con loro.

   b. _____ andavo con loro.

1. a. _____ si reca a votare.

   b. _____ sostenga quella legge.

2. a. _____ sia in ritardo.

   b. _____ esci di casa alle otto.

3. a. _____ abbiano successo.

   b. _____ avevano molti voti.

4. a. _____ guardo il telegiornale con lei.

   b. _____ rimanga con lei.

5. a. _____ diciate la verità.

   b. _____ vengono a votare.

6. a. _____ prendo nessuna decisione.

   b. _____ voglia ascoltare il presidente.

Lab Manual ❀ Lezione 15   **LM-67**

Attività _10._ Un gruppo di amici. You will hear a description of four people. Identify the oldest person, the youngest person, the worst driver, and the best student.

	Stefano	Bruno	Mariella	Andrea
1. Il/La maggiore	_____	_____	_____	_____
2. Il/La minore	_____	_____	_____	_____
3. Un pessimo/Una pessima automobilista	_____	_____	_____	_____
4. Un ottimo studente/Un'ottima studentessa	_____	_____	_____	_____

Attività _11._ Commenti. You will hear three people describe an emotional or stressful experience. In your lab manual, choose the most appropriate response.

1. a. _____ Che bello!

   b. _____ Non ci credo proprio!

   c. _____ Meno male!

2. a. _____ Che buffo!

   b. _____ Che disgrazia!

   c. _____ Possibile?

3. a. _____ Meno male!

   b. _____ Sarebbe ora!

   c. _____ Sarà vero?

Lezione 16

Che cosa è in programma?

Attività 1. Comprensione del dialogo. Listen to the following dialogue as Giuliana, Mariella, and Carlo discuss their musical preferences.

Attività 2. Completi le frasi. You will hear five incomplete sentences based on the dialogue. Choose the correct ending for each one, *a*, *b*, or *c*.

1. a. _____   b. _____   c. _____

2. a. _____   b. _____   c. _____

3. a. _____   b. _____   c. _____

4. a. _____   b. _____   c. _____

5. a. _____   b. _____   c. _____

Pronuncia

Attività 3. Pronuncia: Ripasso del suono dolce della consonante c. Listen and repeat the following words after the speaker. Pay attention to the soft sound of *c*. **Ascolti e ripeta.**

incidente	beneficenza	Francia
annunciatrice	successo	eccessivo
eccezione	lavatrice	violoncello

Attività 4. Pronuncia: Ripasso del suono duro della consonante c. Listen and repeat the following words after the speaker. Pay attention to the hard sound of *c*. **Ascolti e ripeta.**

cultura	accompagnare	combattere
canale	broccoli	antiche
armonica	monarchia	benché

Attività 5. Ripasso dei suoni della c. Listen and repeat the following sentences after the speaker. Pay attention to the sounds of *c*. **Ascolti e ripeta.**

1. È possibile che vi piaccia solo la musica classica?

2. Ecco, ci piace anche la musica popolare.

3. Ci sono alcuni cantanti americani che ci piacciono molto.

4. È certo però che ci sono pochi cantanti eccezionali.

Comprensione

Attività 6. La fiera degli strumenti musicali. You will hear several people offering to sell or to buy musical instruments on a radio program. Write the names of the instruments you hear mentioned in each radio announcement.

1. _____

2. _____

3. _____

4. _____

5. _____

Attività 7. Domande e risposte. You will hear a question followed by two possible answers, *a* and *b*. Choose the correct answer. Each question and answer will be repeated.

	▷	1	2	3	4	5
a.	✓	____	____	____	____	____
b.	____	____	____	____	____	____

Nome _____ Data _____

Attività 8. Annuncio pubblicitario. Listen to the following radio announcement about a concert by the musical group Mattia Bazar. Supply the details requested about the concert.

1. il luogo del concerto: _____

2. la data del concerto: _____

3. l'ora del concerto: _____

4. dove telefonare per avere informazioni: _____

5. i due modi in cui si possono ottenere i biglietti:

    a. _____

    b. _____

6. come si può fare il pagamento dei biglietti: _____

7. il numero di telefono della biglietteria dello stadio: _____

8. il sito Web con cui ci si può collegare: _____

Attività 9. Gusti musicali. Marco and Luisa are talking about their musical preferences. Listen carefully and match the musical preference with the appropriate person based on the dialogue.

	Luisa	Marco
1. Andrebbe spesso a teatro ma non ha molti soldi.	_____	_____
2. Antonio Vivaldi è il suo compositore favorito.	_____	_____
3. Preferisce la musica sacra di Pierluigi da Palestrina.	_____	_____
4. *La Bohème, Tosca* e *Madama Butterfly* sono le sue opere preferite.	_____	_____
5. Conosce *Le quattro stagioni* di Antonio Vivaldi.	_____	_____
6. Ama l'opera.	_____	_____
7. Preferisce la musica classica.	_____	_____
8. Adora le opere di Giacomo Puccini.	_____	_____

Attività *10*. Dettato. You will hear a passage read three times.

(a) First, just listen.

(b) Now listen again, and supply the missing words.

_____ io e Francesco_____al

Palazzo dello Sport _____

_____ . _____

_____

_____

_____

quali Jovanotti e Vasco Rossi. _____

_____ .

(c) Now listen once more, and check what you wrote.

Lezione 17

E dopo la laurea?

Attività 1. Comprensione dell'intervista. Listen to the following interview. Identify the person that each statement describes based on the interview.

	Giovanni	Giorgio	Patrizia	Claudia
1. È giornalista.	_____	_____	_____	_____
2. Sono giovani laureandi.	_____	_____	_____	_____
3. Studia scienze politiche.	_____	_____	_____	_____
4. Secondo la sua opinione, sono necessari contatti più stretti fra l'università e l'industria.	_____	_____	_____	_____
5. Le piace l'architettura.	_____	_____	_____	_____
6. Vuole essere ingegnere.	_____	_____	_____	_____

Pronuncia

Attività 2. Pronuncia: Ripasso del suono dolce della consonante g. Listen and repeat the following words after the speaker. Pay attention to the soft sound of g. **Ascolti e ripeta.**

ingegneria	biologia	Giorgio
legge	suggerimento	giustizia
regione	regina	maggiore

Attività 3. Pronuncia: Ripasso del suono duro della consonante g. Listen and repeat the following words after the speaker. Pay attention to the hard sound of g. **Ascolti e ripeta.**

Alighieri	luoghi	gusto
guidare	frigorifero	lunghissimo
garage	Guglielmo	guardaroba

Attività 4. Ripasso dei suoni della g. Listen and repeat the following sentences after the speaker. Pay attention to the soft and hard sounds of g. **Ascolti e ripeta.**

1. Ho suggerito a Guglielmo di seguire il corso di ingegneria.

2. Suggerimento saggio! Ci sono molti impieghi per gli ingegneri.

3. Giuliana voleva studiare legge.

4. In questa regione ci sono già molti giovani laureati in legge.

Comprensione

Attività 5. Mestieri, professioni ed altre occupazioni. Che lavoro vuoi fare? You will hear Emilio and Milena talk about occupations. Complete each sentence based on the dialogue.

1. A Milena piacerebbe fare _____, ma farà _____.

2. A Emilio piacerebbe fare _____, ma forse farà _____.

3. La madre di Emilio è _____. Sarebbe potuta essere

_____.

Attività 6. Il mondo del lavoro. You will hear several definitions of words commonly used in a workplace environment. Choose the word being defined. Each definition will be repeated.

▶ a. __✓__ il capo   3. a. _____ il posto

     b. _____ il colloquio   b. _____ lo scambio

1. a. _____ la fabbrica   4. a. _____ la gestione

     b. _____ l'aula   b. _____ lo stipendio

2. a. _____ le ferie   5. a. _____ guadagnare

     b. _____ la carriera   b. _____ licenziarsi

Nome _____ Data _____

Attività 7. Minidialoghi. You will hear four dialogues. Select the topic or theme of each dialogue you hear.

1. a. _____ un concorso   b. _____ la gestione   c. _____ un ascolto

2. a. _____ lo scambio   b. _____ la carriera   c. _____ il capo

3. a. _____ i giorni di ferie   b. _____ il salario   c. _____ essere in ascolto

4. a. _____ licenziarsi   b. _____ la qualifica   c. _____ sostenere un colloquio

Attività 8. Quante aspettative! Stefano is talking about what other people expected from him. In your lab manual, complete his sentences by choosing the correct ending, *a* or *b*. You will hear each item twice.

▶ Era possibile che io...

a. facessi il disoccupato.

b. sono riuscito a laurearmi.

You circle *a*: **Era possibile che io facessi il disoccupato.**

1. a. mi sono laureato.
   b. diventassi medico.

2. a. non vado a scuola.
   b. volessi fare l'attore.

3. a. andassi in giro con loro.
   b. li intervisterei.

4. a. mi laureassi.
   b. intraprenda la carriera militare.

5. a. abbia esercitato due carriere.
   b. mi sistemassi al più presto.

6. a. non avessi trovato un buon posto.
   b. non ho gestito bene la mia vita.

7. a. mi licenzi dal lavoro.
   b. non avessi saputo guadagnarmi la vita.

8. a. andrei via da casa.
   b. avessi un lavoro sicuro e che mi fossi sposato.

Attività 9. Frasi introdotte da *se*. You will hear six statements with *if* clauses introduced by *se*. Determine whether each sentence refers to a hypothetical situation, using the imperfect subjunctive, or a real situation, using the indicative.

	1	2	3	4	5	6
Ipotetica	___	___	___	___	___	___
Reale	___	___	___	___	___	___

Attività 10. Annuncio pubblicitario. You will hear someone read an employment ad from the classified section of a newspaper. Supply details about the job and the specific requirements of the ideal candidate.

1. regione dov'è l'Istituto di Credito: _____

2. l'età del candidato: _____

3. lingua straniera richiesta: _____

4. anni di esperienza: _____

5. lo mandano gli interessati: _____

Lezione 18

Abiti sempre in città?

Attività 1. Comprensione del dialogo. Listen to the dialogue between Luca and Giuliano as they meet on the subway.

Attività 2. Vero o falso? You will hear five statements based on the dialogue. Indicate whether each statement is **vero** or **falso**.

	1	2	3	4	5
Vero	_____	_____	_____	_____	_____
Falso	_____	_____	_____	_____	_____

Pronuncia

Attività 3. Pronuncia: Ripasso dei suoni delle combinazioni *sc* e *sch*. Listen and repeat the following words after the speaker. Pay attention to the sounds of *sc* and *sch* before *e* and *i*. **Ascolti e ripeta.**

crescere	sceneggiatura	Rinascimento
Brunelleschi	pittoreschi	lasciare
schieramento	schematico	affascinante

Attività 4. Pronuncia: Ripasso del suono delle lettere *gli*. Listen and repeat the following words after the speaker. Pay attention to the sound of the letters *gli*. **Ascolti e ripeta.**

scegliere	vogliamo	Siviglia
biglietti	luglio	consiglio
abbigliamento	sconsigliare	stoviglie

Attività *5.* Ripasso dei suoni di *sc* e *sch* davanti alla *e* e alla *i*, e delle lettere *gli*. Repeat the following sentences after the speaker. Pay attention to the sounds of *sc* and *sch* before *e* and *i*, and of the letters *gli*. **Ascolti e ripeta.**

1. Gli hanno sconsigliato di vedere la mostra su Siviglia.

2. È meglio vedere quella sul Rinascimento.

3. Gli consigliamo anche quella sul Brunelleschi.

4. Perché scegliere? Lasci stare i consigli.

5. È meglio comprare i biglietti per tutte e tre.

Comprensione

Attività *6.* Un commento alla radio. You will hear a radio commentary about traffic in the city. Indicate each means of transportation you hear mentioned in the broadcast.

1. _____ nave

2. _____ automobile

3. _____ treno

4. _____ motocicletta

5. _____ autobus

6. _____ aereo

7. _____ tram

8. _____ tassì

9. _____ barca

10. _____ metropolitana

11. _____ autocarro

12. _____ elicottero

13. _____ bicicletta

Attività *7.* Rispettare l'ambiente. You will hear some suggestions for protecting the environment. Indicate whether each suggestion is intended to protect the air, water, plants, or animals. Some suggestions will have more than one answer.

	1	2	3	4	5
Aria	____	____	____	____	____
Acqua	____	____	____	____	____
Piante	____	____	____	____	____
Animali	____	____	____	____	____

Attività 8. Un programma radiofonico. You will hear several people at a radio talk show discuss pollution and the quality of life. Match each statement with the appropriate person speaking at the radio station.

	Alberto	Anna	Giovanni
1. Segnala la quantità di rifiuti sulle sponde del fiume.	____	____	____
2. Pensa che il peggiore inquinamento ambientale della sua città sia il rumore.	____	____	____
3. Telefona da Torino.	____	____	____
4. È giornalista.	____	____	____
5. Parla del fiume Po.	____	____	____
6. Chiama da Firenze.	____	____	____
7. Invita gli ascoltatori e le ascoltatrici a telefonargli.	____	____	____
8. È stanchissima del rumore di moto e motorini.	____	____	____

Attività 9. Quando, dove, come, quanto? You will hear a series of statements, each followed by two alternative questions, *a* and *b*. In your lab manual, choose the correct question. Each statement will be repeated.

▶ Michele legge lentamente.

   (a.) Come legge Michele?

   b. Dove legge Michele?

1. a. Dove va Licia?

   b. Quando viene Licia?

2. a. Dove ha mangiato Patrizio?

   b. Quanto ha mangiato Patrizio?

3. a. Quando siete arrivati a scuola?

   b. Come siete arrivati a scuola?

4. a. Quanto ha dormito il bambino?

   b. Quando ha dormito il bambino?

5. a. Quanto telefona Maurizio?

    b. Dove telefona Maurizio?

6. a. Dove stanno i suoi genitori?

    b. Come stanno i suoi genitori?

7. a. Quando cantano i ragazzi?

    b. Come cantano i ragazzi?

Attività 10. Domande e risposte. You will hear a question followed by an answer. Each question will be repeated. Write the answer to each question you hear.

▶▶   **No, prendo la metropolitana.**

1. _____

2. _____

3. _____

4. _____

5. _____

Parole per oggi

NYU EDITION

Parole per oggi

Supplementary material by the Department of Italian Studies at New York University (New York and Florence campuses).

Project Director
Nicola Cipani

General Editor
Renata Carloni

Editors in New York
Chiara Marchelli, Roberto Scarcella Perino

Contributors
Unità 0   Silvia Sozzi
Unità 1   Valentina Contini
Unità 2   Marco Del Rocca
Unità 3   Carlo Bagnoli
Unità 4   Massimo Avuri
Unità 5   Mara Simonti
Unità 6   Valentina Contini
Unità 7   Marco Del Rocca (75 – 80) Mara Simonti (81 – 86)
Unità 8   Silvia Chegia
Unità 9   Caterina Sani
Unità 10   Silvia Sozzi
Unità 11   Caterina Sani
Unità 12   Marco Del Rocca
Unità 13   Massimo Avuri
Unità 14   Mara Simonti
Unità 15   Roberto Scarcella Perino, Laura Bresciani
Unità 16   Roberto Scarcella Perino, Elena Visconti
Unità 17   Chiara Marchelli
Unità 18   Chiara Marchelli

Illustration
Jordan Worley

Design
Jason Ramirez

Special thanks to Steven Guarnaccia and Ted Byfield of Parsons The New School for Design, New York.

UNITÀ ZERO

Presentarsi

IN CLASSE

È il primo giorno di lezione. Gli studenti sono in classe e si presentano.

KLAUS   Mi chiamo Klaus Papadopoulos. Sono tedesco, sono nato a Francoforte, ma il mio cognome è greco perché mio padre è di Atene. Ho 23 anni e studio architettura all'università. Tu come ti chiami?

ANDERS   Mi chiamo Anders Larsen. Sono danese, di Copenhagen. Ho 21 anni e studio economia e commercio. Qui in Italia studio italiano e seguo un corso di fotografia. Abito in via Guelfa con una famiglia italiana.

MONTSERRAT   Io mi chiamo Montserrat Lopez Vargas, ma tutti mi chiamano Montse. Sono spagnola, di Madrid. In Spagna abito con la mia famiglia, ma qui a Firenze divido un appartamento con altre due studentesse. Ho 25 anni e studio medicina. Voglio diventare chirurgo! E Lei, professoressa, come si chiama?

PROFESSORESSA GIOBERTI   Mi chiamo Laura, Laura Gioberti. Sono italiana, naturalmente, di Firenze. Abito a Firenze, in Via Verdi e lavoro come insegnante di italiano.

1. Completa lo schema.

Come ti chiami? Nome e cognome.   Di dove sei?   Che cosa fai? Studi o lavori?

_____   _____   *Studio medicina.*

_____   *Sono di Copenhagen.*   _____

Mi chiamo Klaus Papapdopoulos.   _____   _____

_____   _____   _____

2. **E tu?** Rispondi alle domande.

Come ti chiami?   _____

Di che nazionalità sei?   _____

Di dove sei?   _____

Che cosa studi?   _____

Quanti anni hai?   _____

Perché studi l'italiano?   _____

Dove abiti?   _____

3. Leggi il brano e rispondi alle domande.

Mi chiamo Tim Bleysen, sono olandese e ho 24 anni. Sono uno studente all'università di Amsterdam e studio storia dell'arte.

A Amsterdam abito con la mia famiglia, mio padre, mia madre e mia sorella Astrid. Ho anche un cane che si chiama Billy. Mi piace molto viaggiare e vedere paesi nuovi. Adesso sono qui a Firenze per sei mesi per imparare la lingua. L'italiano è molto importante per i miei studi perché molti artisti sono italiani e molti libri di storia dell'arte sono scritti in italiano. Abito in un piccolo appartamento con un ragazzo americano e studio italiano a scuola. Nel tempo libero visito i musei e le chiese e la sera vado in discoteca o al bar.

Di che nazionalità è Tim?   _____

Quanti anni ha?   _____

Che cosa studia?   _____

Dove abita?   _____

Quanto tempo rimane a Firenze?   _____

Perché Tim studia la lingua italiana?   _____

Che cosa fa nel tempo libero?   _____

4. Collega le domande alle risposte, come nell'esempio.

___ Come ti chiami?	(A)	Sì, abito con mio padre e mia madre.
___ Hai fratelli o sorelle?	(B)	Sono tedesco.
___ Di dove sei?	(C)	Ho 25 anni.
___ Che cosa studi?	(D)	Sono di Amburgo.
___ Di che nazionalità sei?	(E)	Mi chiamo Markus.
___ Abiti con la tua famiglia?	(F)	Sì, ho un fratello più piccolo.
___ Quanti anni hai?	(G)	Studio economia e commercio.

5. Completa il testo con i seguenti vocaboli. **Attenzione! Due espressioni non sono necessarie.**

lavora	piace	studio	sono	studentessa
lingua	ha	anni	sei	appartamento

Ciao! Mi chiamo Hiromi e sono una _____ giapponese. Sono di Tokyo e _____ all'università. La mia città è molto grande e ci sono molte cose da fare. Adesso _____ a Firenze per studiare la _____ italiana. Studio anche storia dell'arte e mi _____ molto visitare i musei. Abito in un _____ con mio fratello Aki. Lui _____ 22 anni ed è molto simpatico. Aki _____ in un ristorante fiorentino.

6. **Di che nazionalità sei?** Qui trovi alcuni aggettivi per descrivere la nazionalità;
   leggili e poi completa le frasi.

olandese   austriaco/a   francese   greco/a   spagnolo/a   americano/a
italiano/a   svizzero/a   tedesco/a   polacco/a   danese

Luigi è di Roma	*è italiano*
Niels è di Copenhagen	è _____
Andreas è di Berlino	è _____
Maria è di Atene	è _____
Peter è di Zurigo	è _____
Thys è di Amsterdam	è _____
Inez è di Madrid	è _____
Paul è di Parigi	è _____
Karol è di Varsavia	è _____
Martina è di Vienna	è _____
John è di New York	è _____

Conosci L'Italia

Nella lingua italiana esistono due forme per rivolgersi alle altre persone, la forma *informale* (TU) e la forma *formale* (LEI).

Generalmente si usa la forma formale (LEI) per le persone che non conosciamo bene e per le persone anziane.

La forma informale (TU) si usa per parlare con gli amici e con le persone più giovani di noi.

7. **Un'intervista.** Intervista almeno 3 compagni di classe e scrivi una breve presentazione. Scrivi nome, nazionalità, città di origine ecc.

	Studente 1	Studente 2	Studente 3
Nome	_____	_____	_____
Cognome	_____	_____	_____
Nazionalità	_____	_____	_____
Città di origine	_____	_____	_____
Età	_____	_____	_____
Che cosa studia	_____	_____	_____
Numero di telefono	_____	_____	_____

8. Completa con le espressioni necessarie.

studente	mi chiamo	studio	con un ragazzo
mi piace	in classe	mi chiamo	cognome
il mio indirizzo			

1. _____ viaggiare e conoscere nuove persone.

2. Gli studenti sono_____ .

3. _____ Alfred Andersen e sono danese.

4. Hiroaki è uno _____ giapponese.

5. A Firenze _____ italiano e seguo un corso di fotografia.

6. Ciao, _____ Claire Dubois, sono di Parigi e ho 23 anni.

7. Abito in un piccolo appartamento _____ australiano.

8. _____ preciso è Via Guelfa n. 8.

9. Mi chiamo Stefania Bach: il nome è italiano, ma il _____ è tedesco.

9. **Indovina chi sono?** Leggi le presentazioni e abbinale alle immagini.

___ Ciao a tutti! Sono toscana…di Pisa. Sono nata nel 1173 ma sono ancora decisamente affascinante anche se ho qualche problema di postura.

___ Sono famosa in tutto il mondo. Sono rotonda e colorata come…l'Italia. Tutti mi amano e mi salutano con un «Buon Appetito»!

___ Sono…vecchio, ma ancora solido. Abito a Firenze con un amico che si chiama Arno.

___ Sono nato in Brasile ma sono famoso in tutto il mondo, molti mi amano e io adoro la compagnia del latte e dello zucchero.

___ Sono alto piu' di 4 metri e sto tutto nudo nel centro di Firenze…

①   ②   ③

④   ⑤

10. Leggi il dialogo e completalo con le frasi di Lucia che trovi qui sotto.

—No, non sono di Roma, sono di Firenze.
—Di dove sei?
—Dove abiti qui a Roma?
—Qual è il tuo indirizzo preciso?
—Ecco il mio numero di telefono!
—Altrettanto!
—Come ti chiami?

Lucia e Noam si incontrano in un bar.

LUCIA	Ciao! Buongiorno! Io sono Lucia, Lucia Conti, sono una studentessa universitaria. E tu _____?
NOAM	Ciao! Piacere di conoscerti! Io mi chiamo Noam e sono inglese, tu invece sei italiana, vero? Sei di Roma?
LUCIA	_____ . Ora però abito a Roma perché studio all'Università della Sapienza. E tu _____?
NOAM	Sono di Londra, ma ora sono qui a Roma per imparare bene l'italiano e studiare medicina qui in Italia. Tu che cosa studi?
LUCIA	Anch'io studio medicina! Sono al secondo anno. Senti, _____?
NOAM	Abito in Piazza Navona, in un appartamento grande e molto, molto bello.
LUCIA	Davvero? Anch'io abito in Piazza Navona! _____?
NOAM	Piazza Navona, numero nove.
LUCIA	Io invece abito al numero cinque.
NOAM	Ah! La casa sopra la gelateria! Beh, allora ci vediamo qualche volta?
LUCIA	Sì, certo, molto volentieri, _____ : 06–22236549, chiamami!
NOAM	Certamente! Ciao! E… buon fine settimana!
LUCIA	_____ ! Ciao, a presto!

11. Metti in ordine il dialogo informale.

___ Grazie! Sì, parlo abbastanza bene italiano perché sono in Italia da tre anni. Scusa, ora ho lezione, ci sentiamo!

_1_ Ciao, mi chiamo Mark e tu?

___ Io ho ventidue anni. Di dove sei?

___ Davvero sei americano? Parli bene l'italiano, molto bene!

___ Sono di Roma ma studio a Venezia e tu?

___ Sì, va bene! Ciao e a presto!

___ Anch'io studio a Venezia ma non sono italiano, sono americano.

___ Mi chiamo Anna e ho venti anni e tu quanti anni hai?

L'italiano di tutti i giorni

Che cosa dicono? Abbina le immagini alle espressioni che seguono.

①

②

③

④

⑤

⑥

___ Buongiorno!

___ Ciao, a presto! Ciao, a domani!

___ Salve ragazzi!

___ Buonanotte!

___ Piacere, Riccardo Quercioli.

___ Buonasera!

12. Completa il cruciverba.

Orizzontali ➡

  3. «__! Ci vediamo domani.»
  5. 15
  6. «Buon fine settimana!»—«Grazie, __!»
  8. «__ __ molto studiare l'italiano qui a Firenze.»
  9. «Kelly è cinese. Io __ giapponese.»
10. «John è di Londra. Lui è __.»

Verticali ⬇

  1. Via Nazionale, 32
  2. «Quanti anni __ (tu)?»—«20.»
  3. «Mi chiamo Marco Rossi. Rossi è il mio __.»
  4. «__ __ __?»—«Sono di Hong Kong.»
  6. «Susan è di Boston. Lei è __.»
  7. «Franz è di Berlino. Lui è __.»

Che cosa fai?

LA SETTIMANA DI FILIPPO

Ciao, mi chiamo Filippo e ho 19 (diciannove) anni.

Ho appena finito il liceo scientifico e adesso frequento il primo anno dell'università.

Studio filosofia all'università di Firenze. Mi piace studiare e seguo molte lezioni.

Il lunedì alle 9 ho lezione di letteratura italiana e nel pomeriggio filosofia antica: sono molto interessanti.

Il martedì mattina non ho niente e così gioco a tennis con il mio amico Fabio o resto a casa a studiare. Mi piace organizzare il mio tempo; quando ero al liceo facevo i compiti tutti i pomeriggi, ora, invece, decido io quando studiare: è molto più divertente! A mezzogiorno vado all'università e mangio alla mensa con i miei compagni di corso. Il pomeriggio ho lezione di antropologia. Non mi piace molto il professore e la lezione è un po' noiosa, ma i miei compagni di classe sono simpatici e spesso studiamo insieme.

Il mercoledì ho storia alle 11 e poi filosofia e storia dell'arte, fino alle 17. È un giorno terribile! Per fortuna il giovedì ho soltanto inglese: parliamo, ascoltiamo cassette e qualche volta incontriamo degli studenti americani per fare conversazione con loro.

Il venerdì, di solito, vado in biblioteca e studio con gli altri studenti.

Il fine settimana sono libero: il sabato sera esco con i miei amici e andiamo al cinema o qualche volta in discoteca.

La domenica dormo fino a tardi e poi rimetto a posto gli appunti.

---

1. Completa la settimana di Filippo come nell'esempio.

lunedì	_____	_____	_____
martedì	_____	_____	_____
mercoledì	_____	_____	_____
giovedì	_____	_____	_____
venerdì	_____	_____	_____
sabato	*esco con gli amici*	_____	_____
domenica	_____	_____	_____

2. Ora completa lo schema con le attività della tua settimana.
   Es.: *Il lunedì mattina studio in biblioteca.*

   Quando?   Che cosa fai?   Dove?

   _____   _____   _____
   _____   _____   _____
   _____   _____   _____
   _____   _____   _____

3. A questo punto domanda al tuo compagno che cosa fa durante la settimana
   e completa lo schema.

   Quando?   Che cosa fai?   Dove?

   _____   _____   _____
   _____   _____   _____
   _____   _____   _____
   _____   _____   _____

4. **In classe.** Abbina le immagini ai vocaboli. Scegli dalla lista.

   ___ studente
   ___ lavagna
   ___ zaino
   ___ penna
   ___ quaderno
   ___ libro
   ___ banco
   ___ sedia
   ___ cattedra
   ___ insegnante
   ___ computer
   ___ studentessa

Filippo è alla mensa e incontra Luca, un amico che frequenta il secondo anno
di università.

FILIPPO	Ciao, Luca, come stai?
LUCA	Bene, benissimo! Ho appena dato l'esame di antropologia ed è andato benissimo. Ho preso 30 e lode.
FILIPPO	30 e lode! Accidenti! Bravo! Chissà che bel libretto che hai! Hai tutti voti così alti?
LUCA	No, proprio tutti no, però ho un bel libretto…Sai, mi serve perché quando finisco voglio fare un Master con una borsa di studio, per questo devo prendere dei buoni voti agli esami.
FILIPPO	Ah, sì, ho capito. E come va l'università? Studi molto? Ti piace?
LUCA	Sì, mi piace. Studio un po' a casa, ma soprattutto seguo le lezioni. Impariamo molto in classe, e così dopo devo solo ripassare un po' gli appunti.
FILIPPO	Ma è difficile?
LUCA	No, difficile no. Alcune materie sono un po' più complicate, altre più noiose… però mi piace. E tu? Quando hai il tuo primo esame?
FILIPPO	Oh, mamma mia…a giugno ho filosofia antica.
LUCA	Bello. Allora, in bocca al lupo!
FILIPPO	Crepi il lupo! Ciao!

---

5. Completa il brano con i vocaboli. **Attenzione! Due parole non sono necessarie.**

po'	in	lezioni	classe	esame	borsa di studio
frequenta	appunti	anno	contento	studiare	universitario
primo	amico	noiose			

Luca è uno studente _____ che frequenta il secondo_____
di filosofia. Oggi è molto _____ perché ha appena dato
l'_____ di antropologia e ha preso trenta e lode! A Filippo piace
molto _____ all'università. Durante la settimana segue molte
_____ : alcune sono complicate e altre più _____ ma, in
generale, i corsi sono interessanti. _____ classe gli studenti prendono
_____ e poi studiano un po' a casa. Dopo la laurea, Luca vuole
frequentare un Master con una _____ . Anche Filippo
_____ filosofia ma è al primo anno. È un _____
preoccupato perché a giugno deve dare il suo _____ esame:
filosofia antica.

6. Rileggi il dialogo della pagina precedente e trova nel testo le parole
   corrispondenti alle definizioni che seguono.

   1. Il risultato di un esame   V _ _ _ O
   2. Andare all'università e ascoltare il professore   S _ _ _ _ _ _ E U _ A L _ _ _ _ _ _ E
   3. Il test alla fine del corso   E _ _ _ _ E
   4. Lo studente li scrive mentre il professore parla   A _ _ _ _ _ _ I
   5. Il quaderno con tutti i voti dello studente   L _ _ _ _ _ _ _ O
   6. Un aiuto economico per gli studi   B _ _ _ A _ _ _ S _ _ _ _ _ O
   7. Si dice prima degli esami   I _ B _ _ _ _ _ A _ L _ _ O!

Conosci L'Italia

STUDIARE IN ITALIA

In Italia la scuola è organizzata in tre livelli: la scuola
dell'infanzia, la scuola primaria e la scuola superiore
(o secondaria).

I bambini cominciano ad andare a scuola quando
hanno tre anni e frequentano la scuola dell'infanzia
fino a sei anni. Dopo la scuola dell'infanzia i bambini
frequentano la scuola primaria, o scuola elementare,
che comincia a sei anni e finisce a dieci anni. Dopo
un piccolo esame comincia la scuola media che
finisce quando i bambini hanno quattordici anni:
sono tre anni di studio.

La scuola superiore

Gli studenti frequentano la scuola superiore dai
quattordici ai diciannove anni. In Italia, ci sono molti
tipi di licei (classico, scientifico, linguistico, artistico,
musicale, ecc.) e anche alcuni istituti professionali.

Gli studenti vanno a scuola ogni giorno, anche il
sabato. Le lezioni cominciano, di solito, alle 8.30
e finiscono alle 13.30. Quando ritornano a casa i
ragazzi fanno i compiti e poi fanno sport o imparano
a suonare uno strumento musicale.

L'università

Le università italiane sono generalmente pubbliche
e non sono molto costose. Ci sono, però, anche
alcune università private, come la «Bocconi» di
Milano, che sono molto qualificate ma anche
molto costose. Gli studenti decidono la facoltà che
desiderano frequentare quando hanno diciannove
anni e finiscono o dopo 3 anni (laurea breve) o dopo
5/6 anni (Diploma di Laurea). Durante l'università gli
studenti studiano e danno esami scritti e orali. Alla
fine preparano una tesi. Il voto più alto per un esame
è 30 e lode.

Dopo l'università

Dopo l'università è possibile continuare a studiare
con un dottorato di ricerca o nelle scuole di
specializzazione.

E NEL TUO PAESE?

—Come è organizzata la scuola?
—Nella scuola superiore, quante lezioni frequenti
  ogni giorno?
—Avete scuola il sabato?

L'italiano di tutti i giorni

Con l'aiuto dell'insegnante scopri il significato delle seguenti espressioni.

___ Fare forca

___ Essere buttato fuori a un esame / Bocciare

___ Passare (un esame)

___ Essere un asino

___ Essere un secchione

(1)

(2)   (3)

(4)

(5)

---

7. Leggi e poi metti in ordine il dialogo.

___ «D'accordo, vengo a casa tua e ripassiamo insieme! Vengo verso le quattro del pomeriggio, va bene? Ho paura di essere bocciata all'esame di storia, è molto, molto difficile e non voglio prendere un voto basso, nel mio libretto ho molti trenta e trenta e lode!»

___ «Ciao Paolo, buongiorno! Che cosa faccio oggi? Beh...stamattina vado a lezione di economia, ho lezione dalle nove a mezzogiorno e mezzo e poi forse mangio un panino alla mensa, verso le una, una o una e mezzo, e tu?»

___ «Va bene...studiamo storia insieme e ripassiamo gli appunti poi la sera, beh...magari andiamo a un cinema o in discoteca, va bene?"

___ «Anch'io stamani vado all'università: ho molte lezioni e poi il pomeriggio torno a casa per ripassare gli appunti di storia perché ho l'esame fra una settimana. Perché non studiamo insieme? Vieni a casa mia!»

_1_ «Ciao Silvia! Che cosa fai oggi?»

___ «Ma che cosa dici secchiona! Hai un libretto bellissimo e non sei mai stata buttata fuori a un esame! Io invece sono un asino, un vero asino! Non ho frequentato tutte le lezioni di storia, ho fatto molte assenze, sì insomma «molte forche». Ho davvero bisogno di studiare oggi pomeriggio.

___ «Perfetto! A dopo!»

8. Collega le due colonne.

   1. Ho lezione di storia ___ .   Ⓐ francese e spagnolo
   2. Mia sorella ___ .   Ⓑ ventuno studenti
   3. Gli studi universitari in Italia ___ . Ⓒ sono divisi in tre livelli differenti
   4. In classe ci sono ___ .   Ⓓ lavora all'università
   5. Io e Paola parliamo ___ .   Ⓔ perché ha un esame
   6. Giorgio studia molto ___ .   Ⓕ e io ho diciassette anni
   7. Mia sorella ha venticinque anni ___ . Ⓖ il giovedì mattina

9. Completa con le parole opportune. **Attenzione! Due parole non sono necessarie.**

   studenti   lezioni   scuola   studia   frequenta   storia dell'arte

   Chiara e Matteo sono fratelli e studiano all'università a Firenze. Chiara è iscritta
   al primo anno di matematica e ha tre _____ al giorno, ma solo la
   mattina. Il pomeriggio Chiara è libera e spesso _____ in biblioteca o
   ritorna a casa. Matteo ha ventitré anni e _____ la facoltà di medicina,
   è al quarto anno e fra due anni si laurea. Il padre di Chiara e Matteo si chiama
   Michele, ha cinquantasette anni e insegna _____ e pittura al liceo
   artistico.

10. Leggi il brano che segue.

    IL GIORNO PIÙ BELLO

    Il mio giorno preferito è il martedì perché vado a lezione di statistica: la lezione
    non è molto interessante e il professore è un po' noioso, ma nella mia classe c'è
    lei…Margherita.

    Margherita è una ragazza bellissima che frequenta la facoltà di economia come
    me. È bella, dolce e molto simpatica. In realtà non ho mai parlato con lei perché
    ci sono sempre le sue amiche e io sono un po' timido, ma vado vicino a lei e parlo
    con lei. Forse…il prossimo martedì!

    Qual è il tuo giorno preferito? Scrivi un breve paragrafo.

    _____

    _____

    _____

    _____

    _____

    _____

11. Riordina le lettere per le espressioni di tempo come nell'esempio.

RASE	*sera*	MENASATTI	_____
ITARMED	_____	NORGIO	_____
DREOMCLEI	_____	TOBASA	_____
TINATMA	_____	REMIPOGGOI	_____
NORGIOEZZOM	_____	ETTON	_____

12. **A scuola.** Leggi i vocaboli che seguono; sono parole relative al mondo della scuola. Se non le conosci cercale sul vocabolario e poi inseriscile nel diagramma.

penna	studente	insegnante	studiare	libro	lavagna	prendere appunti
computer	università	professore	libretto	liceo	zaino	seguire le lezioni
rettore	direttore	voto	cattedra	ascoltare	l'insegnante	scuola superiore
banco	calcolatrice	mensa	leggere	sedia	fare esercizi	

Attività che si svolgono a scuola   Le persone della scuola   Tipi di scuola

Cose utili per gli studenti   Cose che si trovano in classe

UNITÀ DUE

Sport e tempo libero

IL TEMPO LIBERO DI GIULIO E MARINA

MARINA	Uffa! Le lezioni di queste settimane sono proprio dure. Ho davvero bisogno di rilassarmi un po'. Tu che fai quando non studi?
GIULIO	Nel tempo libero? Dipende: spesso **suono**.
MARINA	Ah sì? Suoni uno strumento?
GIULIO	Il piano, sì. Suono jazz con alcuni amici e poi, quando ho tempo, vado a **correre** 40 minuti; mi rilassa molto. E tu?
MARINA	Io faccio molto sport. Sono in una squadra di pallavolo di serie C: ho gli allenamenti 3 volte alla settimana e il sabato la partita. Vado anche a nuotare in **piscina** e la domenica, di solito, vado in bicicletta con un gruppo di amici, o al mare…naturalmente nella bella stagione però: d'inverno vado a sciare.
GIULIO	Accidenti! Ecco perché sei così in forma. Ti piace **leggere**?
MARINA	Certo, però non ho molto tempo. Sai, con gli allenamenti e il resto…
GIULIO	Lo credo! Io invece non sono un tipo molto sportivo, a parte il jogging. Mi piace moltissimo leggere. Adoro i classici ed i gialli d'autore. E vado spessissimo al cinema. A te piace il cinema?
MARINA	Molto. Forse una di queste sere possiamo andare a vedere un film insieme e dopo andare a cena fuori…mangiare una pizza magari.
GIULIO	Mmm! Volentieri! Perché non domani sera?
MARINA	Benissimo! Però dopo mi porti a **ballare**, vero?

1. Leggi il dialogo, associa le parole alle immagini e rispondi al vero o falso.

___ _____ ___ _____ ___ _____ ___ _____ ___ _____

___ Giulio suona il pianoforte.	V	F
___ Marina gioca a calcio 3 volte alla settimana.	V	F
___ Giulio è un maratoneta professionista.	V	F
___ Marina non sa nuotare.	V	F
___ Marina legge molto.	V	F
___ Giulio preferisce la letteratura e i libri polizieschi.	V	F
___ A tutti e due piace il cinema.	V	F
___ A Marina non piace la pizza.	V	F
___ A Marina piace ballare.	V	F

2. Varie attività del tempo libero: collegale ai verbi.

(A) io leggo…
(B) io faccio…
(C) io suono…
(D) io gioco a…
(E) io vado…

a C_____ E

carte

un giro a piedi

spese

la chitarra

libri G_____ I

a B_____ E

un romanzo d'amore

a C____ A F_____ I

scacchi

una passeggiata

il P____ N___ forte

giornali e riviste

calcio

P_____ O

E poi:

visito musei

esco con amici

cucino

ascolto musica

3. Le attività preferite di Giulio e Marina.

A Giulio piace   A Marina piace

_____   _____
_____   _____
_____   _____
_____   _____
_____   _____

ascoltare musica	fare giri in macchina	giocare a calcio	vedere un film
fare passeggiate	correre	suonare la chitarra	andare a ballare
leggere romanzi	giocare a carte	suonare il pianoforte	giocare con la playstation
guardare la televisione	andare al cinema	andare in bicicletta	
giocare a pallavolo	leggere riviste di sport	dormire tutto il giorno	
andare a cena fuori	cucinare	fare spese	

4. Collega i verbi con gli oggetti e riscrivi le parole.

___ leggere
___ fare un giro
___ suonare
___ guardare
___ correre
___ nuotare
___ giocare
___ andare
___ fare

① ② ③ ④

⑤ ⑥ ⑦ ⑧

1. AL TARRACHI

___ ___ ___ ___ ___ ___ ___ ___

2. NI CIBITLECTA

___ ___ ___ ___ ___ ___ ___

3. BIRLI E VISTIRE

___ ___ ___ ___ ___ ___ ___ ___ ___

4. NI INPIASC

___ ___ ___ ___ ___ ___

5. AL VETILENIOSE

___ ___ ___ ___ ___ ___ ___ ___ ___

6. A DEIPI

___ ___ ___ ___ ___

7. NAU SAESPIGGATA

___ ___ ___ ___ ___ ___ ___ ___ ___

8. A ACCIOL

___ ___ ___ ___ ___ ___

5. **Che cosa fai nel tempo libero?** Pensa ad almeno 8 delle tue attività preferite e
scrivile nella colonna adatta.

attività culturali	attività sportive	attività rilassanti
_Io…_	_Io…_	_Io…_
_____	_____	_____
_____	_____	_____
_____	_____	_____
_____	_____	_____

Ora fai un'intervista ad un compagno o una compagna. Che cosa fa nel suo tempo
libero? Scrivi le attività nelle colonne appropriate.

attività culturali	attività sportive	attività rilassanti
Lui / lei…	_Lui / lei…_	_Lui / lei…_
_____	_____	_____
_____	_____	_____
_____	_____	_____
_____	_____	_____

Risultato: il tuo compagno è:

☐ un tipo intellettuale

☐ un tipo sportivo

☐ un tipo tranquillo

6. Collega le parole nelle colonne opposte.

Gina spesso:

___ mangia	(A) al bar
___ legge	(B) musei d'arte
___ fa	(C) il piano
___ visita	(D) un libro
___ suona	(E) tutta la mattina
___ dorme	(F) in pizzeria
___ cucina	(G) un corso di inglese
___ va	(H) una cena per Gino

Gino spesso:

___ fa	(A) in piscina
___ gioca	(B) una passeggiata
___ nuota	(C) riviste di moda
___ va	(D) a tennis
___ fa	(E) un film giallo
___ guarda	(F) al cinema
___ fa	(G) un corso di aerobica
___ legge	(H) sport

7. **L'appuntamento di Giulio e Marina.** Decidi tu che cosa fanno e componendo il testo in modo logico.

1. Stasera Giulio e Marina escono. Giulio passa da Marina alle 6 e mezzo e poi, insieme, vanno…

A al bar a prendere un aperitivo. Il bar preferito di Giulio è sul Lungarno: quando è bel tempo, è possibile bere un prosecco con la vista del tramonto sul centro. Spesso viene qui prima di andare a cena fuori.

B a comprare i biglietti per la partita. Stasera la Fiorentina gioca con l'Arsenal in «Champions League» e Giulio vuole avere i biglietti prima di andare allo stadio. Non è come andare in discoteca: i posti sono limitati.

C a prendere i loro amici. Stefano, Gianni e Gloria sono fanatici della discoteca e tutti i sabato sera passano la notte a ballare. «Anche stasera», pensa Giulio, «anche stasera che c'è Fiorentina-Arsenal!»

D a comprare i biglietti al «Box Office». Stasera c'è una commedia di Goldoni a teatro e Marina al «Box Office» ha un'amica che le fa uno sconto del 20%. Stasera mangiano dopo lo spettacolo: forse una pizza.

2. Poi…

A vanno a mangiare qualcosa. Di solito Marina odia i fast food ma oggi non c'è molto tempo. La partita inizia tra un'ora e un panino stavolta va bene.

B vanno al ristorante. Stasera Giulio porta Marina ai «4 amici» per una cena romantica. Pensa di ordinare ostriche e champagne per antipasto.

C i ragazzi vanno a mangiare: prima delle 11 non ha senso andare in discoteca, così c'è tutto il tempo per una pizza ed una birra.

D prendono un taxi. Il teatro è proprio in centro e non c'è mai posto per parcheggiare. Sì, il taxi è caro…ma una volta ogni tanto si può fare.

3. A questo punto…

A dal taxi Marina vede Sergio Castellitto che cammina per la strada. È l'attore protagonista della commedia di stasera.

B Giulio e Marina guardano l'orologio e vedono che hanno appena il tempo di prendere l'autobus per lo stadio.

C Giulio dice: «Ragazzi, se stasera è tutto hip-hop, io all'una sono a letto: non lo reggo davvero, l'hip-hop!»

D Marina dice: «Dove mi porti a mangiare?» Stasera ho proprio voglia di qualcosa di «normale», di cucina toscana…

4. Quando…

A arrivano ai loro posti, le squadre sono già in campo. Altri 5 minuti e la partita inizia.

B arrivano da Omero (una delle trattorie tipiche più care di Firenze), Marina ha una fame da lupo. Giulio telefona ai «4 amici» per annullare la prenotazione e ordina crostini toscani e prosciutto, sognando le ostriche!

C escono dalla pizzeria sono già le 10.50. Arrivano alla discoteca, pagano il biglietto di 15 euro (con consumazione inclusa) ed entrano. Alle 11.20 non c'è ancora nessuno, ma Gianni è già ubriaco.

D entrano nel teatro, il pubblico è già tutto a sedere. Le luci si spengono. Comincia lo spettacolo…

5. Alla fine…

A quando Giulio e Marina entrano in macchina sono furiosi. «Hip-hop? Magari! Sempre meglio di 3 ore di techno! La prossima volta andiamo a vedere la Fiorentina.»

B dello spettacolo sono soddisfatti tutti e due. Giulio dice che Sergio Castellitto recita benissimo. Marina dice che è «così affascinante!»

C quando Giulio lascia Marina davanti alla porta di casa, lei sorride, dice «una bellissima serata e una cena deliziosa» e gli dà un bacio. Lui non pensa più alle ostriche…

D escono dallo stadio contentissimi: Fiorentina-Arsenal 3 a 1! Giulio non ha più voce e, mentre accompagna Marina a casa, non dice una parola.

8. Leggi le definizioni, scrivi le parole e collegale ai campi di appartenenza.

(A) stadio

(B) teatro

(C) discoteca

(D) ristorante

___ Un uomo che ha bevuto troppo

U _ _ _ _ _ O

___ La Fiorentina e l'Arsenal giocano una

P _ _ _ _ _ A

___ Non voglio andare in macchina. Preferisco

A _ _ _ _ _ E A P _ _ _ I

___ Per vedere uno spettacolo, una partita od un concerto devi comprare un

B _ _ _ _ _ _ _ O

___ Se vuoi essere sicuro di avere un posto fai una

P _ _ _ _ _ _ _ _ _ E

___ Prima di cena beviamo un

A _ _ _ _ _ _ O

___ È verde, grande, rettangolare e necessario per giocare a calcio o a rugby

C _ _ _ O

___ Se mangi solo/a con il/la tuo/a ragazzo/a fai una

C _ _ A R _ _ _ _ _ _ _ A

___ Non voglio vedere il film in piedi. Voglio un

P _ _ _ O A S _ _ _ _ E

___ Non c'è tempo per una cena. Stasera mangio solo un

P _ _ _ _ O

___ Margherita, marinara, napoletana, ai funghi

P _ _ _ A

___ Marcello Mastroianni in «La dolce vita» è l'attore

P _ _ _ _ _ _ _ _ _ _ A

___ A John Travolta/Tony Manero il sabato sera piace

A _ _ _ _ E A B _ _ _ _ _ _ E

___ La Fiorentina e l'Arsenal sono due

S _ _ _ _ _ E

___ Monica Bellucci è un'

A _ _ _ _ _ _ E

___ Gli italiani la bevono con la pizza

B _ _ _ A

___ Molto, molto buono!

D _ _ _ _ _ _ _ _ O

___ Un posto per la macchina

P _ _ _ _ _ _ _ _ O

___ Quello che bevi o mangi in un locale

C _ _ _ _ _ _ _ _ _ _ E

___ Sono stanco per andare a piedi, voglio

A _ _ _ _ E I _ M _ _ _ _ _ _ A

___ Uno Champagne italiano

P _ _ _ _ _ _ O

___ Un film, una commedia, il circo

S _ _ _ _ _ _ _ _ O

___ Il lavoro degli attori

R _ _ _ _ _ _ E

___ La gente che paga per ve dere gli spettacoli

P _ _ _ _ _ _ O

___ Quello di Monica Bellucci: mmmm! Uno della strega cattiva: iihh!

B _ _ _ O

L'italiano di tutti i giorni

IN DISCOTECA

GIANNI	Salve, mi fai un Mojito, per piacere?
STEFANO	Io invece prendo una media chiara.
GLORIA	Per me un Negroni, grazie.
BARISTA	Bene ragazzi: arrivano subito.
GIANNI	Quant'è?
BARISTA	Tutto insieme 25 euro.
STEFANO	Serata un po' loffia, stasera, no?
GIANNI	Davvero! Questa musica è proprio una noia!
GLORIA	Invece il giovedì qui c'è il «revival»: tutta musica degli anni '70 e '80: uno sballo!
STEFANO	Grande! Allora giovedì sera tutti qui!

---

9. Che cosa fanno?

---

10. Completa con le parole mancanti e alla fine leggi nella serie verticale un'attività
    salutare e rilassante.

IO E LA MIA RAGAZZA

1.   —   — — — — ☐ — — — —
2.   ☐ — — — — — — — —
3.   — ☐ — — — — — — — —
4.   — — — — — — — — ☐
5.   ☐ — — — — —
6.   — — — — ☐ —
7.   — ☐ — — — —
8.   ☐
9.   — — — — ☐ — —   — — M — — — —
10. — — — ☐ — —
11. ☐ — — — — — —
12. — ☐ — — — —
13. — — — — — ☐ — — —
14. ☐ — — —
15. — ☐ — — — — —
16. — — — ☐ — —
17. — — — — ☐ — —
18. — — — — — ☐ — —

1. Stasera non mangiamo a casa, andiamo __ .
2. Prima di cena, però, a casa beviamo un __
3. poi, per essere sicuri di avere un tavolo, facciamo una __
4. e andiamo al __ .
5. A cena berrò sicuramente molto vino e alla fine sarò __ .
6. Domani invece lei va a nuotare in __
7. ed io a fare una partita di __ .
8. Nel pomeriggio vado ancora con lei a fare __ in centro.
9. A tutti e due piace l'arte e dopo lo shopping andiamo a __ .
10. Poi a casa per un po' di relax. Lei legge una __ di moda
11. ed io ho la musica. Adoro __ il mio piano!
12. La sera, poi, andiamo a vedere un'opera a __ .
13. Se andiamo in macchina: il problema sarà il __ .
14. Quindi, forse è meglio fare un __ a piedi.
15. E sabato ancora sport! Amiamo __ a tennis insieme!
16. Domenica invece andiamo in montagna a __ .
17. Siamo attivi, eh?! Quando restiamo a casa, però, ci piace __ musica
18. o anche __ un film alla televisione __ .

Conosci L'Italia

IL CALCIO

Il calcio è sicuramente lo sport più popolare in Italia. Moltissimi italiani giocano a calcio, vanno allo stadio o guardano semplicemente le partite in TV.

Il giro d'affari è molto grande e ci sono moltissimi interessi economici intorno al calcio.

Nella serie A, il campionato italiano, giocano le squadre di quasi tutte le città principali. Le squadre più forti sono la Juventus, di Torino, e il Milan e l'Inter, di Milano. Sono le più forti perché sono le più ricche e potenti: quindi le più antipatiche. Da sole queste tre squadre si dividono in Italia la grande maggioranza dei tifosi, le persone che vanno allo stadio e sostengono la propria squadra. Tra i tifosi ci sono molte rivalità, alcune molto forti. Poi, normalmente, gli italiani si ritrovano uniti (uno dei pochi casi) quando giocano gli azzurri, i giocatori della squadra nazionale.

UNITÀ TRE

La città, la casa

LA CITTÀ ITALIANA

Molte città italiane hanno una struttura simile. Di solito c'è un *centro storico*, cioè il nucleo più antico della città, dove ci sono i palazzi più vecchi, le **chiese**, i **musei**, le **piazze** e le **strade** più famose, e spesso **ponti** e **fontane**. In centro ci sono anche molti **ristoranti** e, di solito, anche la **stazione ferroviaria**.

Intorno al centro storico c'è una *zona più moderna*, dove ci sono **ospedali**, **supermercati**, **parchi**, lo **stadio** e impianti sportivi come **palestre** o **piscine**. In questa zona più moderna ci sono anche molti **quartieri residenziali**. In ciascuna di queste zone si possono trovare **teatri**, **cinema**, **trattorie**, **banche**, **negozi**, cioè tutto quello che è necessario per avere una vita comoda e interessante.

Di solito oltre la zona moderna c'è una *zona periferica*, dove troviamo molte **fabbriche**, nuove **abitazioni**, **centri commerciali** e grandi **discoteche**. Lontano dal centro c'è anche **l'aeroporto**.

Uno dei problemi più gravi delle città italiane è quello del traffico. Ci sono infatti troppe automobili e le strade non sono adatte: sono troppo piccole e troppo poche. Lo sviluppo urbano non ha seguito le necessità di movimento dei cittadini.

1. Rispondi alle domande.

Quante zone ci sono nelle città italiane?

_____

_____

_____

Cosa c'è nel centro storico?

_____

_____

_____

Cosa c'è nella zona più moderna?

_____

_____

_____

Cosa c'è nella zona periferica?

_____

_____

_____

2. Unisci la parola all'immagine.

___ palazzo

___ chiesa

___ museo

___ ponte

___ fontana

___ stazione

___ ospedale

___ supermercato

___ stadio

___ quartiere residenziale

___ piscina

___ teatro

___ fabbrica

___ aeroporto

3. **Ricostruisci una città italiana.** Scrivi i nomi delle tre zone e inserisci in ciascuna
   i luoghi della città che ricordi.

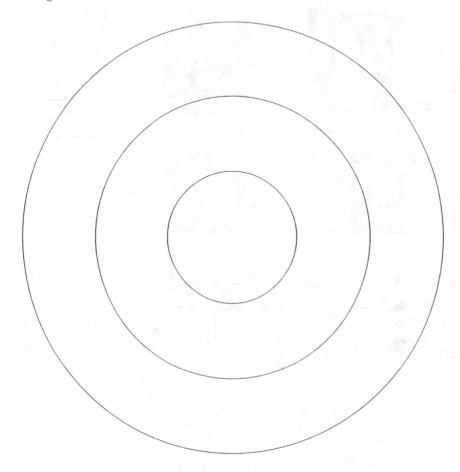

4. **Che cosa fai?** Unisci il luogo all'azione.

___ a teatro	Ⓐ prendo l'aereo
___ in piscina	Ⓑ faccio la spesa
___ al supermercato	Ⓒ faccio il tifo
___ alla stazione	Ⓓ vado a trovare un amico malato
___ all'ospedale	Ⓔ guardo le opere d'arte
___ al museo	Ⓕ nuoto ogni giorno
___ in discoteca	Ⓖ guardo una commedia
___ allo stadio	Ⓗ compro il biglietto del treno
___ all'aeroporto	Ⓘ ballo con gli amici

5. Dove passano il tempo?

Francesco Totti (calciatore)

Andrea Bocelli (cantante)

Roberto Benigni (attore)

La famiglia Agnelli (industriali)

Gianfranco Vissani (cuoco)

Luciano Benetton (produttore abbigliamento)

Massimiliano Rosolino (nuotatore)

VENT'ANNI DOPO

Dopo molti anni Franco incontra Gino, suo vecchio compagno all'università.

FRANCO   Ciao Gino. Mi riconosci? Sono Franco. Come stai?

GINO   Bene grazie, e tu? È davvero tanto tempo che non ti vedo. Sei sempre lo stesso.

FRANCO   Anche tu sei in gran forma!

GINO   Abiti sempre a Roma?

FRANCO   No, adesso vivo in un piccolo paese fuori città con mia moglie e mia figlia. E tu?

GINO   Io vivo sempre a Firenze. Ma com'è la vita nel tuo piccolo paese?

FRANCO   Beh…semplice e rilassante. Abbiamo tutto ciò che è necessario. L'**ufficio postale**, il **parco**, la **banca**, la **biblioteca**. Ci sono anche diversi negozi interessanti: c'è una **farmacia** aperta ventiquattro ore su ventiquattro.

GINO   Forse è un po' noioso?

FRANCO   Mah, sì forse un po'. Però ci sono dei vantaggi. Non c'è traffico. Le **strade** non sono caotiche. Gli automobilisti sono più calmi che in città. Si fermano alle **strisce**, rispettano **rotonde** e **semafori** poi è facile trovare un **parcheggio**. Nessuno mette la macchina sul **marciapiede** come invece succede in città.

GINO   E la domenica cosa fai?

FRANCO   La domenica è un giorno speciale. Molti abitanti del paese vanno in **chiesa**, poi si fermano a parlare in **piazza**, vicino al **monumento** a Garibaldi. Con la mia famiglia vado a mangiare in **pizzeria**. Nel pomeriggio andiamo anche spesso al cinema. È una vita naturale che mi piace molto.

6. Unisci la parola all'immagine.

___ pizzeria
___ cinema
___ rotonda
___ ufficio postale
___ marciapiede
___ banca
___ strisce
___ biblioteca
___ parco
___ semaforo
___ farmacia
___ strada
___ parcheggio
___ palestra
___ piazza
___ monumento

7. Vero o falso?

1. In farmacia compro le medicine.	V	F
2. Al parcheggio prendo l'autobus.	V	F
3. Sotto il ponte passa il fiume.	V	F
4. I palazzi sono piccoli.	V	F
5. Dalle fontane esce la birra.	V	F
6. In fabbrica lavorano gli operai.	V	F
7. Nei quartieri residenziali vivono molte persone.	V	F
8. Al ristorante compro i francobolli.	V	F
9. In strada gioco a calcio.	V	F
10. In banca prendo i soldi.	V	F

8. Ora riscrivi in forma corretta le cinque frasi false.

○ _____

○ _____

○ _____

○ _____

○ _____

9. **Scriviamo!** Completa le seguenti frasi.

Es.: Il ponte *è antico.*
    La sera sul ponte *guardo il fiume.*

1. La pizzeria _____.
   In pizzeria è divertente _____.
2. L'ufficio postale _____.
   All'ufficio postale _____.
3. La piazza _____.
   La notte in piazza ci sono _____.
4. Il cinema _____.
   Al cinema è bello _____.
5. I monumenti _____.
   Davanti ai monumenti _____.

10. Completa il cruciverba.

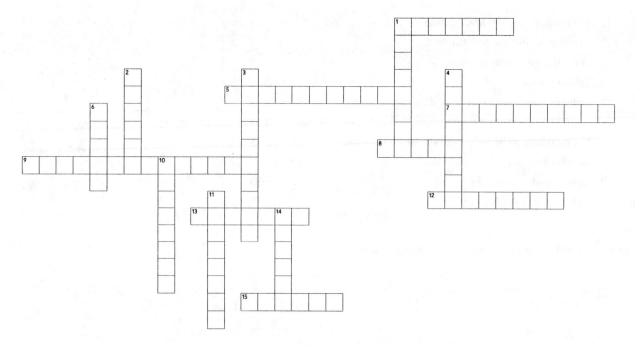

Orizzontali ➡

1. La Baronessa vive in un __ in centro.
5. È prudente camminare sempre sul __
7. In quel __ la bistecca è molto buona.
8. Domani devo prendere un po' di soldi in __
9. Spedisco il pacco all' __
12. Mio padre è operaio. Lavora in __
13. Attraverso la strada sulle __
15. Ci vediamo domani in __ della Signoria

Verticali ⬇

1. Stasera tutti in __!
2. La squadra di calcio gioca allo __
3. Metto la macchina al __
4. Quella __ è aperta 24 ore su 24.
6. La mamma porta i bambini a giocare nel __
10. Chi sta male va all' __
11. Prendo il treno alla __
14. Ho deciso: mi sposo in __

L'italiano di tutti i giorni

COME HA DETTO, SCUSI?

Cerca il significato delle espressioni con l'aiuto del dizionario illustrato.

①

___ Fare il ponte

___ Essere un tipo casa e chiesa

___ Piangere come una fontana

___ Essere in mezzo a una strada

___ Essere un topo di biblioteca

___ Fare il monumento a qualcuno

___ Atmosfera da stadio

1. Essere senza casa

2. Parlare molto bene di qualcuno

3. Grande confusione

4. Piangere moltissimo

5. Essere una persona molto seria

6. Fare un lungo fine settimana

7. Studiare moltissimo

②

③ ④ ⑤ ⑥ ⑦

11. Completa il brano con le parole corrette. **Attenzione, due espressioni non sono necessarie.**

piazza	palazzi	centro	parco	negozi	monumento
chiesa	piscina	fermata	fabbrica	strada	ufficio postale
ponte					

Francesca lavora in un ufficio del _____ . Tutte le mattine va alla

_____ dell'autobus alle 8.30. Si siede vicino al finestrino e guarda

fuori. Passa davanti a un grande _____ con alberi bellissimi, poi

davanti al _____ di un re in mezzo a una grande _____ .

Quando arriva in centro scende dall'autobus e cammina verso l'ufficio. Intorno

a lei ci sono _____ molto antichi. Attraversa il _____ sul

fiume, e poi incontra una famosa _____ dove molte persone vanno

a pregare. Alla fine prende la _____ del suo ufficio, piena di

_____ molto eleganti. Quando finisce il lavoro spesso si ferma

all'_____ lì vicino per pagare le bollette o comprare i francobolli.

12. **Intervista uno dei tuoi compagni.** Usa le domande del modello e scrivi tre
    domande nuove.

    1. Dove abiti?   _____
    2. Dov'è la tua città?   _____
    3. Quanti abitanti ci sono?   _____
    4. Cosa preferisci della tua città?   _____
    5. Qual è il luogo più bello?   _____
    6. _____ ?   _____
    7. _____ ?   _____
    8. _____ ?   _____

IN CERCA DI SANTO SPIRITO

Un giovane straniero chiede informazioni a una signora italiana in Piazza della
Repubblica.

GIOVANE   Buongiorno signora, mi scusi. Mi chiamo Kevin e sono americano. Cerco Piazza
           Santo Spirito. Dov'è?

SIGNORA   Caro ragazzo, non è lontana. Devi passare sotto l'**arco** [__] e continuare *diritto
           fino al* **semaforo** [__] dell'**incrocio** [__] con Via Tornabuoni. Qui devi *girare a
           sinistra*, superare la **piazza** [__] con l'**obelisco** [__] e, sulle strisce attraversare il
           ponte [__]. Una volta dall'altra parte dell' Arno devi *girare alla seconda a destra*,
           in una **strada** [__] stretta che si chiama Via Santo Spirito. Subito dopo *gira alla
           prima a sinistra e continua diritto lungo* la **chiesa** [__]. *In fondo* trovi Piazza Santo
           Spirito. Hai capito?

GIOVANE   Credo di sì. Mille grazie signora.

13. Inserisci nel dialogo i numeri corrispondenti ai luoghi.

L'italiano di tutti i giorni

1. diritto;
   andare diritto
2. a destra;
   girare a destra
3. a sinistra;
   girare a sinistra
4. di fianco;
   vicino a
5. di fronte
6. dietro
7. attraverso
8. la terza,
   la seconda,
   la prima

14. Scusi, può dirmi dov'è…? Usando le parole imparate, dai al tuo compagno le corrette indicazioni stradali.

Es.: Scusi, sa dirmi dov'è il teatro?
È in via Machiavelli, davanti alla piscina.

LA CASA ITALIANA

15. Unisci la parola all'immagine.

___ il tetto
___ il giardino
___ il garage
___ la terrazza
___ piano terra
___ il cancello
___ la finestra
___ la porta
___ secondo piano

16. Unisci la parola all'immagine.

___ il bagno
___ la cucina
___ il corridoio
___ l'ingresso
___ il soggiorno
___ il ripostiglio
___ le scale
___ lo studio
___ l' ascensore
___ la sala da pranzo
___ la camera da letto

LA FELICITÀ È AVERE UNA CASA

Due studenti italiani si incontrano vicino all'università.

MARCELLO	Ciao Francesco, come stai?
FRANCESCO	Bene, grazie. Stamattina però ho moltissime cose da fare.
MARCELLO	E perché?
FRANCESCO	Ho trovato un **appartamento in affitto**, ma è vuoto. Devo comprare tutti i mobili.
MARCELLO	E dov'è?
FRANCESCO	In Via Gordigiani numero 10, al **secondo piano** di un palazzo di nuova costruzione.
MARCELLO	Paghi molto?
FRANCESCO	No, il prezzo è buono. Costa 950 euro al mese, anche se ci sono da pagare le **utenze**.
MARCELLO	E cioè?
FRANCESCO	Cioè **acqua**, **luce** e **gas**.
MARCELLO	Beh, in effetti non è male...ma quante **stanze** ci sono?
FRANCESCO	Oh, è molto grande... ci sono cinque stanze, due **bagni**, un **ripostiglio**, due **ingressi** e due **terrazze**. Il problema è come usare le diverse stanze.
MARCELLO	In quanti siete a vivere nel nuovo appartamento?
FRANCESCO	In due. Io e il mio amico Simone.
MARCELLO	Beh, allora avete di certo bisogno di due **camere**, un **salotto**, una **cucina**. L'ultima stanza potete usarla come volete; come **studio** o come **camera per gli ospiti**.
FRANCESCO	Grazie per il consiglio. Solo che prima dobbiamo trovare i soldi per comprare i mobili. Dobbiamo anche pagare per la manutenzione del **giardino** e del **tetto**!
MARCELLO	Non ti preoccupare. In **garage** a casa dei miei genitori ho tanti mobili del vecchio appartamento di mia sorella e mio padre vuole liberarsene. Puoi venire a vedere e prendere quello che vuoi.
FRANCESCO	Fantastico e quando possiamo andare?
MARCELLO	Anche subito se vuoi.
FRANCESCO	Allora andiamo e grazie, sei un vero amico!

17. Ecco le cose nel garage di Marcello.

___ scrivania
___ armadio
___ lampadine
___ tavolo
___ doccia
___ comodino
___ libreria
___ divano
___ frigorifero
___ lampada
___ letto
___ cucina a gas
___ lavandino
___ mensole
___ quadro
___ pianta
___ servizio (water)
___ poltrona
___ sedie
___ tavolino

18. **Ed ecco l'appartamento di Francesco.** Scegli come usare le stanze e poi in
    ognuna i mobili corrispondenti.

	Uso	Mobili
Stanza 1		
Stanza 2		
Stanza 3		
Stanza 4		
Stanza 5		
Stanza 6		
Stanza 7		
Stanza 8		

19. Inserisci l'oggetto nella stanza corrispondente.

lampadario

tappeto

armadio

pattumiera

cassettone

specchio

cuscino

vasca

attaccapanni

mensola

libreria

tenda

soprammobile

vaso

camino

forno

coperta

bilancia

Camera

_____
_____
_____
_____
_____
_____

Cucina

_____
_____
_____
_____
_____

Soggiorno

_____
_____
_____
_____
_____

Bagno

_____
_____
_____
_____
_____

COME VIVONO GLI ITALIANI

La casa in Italia è molto importante. Infatti la casa è il luogo d'incontro della famiglia, un valore tradizionale della cultura italiana.

Uno dei luoghi della casa dove la famiglia si riunisce è la cucina. Il pranzo, ma soprattutto la cena sono i momenti in cui tutti sono insieme a casa e parlano di quello che è successo durante il giorno. Per questo di solito negli appartamenti degli italiani c'è una cucina abitabile, dove cioè si può anche mangiare.

Negli ultimi anni anche il salotto è diventato un luogo molto importante ma solo perché qui c'è la televisione, il magico schermo che unisce la famiglia, ma che, qualche volta, crea discussioni perché ognuno vuole vedere un programma diverso.

La camera è usata ovviamente per la notte, ma quando il lavoro lo permette anche durante il giorno, per riposare un po' dopo pranzo, abitudine che è chiamata *schiacciare un pisolino*.

20. Completa il brano con le parole corrette. **Attenzione, due espressioni non sono necessarie!**

poltrona	piano	ingresso	armadio	studio	attaccapanni
tavolino	doccia	salotto	cucina	letto	appartamento
forno	frigorifero				

Maria è un'impiegata Sono le otto di una fredda serata d'inverno. Arriva al suo

_____ , al quinto _____ di un bel palazzo, appena

fuori dal centro. Accende la luce nell'_____ , si toglie il cappotto e

lo mette sull'_____ . È stanca. Si butta sul _____ Chiude

un momento gli occhi e pensa alla giornata appena trascorsa. Dopo dieci minuti

si alza, si toglie il vestito, lo mette nell'_____ . Va in _____

e accende il _____ ; apre il _____ e prende la pizza che ha

preparato prima di uscire. Quando il forno è caldo, Maria mette dentro la pizza

e carica la sveglia. Quindi prende un bicchiere dalla credenza e si versa un po' di

vino rosso. Poi va in _____ e accende la televisione. Si siede in

_____ e mette i piedi sul _____ . Dopo un po' la sveglia

suona, la pizza è pronta.

21. **Scriviamo!** Completa le seguenti frasi.

Es.: La vasca *è nel bagno.*

1. La lampadina _____.
2. La lampada _____.
3. Il divano _____.
4. La scrivania _____.
5. Il lavandino _____.

Descrizione fisica
e carattere

IL CORPO UMANO

la testa

il collo
la spalla
il braccio

il petto
il dito
la mano
il gomito

la pancia

il fianco

la coscia

la gamba

il ginocchio

la caviglia

il piede

i capelli

la fronte
il sopracciglio

l'orecchio
i baffi
la bocca
la barba

l'occhio
il naso
la guancia
le labbra
il mento

1. Abbina i verbi alle parti del corpo opportune. **Attenzione! Alcuni nomi sono riferibili a più verbi.**

(A)	camminare	___	le labbra
(B)	prendere	___	il naso
(C)	parlare	___	gli occhi
(D)	correre	___	i piedi
(E)	toccare	___	le mani
(F)	guardare	___	la bocca
(G)	bere	___	le gambe
(H)	mangiare	___	le orecchie
		___	le cosce
		___	la lingua
		___	le ginocchia
		___	i denti
		___	le caviglie

2. Completa il cruciverba.

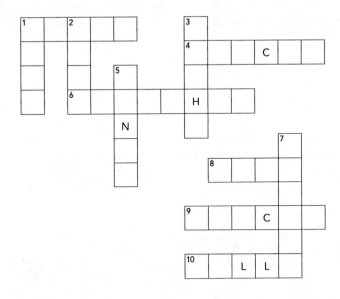

Orizzontali ➡

1. Con il dentifricio e lo spazzolino mi lavo i __
4. È la parte più grossa della gamba.
6. I rumori troppo forti fanno male alle __
8. Ha cinque dita.
9. Chi mangia troppo, ce l'ha grossa __
10. Sta sotto la testa.

Verticali ⬇

1. Per indicare un oggetto uso il __
2. I bambini si mettono spesso le dita nel __
3. Possono essere blu, verdi, marroni ecc.
5. Sotto la bocca c'è il __
7. Sta a metà del braccio.

3. Leggi le descrizioni e scegli gli aggettivi appropriati alle figure.

Mi chiamo Mario. Ho 50 anni, faccio il postino e sono un tipo sportivo. Ho **capelli** [corti/lunghi/bianchi/neri], **fronte** [stretta/spaziosa], **naso** [corto/lungo/piccolo/grosso], **bocca** [piccola/larga]. Ho un'**aria** [tranquilla/nervosa/rilassata/triste]. Sono dinamico e ho un grande fascino…

Io mi chiamo Roberta e sono sulla quarantina. Sono sposata e ho due figli grandi. Faccio le pulizie in un albergo. Sono [bionda/mora], ho **capelli** [corti/lunghi], **occhi** [chiari/scuri], **naso** [piccolo/grosso]. Non sono la fine del mondo, ma ho il mio fascino e tutti apprezzano il mio umorismo.

Io sono Guido, ho 48 anni. Insegno greco in un liceo classico. Ho **capelli** [grigi/neri]. Porto gli occhiali perché non ci vedo bene. Ho il **naso** [corto/lungo/diritto/curvo]. Ho la **barba** e i **baffi**. Dal 1999 sono separato da mia moglie. Adesso sono un single libero e indipendente. Sono contento così.

4. Completa il brano seguente.

Ciao, io sono Federica. Ho diciassette anni e vado a scuola. Non ho un fidanzato, anche se mi piace da morire un ragazzo in classe mia. Lui è molto **gentile** e **spiritoso**. È **altissimo** (gioca a pallacanestro!), **magro**, ma robusto. Io, invece, sono

_____

_____

_____ .

Ho _____

_____

_____

Qualche volta usciamo insieme per mangiare il gelato. Prima o poi sono sicura che Marco – quello in classe mia – si mette con me.

5. Descrivi Irene e i suoi figli.

Mi chiamo Irene, ho 43 anni e sono una mamma. Purtroppo sono divorziata: mio marito è andato via qualche anno fa. Ha perso la testa per una ragazza **giovane**, **bella** e **attraente**. Questi sono i miei figli: Costanza, di 14 anni; Matteo, di 9; Ivan, di 4.

Irene è

_____

_____

Costanza è

_____

_____

_____

Matteo è

_____

_____

_____

Ivan è

_____

_____

_____

L'italiano di tutti i giorni

«COME HA DETTO, SCUSI?»

«A viso aperto» — *«Secco come un chiodo»* — *«Fuori dai piedi!» Ecc.: ma che vuol dire?*

L'italiano, come molte altre lingue, è ricco di «modi di dire». Che cos'è un «modo di dire»? È una espressione idiomatica. E una «espressione idiomatica», che cos'è? È un'espressione figurata, tipica di una determinata lingua.

In italiano molti modi di dire sono in relazione con le parti del **corpo umano**: capelli, testa, orecchio, mano, piede ecc. Qualche esempio? *Occhio!* significa «attenzione!»; *avere naso* significa «avere intuito»; *rischiare la pelle* significa «correre un grosso pericolo»; ecc.

E in inglese? Queste espressioni italiane esistono anche in inglese? Dipende. Ad es., *dare una mano* significa «aiutare una persona», ha senso anche in inglese: «to give a hand»; *avere orecchio (per la musica)* significa «to have an ear (for music)» ecc. Ma: *mettere una persona sotto i piedi*? No. In questo caso non c'è corrispondenza tra le due lingue: in inglese infatti si dice «to push around; to despise» e simili.

Per concludere, bisogna essere prudenti con le espressioni idiomatiche perché non sempre la traduzione letterale da una lingua all'altra è possibile.

6. Con l'aiuto dell'insegnante, scopri il significato delle espressioni nella colonna di destra.

Alcuni modi di dire molto comuni: —*Avere la testa fra le nuvole*
                                      —*Costare un occhio della testa*
                                      —*Stare a pancia all'aria*

7. **Prova a immaginare che cosa significano i seguenti modi di dire.** Fai pure più di un tentativo, se necessario:

Dalla testa ai piedi. [Es.: «*Come piove! Non ho preso l'ombrello e sono bagnato dalla testa ai piedi.*»]

_____

_____

_____

_____

Acqua in bocca! [Es.: «*Ragazzi, questo è un segreto. Acqua in bocca!*»]

_____

_____

_____

_____

Alzare il gomito. [Es.: «*Esci con gli amici? Sì? Beh, allora non alzare il gomito, ok?*»]

_____

_____

_____

_____

Occhio! [Es.: «*In città, occhio alle macchine, ragazzi, eh!*»]

_____

_____

_____

_____

Essere in gamba. [Es.: «*Il nonno di Gianni ha 90 anni, ma è ancora in gamba: fa la spesa da solo, cucina, guida la macchina…*»]

_____

_____

_____

_____

Conosci L'Italia

MA GLI ITALIANI, COME SONO?

Bassi? Alti? Biondi? Castani? Mori?

In Italia, paese del sole, del mare, dell'arte, della cucina ecc., tutti vengono volentieri. Questa tendenza non è un fatto nuovo, ma ha una lunga storia alle spalle… Un esempio famoso? Enea, l'antenato di Romolo e Remo (i fondatori di Roma), abbandona Troia in fiamme per rifugiarsi nella Penisola.

Nell'antichità molti popoli hanno abitato l'Italia: gli etruschi, i greci, i romani, i celti… Poi, con la fine dell'Impero Romano d'Occidente (V secolo dopo Cristo), arrivano i longobardi, gli arabi, i normanni. E, in tempi più recenti, gli spagnoli, i francesi ecc.

Nella provincia di Bolzano, in Trentino-Alto Adige, la gente parla il tedesco. Là molti sono alti, biondi, con occhi celesti e carnagione chiara, come in Austria o in Svizzera. In Sicilia, invece, dove hanno abitato i greci e gli arabi, spesso la gente è bassa, ha i capelli neri, gli occhi marroni, la pelle scura. Naturalmente non tutti sono così: se a Palermo vedete un uomo alto, biondo, con gli occhi celesti e la pelle chiara, beh, chissà, quello può essere un discendente dei normanni che hanno conquistato la Sicilia nel 1061 dopo Cristo…

Alla domanda: «Ma gli italiani, come sono?», non è difficile rispondere: «Di molti tipi…». Negli ultimi anni poi sono arrivati in Italia molti immigrati extracomunitari: albanesi, romeni, marocchini, senegalesi, russi, cinesi… Per strada è possibile incontrare orientali, arabi, africani, ecc. Per quanto riguarda il futuro, dunque, possiamo fare previsioni? Beh, forse la cosa più saggia è aspettare ancora qualche anno…

8. Descrivi un italiano o un'italiana che conosci.

_____

_____

_____

_____

_____

_____

_____

_____

UNA FESTA IN CAMPAGNA

Quattro amici vogliono dare una festa in campagna nel fine settimana. Insieme decidono come organizzare la serata e, soprattutto, chi invitare e chi no.

GIANNI — […] Sì, sono d'accordo: la casa di campagna di Paolo è il posto ideale per invitare molta gente, ballare e ascoltare la musica fino a tardi, senza disturbare i vicini.

MARINA — Sì, la tua casa, Paolo, è perfetta: grande e vicina alla città… È deciso: facciamo la festa a casa tua.

PAOLO — Beh, ragazzi, per me va bene. I miei genitori vanno al lago Trasimeno il prossimo fine settimana, e la casa di campagna è libera. Però il giorno dopo restate con me per pulire tutto e mettere in ordine, chiaro?

LAURA, GIANNI, MARINA — Chiarissimooooo!

PAOLO — Sì, adesso dite così, poi invece, dopo la festa…

GIANNI — Bene. Adesso scegliamo un po' chi invitare… Vediamo… Io, per me, ho intenzione di chiamare molte studentesse della mia università… Ad esempio, Lorenza, Martina, Luciana, Camilla… E naturalmente Mila, Maria, Sandrina, Antonella, Anna e…

LAURA — Perché non inviti tutte le ragazze della Facoltà di Lettere e Filosofia? È più semplice…

GIANNI — Come sei **simpatica**…

PAOLO — A me Mila non piace. Per quanto riguarda le altre ragazze, non c'è problema, ma Mila è **antipatica**… E anche **bruttina**…

GIANNI — Caro Paolo, abbiamo parlato mille volte di questa cosa… Per favore, non ricominciamo. Per me Mila è una ragazza **intelligente**, **originale** ed **elegante**. È vero, non è **bellissima**, ma la bellezza è forse la cosa più importante in una persona? Tu, ad esempio, sei un mostro, come dicono tutte le ragazze **carine** di Firenze, però sei ugualmente un mio carissimo amico…

LAURA — Per favore, ragazzi, basta così! Non litigate, altrimenti domattina siamo ancora qui a scegliere gli amici per la festa…

PAOLO — Hai ragione. Io vorrei chiamare i ragazzi di Pisa che ho incontrato all'Isola d'Elba l'estate scorsa: Giuseppe, Gianluigi, Arturo, Luca, Andrea e Sebastiano. Sono veramente **in gamba**. Insieme abbiamo fatto grandi cose…

MARINA — Beh, per me va bene tutto, la casa è tua, ma Arturo non è **gentile**: è **maleducato** e **arrogante**. No, non mi piace, è decisamente antipatico.

PAOLO — Non è vero… Tu non conosci bene Arturo. È un ragazzo molto **sensibile**, forse un po' troppo **timido**. Certe volte è **scontroso**, ma non è **cattivo**… Il più delle volte è soltanto **impacciato**!

MARINA — Come preferisci, ma io resto della mia opinione. Arturo non mi piace, però il padrone di casa sei tu e fai come vuoi… Io, quanto a me, vorrei chiamare qualche amico e qualche amica che conosco da poco tempo. Insomma, persone che non frequento abitualmente, così la festa è più saporita…

LAURA	Sono d'accordo, Marina. Ad esempio, possiamo invitare il ragazzo più **bello**, più **simpatico**, più **affascinante** di tutta la Facoltà di Economia e Commercio: Roberto Corsini!
MARINA	Sei grande, Laura! **Che fisico** ha quello! Fa nuoto e palestra, equitazione e lotta greco-romana, pallacanestro e free climbing, barca a vela e pallavolo, canoa e paracadutismo… Ed è anche ricco! Che dico: è ricchissimo! Abita in una villa!… Hm, un fidanzato **ideale**! Al confronto, Paolo e Gianni sembrano due ragazzini della scuola media, non è vero?
LAURA	Altroché.
PAOLO	Sentite, noi forse non siamo **belli**, **sportivi**, **atletici**, **robusti** e ricchi come il vostro Roberto Corsini…
GIANNI	…però siamo molto **intelligenti** e, sicuramente, più **interessanti** di quel troglodita che praticamente pensa solo ai muscoli e allo sport…
PAOLO	…per conquistare le ragazze **superficiali** come voi…
MARINA	Hm, da qualche giorno le mie orecchie non funzionano bene…
LAURA	Anch'io ho lo stesso problema: Marina, domani andiamo insieme dal dottore, ok? Adesso continuiamo pacificamente la nostra selezione. Roberto Corsini, comunque, è veramente **un bel tipo**… Equitazione… Free climbing… Pallavolo… Nuoto… Paracadutismo… Hm, che atleta! Fra qualche anno è sicuramente alle Olimpiadi…
PAOLO	Sì, sì… Bene, amici. Adesso basta, altrimenti siamo in troppi. Le feste con molta gente non mi piacciono. Allora, Gianni invita Lorenza, Martina, Luciana, Camilla, Mila, Maria, Sandrina, Antonella e Anna. Io chiamo i miei amici pisani: Giuseppe, Gianluigi, Arturo, Luca, Andrea e Sebastiano. Laura invita Roberto Corsini. Dunque, in tutto, con noi quattro, siamo venti… È un bel numero, eh?
GIANNI	Sì, per me va bene così.
LAURA, MARINA	Anche per noi.
PAOLO	E per il cibo, come facciamo?
MARINA	Beh, come sempre. Prepariamo un po' di crostini, la bruschetta, cuciniamo spaghetti al pomodoro… Poi tutti portano qualcosa: un primo, un'insalata, un dolce, il gelato, il vino, le bibite ecc. D'accordo?
PAOLO	Sì, sono d'accordo.
LAURA, GIANNI	Perfetto.
PAOLO	Bene, allora adesso usciamo. Dove andiamo?
GIANNI	Una pizza?
PAOLO, LAURA, MARINA	Ok, andiamo tutti in pizzeria.

9. Vero o falso?

   1. Mila non è bella.   V   F

   2. Gli amici di Pisa sono ragazzi in gamba.   V   F

   3. Per Marina, Arturo è un ragazzo interessante.   V   F

   4. Roberto è lo studente più bello, simpatico e
      affascinante della Facoltà di Economia e Commercio.   V   F

   5. Roberto è pigro e non pratica lo sport.   V   F

10. **Come sono?** Rileggi il dialogo dei quattro amici e scegli gli aggettivi opportuni.

   1. A Paolo, **Mila** non piace perché è una ragazza [simpatica/antipatica]
      e [carina/bruttina]. Per Gianni, invece, **Mila** è [stupida/intelligente],
      [originale/ordinaria] ed elegante.

   2. Per Paolo, **i ragazzi di Pisa** sono in gamba. A Marina però non piace **Arturo**
      perché non è gentile, ma è [maleducato/beneducato] e arrogante. Sempre
      per Paolo, **Arturo** è un ragazzo sensibile, [timido/sicuro], [buono/cattivo].
      Molto spesso è impacciato.

   3. Per Marina e Laura, **Roberto Corsini** è [bello/brutto], [antipatico/simpatico]
      e affascinante. Ed è anche molto ricco. Per Gianni e Paolo, invece, **Roberto
      Corsini** è un troglodita perché pensa solo ai muscoli e allo sport.

11. Metti i seguenti aggettivi sotto l'immagine opportuna.

   (A) bruno
   (B) divertente
   (C) piccolo
   (D) femminile
   (E) triste
   (F) atletico
   (G) biondi
   (H) brutta

12. **Osserva questi animali.** Descrivi le loro caratteristiche utilizzando gli aggettivi
    che hai trovato in questa unità.

La famiglia

LA FAMIGLIA DI MARIO

Mi chiamo Mario Martini. Ho 14 anni e sono **figlio unico**. I miei **genitori** hanno 40 anni. Mia **madre** si chiama Elena e mio **padre** Marco. Mia madre ha un **fratello** e una **sorella**: lo **zio** Carlo e la **zia** Anna. Lo zio Carlo ha 32 anni, è sposato da due mesi e sua **moglie** si chiama Monica. La zia Anna ha 30 anni, è sposata e suo **marito** si chiama Alberto. Loro hanno due **figli gemelli** di 8 anni: mia **cugina** Lisa e mio **cugino** Paolo. I genitori della mia **mamma** abitano in un appartamento vicino al nostro e sono due persone molto attive. Mia **nonna** si chiama Antonia e mio **nonno** Matteo. I genitori del mio **papà** sono anziani e abitano in un'altra città, ma noi andiamo spesso a trovarli. Mio nonno Sandro e mia nonna Lorenza sono sempre molto felici di vedermi perchè io sono il loro unico **nipote** e mi fanno sempre un sacco di regali.

1. Scrivi il nome delle persone nell'albero genealogico della famiglia di Mario.
   Attenzione: Mario è il **nipote** di Sandro e Lorenza, ma è anche il **nipote** di Carlo.
   Lisa è la nipote di Antonia e Matteo ed è anche **la nipote** di Carlo.

Mario

2. **Che cosa dicono le persone della famiglia di Mario?** Completa le frasi con le
   parole della lista. Attenzione c'è una parola in più.

cugino	nipote	sorella	zio	figlio unico
cugina	figlio	moglie	nipoti	marito fratello gemello

MATTEO   Mio _____ Mario è molto bravo con il computer e mi insegna a usare
          Internet, ma io non imparo molto.

MARIO   Mio _____ Alberto è un bravo giocatore di scacchi.

ANTONIA   Io adoro i miei 3 _____ Mario, Paolo e Lisa.

PAOLO   Mio _____ Mario è davvero ganzo. È molto simpatico e con lui gioco
          sempre a calcio, ma non sopporto Lisa, mia _____ perché piange
          sempre.

ANTONIA   Mio _____ Carlo si è sposato due mesi fa, ma , a me, sua
          _____ Monica, non piace molto.

MARIO   Non ho un fratello e non ho una sorella: sono _____
          _____ .

ELENA   Mio _____ Marco tutte le domeniche va allo stadio a vedere la partita
          di calcio ed io sono molto arrabbiata.

LISA   Io ho un _____ _____ che si chiama Paolo.

3. Abbina il maschile con il corrispondente femminile di ogni parola

___ 1. padre   Ⓐ figlia

___ 2. marito   Ⓑ sorella

___ 3. zio   Ⓒ madre

___ 4. nonno   Ⓓ nipote

___ 5. fratello   Ⓔ zia

___ 6. figlio   Ⓕ cugina

___ 7. cugino   Ⓖ moglie

___ 8. nipote   Ⓗ nonna

FRATELLI E SORELLE

4. Lavora in un piccolo gruppo e scopri:

    1. Quanti fratelli o sorelle hanno i tuoi compagni.
    2. Chi ha la famiglia più numerosa.
    3. Chi ha un fratello gemello o una sorella gemella.
    4. **Chi è figlio unico.**

5. Lavora con un compagno e decidete quali sono, secondo voi, i vantaggi e gli
    svantaggi di una famiglia numerosa.

vantaggi   svantaggi

_____   _____

_____   _____

_____   _____

_____   _____

Conosci L'Italia

LA FAMIGLIA ITALIANA

La famiglia italiana è molto cambiata negli ultimi
30 anni. Prima di tutto, le famiglie numerose dove
nonni, genitori, zii e cugini vivevano insieme non ci
sono più e oggi la famiglia è formata spesso dai genitori
**e da un solo figlio. Infatti l'Italia è il paese europeo
dove si fanno meno figli (1,3 figli per ogni donna).**
Aumentano ogni anno le famiglie formate da una
sola persona e quelle formate da un genitore solo con
figli (la legge sul divorzio è del 1972). Molte donne
oggi lavorano fuori casa e, sempre più spesso anche
gli uomini aiutano nei lavori domestici e nella cura
dei bambini.

Ieri

La famiglia è sempre più piccola, ma i legami fra
le persone sono sempre molto forti. Per esempio
mangiare insieme è ancora una cosa importante
per gli italiani che, almeno una volta al giorno si
riuniscono a tavola. Questo accade generalmente la
sera a cena che diventa, così un'occasione di dialogo
tra genitori e figli. Nella famiglia italiana rimangono
sempre forti anche i legami con i parenti che cercano
sempre di ritrovarsi insieme durante le feste , anche
se vivono lontano.

Oggi

6. Leggi e indica la risposta corretta.

La mia è una famiglia tradizionale. Ho 56 anni e sono la più giovane di 5 figli. Siamo 3 femmine e 2 maschi e siamo tutti sposati. Io e i miei fratelli viviamo nella stessa città e le mie sorelle vivono in un paese vicino. Nostra madre, ormai è anziana e vive con me. Lei ha 89 anni e, ora ha bisogno di cure, però questo non è un problema perché i miei fratelli e le mie sorelle mi danno sempre una mano: Io ho 2 figli e 8 nipoti e, quando ci incontriamo, per le feste, siamo davvero una bella famiglia!

Maria

Irene

Mi chiamo Irene e ho 18 anni. I miei sono divorziati ed io vivo con mia madre e con il suo nuovo marito, Andrea, ma tutte le settimane vado a trovare mio padre e la sua nuova moglie che si chiama Antonella. A me Antonella piace, ma io vado volentieri da loro perché ci sono le mie due sorelline di 6 anni. Sono due bambine allegre e simpatiche e mi piace giocare con loro.

Sono figlia unica. I miei hanno molte attenzioni per me e posso avere tutto quello che desidero, ma loro sono troppo apprensivi. La mia mamma, tutte le mattine, mi accompagna a scuola con la macchina, ma io vorrei andare in motorino, come le mie amiche…ma il mio papà dice che è troppo pericoloso… Uffa! La sera, poi, quando esco, devo tornare sempre prima di mezzanotte, come Cenerentola… Che noia!

Carlotta

Vero o falso?

1. Maria ha una famiglia unita.		V	F
2. Maria e le sue sorelle abitano nella stessa città.		V	F
3. I fratelli e le sorelle aiutano Maria a curare la madre.		V	F
4. Maria non ha nipoti.		V	F
5. Irene ha due sorelle gemelle.		V	F
6. Irene abita insieme alle sorelle.		V	F
7. I genitori comprano molte cose a Carlotta.		V	F
8. Carlotta è contenta di andare a scuola in macchina.		V	F

PARENTI

7. Leggi e completa la scheda.

MIA NONNA

La persona che preferisco, fra tutti i miei parenti, è mia nonna. Si chiama Luisa ed è la madre di mia madre. Abita in un piccolo paese vicino a Siena e ora vive sola perché, purtroppo, mio nonno è morto due anni fa. È alta, ha i capelli bianchi e due occhi verdi molto vivaci. Ha 80 anni, ma è ancora giovane di spirito e, anche se la sua faccia ha molte rughe, è sempre molto bella. Soprattutto è una persona gentile e generosa e la cosa che più mi piace di lei è il suo carattere allegro e il suo caldo sorriso. Quando ho un problema io vado sempre a casa sua, perché con lei posso parlare di tutto e mi ascolta sempre con pazienza. Nonna Luisa è una donna ancora molto attiva, adora lavorare in giardino e tutte le mattine fa lunghe passeggiate con il suo cane Maso, ma la sua vera passione è leggere e guardare vecchi film in televisione. Io, a 80 anni, voglio essere esattamente come lei.

Caratteristiche fisiche

_____

_____

_____

Carattere

_____

_____

_____

Abitudini

_____

_____

_____

8. Pensa a una persona della tua famiglia e rispondi alle domande

1. Chi è?
2. Come si chiama?
3. Dove vive?
4. Come è?
5. Perché hai scelto questa persona?
6. Cosa gli / le piace fare?

9. Ora parla di questa persona a un compagno.

10. Scrivi una composizione su una persona della tua famiglia.

_____

_____

_____

_____

_____

_____

_____

11. Completa il brano con le parole della lista. **Attenzione: c'è una parola in più.**

nonni	famiglia	sposato	cugino	fratello	unica
parenti	zia	figli	papà	gemelle	

Mi chiamo Camilla Rossi, ho 15 anni e vivo a Perugia. I miei sono separati
ed io abito con mia madre, ma vedo spesso anche il mio _____ .
Non ho fratelli, sono figlia _____ , ma la mia è una grande
_____ perché abbiamo molti _____ . La domenica,
la mia mamma ed io andiamo a mangiare dai miei nonni e qui incontriamo
sempre mia _____ Laura, la sorella di mia madre. È sposata e ha 3
_____ : Luca di 14 anni e le _____ Paolina e Carlotta di
6 anni. Mio _____ Luca è molto allegro e noi andiamo d'accordo,
ma le gemelle sono due vere pesti. A casa dei _____ qualche volta c'è
anche lo zio Filippo, il _____ di mia madre. Noi ragazzi adoriamo
lo zio Filippo. Lui è un pittore bravissimo ed è un uomo intelligente, colto e
spiritoso, insomma un vero mito. Ha 40 anni, è divorziato e non ha figli. In
famiglia c'è un'altra presenza importante: è Teo il cane di mia nonna. È un
Labrador di 13 anni. È un po' vecchio ormai, ma è un cane tranquillo, paziente
e dolcissimo.

Conosci L'Italia

Gli italiani sono tutti mammoni?

MAMMA MIA!

Spesso si dice che i ragazzi italiani sono «mammoni». Questa espressione sottolinea il forte legame dei ragazzi con la loro mamma, ma soprattutto significa che le mamme italiane sono troppo protettive nei confronti dei figli maschi, anche quando questi figli sono adulti.

Quello dell'uomo italiano «mammone», insomma, è ormai uno stereotipo: un uomo molto legato alla mamma , che rimane sempre un po' bambino.

La realtà, naturalmente, è molto più varia e le mamme protettive esistono in tutti i paesi, però è vero che, in Italia, molti ragazzi vivono in casa con i genitori, anche quando hanno un lavoro, e lasciano la casa dei genitori solamente quando si sposano. Poi, se divorziano, spesso ritornano con mamma e papà. Le donne italiane, invece, sono più indipendenti e lasciano la casa dei genitori prima dei maschi.

Perché avviene questo? Sicuramente un motivo forte è quello economico, perché comprare un appartamento è molto costoso, gli affitti sono cari e trovare un lavoro fisso non è facile, però non è l'unico motivo. Infatti restare a casa con i genitori è molto comodo, perché la mamma pensa a tutto: lava, stira, pulisce e fa da mangiare e la famiglia diventa, così, un luogo confortevole.

12. Rispondi alle domande.

1. Per quali motivi i ragazzi italiani restano a lungo a vivere in famiglia?

_____

_____

_____

_____

2. **Pensa al tuo paese.** Quali sono le differenze con la situazione italiana? Quali le somiglianze?

_____

_____

_____

_____

13. **Siete mammoni?** Le ragazze della classe intervistano i ragazzi per scoprire se sono «mammoni».

1. È il tuo compleanno. La tua ragazza ha preparato, per te, una cena con i tuoi amici, ma tua madre ti telefona e ti dice che anche lei ha preparato una cena a casa sua. Cosa fai?

   A Vai con la tua ragazza e dici a tua madre: «Mamma, vengo domani da te!»

   B Vai da tua madre e dici alla tua ragazza: «Arrivo più tardi, prima vado da mia madre!»

   C Vai da tua madre con i tuoi amici.

2. Sei uscito con i tuoi amici per andare a vedere una partita di calcio. Tua madre ti telefona e ti dice che ha bisogno subito di aiuto perché si è rotta la doccia. Cosa fai?

   A Dici a tua madre: «Mamma, devi chiamare l'idraulico, non me!»

   B Dici a tua madre: «Arrivo io, non ti preoccupare!»

   C Dici a tua madre: «Io non posso arrivare subito, però stai tranquilla, chiamo io l'idraulico!»

3. Di notte suona il telefono. È tua madre che ti dice: «Sento dei rumori in giardino. Ho paura. Vieni subito!» Cosa fai?

   A Dici a tua madre: «Mamma, sono sicuramente i gatti, torna a dormire!»

   B Dici a tua madre: «Vengo subito, stai tranquilla!»

   C Dici a tua madre: «Non ti preoccupare! Non è niente. Ora stiamo un po' al telefono a parlare, così ti calmi!»

4. Devi partire per una vacanza con i tuoi amici. Sei all'aeroporto. Tra un'ora il tuo aereo parte…ma tua madre ti chiama e ti dice: «Sai, non mi sento bene, devo andare dal dottore, puoi accompagnarmi?» Cosa fai?

   A Dici: «Mamma, dal dottore sei andata ieri, è solamente un'influenza!»

   B Dici: «Se stai molto male, vengo e parto domani!»

   C Dici: «Calmati mamma! Ora io chiamo il dottore e lui viene a casa tua!»

Risposta A = 1 punto	9 a 12 punti: Mammone
Risposta B = 3 punti	5 a 8 punti: Quasi mammone
Risposta C = 2 punti	4 punti: Per niente mammone

Lavoro e professioni

VOGLIO FARE IL GIARDINIERE!

Guarda le immagini. Chi sono? Dove sono? Che cosa fanno? Di che cosa parlano?

ANDREA   Guarda, mamma! Qui sul giornale c'è un annuncio interessante! Cercano un giardiniere all'albergo Miramonti… Quasi quasi li chiamo.

LA MAMMA   Il giardiniere? Sei pazzo! Con tutto quello che hai studiato! Hai finito un mese fa il liceo e ora vuoi fare il giardiniere! Non vuoi andare all'università? Ci sono tanti tipi di lavoro: il medico, l'ingegnere, l'avvocato, perché proprio il giardiniere?

ANDREA   Mamma, scusa, io voglio fare un lavoro all'aria aperta.

LA MAMMA   Ma che dici! Vuoi buttare via tutto quello che hai imparato per coltivare dei fiori? Pensaci bene! Guarda che hai scelto un lavoro davvero faticoso…senza orari…! Il giardiniere si sveglia prestissimo la mattina, non si riposa mai e lavora sotto il sole d'agosto e la pioggia o la neve d'inverno!

ANDREA   Oh mammina…! Senti, scusa tanto, ma io non voglio lavorare chiuso in uno studio come il babbo. Voglio fare un lavoro all'aria aperta e a contatto con la natura e poi…dai! Tu lo sai bene, mi alzo sempre presto, per me questo non è davvero un problema! Non mi va di fare un lavoro stressante e non mi interessa per niente fare carriera. Preferisco un lavoro creativo e gratificante anche se guadagno di meno e mi sveglio ogni mattina all'alba.

LA MAMMA   Beh, fa' come vuoi, l'importante è fare il lavoro che piace.

1. Vero o falso?

1.	Andrea vuole fare il dottore.	V	F
2.	A Andrea non piace lavorare al chiuso.	V	F
3.	Andrea vuole un lavoro ben pagato.	V	F
4.	Il padre di Andrea lavora in uno studio.	V	F
5.	Andrea vuole lavorare a contatto con la natura.	V	F
6.	La mamma dice che Andrea deve scegliere ciò che vuole.	V	F

2. Abbina le immagini ai nomi delle professioni.

____ casalinga
____ dottore
____ parrucchiera
____ uomo d'affari
____ operaio
____ impiegata
____ insegnante
____ vigile urbano
____ meccanico
____ commesso
____ cameriere
____ giardiniere
____ pompiere
____ architetto
____ contadino
____ attore
____ idraulico
____ avvocato
____ infermiera
____ regista

3. **Indovina che lavoro faccio?** Scegli tre professioni tra quelle rappresentate qui
sopra. Trova tre aggettivi per descriverle e poi chiedi a un tuo compagno di
indovinare di quale professione si tratta.

4. Scegli un elemento da ogni colonna delle due tabelle per formare una frase logica.

A	B	C
il contadino	progetta	della casa e dei bambini
lo scrittore	spegne	assistenza legale
l'architetto	offre	la terra
l'avvocato	coltiva	racconti e romanzi
il pompiere	scrive	palazzi e edifici
la casalinga	si occupa	gli incendi

A	B	C
l'impiegato	aiuta	ai tavoli
l'attore	serve	i clienti
il commesso	assiste	ruoli
il dottore	lavora	in ufficio
il giardiniere	cura	i pazienti
il cameriere	interpreta	alberi e piante

IL MONDO DEL LAVORO

Sara

Mi piace molto la natura e vorrei fare un lavoro dove posso avere un contatto con
la campagna e con gli animali. Per me è importante avere un lavoro tranquillo
che mi offre la possibilità di avere **tempo libero** per me e per la mia famiglia.

Daniele

Purtroppo da alcuni mesi sono **disoccupato** e qualche volta faccio dei **lavori
in nero**. È veramente difficile oggi trovare un lavoro nuovo. Non mi interessa
guadagnare molto, ma voglio avere un contatto con la gente. Non voglio
rimanere in un ufficio tutto il giorno a lavorare davanti a un computer.

Marco

Lavoro in un ufficio da circa dieci anni: mi piace e soprattutto è un **lavoro fisso**
con un buono **stipendio**. Molte volte però il mio lavoro è noioso e ripetitivo e poi
il mio orario giornaliero è pesante e ho soltanto un mese di **ferie** l'anno. Vorrei
fare qualcosa di più creativo, di più gratificante prima di **andare in pensione**.

Irene

Lavoro come **libera professionista**: collaboro con agenzie pubblicitarie. La cosa più importante per me è fare un lavoro stimolante dove posso incontrare persone diverse e interessanti. Voglio avere la possibilità di **fare carriera** e di guadagnare bene.

5. Rispondi alle domande.

    1. Che lavoro vuole fare Sara? Perché?
    2. Attualmente che cosa fa Daniele?
    3. Perché Marco non è soddisfatto del suo lavoro? Che cosa vorrebbe fare prima di andare in pensione?
    4. Qual è il lavoro ideale per Irene? Perché?

---

6. Trova nel testo della pagina precedente le parole o espressioni che significano:

    il tempo a tua disposizione quando non lavori   _____

    i soldi che ricevi per il tuo lavoro   _____

    una persona senza lavoro   _____

    una persona che non lavora come dipendente   _____

    migliorare la posizione nel lavoro   _____

    un lavoro illegale   _____

    smettere di lavorare   _____

    le vacanze dal lavoro   _____

    ricevere soldi per il tuo lavoro   _____

    un lavoro sicuro   _____

E PER TE, CHE COSA È IMPORTANTE NEL LAVORO?

7. Indica quali sono gli aspetti più importanti per te nel lavoro.

È importante…	molto	abbastanza	per niente
guadagnare molti soldi	☐	☐	☐
avere un contatto con le persone	☐	☐	☐
poter fare carriera	☐	☐	☐
avere un lavoro fisso	☐	☐	☐
lavorare vicino a casa	☐	☐	☐
avere molto tempo libero	☐	☐	☐
conoscere persone interessanti	☐	☐	☐
fare un lavoro utile per gli altri	☐	☐	☐
fare un lavoro creativo	☐	☐	☐
fare il lavoro per il quale hai studiato	☐	☐	☐

8. Adesso domanda al tuo compagno che cosa è importante per lui e completa lo
    schema. Chiedi il perché delle sue affermazioni.

È importante …

molto	abbastanza	per niente

9. **Come è il lavoro?** Collega gli aggettivi contrari.

___	divertente	(A)	leggero
___	tranquillo	(B)	vario
___	ripetitivo	(C)	pericoloso
___	ben pagato	(D)	sicuro
___	faticoso	(E)	mal pagato
___	precario	(F)	meccanico
___	creativo	(G)	noioso

10. Esercizio da fare in coppia. Fate le domande e completate le due schede.

Scheda A

Dove lavora?	Che cosa fa?	Chi è?
_____	*pulisce e mette in ordine la casa*	_____
in ufficio	_____	_____
_____	*gira film e commedie*	_____
_____	*aiuta i clienti*	_____
in ospedale	_____	_____
_____	*spegne gli incendi*	_____
nel negozio	_____	_____
_____	*accusa e difende le persone*	_____
_____	*coltiva i campi e cura gli alberi*	_____
nello studio medico	_____	_____

Chiedi al tuo compagno le informazioni per completare la scheda.

Scheda B

Dove lavora?	Che cosa fa?	Chi è?
in casa	_____	_____
_____	*scrive lettere, risponde al telefono, dà informazioni al pubblico*	_____
al cinema o a teatro	_____	_____
nel negozio	_____	_____
_____	*assiste i malati e aiuta i medici*	_____
di solito all'aperto	_____	_____
_____	*lava e taglia i capelli*	_____
in tribunale	_____	_____
in campagna	_____	_____
_____	*cura i denti*	_____

11. A chi ti rivolgi nelle seguenti situazioni?

1. Vuoi fare una domanda perché non hai capito bene la lezione: _____
2. Devi fare tagliare gli alberi del tuo giardino: _____
3. C'è un gattino in cima a un albero: _____
4. **Hai l'influenza e stai malissimo:** _____
5. Devi tagliarti i capelli: _____
6. Vuoi comprare un paio di scarpe: _____
7. **Entri in un ufficio e chiedi di parlare con il direttore:** _____
8. Vuoi prenotare un tavolo al ristorante: _____

L'italiano di tutti i giorni

Con l'aiuto dell'insegnante scopri il significato di queste espressioni.

—Torno subito
—Chiuso per ferie
—Oggi sciopero generale
—Saldi
—Affittasi
—Chiuso per malattia
—Cercasi apprendista commessa

Quale cartello metteresti sulla vetrina di un negozio per le seguenti situazioni.

1. Il proprietario del negozio è andato al bar.

   _____

2. Il negozio è chiuso fino al 31 agosto.

   _____

3. Finalmente nei negozi ci sono gli sconti.

   _____

4. Sulla vetrina di un negozio c'è un cartello interessante per una persona
   che cerca un lavoro.

   _____

5. Il negozio non è aperto perché il personale aderisce alla protesta generale
   dei lavoratori.

   _____

6. Il negozio è chiuso per cessazione dell'attività ma il proprietario cerca un
   nuovo affittuario.

   _____

7. Il negozio è chiuso temporaneamente a causa di problemi di salute
   del personale.

   _____

12. Leggi la storia di Stefano e completa il brano. **Attenzione! C'è un'espressione non necessaria!**

orario	pensione	disoccupato	tempo libero
stipendio	operaio	guadagno	libero professionista

Io ho lavorato in una fabbrica per molti anni, ero un _____

specializzato e il mio _____ di lavoro era faticoso, mi alzavo alle sette

di mattina e lavoravo fino alle sette di sera. Il mio _____ non era alto,

guadagnavo circa ottocento euro al mese e con l'affitto della casa era difficile

andare avanti. Sfortunatamente la mia fabbrica ha licenziato molti operai così

anch'io, a soli nove anni dalla _____ , mi sono trovato senza un

lavoro, ero un _____ che viveva con il solo sussidio di disoccupazione.

Mi sono iscritto ad un corso professionale, ho imparato ad usare bene il computer

e ora lavoro come _____ e _____ abbastanza bene:

collaboro con molte agenzie turistiche. Sono contento perché amo il mio lavoro

anche se non ho fatto una grandissima carriera.

13. Raggruppa i vocaboli che seguono in categorie appropriate.

contadino	impiegato	dentista	attore	idraulico
parrucchiera	avvocato	commesso	architetto	dottore
postino	giardiniere	meccanico	scultore	pittore
insegnante	vigile	uomo d'affari		

Lavori che si fanno con le mani:

meccanico

_____

_____

_____

_____

_____

_____

Lavori che si fanno con _____:

_____

_____

_____

_____

_____

Lavori che si fanno con la laurea:

_____

_____

_____

_____

_____

_____

Lavori che si fanno per _____:

_____

_____

_____

_____

_____

14. **Risolvi il seguente cruciverba.** Nella colonna verticale potrai leggere quale
    è il sogno di molti italiani.

```
 1.          _ _ _ [ ] _ _ _ _ _
 2.            _ [ ] _   _ _ _ _ _ _ _
 3.        _ _ _ _ _ [ ] _ _ _ _ _
 4.      _ _ _ _ _ _ [ ] _
 5.            _ _ [ ] _ _ _ _ _ _
 6.          _ _ _ [ ] _ _ _ _ _ _ _ _ _ _ _ _
 7.            _ _ [ ] _ _ _ _ _ _
 8.      _ _ _ _ [ ]
 9.          _ _ _ _ [ ] _ _ _ _ _
10.       _ _ _ _ _ [ ] _ _ _ _ _
11.            _ _ [ ] _ _ _ _ _
12.      _ _ _ _ _ _ [ ] _ _ _ _
13.            _ _ [ ] _ _ _ _ _ _
14.        _ _ _ _ _ [ ] _ _
15.            _ [ ] _ _   _ _ _ _ _ _ _
16.            _ _ [ ] _ _ _ _
17.          _ _ _ _ [ ] _ _ _ _ _
18.          _ _ _ [ ] _ _ _
19.          _ _ _ [ ] _ _ _ _ _
20.        _ _ _ _ [ ] _
21.        _ _ _ _ _ [ ] _
22.            [ ] _ _ _ _ _
23.  _ _ _ _ _ _   _ _   _ [ ] _ _ _ _ _ _
```

1. È una persona che lavora in campagna e coltiva la terra
2. Migliorare la posizione lavorativa
3. La persona al n° 14 fa un lavoro così
4. Così è un lavoro sempre uguale
5. Fare soldi
6. È una persona che lavora per se stessa e ha uno studio
7. È l'opposto di fisso, stabile
8. È una persona che non ha un lavoro
9. È una persona che ripara le macchine e le motociclette
10. È l'opposto di ben pagato
11. È una persona che lavora in un ristorante
12. Così è un lavoro dove è necessaria molta fantasia
13. È una persona che lavora in un negozio
14. È una persona che non ha paura del fuoco
15. È una persona che dirige un'azienda
16. Quando le persone che lavorano vogliono protestare contro qualcosa fanno __
17. È una persona che disegna e progetta case e palazzi
18. Sono le vacanze di una persona che lavora
19. Sono i soldi che riceve una persona che lavora
20. È una persona che lavora in una fabbrica e fa un lavoro manuale
21. Giuseppe Tornatore è un __
22. È una donna che lavora in casa dove cucina, pulisce e **cresce i figli**
23. È la cosa che si fa quando si smette di lavorare

Mangiare e bere

1. **La piramide alimentare.** Abbina i numeri ai disegni.

___ pomodori   ___ formaggio
___ pollo   ___ melanzana
___ mela   ___ insalata
___ limone   ___ ciliegia
___ burro   ___ uva
___ banana   ___ uova
___ latte   ___ pesce
___ fragole   ___ torta
___ pane   ___ zucca
___ bistecca   • ___ pasta
___ arancia
___ patate
___ peperoni
___ piselli
___ carote
___ riso
___ cocomero

2. Leggi il brano e riscrivi i nomi degl i alimenti.

LA COLAZIONE DI ALESSIO (E LA SUA MERENDA)

Ciao! Io sono Alessio, ho quindici anni e vado al liceo. Abito con i miei,
naturalmente, e mangio a casa. La mia mamma è brava a cucinare: molto più del
papà! Lui però prepara la colazione. La mattina non ho molta fame, ma da noi c'è
comunque molta scelta. Il papà fa il caffelatte o il tè, poi mette sempre in tavola
pane, **burro**, **marmellata**, **miele**, **i biscotti**, lo zucchero e il latte freddo, perché
mia sorella preferisce i cereali. La colazione non è il mio pasto preferito. È molto
meglio a pranzo, quando la mamma prepara qualcosa di buono. Oppure quando
faccio merenda con i miei amici: mi piacciono molto gli hamburger, le **patatine
fritte** o i gelati…anche se la mia mamma dice che sono tutte porcherie!

_____   _____   _____   _____   _____

IL PRANZO DI SILVANA

Io mi chiamo Silvana, sono casalinga e ho tre figli. Mi piace cucinare. Mi ha insegnato
mia madre, fin da piccola. Il pranzo è importante, ma durante la settimana non
c'è molto tempo. Per questo per me e la mia famiglia cerco di preparare cose sane e
semplici. La **pastasciutta** con diversi sughi, le **minestre**. Anche **carne** e **pesce**, certo:
pollo, **manzo**, **maiale**, tacchino…il baccalà. Poi molti contorni perché per i miei figli
le verdure sono importanti: faccio patate, pomodori, zucchini, **peperoni**, melanzane,
piselli, carote, spinaci, **carciofi**, cavolo, cipolle…molte sono buone anche crude! Poi,
la domenica, specialmente se vengono ospiti, cucino sul serio. Domenica prossima,
per esempio, ho invitato i nonni a pranzo. Probabilmente preparo un antipasto di
prosciutto e crostini; pasta e fagioli come primo piatto; come secondo ho pensato di
fare il pollo arrosto, o forse fritto. Di contorno una bella insalata e patate lesse. Un po'
di **formaggio**, la frutta…poi se ho tempo, faccio anche il tiramisù.

_____   _____   _____   _____   _____

_____   _____   _____   _____   _____

LA CENA DI MASSIMILIANO

Salve, sono Massimiliano e vivo da solo nel mio monolocale in centro. Lavoro molto
e, con i miei orari, il tempo per cucinare non c'è proprio! Spesso devo comprare
qualcosa di pronto in rosticceria o cuocere velocemente due **uova** o gli spaghetti
«**aglio, olio** e **peperoncino**»: li adoro, e nel tempo che bollono nell'acqua, l'olio è
già pronto. Quando non ho tempo neanche per questo, ci sono sempre il forno a
microonde e alcuni surgelati nel mio frigorifero. Certo, quando posso, amo mangiare
bene e mi piace tutto. Naturalmente non c'è niente di meglio dei piatti delle varie
cucine regionali italiane. Così tanti, vari e tutti deliziosi! E il massimo piacere è
gustarli con il nostro vino. L'altra sera sono andato a cena in una nuova trattoria ed ho
mangiato un risotto ai **funghi** fantastico. Ho assaggiato anche le penne con **zucchine**
e **salsicce** del mio amico: deliziose anche quelle! Poi una bella bistecca per tutti e due.
Adesso, comunque, con la globalizzazione, anche in Italia è sempre più facile gustare
la cucina internazionale. Sabato, ad esempio, a cena ho mangiato tailandese e ho
bevuto birra cinese… niente male davvero!

3. Domande di comprensione.

1. Come si chiamano i tre pasti principali in Italia?

2. Che tipo di alimenti mangiano gli italiani a colazione?

3. Che tipo di alimenti preferisce Alessio a merenda? Sua madre pensa che
   siano sani?

4. Che cosa cucina Silvana durante la settimana?
   Primi piatti: _____
   Secondi piatti: _____
   Contorni: _____

5. Qual è il menù di Silvana per il pranzo di domenica prossima?

_____

6. Qual è uno dei pochi piatti che Massimiliano cucina quando ha tempo?

_____

7. Che cosa mangia quando ha veramente poco tempo?

_____

8. Quali sono gli ingredienti principali del primo piatto che ha mangiato al ristorante?

_____

4. **E nei vostri paesi?** Chiedi ai tuoi compagni delle loro abitudini (colazione, pranzo, cena...).

5. Nella lettura ci sono alcuni verbi e aggettivi interessanti: ne capisci i **significati?**

_C_ cuocere	(A)	mangiare un pezzetto di qualcosa per sentire com'è
___ cucinare	(B)	cotto nell'acqua
___ arrosto	(C)	il processo di trasformazione del cibo con il calore
___ fritto	(D)	cotto in forno o sul fuoco diretto
___ cotto	(E)	preparare un piatto
___ crudo	(F)	non cotto
___ lesso/bollito	(G)	cotto nell'olio bollente
___ assaggiare	(H)	participio passato di cuocere

—Mamma, mamma...come cucini le melanzane alla parmigiana?

—È complicato. Per prima cosa dobbiamo **cuocere** le melanzane.

—Come le fai? **Lesse?**

—No: fritte in olio d'oliva.

—E poi?

—Poi **cuciniamo** la salsa di pomodoro: la prepariamo con sedano, cipolle e carote, la mettiamo in una casseruola e la lasciamo **cuocere** per almeno mezz'ora.

—E poi?

—Alla **fine mettiamo tutto in forno** con il parmigiano e **cuociamo** per altri 20 minuti.

6. **Un gelato alla frutta.** Come lo vuoi?

1. *ai frutti di bosco*
2. _____
3. _____
4. _____
5. _____
6. _____
7. _____
8. _____
9. _____
10. _____
11. _____
12. _____
13. _____

Conosci L'Italia

COME MANGIANO GLI ITALIANI?

In modo molto vario. Non esiste una cucina italiana: esistono al contrario molte cucine regionali anche molto diverse tra loro. Gli italiani del nord mangiano in modo più simile ai cittadini dell'Europa centrale. Nel centro-sud, la regina è la dieta mediterranea, di cui oggi si parla molto come di una dieta sana, che fa bene alla salute. Si chiama «mediterranea» perché riprende i cibi tradizionali delle popolazioni del Mediterraneo e in particolare della parte meridionale dell'Italia. Sono cibi preparati con ingredienti semplici e naturali, come l'olio d'oliva e i cereali. Il grano, infatti, è la base per la farina che serve per fare la pasta, il pane e la pizza. A questi cibi aggiungiamo tante verdure, tanta frutta, il pesce e un po' di vino, ma anche il latte e carne bianca. Otteniamo così una dieta ricca di alimenti vegetali, ma povera di grassi animali.

Certo, nella società moderna, molto dipende anche dagli stili di vita. Il pranzo a casa è sempre più sostituito da un veloce spuntino al bar e i piatti tradizionali sempre più affiancati dalla cucina internazionale. Il pranzo della domenica e delle feste rimane, comunque, ancora molto «italiano» in tutta la penisola. Un pasto completo è composto dall'antipasto, da un primo piatto, da un secondo piatto di carne o pesce, da un contorno di verdure e da un dolce o dalla frutta. Dopo tutto questo c'è naturalmente bisogno di un bel caffè. Il digestivo (amaro o grappa) è, per alcuni, la naturale conclusione di un buon pranzo.

7. Inserisci le parole nella categoria giusta.

l'arancia	il pomodoro	l'insalata	il pollo	la pera
la bistecca	i peperoni	il tacchino	il manzo	il tiramisù
l'uva	la banana	la mela	il tonno	il maiale
il pompelmo	la torta	la pesca	le fragole	i carciofi
il gelato	l'ananas	i fagioli	gli spinaci	i funghi
il baccalà	le melanzane			

carne	pesce	verdura	frutta	dolci
____	____	____	____	____
____	____	____	____	____
____	____	____	____	____
____	____	____	____	____
____	____	____	____	____
____	____	____	____	____
____	____	____		

8. **Qual è l'intruso?** Sottolinea la parola estranea in ogni riga.

1. birra   caffè   insalata   acqua
2. maiale   pollo   manzo   pesce
3. mela   carota   cipolla   patata
4. banana   arancia   pesca   verdura
5. primo   secondo   pasta   contorno

9. Hai invitato a cena Anna e Leo. Che cosa prepari? **Attenzione: Anna è allergica ai derivati del latte e Leo è vegetariano.**

Idee:

tortellini al ragù	insalata caprese	bistecca alla fiorentina
pollo arrosto	cappuccino e biscotti	melanzane alla parmigiana
tiramisù	salsicce e fagioli	prosciutto e melone
spaghetti al pesto	penne ai 4 formaggi	trippa alla fiorentina

Ti sembrano buone queste idee? Se no, fai tu il menù.

antipasto	primo	secondo	contorno	dessert
____	____	____	____	____
____	____	____	____	____
____	____	____	____	____
____	____	____	____	____

10. **È buono o fa bene?** Inserisci i nomi di ogni alimento nella casella che credi più giusta.

AL RISTORANTE

11. Abbina i vocaboli alle immagini numerate.

___ bottiglia

___ piatto

___ bicchiere

_8_ caraffa

___ tovaglia

___ tovagliolo

___ forchetta

___ cucchiaio

___ coltello

LUIGI E MARINA SONO AL RISTORANTE

CAMERIERE   Prendete un antipasto? Abbiamo degli ottimi crostini misti!

LUIGI   No, grazie cominciamo con un primo…Io prendo una ribollita.

MARINA   Io, invece, prendo le penne al sugo di pomodoro.

CAMERIERE   Bene! Allora…ribollita e penne…E come secondo?

LUIGI   Per me una bistecca…ben cotta…Bistecca anche per te Marina?

MARINA   No, io preferisco pollo fritto e…per contorno, patatine.

LUIGI   Mmm…Io, invece, preferisco mangiare verdure crude…prendo un'insalata.

CAMERIERE   E da bere?

LUIGI   Una bottiglia d' acqua minerale naturale e mezzo litro di vino.

CAMERIERE   Bianco o rosso?

LUIGI   Rosso. Con la carne io bevo sempre vino rosso.

MARINA   Mmm…questo pollo è salato e le penne erano scotte: lo sanno anche i bambini che la pasta deve essere al dente!

LUIGI   Boh…la bistecca è buona, anche se è un po' fredda.

CAMERIERE   Tutto bene, signori? Avete bisogno di qualcosa?

MARINA   Ci porta ancora un po' di pane? E anche un'altra bottiglia d'acqua, per favore!

CAMERIERE   Subito! Ecco il pane e l'acqua! Prendete ancora qualcosa?

MARINA   Per me un dolce…Vorrei una fetta di crostata!

LUIGI   Per me solo un caffè, grazie. Non mi porti lo zucchero: lo prendo amaro…
E poi, ci porta il conto, per favore?

CAMERIERE   D'accordo.

12. Unisci le frasi, come nell'esempio.

<u>D</u>   1. Può portarci il conto, per favore?   (A) Sì, un caffè, grazie!

___   2. Buon appetito!   (B) Bianco o rosso?

___   3. Per contorno, cosa prende?   (C) Grazie, altrettanto!

___   4. Prende ancora qualcosa?   (D) Certo, signore, lo porto subito!

___   5. Vorrei una bottiglia di vino!   (E) Sì, mi porta ancora del pane?

___   6. Ha bisogno di qualcosa?   (F) Pomodori e spinaci!

---

13. Collega ogni aggettivo al suo contrario, come nell'esempio.

___   1. dolce   (A) sciocco

___   2. salato   (B) caldo

___   3. cotto   (C) cattivo

___   4. al dente   (D) amaro

<u>B</u>   5. freddo   (E) crudo

___   6. buono   (F) scotto

14. Completa con gli aggettivi opportuni.

1. Questi spaghetti sono pronti da 2 ore, ormai sono _____.

2. In questa zuppa non c'è il sale: è _____.

3. A me non piace il caffè con lo zucchero, lo preferisco _____.

4. Io non mangio la verdura cotta, la preferisco _____.

15. Completa il cruciverba.

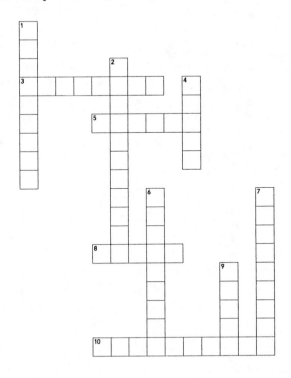

Orizzontali ➡

3. Lo usiamo per tagliare la carne
5. Il contrario di **caldo**
8. Il contrario di **amaro**
10. A tavola lo usiamo per pulirci la bocca

Verticali ⬇

1. Lo usiamo per bere l'acqua
2. «Buon appetito!» «Grazie ___!»
4. Il contrario di **cattivo**
6. La usiamo per mangiare la pasta
7. Lo usiamo per mangiare la minestra
9. Il contrario di **cotto**

16. Completa il brano con una parola della lista. **C'è una parola in più.**

verdura	vino	caffé	carne	pasta	antipasto
pesce	cena	frutta	cucino	ceniamo	colazione
bianco	secondo				

Sono sposata e ho due figli che studiano al liceo. Mi piace molto cucinare
e cerco sempre di preparare cose buone, ma sane. La mattina mi alzo allo 7
e preparo la _____ per tutti: latte, _____ , pane e
marmellata. Di solito pranziamo all'una e mangiamo sempre un piatto di
_____ o riso e, dopo, un'insalata o della _____
lessata e, per finire, la frutta. La sera _____ verso le 8 e, spesso,
preparo una zuppa di verdure, della _____ o del pesce e ancora
molta _____ . La domenica, invece, _____ un pranzo
più ricco. Di solito cominciamo con un _____ , poi mangiamo un
primo, un _____ con carne o _____ e un contorno di
verdura. Quasi sempre la domenica preparo anche un dolce. Finiamo sempre
con la frutta. Generalmente, durante la settimana, beviamo acqua, ma la
domenica apriamo sempre una buona bottiglia di _____ :
rosso se c'è la carne e _____ se c'è il pesce.

17.   Completa il cruciverba.

UNITÀ OTTO

La moda

UNA PASSEGGIATA IN CENTRO

SARA   Oggi sono un po' giù, mi devo comprare qualcosa da **indossare**.

ANNA   Io invece quando sono giù di corda ho bisogno di mangiare.

SARA   Ok, facciamo così, ci prendiamo un bel gelato e poi ‹**shopping**› **sfrenato**.
C'è un nuovo **negozio** in via Roma, Massimo Marra. È una catena spagnola,
tipo Aras. Credo che sia abbastanza **economico**.

ANNA   Finalmente Firenze si apre agli altri paesi. Prima, a parte qualche nota **marca**,
non c'era molta scelta per i giovani. L'**alta moda** è decisamente troppo cara.
Ci voleva proprio una linea giovane e **accessibile alle nostre tasche!**

SARA   È vero. C'è bisogno di novità e originalità. Guarda comunque che è aperto anche
Aras! Ed è anche più **economico**.

ANNA   Davvero? Non lo sapevo. Mi piace molto anche Mini e Co., ho visto dei **maglioni
coloratissimi**, a righe e delle **gonne** deliziose! Ma è troppo **caro**. Per uno studente
il modo più economico per **fare spese** è il **mercato**. Ce ne sono tanti a Firenze:
a Campo di Marte, alle Cure, in Santo Spirito, alle Cascine.

SARA   Senti! Basta con le chiacchiere, io preferisco i **negozi** con le ultime **tendenze**.
Nei mercati trovi solo gli avanzi. Entriamo da questo Massimo Marra e il gelato
ce lo prendiamo dopo. Prometto!

ANNA (tra sé)   Che pazienza!

1. Nel dialogo tutte le parole e le espressioni che si riferiscono alla moda, ai negozi,
al fare acquisti (compresi i ‹modi di dire›) e all'abbigliamento sono evidenziate
in grassetto. Chiedi aiuto al tuo insegnante se non capisci il significato e poi
trascrivile sotto:

_____

_____

_____

_____

_____

_____

L'italiano di tutti i giorni

Occhio alle espressioni! Ricorda che «fare spese» significa fare shopping, mentre «fare la spesa» significa acquistare cibo e cose utili per la casa.

DENTRO IL NEGOZIO DI ABBIGLIAMENTO

COMMESSA Buongiorno, posso aiutarvi?

SARA Vogliamo solo **dare un'occhiata**.

COMMESSA Fate pure.

ANNA Non sopporto le **commesse** che ti stanno addosso!

SARA Anch'io. Guarda che bei **pantaloni a vita bassa** e con la **zampa di elefante** non esagerata, (indicandoli) mi piacciono questi, di **velluto rosa**.

COMMESSA Li vuole **provare**?

SARA (Tra sé) Oddio che incubo questa **commessa**! (Ad alta voce) Sì, grazie, li provo. Dov'è il **camerino**?

COMMESSA Qua dietro, signorina.

Sara entra nel camerino e **prova i pantaloni**.

SARA Ho sbagliato **taglia**, ho preso la **44** invece della **42**.

ANNA Vado a prenderti la taglia giusta!

Sara **indossa** i pantaloni.

SARA Questi **mi vanno bene**. Senti Anna! Devi essere sincera però! (Pausa di silenzio) **Mi ingrossano**?

ANNA No! **Ti stanno bene**! L'unica cosa è che sembri un confetto rosa!

SARA La solita gentile!

ANNA Ma non dovevo essere sincera? Boh! io non ti capisco.

SARA Va bene! Va bene! Grazie per la sincerità! Comunque ho deciso per il rosa, quest'anno **è di moda**. Quasi quasi prendo anche la **camicetta a righe** per fare un completo. Che **spendacciona** che sono! Ho **le mani bucate**.

ANNA Io invece aspetto la stagione dei **saldi** per comprarmi qualcosa di nuovo e non perché sono **tirchia**, come dici tu, ma perché non sopporto tutto questo consumismo.

SARA Ok, Miss No Global!

Anna comincia ad essere stanca di **vestiti** e ha voglia di gelato. Sara va alla **cassa** e **paga in contanti**.

2. Nel dialogo trovi molte espressioni e parole utilizzate dalle ragazze per «fare acquisti». Individua quelle usate prima, durante e dopo lo shopping.

prima   durante   dopo

_____   _____   _____

_____   _____   _____

_____   _____   _____

_____   _____   _____

_____   _____   _____

_____   _____   _____

_____   _____   _____

3. **Vestiti, accessori, biancheria**. Abbina le parole alle immagini.

___ giacca

___ gonna

___ pantaloni

___ giubbotto

___ cappello

___ camicetta

___ maglietta

___ maglione

___ felpa

___ cappotto

___ cravatta

___ impermeabile

___ camicia

___ calzini

___ cintura

___ portafoglio

___ portachiavi

___ orologio

___ occhiali

___ borsa

___ zainetto

___ pigiama

___ vestaglia

___ mutande

___ reggiseno

___ canottiera

___ scarpe

4. Sono arrivate le nuove ordinazioni e la commessa di un grande negozio del centro deve mettere tutto a posto; aiutala a riordinare le cose! Inserisci nei gruppi relativi gli oggetti dati in ordine sparso

gonna	cravatta	cintura	portachiavi	abito	borsa
vestaglia	ombrello	mutande	zainetto	giacca	pantaloni
camicia	maglietta	maglione	felpa	cappotto	impermeabile
accappatoio	giubbotto	cappello	calzini	portafoglio	costume da bagno
orologio	pigiama	reggiseno	camicetta	sciarpa	camicia da notte
scarpe	canottiera				

Vestiti:

_____

_____

Accessori:

_____

_____

Biancheria:

_____

_____

5. **I colori.** Associa ogni colore ad un elemento della natura, ad esempio: il mare è azzurro; poi prendi una scatola di matite e colora il disegno.

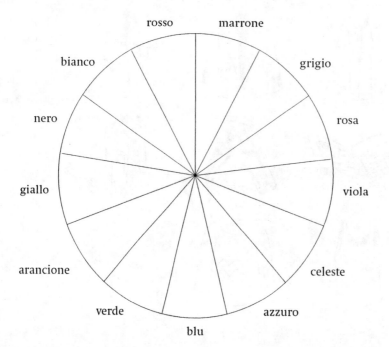

IN ITALIANO ESISTONO ALCUNE FRASI IDIOMATICHE CON I COLORI

Diventare **bianco** come un cencio per la paura; mangiare in **bianco** cioè senza sughi e condimenti.

Rosso come un peperone o diventare **rosso**, cioè arrossire per vergogna, rabbia o commozione.

Essere **nero** dalla rabbia; incavolato **nero**; vedere tutto **nero** cioè avere una visione della vita negativa; periodo **nero**, cioè sfortunato.

Essere al **verde**, cioè senza soldi; **verde** d'invidia.

Essere **giallo** dalla rabbia; diventare **giallo** di paura; ‹**giallo**› cioè film o romanzo poliziesco.

---

6. Adesso riutilizza alcune delle espressioni incontrate sopra e completa le frasi con i colori giusti. **Attenzione al genere maschile e femminile.**

   1. Oggi ho mal di stomaco, il dottore mi ha detto che devo mangiare in

      _____

   2. Giuseppe ha fatto una figuraccia con la sua fidanzata. Ha lasciato il prezzo sul regalo che le ha fatto per il compleanno. Quando se ne è accorto è diventato _____ di vergogna.

   3. Sono veramente arrabbiata. Anzi, sono incavolata _____ .
      Ho perso il portafoglio con tutti i documenti e le carte di credito.

   4. Stefania non può comprare il cd che desiderava perché è al _____ ,
      Deve aspettare il prossimo stipendio.

   5. Ieri sera al cinema abbiamo visto un interessante film _____ .

Conosci L'Italia

ECCO UNA TABELLA DELLE TAGLIE MASCHILI E FEMMINILI

Per la donna	Per l'uomo
la 38 corrisponde ad una extra small	la 44 – 46 è una small
la 40 – 42 è una small	la 48 – 50 è una media
la 44 – 46 è una media	la 52 – 54 è una large
la 48 – 50 è una large	la 56 è una extra large
la 52 – 54 è una extra large	

I TESSUTI POSSONO ESSERE

tinta unita

fantasia

a fiori

a quadretti

a righe

a pois

I TESSUTI E I MATERIALI

la lana

il cotone

la seta

la pelle

7. **Di che stoffa? Di che materiale?** Riordina la parola e inseriscila nella frase

   1. È un tessuto pesante che si usa quando fa freddo: ALAN   _ _ _ _

   2. È un materiale con cui si fanno scarpe e borse: ELEPL   _ _ _ _ _

   3. Le cravatte di solito sono di   ATES   _ _ _ _

   4. È un tessuto che si usa d'estate: TONECO   _ _ _ _ _ _

8. Proposte per parlare o scrivere.

    1. **Parla o scrivi:** Qual è il tuo colore preferito? Perché? A che cosa lo associ?

      _____

      _____

      _____

      _____

    2. **Parla:** A turno chiedi al tuo compagno di che tessuto è il suo abbigliamento.

      Es.: *Di che cosa è fatto il tuo maglione? Di che stoffa sono i tuoi pantaloni?*
      Rispondi: *È di..., sono di...*

9. **L'armadio di Sara.** Inserisci le parole e attenzione perché c'è una parola in più!

calzini	vestiti	maglione	tacco	lungo	da
ginnastica	accappatoio	costume da bagno			

Nell'armadio di Sara ci sono moltissimi _____ perché lei è molto

vanitosa, come tutte le ragazze della sua età. Quando va all'università si mette

un paio di jeans e un _____ , scarpe _____ , un giaccone

e via, pronta per uscire. Il pomeriggio tardi, dopo una giornata di studio, Sara

va in palestra. Prepara la borsa e ci mette una tuta, dei _____ puliti,

l' _____ e il bagnoschiuma per fare la doccia. La sera naturalmente

esce. Inizia allora il rituale della preparazione. Scarpe con il _____ ,

abito _____ , trucco e pettinatura raccolta.

10. Abbina le parole o le espressioni che hanno lo stesso significato.

    ___ 1. tirchio   (A) di tendenza

    ___ 2. mettersi addosso   (B) senza soldi

    ___ 3. al verde   (C) spendaccione

    ___ 4. costare poco   (D) avaro

    ___ 5. alla moda   (E) indossare

    ___ 6. mani bucate   (F) essere economico

LA RUBRICA DI «FASHION»

Care lettrici, questa pagina è per voi. Se avete dubbi su cosa dovete fare per apparire belle, per migliorare il vostro aspetto, scriveteci!

Il mio problema è che sono un po' cicciottella e vorrei un consiglio su come apparire più magra per il matrimonio di mia sorella. Che cosa mi consigli? Ho 25 anni. Sono alta uno e sessantacinque, ho i capelli castani e lisci e la pelle chiara. Mi sento la sorella minore di Bridget Jones. Anna da Firenze

scialle

orecchini

collana

11. Completa con le parole. **Attenzione! C'è una parola in più.**

collana	seta	abito	orecchini di perle
pantaloni	scarpe basse	scialle	

Cara Anna,
ti suggerirei un _____ di _____ , color pastello, magari una fantasia a fiori, visto che siamo in primavera, delle _____ stile anni cinquanta, tipo ballerine, una _____ , degli _____ , uno _____ per entrare in chiesa. A proposito, per quel giorno dimentica di sentirti cicciotella! Spero di esserti stata di aiuto.

12. Proposte per parlare o scrivere.

1. **Parla con il tuo compagno:** Che cosa indossi per essere a tuo agio? Per sentirti veramente te stesso? La moda per te è una cosa superficiale, un modo per apparire tutti uguali, o un gioco per esprimere la tua personalità? Ti vesti in base all'umore?

2. **Scrivi:** Che cosa indossi se devi andare ad una festa elegante? E per una gita in campagna?

_____

_____

_____

_____

3. Secondo te è vero il detto «l'abito non fa il monaco»? Parlane con i tuoi compagni.

LA MANIA DELLE DONNE: LE SCARPE

ANNA   Quest'anno sono di moda le **ballerine**, magari abbinate ad un cappottino classico anni '50, alla Audrey Hepburn, per intendersi!

SARA   Adoro lo stile anni '50, giacche corte, gonne a ruota, pizzi e décolletées.

ANNA   Però d'inverno **un paio di stivali** sono indispensabili. Andiamo a vedere alla Must per me. E dopo da Galestri per te.

SARA   Va bene, io prendo qualcosa di elegante da Galestri.

ANNA   Non avevo dubbi cara, io invece compro dei **comodi stivali**. Ma il gelato? Quando lo prendiamo?

SARA   Giuro, dopo le **scarpe**.

          Dentro al negozio di **scarpe**.

COMMESSO Desiderate?

ANNA   Vorrei degli **stivali neri in pelle morbida** possibilmente **comodi**, senza **tacco**.

COMMESSO Che numero?

ANNA   il 39.

Anna prova gli **stivali** e decide di comprarli. Sara nel frattempo guarda le **ballerine** in vetrina e chiede aiuto al commesso.

SARA   Potrei provare le **ballerine** esposte in vetrina?

COMMESSO **Che numero?**

SARA   Il **36**, grazie.

Sara le prova e decide che prenderà anche lei le **scarpe** alla Must.

Le due ragazze pagano e decidono di tornare a casa perché hanno speso abbastanza e non hanno più neanche i soldi per il gelato.

VORREI UN PAIO DI STIVALI E DI

scarpe basse	scarpe col tacco	scarpe da uomo con le stringhe	mocassini	sandali
pantofole	ciabatte da mare	ballerine	scarponcini	scarpe da ginnastica

13. La scarpiera di Sara.

stivali   ciabatte   scarpe da ginnastica   scarpe col tacco
pantofole   sandali   scarpe basse

Sara ha la fissa delle scarpe, nella sua scarpiera ce ne sono di tutti i tipi.
Dalle _____ per le serate eleganti, alle _____ per
camminare comodamente. Sara ha anche la passione per il mare, e per la
spiaggia possiede delle _____ coloratissime. La sera, al mare, per
uscire con gli amici si mette dei _____ infradito tempestati di
perline. D'inverno quando fa freddo usa gli _____ , per andare in
palestra ha delle bellissime _____ , ma quando rientra a casa la sera,
non vede l'ora di infilarsi le _____ .

La natura e il mondo intorno a noi

1. Leggi i tre brani e usa le parole in grassetto per completare le immagini qui sotto e alla pagina seguente.

Ah, come mi piace il **mare**! D'inverno adoro passeggiare lungo le **spiagge** deserte e guardare le **onde** del mare agitato dal vento. D'estate mi piace stare al sole come una lucertola e poi tuffarmi dagli **scogli** e nuotare a lungo. Sono nata sulla **costa** ligure, vicino alle Cinque Terre e il mare e il vento fanno parte della mia vita. In Liguria non ci sono molte spiagge con la **sabbia** e la costa è alta sul mare. Adesso vado al mare all'Elba, un'**isola** di fronte alla Toscana. Non è male, ma la Liguria mi piaceva di più.

1. _____
2. _____
3. _____
4. _____
5. _____
6. _____
7. _____

Io adoro la **montagna**. Sfortunatamente sono nato nella **pianura** padana. Per me la pianura è triste e monotona. A me piace andare in alto, salire sulle cime delle montagne. In montagna passo tutto il mio tempo libero. D'inverno vado a sciare o a pattinare sui **laghi** ghiacciati. D'estate cammino sui **sentieri**. Parto la mattina presto con lo zaino e cammino tutto il giorno. Al ritorno mi fermo su un **prato** al sole, mangio e mentre mangio (niente è più buono di un panino allo speck mangiato in montagna!) guardo in alto le cime coperte di neve e in basso vedo i **boschi** pieni di colori e alberi differenti. Sono stanco, ma felice.

1. _____
2. _____
3. _____
4. _____
5. _____
6. _____

Ogni volta che ritorno a Firenze dopo un viaggio all'estero capisco perché il
mio paese mi piace così tanto! Quando in aereo volo sopra le Alpi vedo le cime
coperte di neve e in basso le **valli** attraversate dai **fiumi**. Qualche volta, se il
tempo è chiaro e l'aria pulita, vedo anche le mucche che pascolano sui prati
verdi. Quando l'aereo arriva sopra il mare, vedo la costa della Liguria e poi della
Toscana. In mezzo al mare ci sono delle piccole isole con città, porti e barche.
Quando l'aereo si avvicina a Firenze e si abbassa, allora posso vedere meglio la
campagna della Toscana: le sue dolci **colline** piene di **vigne** e di **olivi**, le **case
coloniche** sparse per la **campagna** e attorno gli alberi caratteristici del paesaggio
toscano: i **cipressi**. Allora mi sento a casa.

1. _____
2. _____
3. _____
4. _____
5. _____
6. _____
7. _____
8. _____

2. Descrivi…

1. Il paesaggio che vedi dalla finestra della tua classe.

   _____
   _____
   _____

2. Il paesaggio che vedi da una finestra della tua casa nel tuo paese.

   _____
   _____
   _____

3. Il paesaggio della tua finestra ideale.

   _____
   _____
   _____

3. Ordina le lettere per formare parole relative al mondo della natura.

1.	ERMA	M __ __ __
2.	AGLO	L __ __ __
3.	LICALON	C __ __ __ __ __ __
4.	GASGAPII	S __ __ __ __ __ __ __
5.	BALERO	A __ __ __ __ __
6.	SIALO	I __ __ __ __
7.	GOTAMNNA	M __ __ __ __ __ __ __
8.	UMEFI	F __ __ __ __

4. Per ogni gruppo di parole elimina quella che non va bene e motiva la tua scelta.
Attenzione! C'è più di una possibile risposta.

1.	mare	scogli	montagna	costa
2.	sabbia	montagna	collina	pianura
3.	fiume	spiaggia	valle	montagna
4.	collina	mare	vigna	campagna
5.	olivo	isola	albero	campagna
6.	onda	olivo	bosco	cipresso
7.	spiaggia	scogli	onda	casa colonica

5. Completa le frasi con una parola relativa al mondo della natura. Se vuoi, puoi aiutarti con una cartina dell'Italia.

1. Le Dolomiti sono _____ .

2. Il Mediterraneo è un _____ .

3. La Sicilia è un' _____ .

4. Bellagio è sul _____ di Como.

5. Il Po è un _____ .

6. La _____ amalfitana è famosa in tutto il mondo.

7. Sulle _____ toscane ci sono molte vigne e molti oliveti.

8. Il Valdarno è una _____ .

9. La _____ di Rimini è piena di turisti in estate.

RICORDI DI FRANCESCO

Quando ero bambino, passavo l'estate in Sardegna. I miei genitori preferivano mandarmi al mare e non in montagna. Dicevano che l'aria di mare era perfetta per un bambino. La Sardegna è una bellissima isola del Mediterraneo. Io andavo sempre dai miei zii che avevano una casa sulla Costa Smeralda. Loro erano contadini e passavano tutto il giorno nei campi a lavorare. Io qualche volta li aiutavo e qualche volta andavo al mare con Giuseppe, un mio amico. La mia spiaggia preferita aveva la sabbia rosa e qualche scoglio. Gli scogli della Sardegna sono speciali. Vicino alla casa dei miei zii ce n'era uno a forma di orso. Il mare della Sardegna è molto pulito. Io sapevo nuotare molto bene e mi divertivo a osservare i pesci e le stelle marine.

Giuseppe era il mio più caro amico. Quando non andavamo al mare a nuotare, giocavamo insieme. Vicino a casa sua c'era una collina, ma Giuseppe la chiamava «montagna». Lui non aveva mai visto le Alpi e quindi non poteva capire la differenza. Spesso noi salivamo sulla «montagna» e quando arrivavamo in cima, ci riposavamo all'ombra di qualche albero. Giuseppe e io portavamo sempre qualcosa da mangiare e poi giocavamo a fare gli esploratori. Da lì si potevano vedere le case delle nostre famiglie, quelle di altre persone, la spiaggia, il grande scoglio a forma di orso e un piccolo fiume che scorreva verso il mare.

6. Rispondi alle seguenti domande.

   1. Dove passava le vacanze il protagonista? _____
   2. Perché andava sempre lì? _____
   3. Cosa faceva? _____
   4. Chi era Giuseppe? _____
   5. Dove andavano a giocare i bambini? _____
   6. Cosa facevano sulla «montagna»? _____
   7. Cosa vedevano dalla «montagna»? _____

7. Ora pensa a dove e come passavi le vacanze da bambino. Rispondi alle seguenti domande.

   1. Dove andavi? Descrivi il luogo.
   2. Con chi andavi?
   3. Quando andavi?
   4. Quanto tempo rimanevi lì?
   5. Cosa facevi?
   6. Avevi degli amici?
   7. Ti ricordi qualcosa di speciale relativo alle tue vacanze (una festa, un'avventura, un incidente…)

Quando sei pronto, racconta come e dove passavi le vacanze da bambino a un tuo compagno.

9. Scrivi sul tuo quaderno come e dove passavi le vacanze da bambino.

10. Che cosa può essere... abbina le parole del mondo della natura con i loro possibili aggettivi.

___ isola	(A)	mosso, calmo, profondo, agitato, blu...
_E_ montagna	(B)	fitto, rado, sempreverde, selvaggio, buio...
___ sentiero	(C)	grande, piccola, selvaggia...
___ mare	(D)	coltivato, grande, piccolo...
___ fiume	(E)	alta, bassa, pericolosa, bella, brutta...
___ bosco	(F)	lungo, largo, profondo...
___ campo	(G)	alto, basso, sempreverde...
___ albero	(H)	lungo, corto, largo, stretto, tortuoso...

UNA PASSEGGIATA NEL BOSCO

Studente A

Fai le seguenti domande al tuo compagno. Prendi appunti su quello che ti dice.

Chiudi gli occhi e immagina di camminare in un bosco. Com'è il bosco?

_____

_____

C'è un sentiero? Se sì, com'è fatto? Se no, come cammini nel bosco?

_____

_____

All'improvviso vedi una montagna. Descrivila.

_____

_____

Giri intorno alla montagna e vedi un campo. Com'è?

_____

_____

Interrompi la storia. Adesso devi rispondere alle domande che ti fa il tuo compagno. Quando tutti e due avrete finito, leggi l'interpretazione qui sotto e usala per spiegare al tuo compagno le sue risposte. Il tuo compagno è d'accordo con quello che hai detto?

Interpretazione

Il **bosco** è la vita: la tua descrizione è come vedi la vita in generale.

Se tu vedi un **sentiero**, pensi di dovere vivere la tua vita in un modo specifico. Se tu non vedi un sentiero, pensi di dovere vivere la tua vita liberamente.

La **montagna** rappresenta i problemi che incontri nella vita. Se è molto grande, significa che tu esageri i problemi e vedi tutto più difficile di quello che è in realtà.

Il **campo** rappresenta l'amicizia e come la «coltivi».

Adesso ascolta l'interpretazione del tuo compagno. Sei d'accordo con quello che dice?

UNA PASSEGGIATA NEL BOSCO

Studente B

Ascolta il tuo compagno che ti racconta una storia e prende appunti su quello che tu dici. Dì esattamente quello che pensi. Quando il tuo compagno ha finito, continua tu a raccontare la storia. Fai al tuo compagno le seguenti domande e prendi appunti su quello che ti dice.

Chiudi gli occhi e immagina di camminare anche tu in un bosco. All'improvviso arrivi davanti a un fiume che ti blocca la strada. Com'è? Come lo attraversi?

_____

_____

Quando lo hai attraversato, vedi un prato con un albero. Che albero è? Com'è?

_____

_____

Continui a camminare e arrivi alla fine del bosco. Davanti a te c'è il mare. Com'è?

_____

_____

A qualche chilometro dalla costa vedi un'isola. Com'è? Vuoi andare a esplorarla?

_____

_____

Questa è la fine della storia. Adesso ascolta l'interpretazione del tuo compagno. Che cosa ne pensi? Sei d'accordo? Leggi l'interpretazione qui sotto e usala per spiegare al tuo compagno le sue risposte.

Interpretazione

Il **fiume** rappresenta le tue emozioni. Se è largo e pieno di acqua, sei molto emotivo. Il modo in cui lo attraversi mostra quanto sei impulsivo.

L'**albero** rappresenta l'amore in questo momento della tua vita. È bello e pieno di frutti oppure senza foglie?

Il **mare** mostra se sei ottimista o pessimista. È calmo (ottimista) oppure mosso (pessimista)?

L'**isola** rappresenta il tuo futuro. Vorresti esplorarlo oppure non ti interessa?

Il tuo compagno è d'accordo con quello che hai detto?

12. **Completa il seguente cruciverba.** Nella colonna verticale potrai leggere il
    nome di un parco naturale toscano.

1. _ _ [ ] _ _ _ _ _
2. _ [ ] _ _ _ _
3. _ _ _ _ [ ] _ _ _ _ _
4. [ ] _ _ _ _
5. _ [ ] _ _ _
6. _ _ _ _ _ _ [ ] _
7. _ [ ] _ _
8. _ _ _ [ ] _
9. _ _ _ _ _ [ ] _ _ _
10. _ _ _ _ [ ] _ _
11. _ _ _ _ [ ] _ _
12. [ ] _ _ _ _
13. _ _ _ _ [ ]
14. _ [ ] _ _
15. _ _ _ _ [ ] _
16. _ [ ] _ _ _ _
17. _ _ [ ] _ _ _ _ _
18. _ [ ] _ _

1. È l'albero tipico dei viali sulle colline toscane
2. È il materiale che forma la spiaggia
3. È l'aggettivo che si usa per una pianta che non cambia mai colore
4. È la linea che divide la terra dal mare
5. Molti alberi insieme
6. È un aggettivo che si usa per descrivere il mare
7. È una cosa bianca e molto fredda che si trova sulle montagne d'inverno
8. La sardegna è un'__
9. È il nome di una casa di campagna
10. Quella padana è 46.000 Km2
11. È il verbo che si usa in inverno quando tutto diventa bianco
12. È l'aggettivo opposto di freddo
13. Il po è il __ più lungo d'italia
14. Se al mare non c'è la spiaggia ci sono gli __
15. Può essere bianca, grigia e si trova in cielo
16. È il verbo dell'acqua che scende dal cielo
17. È una piccola strada di montagna che si fa a piedi
18. Il mediterraneo è un __

L'italiano di tutti i giorni

CHE TEMPO FA?

c'è la nebbia

piove

nevica

tira vento

è nuvoloso / ci sono le nuvole

è caldo / fa caldo

è freddo / fa freddo

è sereno

c'è un temporale

UNITÀ DIECI

Viaggi e turismo

VIAGGI E TURISMO

Qui vedi alcuni vocaboli relativi al tema del viaggio: che cosa ti suggeriscono?
Completa lo schema.

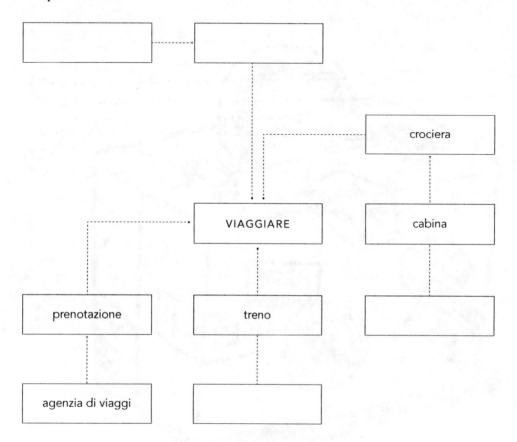

1. Leggi i vocaboli con il tuo compagno e poi scrivine altri che ti vengono in mente

partenza	viaggio	organizzato
campeggio	crociera	vacanza
arrivo	agenzia di viaggi	passaporto
prenotazione	cabina	albergo
valigia	treno	museo
volo		

DI RITORNO DALLE VACANZE

MONICA   Ciao, Luisa, come sei abbronzata! Stai benissimo!

LUISA   Lo credo, sono appena tornata dalle **vacanze** e vorrei ripartire immediatamente.

MONICA   Raccontami un po', dove sei stata di bello?

LUISA   In Scandinavia. Per la prima volta in vita mia ho deciso di **fare una crociera**. In realtà i programmi iniziali erano completamente diversi: pensavo di fare un bel viaggio in Egitto, al caldo, tranquillo… Avevo già fatto **le valigie**, preparato **il passaporto** e tutto il resto, ma poi ci sono stati dei problemi con il **volo aereo** e ho dovuto cambiare i miei piani. Sono andata all'**agenzia di viaggi** e ho prenotato una **cabina** di prima classe per il giro delle capitali del Nord Europa.

MONICA   Ma dai! Lo sai che io non sono mai andata in crociera. Non è un po' noioso stare tutto quel tempo su una nave?

LUISA   Mah no, sai, in realtà no! Anch'io, prima della partenza avevo paura di annoiarmi, poi, invece, mi sono resa conto che non era così male. I **viaggi organizzati**, in fondo, sono molto rilassanti. Fra l'altro c'erano tante persone giovani, così mi sono davvero divertita, anche sulla nave. E tu, invece, che cosa hai fatto quest'estate?

MONICA   È buffo ma anch'io quest'anno ho deciso di fare qualcosa di un po' diverso. Di solito andavo al mare in un **appartamento in affitto**, ma questa volta i miei amici mi hanno convinto ad andare in **campeggio** in Grecia. È stato divertentissimo: **la tenda** era microscopica, ma la spiaggia era fantastica e il mare veramente meraviglioso. Abbiamo fatto dei bagni lunghissimi, stupende passeggiate in riva al mare e la sera andavamo sempre fuori per assaggiare le **specialità della cucina greca**. Ci siamo rilassati e ho fatto un sacco di fotografie.

LUISA   Che bello! Allora perché non ci vediamo una di queste sere? Anch'io ho fatto dei **filmini con la mia videocamera nuova**.

MONICA   Volentieri. Per me va bene anche stasera. Ti aspetto da me verso le otto?

LUISA   Ma sì, perfetto, alle otto arrivo.

3. Rispondi alle domande.

   1. Dove ha passato le vacanze Luisa?
   2. Che tipo di viaggio ha fatto?
   3. Ha prenotato una cabina economica?
   4. Perché Luisa non è andata in Egitto?
   5. Perché quest'anno le vacanze di Monica sono state diverse?
   6. Dove ha dormito?
   7. Che cosa ha fatto Monica in Grecia?
   8. Che cosa fanno le due amiche stasera?

4. Adesso pensa ad una vacanza che hai fatto recentemente.

   1. Dove sei andato?
   2. Con quale mezzo sei andato?
   3. Con chi sei andato?
   4. Dove alloggiavi durante il soggiorno?
   5. Che cosa hai visto?
   6. Che cosa facevi durante il giorno?
   7. Hai visto qualcosa che ti ha colpito particolarmente?
   8. Ti è piaciuta la tua vacanza? Perché?

5. Adesso rivolgi le stesse domande ad un tuo compagno e ascolta il racconto della sua vacanza.

6. Scrivi un breve testo su un dettaglio divertente della tua vacanza.

   _____
   _____
   _____
   _____

7. Scrivi la parola corrispondente alla definizione.

   1. Il contenitore dove puoi mettere i vestiti quando viaggi.
   2. Il documento necessario per viaggiare.
   3. Un «albergo» in mezzo alla natura.
   4. La «camera da letto» sulla nave.
   5. L'ufficio che fissa i biglietti e gli alberghi.
   6. Una vacanza in nave.
   7. Il contrario di «arrivo».
   8. È necessario farla per avere i posti assicurati.

8. Dove siamo?

aeroporto	ristorante	albergo	check in	biglietteria ferroviaria
treno	museo	stazione	deposito bagagli	

1. «Vorrei un biglietto di andata e ritorno per l'Eurostar delle 9.30 per Venezia Mestre.»   _____

2. «Ha del bagaglio a mano?»–«Sì, solo questo zaino.»   _____

3. «Buonasera. Ho una camera doppia prenotata a nome Carbini.»   _____

4. «Buongiorno. Biglietti, prego.»   _____

5. «Un biglietto intero e uno ridotto per studenti, per favore.»   _____

6. «I passeggeri del volo AZ 435 per Bilbao sono pregati di recarsi all'uscita di imbarco numero 8.»   _____

7. «Intercity Michelangelo delle 10.51 proveniente da Roma arriverà al binario 10 anziché al binario 12. Prosegue per Brennero e Monaco.»   _____

8. «Un tavolo per due, per favore.»   _____

9. «È possibile lasciare qui il bagaglio fino a stasera?»   _____

9. Leggi queste espressioni relative al viaggio e inseriscile in una delle tre colonne.

sviluppare le fotografie	prenotare i biglietti	rilassarsi
assaggiare i piatti tipici	disfare le valigie	fissare il volo aereo
fare le valigie	fare fotografie	visitare i musei
degustare i vini locali	comprare i souvenir	divertirsi
prendere il passaporto	salutare gli amici	chiudere il gas
ricominciare a lavorare	lavare i vestiti	mostrare le fotografie agli amici
portare il gatto da un amico		

azioni che si fanno prima del viaggio	azioni che si fanno durante il viaggio	azioni che si fanno dopo il viaggio
_____	_____	_____
_____	_____	_____
_____	_____	_____
_____	_____	_____
_____	_____	_____
_____	_____	_____

10. Abbina le parole alle immagini.

___ deserto   ___ luogo archeologico

___ metropoli   ___ colline toscane

___ città d'arte   ___ paesaggio polare

___ spiaggia   ___ montagna

(1)

(2)

(3)

(4)

(5)

(6)

(7)

(8)

11. **Descrivi le immagini.** In quali di questi luoghi ti piacerebbe passare una vacanza? Perché? Scegli gli aggettivi più adatti a descrivere la vacanza in ognuno dei luoghi presentati nelle foto.

rilassante	rigenerante	culturale	divertente	ecologica	romantica
noiosa	monotona	sportiva	stressante	faticosa	interessante
stimolante	ideale	varia	originale		

CHE BELLO VIAGGIARE!

Giorgio

Faccio il rappresentante per una ditta di computer e passo molto del mio tempo in macchina girando per tutta l'Italia. Mi piace perché è un lavoro stimolante e incontro molte persone interessanti, però quando sono libero voglio solo rilassarmi, restare nella mia città, calmo e tranquillo, con i miei amici e la mia famiglia. Non amo molto viaggiare e le poche volte che lo faccio ho subito voglia di ritornare a casa: in fondo sono un « pantofolaio »!

Alessandro

Mi piace moltissimo viaggiare: come premio per la mia laurea ho fatto un lungo viaggio in India, un posto affascinante sia per il paesaggio che per la gente. Quando sono in viaggio mi piace molto parlare con le persone che incontro: parlare sul treno, per la strada, nei negozi. Sono un tipo molto socievole e curioso. Preferisco entrare in contatto con la gente che vedere monumenti famosi; è proprio questo che mi arricchisce culturalmente. Il viaggio per me comincia molti giorni prima della partenza vera e propria: mi piace prepararmi leggendo libri sulla storia e la geografia del paese che visito. Voglio conoscere culture diverse e nuovi stili di vita.

Alessia

Adoro fare viaggi. Per me viaggiare significa soprattutto divertirsi. Appena ho un po' di ferie e un po' di soldi parto, da sola o con amici. Mi piace andare al mare, fare delle belle nuotate e prendere il sole sulla spiaggia. Non voglio avere orari fissi quando sono in vacanza: esco tutte le sere e la mattina dormo fino a tardi.

Giovanna

Per me viaggiare è visitare quello che rimane del passato, i monumenti, le città antiche: sono le nostre origini e la nostra storia e penso che sia importante conoscerle. Di solito organizzo da sola l'itinerario del mio viaggio; non amo fare viaggi organizzati proprio perché ho bisogno di avere tutto il tempo che voglio per visitare i musei, le chiese e per sentire l'atmosfera del luogo in cui sono.

Rispondi alle domande.

1. Perché Giorgio ama fare una vacanza tranquilla?
2. Che tipo di viaggio piace a Alessandro?
3. Come è la giornata di Alessia quando è in vacanza?
4. Perché a Giovanna non piacciono i viaggi organizzati?

12. Rispondi a queste domande e poi rivolgile a un tuo compagno.

    1. Ti piace viaggiare?

    2. Preferisci viaggiare da solo, con amici o con un viaggio organizzato?

    3. Secondo te è importante vedere posti nuovi e conoscere culture diverse?

    4. Che cosa ti piace fare quando sei in vacanza?

    5. Prima di partire ti prepari leggendo libri sulla storia e la geografia del paese che visiti?

    6. Quando sei sul posto cerchi di entrare in contatto con le persone che vi abitano?

    7. Quando sei in vacanza hai nostalgia del tuo paese? Che cosa ti manca di più?

13. **Adesso ritorna al testo della pagina precedente.** Secondo te qual è la vacanza ideale per Giorgio, Alessandro, Alessia e Giovanna? Perché?

	destinazione	tipo di trasporto	alloggio
Giorgio	_____	_____	_____
Alessandro	_____	_____	_____
Alessia	_____	_____	_____
Giovanna	_____	_____	_____

14. **In viaggio.** Leggi i vocaboli che seguono. Sono parole relative al viaggio. Se non ne conosci alcune, cercale sul vocabolario e poi inseriscile nel diagramma

biglietto	albergo	tenda
macchina fotografica	pensione	treno
video camera	aereoplano	passaporto
visto	campeggio	scarpe comode
agriturismo	nave	valigia
patente	ostello	barca a vela
zaino	guida turistica	bungalow

documenti	accessori	transporti	alloggi
_____	_____	_____	_____
_____	_____	_____	_____
_____	_____	_____	_____
_____	_____	_____	_____
_____	_____	_____	_____

Conosci L'Italia

Leggi il testo e completalo con le parole date. **Attenzione! C'è una parola in più.**

voli	prenotare	camminare	**affittare un appartamento**
turismo	trascorrere	estero	agenzie di viaggio
rilassarsi	fare le valigie		

FINALMENTE ESTATE!

In Italia il mese delle vacanze è agosto; molte industrie, negozi e uffici chiudono e gli italiani vanno in vacanza per _____ e per cambiare aria. La vacanza tradizionale degli italiani è al mare. Molti hanno una seconda casa sulla costa e passano lì quasi tutto il mese. Altre persone invece preferiscono _____ anche solo per quindici giorni. Di solito la vita al mare è abbastanza ripetitiva: si fa il bagno, si prende il sole e si incontrano gli amici la sera, al bar o in un cinema all'aperto. La montagna o il lago rappresentano sicuramente una buona alternativa. Le persone che amano _____ hanno infatti la possibilità di fare lunghe passeggiate nei boschi e sui monti a contatto con la natura. Da qualche anno però, gli italiani fanno vacanze più brevi ma più stimolanti. Molti amano viaggiare, visitare nuove città d'arte e conoscere nuove culture e tradizioni. Molte famiglie si rivolgono alle_____ per organizzare la vacanza, specialmente quando vogliono andare all'_____ , e l'agenzia si occupa di _____ il biglietto, fissare i _____ aerei, trovare gli alberghi ecc. Anche le vacanze "avventurose" hanno grande successo, specialmente tra i giovani. Ci sono agenzie che offrono safari in Africa e trekking per tutti i gusti e tutte le età. Molti giovani amano le vacanze in campeggio, un modo economico e divertente per vivere a contatto con la natura. Negli ultimi anni, poi, si è molto diffuso il _____ enogastronomico che consiste nel visitare paesi diversi assaggiando i piatti tipici e i vini locali. Al mare, in montagna o in mezzo alla foresta equatoriale, la cosa più importante è comunque _____ e partire, vedere paesi nuovi, vivere nuove esperienze da ricordare con gli amici nei lunghi mesi invernali.

Rispondi alle domande.

1. In quale mese vanno in vacanza gli italiani?
2. Dove passano le vacanze, tradizionalmente?
3. Che cosa fanno i turisti che vanno in montagna?
4. Chi sono i turisti che preferiscono le vacanze «avventurose»?
5. Che cosa è il turismo enogastronomico?

UNITÀ UNDICI

Gli animali

ALLA SCOPERTA DELLA FAUNA DEL MONDO

Stanchi delle solite gite «fuori porta»? Avete bisogno di un'idea per passare una giornata in allegria? Perché non andate alla scoperta della natura? Ecco tre destinazioni insolite, ma assolutamente imperdibili.

L'acquario di Genova
Se vi piace il mare e volete fare un affascinante viaggio nel mondo marino, sicuramente l'acquario di Genova fa per voi. Andate alla scoperta delle forme di vita più strane del mondo. Scoprite quali e quanti sono i mostri degli abissi e passate una giornata in compagnia di **foche**, **delfini**, **squali**, **pinguini**, **tartarughe marine** e di **pesci** di tutti i colori e di tutte le forme. Tutti questi animali vivono in una vasca dove è stata ricostruita una barriera corallina.

Lo zoo di Pistoia
Se volete conoscere la fauna del mondo, il giardino zoologico di Pistoia è certamente un luogo da visitare. Lo zoo è stato costruito nel 1970 e da oltre 35 anni affascina grandi e piccini. Si possono ammirare varie specie animali, tra cui **giraffe**, **elefanti**, **orsi**, **serpenti** di tutti i tipi, **scimmie**, **leoni**, e anche vari **uccelli** provenienti da tutte le parti del mondo. Il giardino zoologico di Pistoia lavora attivamente alla conservazione di numerose specie in via di estinzione.

Il parco naturale delle foreste Casentinesi
Questo parco naturale, fra Toscana ed Emilia Romagna, offre dei paesaggi molto suggestivi e molti sentieri dove è possibile camminare da soli o in compagnia. I sentieri sono percorribili sia a piedi che in bicicletta. Camminando o pedalando nella natura, si possono vedere **cervi**, **caprioli**, **lupi**, **volpi**, **cinghiali**, uccelli di vari tipi, e rettili, come la vipera e le **lucertole**. La fauna è protetta e non deve essere disturbata.

---

1. Rispondi alle domande.

    1. Dove si trova l'acquario? _____

    2. Cosa si può scoprire dei mostri degli abissi? _____

    3. Dove si trova lo zoo? _____

    4. Su cosa sta lavorando attivamente il giardino zoologico? _____

    5. Dove si trova il parco naturale? _____

    6. È possibile visitare il parco in bicicletta? _____

2. Scrivi il nome degli animali sotto a ciascuna figura (i nomi sono in grassetto nel testo).

3. Guarda la seguente figura e memorizza i nomi delle parti del corpo degli animali.

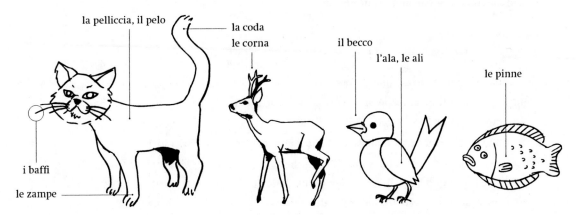

4. Nelle pagine precedenti sono descritti alcuni luoghi dove fare una gita. Parla con un tuo compagno: quale destinazione ti piace e perché? Quali animali che vivono in questi luoghi vi piacciono e perché?

5. In un paragrafo di 50 – 70 parole descrivi il tuo animale preferito. Non scrivere il suo nome. Adesso leggi il paragrafo alla classe. I tuoi compagni hanno indovinato di che animale si tratta?

_____
_____
_____
_____
_____
_____
_____
_____
_____
_____
_____
_____
_____
_____
_____
_____
_____
_____

6. Completa il brano con una delle parole della lista, come nell'esempio.
   Attenzione! C'è una parola in più.

estinzione	gente	orso	pericolo	persone	proteggere
quantità	riserve	specie	vivere	tartarughe	

Nel mondo ci sono molti animali in pericolo di ____estinzione____ , come per
esempio gli elefanti, i panda, le tigri. Tutti conoscono il pericolo che corrono
questi animali perché è molto pubblicizzato. Molta _____ non sa,
invece, che ci sono anche animali meno famosi che sono in grave pericolo. In
Italia, per esempio, ci sono moltissime _____ che hanno bisogno di
protezione. Per questo motivo, sono state create delle _____ e dei
parchi naturali dove questi animali sono in grado di _____ senza
problemi.

Un parco naturale fra i più famosi e belli d'Italia è il Parco del Gran Sasso, che
si trova in Abruzzo. In questo parco, che è grandissimo, si trovano molte specie
in _____ di estinzione, come l'_____ bruno. Sulle Alpi,
si cerca di _____ anche la flora tipica, specialmente le stelle alpine,
le genziane e i rododendri. In Toscana si trova il Parco Naturale della Maremma.
Qui ci sono intere famiglie di cinghiali e cervi, _____ marine e una
grande _____ di uccelli.

7. Scrivi una lettera al WWF e parla dei problemi che gli animali hanno nel tuo
   paese. Scrivi quali sono le tue opinioni e cosa si potrebbe fare per salvarli.

8. **Ora pensa a un'avventura che hai vissuto con un animale.** Rispondi alle
   seguenti domande.

   1. Quando è successo?
   2. Cosa è successo?
   3. Hai avuto paura?
   4. Che tipo di animale era?
   5. Descrivi l'animale.
   6. Eri contento? Eri triste? Eri arrabbiato?
   7. C'erano altre persone oppure eri da solo?
   8. Ti è piaciuta questa esperienza? Perché?

9. **Risolvi il seguente cruciverba.** Nella colonna verticale potrai leggere il nome con cui gli italiani chiamano cani, gatti e criceti.

```
 1.            __ ☐ __ __ __
 2.         __ __ __ ☐ __ __ __
 3.            __ ☐ __ __ __ __ __ __
 4.               ☐ __ __ __ __
 5.            __ ☐ __ __ __ __ __
 6.      __ __ __ __ ☐ __ __
 7.            __ ☐ __ __ __ __
 8. __ __ __ __ __ __ __ ☐ __ __ __ __
 9.         __ __ ☐ __ __ __ __
10.         __ __ ☐ __ __ __ __ __ __ __
11.            __ ☐ __ __ __ __ __ __ __
12.      __ __ __ __ ☐ __ __ __
13.      __ __ __ __ ☐
14.               ☐ __ __
15. __ __ __ __ __ __ ☐
16.               ☐ __ __ __ __ __
17.               ☐ __ __ __ __ __ __ __ __ __
18.         __ __ ☐ __ __ __
```

1. I gatti li hanno molto lunghi e sensibili.
2. I gorilla e gli oranghi sono dei tipi di __ .
3. È un animale tipico italiano. Vive nei boschi ed è simile a un maiale.
4. È un animale con grandi corna che abita nel bosco in italia.
5. È un animale con il collo molto lungo.
6. È un animale con il naso molto lungo.
7. È un tipo di pesce molto aggressivo.
8. È una riserva per gli animali.
9. È una parte del corpo degli animali che i cani usano quando sono contenti.
10. Alcuni animali sono in pericolo di __ .
11. È un animale molto lento che porta sempre con sé la sua casa.
12. **È un luogo artificiale dove stanno molti pesci e creature marine.**
13. È un mammifero che abita nel mare ed è molto intelligente.
14. **È un luogo artificiale dove abitano animali di tutto il mondo.**
15. È la parte del corpo che veste gli animali (come i gatti, le volpi…)
16. All'acquario si possono vedere molte tartarughe __ .
17. È quello che si fa quando un animale è in pericolo (verbo).
18. Animali che sono uguali, fanno parte della stessa __ .

L'italiano di tutti i giorni

Nella lingua italiana colloquiale si usano moltissime espressioni idiomatiche. Molte di queste sono relative agli animali. Completa le seguenti frasi con il nome di un animale, come nell'esempio.

1

1. Marcello canta malissimo. Canta proprio da ____cani____ !
2. Luca è una persona solitaria. È proprio un _____ .
3. Lucia non parla mai! È muta come un _____ .
4. Non prende mai una decisione da solo. È proprio una _____ .
5. Sei un codardo! Sei un _____ !
6. Giorgio è furbo come una _____ .
7. Ho proprio una fame da _____ ! Quando si mangia?
8. Sbrigati! Sei sempre la solita _____ .
9. Quella signora è stupida. È proprio un' _____ .
10. Sei proprio forte come un _____ .
11. Luigi a scuola non va molto bene. È un _____ .

Conosci L'Italia

COME PARLANO GLI ANIMALI!

Gli animali parlano una loro lingua in tutto il mondo. Unisci un suono della colonna di sinistra con l'animale che lo produce.

___ chicchirichì (cantare)

___ bau bau (abbaiare)

___ muuuu (muggire)

___ pio pio (pigolare)

___ miao (miagolare)

___ coccodè

___ iioo iioo (ragliare)

___ iiiiiiiiii (nitrire)

___ cip cip (cinguettare)

___ beeeee (belare)

(1)

(2)

(3)

(4)

(5)

(6)

(7)

(8)

(9)

(10)

10. **Facciamo un test psicologico!** Segui le istruzioni qui sotto e poi leggi il risultato alla fine di questa unità.

1. Scrivi il nome del tuo animale preferito e scrivi anche 3 aggettivi che lo descrivono.

   _____   _____
                               _____
                               _____

2. Scrivi il nome dell'animale che non ti piace per niente e 3 aggettivi che lo descrivono.

   _____   _____
                               _____
                               _____

3. Scrivi il nome di un altro animale che ti piace e 3 aggettivi che lo descrivono.

   _____   _____
                               _____
                               _____

11. Leggi la seguente favola di Esopo.

IL LEONE E LA LEPRE

Un leone trova una lepre addormentata e si prepara a divorarla, quando vede passare un cervo. Decide allora di lasciare la lepre e correre dietro al cervo per mangiarlo. La lepre, svegliata dalla confusione, scappa via. Dopo una lunga corsa, il leone capisce che non può prendere il cervo e così, esausto, torna dove era la lepre. Sfortunatamente la lepre non è più là.

La morale della favola è: *chi troppo vuole, nulla stringe.*

12. Abbina le due parti dei proverbi, come nell'esempio.

   _C_ Chi troppo vuole,   (A) fa la forza
   ___ Chi la fa,   (B) l'aspetti
   ___ Chi fa da sé,   (C) nulla stringe
   ___ L'unione   (D) fa per tre

13. Con un compagno inventa una favola dove sono protagonisti gli animali per illustrare uno dei proverbi dell'esercizio precedente.

_____

_____

_____

_____

_____

_____

_____

_____

_____

_____

_____

_____

14. **Metti gli animali della seguente lista nel gruppo secondo te più adatto.**
    Cerca i nomi che non conosci sul tuo dizionario.

rinoceronte	piccione	pesce rosso	foca	mucca	pecora
leone	aquila	tartaruga	cervo	giraffa	elefante
squalo	gallina	anatra	oca	orso	maiale
coniglio	pappagallo	pinguino	mulo	asino	leopardo
cavallo	gazzella	ghepardo	balena	lupo	cane
gatto	criceto	serpente	scimmia	cinghiale	capriolo
capra	gorilla	lepre	delfino	topo	

animali della fattoria	amici a quattro zampe	animali dell'acqua	animali dell'aria	animali del bosco	animali della giungla e della savana

15. Adesso dividi gli animali dell'esercizio precedente in altri quattro gruppi, per
    esempio: grandi–piccoli; domestici–selvaggi; ecc.

16. Crea un alfabeto degli animali, con un animale per ogni singola lettera. Aiutati
    con il dizionario.

A _____	H _____	Q _____
B _____	I _____	R _____
C _____	L _____	S _____
D _____	M _____	T _____
E _____	N _____	U _____
F _____	O _____	V _____
G _____	P _____	Z _____

Risultati test psicologico

A Il primo animale è come ti piacerebbe essere e i 3 aggettivi descrivono
   come vorresti essere.

B Il secondo animale rappresenta le persone che non ti piacciono e le
   caratteristiche che non ti piacciono in loro.

C Il terzo animale è come sei veramente e gli aggettivi che ti descrivono.

Il corpo umano

1. _____
2. _____
3. _____
4. _____
5. _____
6. _____
7. _____
8. _____
9. _____
10. _____
11. _____
12. _____
13. _____
14. _____
15. _____
16. _____
17. _____
18. _____
19. _____
20. _____
21. _____
22. _____
23. _____
24. _____
25. _____
26. _____
27. _____

1. **Espressioni idiomatiche.** Nella lingua italiana ci sono moltissime espressioni idiomatiche, modi di dire. Le varie parti del corpo sono spesso usate come elementi di queste espressioni. Qui ce ne sono due serie esemplificative. Ricostrusci le espressioni con la parte del corpo mancante (attenzione al numero di riferimento!) e collegale con il significato corretto.

_D_ 1. È una persona con la __ __ __ __ __ sulle __ __ __ __ __ __ e non lascerebbe mai il suo lavoro per cercare di diventare una star di Hollywood (1,4)

___ 2. Ehi! Mi hai fatto cadere e non mi chiedi neanche scusa!? Hai proprio una bella __ __ __ __ __ __ **di bronzo!** (2)

___ 3. Il dottor Panzacchi è sempre così gentile e rilassato. E' veramente **alla** __ __ __ __ __! (6)

___ 4. La professoressa Sarti è un'insegnante **di** __ __ __ __ __: i suoi studenti sono sempre molto disciplinati (10)

___ 5. Quando parli della disoccupazione giovanile, metti proprio **il** __ __ __ __ **sulla piaga** per i problemi sociali in Italia. (7)

___ 6. Bin Laden è il capo di Al Qaeda, ma Al Zawahiri è il suo __ __ __ __ __ __ **destro.** (5)

___ 7. Ieri sera ho davvero alzato **il** __ __ __ __ __ __! Oggi non mi ricordo più niente. (9)

(A) È una persona che sa essere ferma e imporre il proprio punto di vista.

(B) Tocchi il punto, doloroso, del problema.

(C) È una persona con cui si parla e si sta bene, non formale e non «difficile».

(D) È una persona concreta e responsabile.

(E) È il suo aiutante, quello che prende il suo posto quando non c'è.

(F) Ho bevuto molto, mi sono ubriacato.

(G) Sei una persona che non si vergogna di niente.

_E_ 1. All'inizio la squadra vinceva sempre, poi la fortuna le ha voltato **la** __ __ __ __ __ __ __ (11)

___ 2. Alessandro partecipa ai campionati italiani di nuoto e studia medicina con ottimi risultati: è veramente un ragazzo **in** __ __ __ __ __. (16)

___ 3. Non sono un sognatore: sono uno con i __ __ __ __ __ __ **per terra** (18)

___ 4. Oggi mi hanno rubato 200 euro. Ho un **diavolo per** __ __ __ __ __ __ __! (22)

___ 5. Quanto sarà grande questa stanza? A __ __ __ __ __ __ **e croce** 20 metri quadri (21)

___ 6. Questi sono fatti miei! Smettila di **ficcare il** __ __ __ __ dappertutto! (23)

___ 7. E' insopportabile: **mette** sempre **la** __ __ __ __ __ **in** fatti che non lo riguardano. (24)

(A) È una persona brava, valida.

(B) Sono arrabbiato da morire, sono furioso

(C) Calcolando approssimativamente.

(D) Non ti occupare degli affari privati degli altri, non essere troppo curioso.

(E) Non ha dato più il suo appoggio e aiuto.

(F) Vuole sempre esprimere la propria opinione, anche in questioni non sue

(G) Sono una persona pratica, concreta.

ESPRESSIONI IDIOMATICHE «IN CONFUSIONE»

2. **Ritrovi qui alcune delle espressioni che hai visto prima.** Le espressioni
hanno l'ordine delle parole confuso. Prima rimettile in ordine, poi inseriscile
nell'esercizio, naturalmente al posto giusto!

1. spalle testa sulle   _____

2. ho per diavolo un capello   _____

3. terra per i piedi   _____

4. gamba in una ragazza   _____

5. naso il ficca   _____

6. bocca mette   _____

7. bronzo di faccia   _____

8. il avevi gomito alzato   _____

9. destro braccio   _____

10. il piaga sulla dito   _____

3.

GIULIA   Che peccato! Hai lasciato Luisa! Ma perché? È una così brava ragazza. Carina,
intelligente con la _____ !

MAURIZIO Sì, sarà per quello. Forse è troppo seria e responsabile. Io ho bisogno di una
persona che sia anche un po' pazza, che mi stimoli e mi sorprenda: una persona
capace di sognare. Non una sempre con _____ .

GIULIA   E l'hai lasciata per questo?

MAURIZIO Beh, poi diciamo la verità: ha anche un altro paio di caratteristiche che proprio
non sopporto. Non si fa mai i fatti suoi, _____ dappertutto ed è
anche un po' presuntuosa: infatti ha sempre consigli non richiesti da dare e deve
sempre _____ in questioni che non la riguardano.

GIULIA   Non sembri molto dispiaciuto. Lei sta soffrendo per questa tua decisione!

MAURIZIO Beh, le passerà…

GIULIA   Hai proprio il cuore di pietra. Dopo tutto quello che ha fatto per te!

MAURIZIO Che? Ho fatto più io per lei!

GIULIA   Che _____ hai! Hai già dimenticato di quella sera che tu avevi
beh… diciamo che _____ e avevi iniziato a litigare con i poliziotti?
Se non era per lei eri ancora in prigione! Per non parlare del fatto che ti ha
raccomandato al suo capo. Lui ti ha preso a lavorare con sé ed ora sei quasi il suo
_____ nella ditta.

MAURIZIO Ahi! Ecco: il lavoro! Hai proprio messo _____ ! Lavoro, lavoro, lavoro!
Per lei non esiste altro. Va bene, è brava, è _____ ma ci vuole anche
un po' di improvvisazione nella vita, no?

GIULIA   Basta, basta…non voglio più parlare con te. Perdo la calma a sentire certe cose.
Prima ero tranquillissima e adesso _____ !

4. Ed ora, per le situazioni che seguono, usa di nuovo le espressioni che hai imparato.

1. Una ragazza brava in quello che fa, simpatica e onesta è _____ .

2. La regina Elisabetta II deve essere molto formale. Non può essere _____ .

3. L'avvocato oggi non c'è, ma posso decidere io perché sono il suo _____ .

4. Basta con i politici che non hanno le idee chiare, che non prendono mai decisioni! Come presidente vogliamo un uomo _____ .

5. Ho _____ ! Stamani prima ho perso il treno e poi mi hanno rubato lo zaino!

6. Prima sono sempre tutti amici! Poi, nel momento del bisogno, tutti ti

   _____ .

7. Non credo che Sergio sia giovanissimo. _____ avrà circa 40 anni.

8. Quel calciatore ha fatto goal con la mano ma esulta come un pazzo. Mamma mia che _____ !

9. Il mio psicologo ha capito tutto dei miei problemi. Mi ha domandato se da bambino avevo un buon rapporto con mio padre. Con quella domanda

   _____ .

10. Ho un mal di testa! Ieri alla festa tutti noi _____ .

DAL DOTTORE

PINO	Dottore, sono proprio a pezzi! Questa volta mi sono ammalato seriamente.
DOTTORE	Mi dica: che cosa si sente?
PINO	Allora, prima di tutto dolori: ho mal di testa, mal di denti, mal di gola, mal di schiena, mal di stomaco e mal di pancia…
DOTTORE	Ah…soltanto?
PINO	Ho anche la tosse, il raffreddore (non faccio che starnutire) e credo di avere l'influenza con la febbre, ma la cosa peggiore è la schiena. Appena mi muovo, sento dolori acuti alla colonna vertebrale.
DOTTORE	Mmm…lungo tutta la spina dorsale?
PINO	Sì, proprio per tutta la lunghezza. Fino in alto: ho un torcicollo!
DOTTORE	Beh, però la sua postura è perfetta. Comunque le faccio una richiesta per una visita specialistica da un ortopedico e intanto può prendere questi antinfiammatori. Poi?
PINO	Mal di denti: mi fa male un molare…da morire! E ho tutta la guancia gonfia!
DOTTORE	Boh…io non vedo niente. Comunque, che ci posso fare? Vada da un dentista. Passiamo alla gola.

PINO   E' tutta infiammata, mi fa male ad inghiottire, ma anche a tossire, a starnutire e a sbadigliare!

DOTTORE   Eh, addirittura! E se respira? Non risponda, scherzavo. Faccia un po' vedere: apra la bocca e faccia «aaaaaaa»

PINO   Aaaaaaaaaaaaaaaaaaaaaaaaaaaaaa...

DOTTORE   Beh, è un po' rossa, forse, ma io aspetterei prima di prendere gli antibiotici. Se poi dovesse peggiorare, glieli prescrivo. La testa?

PINO   Mmm...mi fanno male le tempie. Mi sembra che stiano per scoppiare.

DOTTORE   Per questo dovrebbero essere sufficienti gli antinfiammatori che le ho già prescritto per la schiena. Altre cose?

PINO   Mi fanno male lo stomaco e la pancia.

DOTTORE   Come...tutti e due? Allo stesso tempo?

PINO   Sì, ho la nausea da due giorni e forti dolori intestinali.

DOTTORE   Mi faccia sentire...

PINO   Ahi! Ahi!

DOTTORE   Ma se non l'ho neanche toccata! Vuol dire che le prescriverò anche queste pillole da prendere dopo i pasti. Finito?

PINO   Le sembra poco?

DOTTORE   No, se devo dire la verità, a me sembra che lei non stia male e che, tutt'al più, sia un po' ipocondriaco. Provi a pensare ad altro: vedrà che migliorerà subito! Guarirà istantaneamente!

5. Rispondi alle domande.

1. Pino ha mal di stomaco, mal di testa e...? _____

2. Dove sono localizzati i dolori alla schiena di Pino? _____

3. La colonna vertebrale si chiama anche... _____

4. Che cosa ha Pino di gonfio (forse) a causa del mal di denti?_____

5. Com'è la gola di Pino? _____

6. La gola gli fa male quando _____ , quando _____ ,

    quando _____ e quando _____ .

7. Il dottore gli prescriverà gli antibiotici solo se la gola... _____

8. In che parte della testa è localizzato il dolore di Pino? _____

9. In che modo a Pino fa male lo stomaco? _____

10. Se Pino riuscirà a pensare ad altro... _____

DOLORI

6. Ci sono solo 6 espressioni con «mal di…» in italiano, e corrispondono ai dolori e malesseri più comuni. Per gli altri si usa l'espressione «mi fa/fanno male…». Completa l'esercizio secondo i suggerimenti degli esempi.

Ho mal di testa.

Hai _____

Elena ha _____

Giorgio ha _____

Silvia ha _____

Luca ha _____

Mi fa male una mano.

Le fanno male i piedi.

Gli _____

Gli _____

Ti _____

Le _____

Mi _____

Gli _____

7. **Come si dice?** Trova il vocabolo corrispondente alle definizioni.

   1. La mia gola è irritata, è arrossata, è I __ __ __ __ M __ __ __ A

   2. «Usare» l'aria per il nostro organismo. Attività indispensabile per la nostra vita: R __ __ __ __ __ __ __ __ E

   3. Mandare giù il cibo: I __ G H __ __ __ __ __ __ E

   4. Fare «etcì!» S __ __ __ __ __ __ __ E

   5. Spesso è un virus e viene con febbre, mal di gola, mal di stomaco, ecc… I __ F __ __ __ __ __ __ A .

   6. Dopo l'incidente la mia caviglia è più grossa, sembra una palla; è G __ N __ __ A

   7. Il contrario di P __ G G I __ R __ __ E è M __ __ __ __ __ __ __ __ E

   8. Il contrario di A M M __ __ __ R S I è G __ __ __ __ __ E

   9. Quando si fa spesso «etcì!» è perché si ha un bel R __ __ __ __ __ D D __ __ E

   10. Si fa «etcì!», ma quando la gola e le vie respiratorie sono irritate è frequente anche T __ S S __ __ E

   11. Quando sei su una nave con il mare grosso, hai mal di stomaco; hai la N __ __ __ __ __ A

   12. Le zone a lato della fronte, dove spesso è localizzato il mal di testa: le T __ __ __ __ __ E

Conosci L'Italia

BARBA E CAPELLI: COME LI PORTANO GLI ITALIANI

Si dice che gli italiani siano molto attenti a come si vestono; che abbiano molto senso estetico e che seguano molto la moda, magari con un po' di conformismo.

Quest'ultima caratteristica la conservano probabilmente anche per il modo di portare i **capelli** (1) e, per gli uomini, **i peli** (2) del viso: ad esempio **la barba** (3) e **baffi** (4).

In questo primo decennio del 21 esimo secolo i baffi sono un po' fuori moda, mentre **il pizzo** (5) lo si vede dappertutto. Abbastanza «trendy» sono anche **le basette** (6), specie se sottili, lavorate al rasoio. Qualcuno ha riscoperto **la «mosca»** (7) (cioè un piccolo ciuffo di peli sul mento) mentre le barbe lunghe e incolte sono decisamente alternative.

Per quanto riguarda i capelli, sempre più uomini nascondono un inizio di calvizie con tagli «**a zero**» (8). Oggi non solo gli estremisti di destra hanno i capelli rasati, ma anche rispettabilissimi impiegati di banca.

E le donne? Che dire? Continuano ad alternare acconciature e punti di colore come hanno sempre fatto: **capelli raccolti** (9), **capelli sciolti** (10), **con la frangia** (11), **le trecce** (12), **la coda** (13), ecc...

1,3,4. i capelli, la barba, i baffi

2. i peli

5. il pizzo

6. le basette

7. la «mosca»

8. i capelli tagliati a zero

9. i capelli raccolti

10. i capelli lunghi

11. la frangia

12. le trecce

13. la coda

VIENI AL CENTRO BENESSERE «IL FUSTO E LA PUPA»! DA NOI TROVERAI:

Ginnastica dolce, stretching e corpo libero – Esercizi ed attività per ritrovare il piacere di un corpo tonico e sano, senza ricercare la prestazione sportiva.

Body building – Esercizi con pesi, attrezzi e le macchine più moderne per modellare il tuo corpo e sviluppare la tua forza e resistenza muscolare.

Aerobica – Ginnastica per tonificare il tuo corpo, ma anche per dimagrire e riacquistare la tua linea divertendoti.

Troverai le più avanzate attrezzature ed il consiglio dei nostri espertissimi personal trainer.

«Il Fusto e la Pupa» è anche **solarium** (per un'abbronzatura perfetta), **centro estetico** (per la bellezza della tua pelle) e **centro acconciature** (per dei capelli al passo coi tempi).

AL «CENTRO BENESSERE»

GLORIA   Ehi, Cecilia! Guarda un po' questa pubblicità. Che dici? Quasi quasi ci vado. È da un po' di tempo che mi ripeto che devo perdere qualche chilo. Magari con l'aerobica è meno noioso. Vieni con me?

CECILIA   Mm...per la palestra direi di no. Non mi piace fare fatica e non ho voglia di stare due ore a saltare, fare piegamenti e sollevare pesi. Però credo che ci farò un pensierino lo stesso. L'idea della «lampada» non è male. Prima di andare al mare vorrei essere un po' abbronzata. Ed anche l'idea del centro estetico non mi dispiace: mi voglio far fare un bel massaggio e la manicure. Voglio delle belle unghie, finalmente! E poi hanno anche il parrucchiere!

GLORIA   Io prima di pensare alle unghie devo buttare giù 5 o 6 chili almeno. Sono ingrassata più del solito questo inverno. Poi fare aerobica è un po' come ballare, no?

CECILIA   Eh, eh...siamo veramente diverse: tu vai in palestra per sudare, io per rilassarmi! Ma in realtà tutte e due ci andiamo per farci più carine.

8. **E tu e i tuoi compagni?** Intervistane uno/a e prendi nota delle risposte.

   1. Vai spesso nei centri di fitness, nelle palestre e nei centri estetici?

      _____

   2. Che cosa ci vai a fare? Quali sono le tue attività preferite?

      _____

   3. Quanto è importante per te avere un corpo tonico e allenato?

      ☐ per niente   ☐ poco   ☐ abbastanza   ☐ molto

   4. Dal punto di vista estetico, per una donna consideri più importante

      ☐ la linea   ☐ le unghie   ☐ l'acconciatura   ☐ l'abbronzatura

   5. Che cosa dovrebbe fare una donna per mantenersi in forma?

      _____

   6. Ed un uomo?

      _____

   7. Un uomo per te sta meglio

      ☐ con il pizzo   ☐ con baffi e barba   ☐ rasato a zero   ☐ con i capelli lunghi

---

Conclusione

In base alle sue risposte il tuo compagno/la tua compagna ti sembra:

☐ Una persona con un fortissimo senso estetico.

☐ Una persona che cura il suo corpo.

☐ Una persona che non ha interesse ad essere bella.

9. **Parole, parole…** Trovi sotto una lista di parole. Inseriscile nella colonna a sinistra e collegale al/ai loro campi di appartenenza a destra.

> Ⓐ Body building / aerobica / stretching
>
> Ⓑ Centro estetico solarium
>
> Ⓒ Barbiere / parruchiere

capelli sciolti	la frangia	le unghie	i baffi
il massaggio	i peli	l'abbronzatura	gli attrezzi
~~le attività~~	la palestra	sudare	le trecce
carine	i piegamenti	la pelle	dimagrire
~~tonificare~~	ingrassare	la coda	saltare
le basette	capelli raccolti	l'acconciatura	il pizzo

A___ 1. Cose che si fanno _____*attività*_____ .

___ 2. Macchine per gli esercizi: _____ .

___ 3. Ragazzi e ragazze con i capelli lunghi possono legarli e portare _____ .

___ 4. Il colore dato dal sole alla pelle _____ .

___ 5. Il posto per fare ginnastica _____ .

___ 6. Perdere liquidi attraverso la pelle _____ .

___ 7. I «capelli» che non sono sulla testa ma sul resto del corpo _____ .

___ 8. Una manipolazione del corpo molto rilassante _____ .

___ 9. Il modo con cui si portano i capelli _____ .

___ 10. Un tipo di barba che lascia libere le guance _____ .

___ 11. Alle estremità delle dita (qualche volta si colorano) _____ .

A___ 12. L'effetto che si ricerca con gli esercizi per i muscoli _____*tonificare*_____ .

___ 13. Per farle, si dividono i capelli in tre parti _____ .

___ 14. Non bellissime, graziose _____ .

___ 15. Perdere peso _____ .

___ 16. Acquistare peso _____ .

___ 17. L'involucro del corpo _____ .

___ 18. Solo pochi uomini li portano (sopra le labbra) _____ .

___ 19. Staccarsi da terra per un secondo (o meno) _____ .

___ 20. Se i capelli non sono sciolti, sono _____ .

___ 21. Movimenti che portano la testa vicino ai piedi _____ .

___ 22. Le hanno gli uomini (congiungono la barba ai capelli) _____ .

___ 23. Se sciolgo i capelli raccolti, diventano _____ .

___ 24. Le ragazze con i capelli tagliati diritti sopra gli occhi hanno _____ .

Feste e gastronomia regionali

FESTE E TRADIZIONI ITALIANE

1. Matteo Rossi, marito di Letizia e padre di un bimbo di 4 anni di nome Franco,
   scrive un'e-mail al fratello Lorenzo che lavora a New York da un paio d'anni.

---

matteo rossi
_____

Da: "Matteo Rossi" <matteo.rossi@libero.it>
A: <lorenzo.rossi@virgilio.it>
Data invio: lunedì 4 gennaio 2006 ore 11.15
Oggetto: Feste natalizie

Caro Lorenzo,

come va? Mille grazie per il bel biglietto di auguri da New York. E' molto tempo che non ci sentiamo
e ho tante cose da raccontarti. Comincerò dall'inizio e cioè...dal presepio!

Come sai, se c'è una cosa a cui non riesco a rinunciare nel periodo natalizio è proprio il presepio.
Anche quest'anno sono salito in soffitta e ho preso la scatola verde con i personaggi, il muschio,
la stella cometa e tutto il resto. Quando l'ho aperta però sono rimasto fulminato: mancava il
Bambino Gesù!

Sono corso da Letizia, che stava preparando l'albero di Natale nel soggiorno, e ho chiesto
spiegazioni. Anche lei è rimasta sorpresa. Il bel Bambino Gesù, che nonna Ines aveva comprato a
Napoli tanti e tanti anni fa, era scomparso misteriosamente dalla scatola: ma dove era andato a
finire? A un tratto mi è venuto un terribile sospetto. Sono entrato nella cameretta di Franco (pochi
giorni fa ha compiuto 4 anni) e ho dato un'occhiata in giro. Il Bambino Gesù era sul suo comodino,
accanto a un Tyrannosaurus Rex e una macchina della polizia... Che tenerezza, eh?

Naturalmente anche quest'anno abbiamo trascorso il Natale in famiglia (Natale con i tuoi, Pasqua
con chi vuoi...). Eravamo in otto. Mancavi solo tu. La mamma ha preparato il consueto pranzo
tradizionale: antipasto, tortellini in brodo, cappone lesso, insalata. Per dolce abbiamo mangiato un
ottimo panettone artigianale. Dopo pranzo c'è stato lo scambio dei regali, e devo dire che stavolta
Babbo Natale è stato generoso con tutti. Franco ha molto apprezzato il giocattolo che gli hai
mandato dagli Stati Uniti: grazie del pensiero.

Nel pomeriggio abbiamo giocato a tombola e nonna Roberta (che di tanto in tanto si addormentava
sulla sedia) ha vinto una fortuna! Insomma, abbiamo passato una giornata piacevole e divertente in
famiglia.

Per il veglione di S. Silvestro Letizia e io abbiamo lasciato Franco a casa di mamma e siamo andati
a festeggiare da alcuni nostri colleghi che hanno una villa in collina. C'era un sacco di gente,
però tutto era ben organizzato. Abbiamo mangiato in allegria (un cenone a base di frutti di mare:
una delizia!) bevendo spumante e champagne in abbondanza... Quando è scoccata la mezzanotte, il
terrazzo della villa si è trasformato in una base di lancio di fuochi d'artificio e di petardi
di tutti i tipi. Abbiamo ballato, riso e scherzato come matti. E siamo tornati a casa alle 5 del
mattino...

Il Capodanno, invece, l'abbiamo passato a casa nostra. Nel pomeriggio abbiamo visto un bel cartone
animato sugli animali della foresta, che nonno Guido ha regalato a Franco.

E tu, come hai trascorso le feste natalizie a New York? Ti sei divertito? Non mi dire che hai
lavorato tutto il tempo, eh? Raccontami quello che hai fatto, sono curioso, e dimmi un po' come si
festeggia il Natale negli States. Saluta tanto da parte nostra la tua nuova fidanzata americana, non
vediamo l'ora di conoscerla...

Spero di abbracciarti al più presto, caro fratello. Stammi bene e non lavorare troppo, capito?

TANTI AUGURI da tutti noi. A presto

Matteo

PS - Ah, dimenticavo: per la Befana, accanto alla calza con le caramelle e il torrone, Franco
troverà una piccola bicicletta tutta gialla... Chissà che faccia fa quando la vede...

2. Vero o falso?

1. Matteo ha sempre poca voglia di fare il presepio.	V	F
2. Nella scatola verde c'erano tutti i personaggi del presepio.	V	F
3. Letizia ha capito che Franco aveva preso il Bambino Gesù.	V	F
4. Matteo, Letizia e Franco hanno passato il Natale in famiglia.	V	F
5. Soltanto Franco ha ricevuto molti regali per Natale.	V	F
6. Nonna Roberta ha perso a tombola tutto quello che aveva.	V	F
7. Matteo e Letizia hanno passato la sera di S. Silvestro in famiglia.	V	F
8. Lorenzo ha passato le feste di Natale negli Stati Uniti.	V	F
9. Per la Befana, Franco riceverà un cartone animato sugli animali della foresta.	V	F

3. Abbina le frasi alle immagini e scrivi il nome giusto.

1. È vestito di rosso e ha una lunga barba bianca. Porta i regali ai bambini.
2. Il 6 gennaio i bambini buoni ne ricevono una piena di dolci; quelli cattivi, una piena di carbone.
3. Si mettono sotto l'albero di Natale e si distribuiscono il 25 dicembre.
4. È il dolce tipico del periodo natalizio.
5. Si beve in Italia per festeggiare l'Anno Nuovo.
6. È composto da molte statuine e rievoca la nascita di Gesù Cristo.
7. È il gioco tradizionale delle feste natalizie. Comprende i numeri da 1 a 90.
8. È molto vecchia e porta i regali ai bambini la notte del 6 gennaio.
9. Viene dalla foresta ed è abbellito con luci e palle colorate.
10. Si scrive e si spedisce per augurare un «Buon Natale e Felice Anno Nuovo»

◯ _____

◯ _____

◯ _____   ◯ _____   ◯ _____   ◯ _____

◯ _____   ◯ _____   ◯ _____   ◯ _____

ALCUNE FESTIVITÀ NAZIONALI

♦	festività religiose
❂	ricorrenze non festive
☼	festività civili

festivita'	significato della festa	che cosa si fa – usanze e costumi
♦ **Epifania**, 6 gennaio (com.: **Befana**)	Celebra la manifestazione della divinità di Gesù Cristo ai Re Magi	La Befana è una vecchia brutta ma buona. Nella notte tra il 5 e il 6 gennaio lascia regali e dolci (che mette nelle «calze») ai bambini buoni; a quelli cattivi, invece, lascia carbone; in famiglia si gioca a tombola
Carnevale, dal 7 gennaio alla Quaresima	Antica festa, dedicata al divertimento e all'allegria	La gente si veste in maschera, **sfila** per le strade; partecipa a feste mascherate, lancia coriandoli, stelle **filanti** e fa scherzi; in alcune città si organizzano cortei con carri allegorici
❂ **S. Valentino**, 14 febbraio	Festa degli innamorati	Gli innamorati si scambiano un regalo a forma di cuore, spesso di cioccolato
❂ **Festa della Donna**	Ricorrenza in memoria di 129 operaie in sciopero, morte nel 1908 nell'incendio di una fabbrica di New York	Le donne ricevono un rametto di mimosa in **fiore**
♦ **Pasqua**, marzo/aprile	Festa della Resurrezione di Gesù Cristo	Nelle settimane che precedono la festa si fanno accurate pulizie nelle abitazioni; il sacerdote passa a benedire la casa; nel giorno di Pasqua i bambini ricevono in regalo uova di cioccolato che contengono una sorpresa; in alcune regioni si dipingono uova che vengono nascoste e poi cercate all'aperto
☼ **Festa della Liberazione**, 25 aprile	Festa della liberazione all'occupazione nazifascista (1945)	Nelle città più importanti si organizzano cortei popolari cui partecipano ex combattenti della Resistenza e uomini politici
☼ **Festa del Lavoro**, 1 maggio	Festa di tutti i lavoratori	Nelle città più importanti si organizzano cortei e **sfilate** popolari; a Roma i sindacati organizzano un grande concerto con cantanti italiani e stranieri
♦☼ **Ferragosto**, 15 agosto	Festa dell'Assunzione in cielo di Maria Vergine	Moltissimi italiani lasciano le città a causa del caldo; in alcune località si organizzano processioni e lancio di fuochi di **artificio**

che cosa si mangia e si beve	■ **espressioni tipiche** ● **saluti e auguri** ▲ **lessico**
panettone, pandoro, torrone, panforte, frutta secca, spumante, champagne	■ *La Befana vien di notte /con le scarpe tutte rotte…* ▲ la calza; il carbone
varie specialità, ad es. dolci, diversi da regione a regione (frappe, cenci, ecc.)	■ *A Carnevale ogni scherzo vale!* ● Buon Carnevale! ▲ i coriandoli; le stelle filanti; la maschera (di Carnevale); il costume di Carnevale
cioccolatini; Baci Perugina	
	● Buon 8 marzo! ▲ la mimosa
uova benedette in chiesa; agnello o capretto; colomba pasquale	■ *Natale con i tuoi, Pasqua con chi vuoi!* ■ *essere felice come una Pasqua* ● Buona Pasqua!

Altre festività nazionali

- ⚊☀ **Capodanno** , 1 gennaio

- ⚊ **Lunedi' dell'Angelo** (o Pasquetta), lunedì dopo la Pasqua

- ⚊ **Ascensione** , sesta domenica dopo la Pasqua

- ⚊ **Pentecoste** , settima domenica dopo la Pasqua

- ⚊ **Corpus Domini**, nona domenica dopo la Pasqua

- ☀ **Festa della Repubblica** , 2 giugno

- ⚊ **Tutti i Santi**, 1 novembre

- ☀ **Festa dell 'Unita' Nazionale** , prima domenica di novembre

- ⚊ **Immacolata Concezione** , 8 dicembre

- ⚊ **Natale** , 25 dicembre

- ⚊ **S.Stefano** , 26 dicembre

- ◐ **S.Silvestro** , 31 dicembre

4. **Consulta la tabella precedente e combina le frasi seguenti.** Specifica inoltre di che festa si tratta.

1. Hm, quest'anno mi è andata proprio male: pensavo di trovare un sacco di dolci e invece __
2. Amore mio, ti adoro...
3. Come ogni anno, ecco la mimosa, un fiore profumato e delicato __
4. Volevo comprare lo champagne, ma costava troppo. Ho preso un ottimo spumante italiano:
5. No, non sono andato al concerto organizzato dai sindacati: nel giorno in cui nessuno lavora, __
6. La città è deserta, fa un caldo insopportabile...
   E ho anche un terribile mal di denti!
7. Quest'anno mi vesto da Zorro: voglio combattere contro le ingiustizie del mondo...
8. Mamma, dov'è la scatola con i personaggi del presepio? Non riesco a trovarla!
9. Nell'uovo ho trovato una bella sorpresa: __

(A) E io mi vesto da King Kong, così facciamo una bella coppia! Che ne dici?

(B) un orologio al quarzo con cronometro.

(C) Eh, caro mio, i dentisti oggi sono tutti al mare!

(D) questo cuore di cioccolato extra fine è tutto per te!

(E) È in soffitta, dentro la cassapanca. Stai attento a non romperli, mi raccomando: sono molto delicati.

(F) un veglione senza bollicine, che veglione è?

(G) la simpatica vecchietta mi ha lasciato una calza tutta rotta e piena di carbone...

(H) ho dovuto aiutare mio padre nel suo ristorante!

(I) per una donna ancora più sensibile!

G	1.	*la Befana*
__	2.	_____
__	3.	_____
__	4.	_____
__	5.	_____
__	6.	_____
__	7.	_____
__	8.	_____
__	9.	_____

5. **Festivita' Italiane.** Completa il cruciverba.

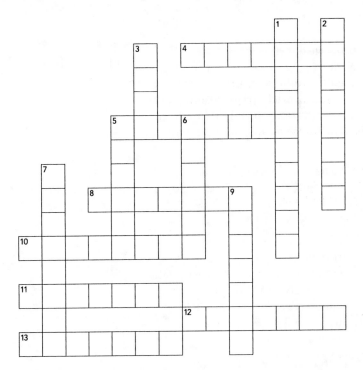

Orizzontali ➡

4. Dolce abbastanza simile al panettone.

5. Si indossa a Carnevale.

8. Gioco tipico delle feste natalizie.

10. È simile allo champagne, ma è made in Italy.

11. Fanno molto rumore a Carnevale e per l'ultimo dell'anno.

12. È il dolce tipico della Pasqua.

13. La Befana lo lascia nella calza ai bambini cattivi.

Verticali ⬇

1. Li lancia chi partecipa al Carnevale.

2. È molto grande quello organizzato dai sindacati il 1 maggio.

3. Si mangiano per Pasqua. Possono essere benedette o di cioccolato.

5. Si regala alle signore l'8 marzo.

6. Si organizza la Notte di Natale o per S. Silvestro. C'è molta roba da mangiare

7. Sta dentro l'uovo di cioccolato.

9. Si mangia durante la Pasqua.

6. **Hai mai passato una festa in Italia?** Se sì, parlane con un compagno. Nel caso contrario, parla delle feste più importanti del tuo paese, descrivi usi e tradizioni.

Conosci L'Italia

MA L'ITALIA È SEMPRE IN FESTA?

L'Italia dei **borghi medioevali** e delle città d'arte difficilmente resiste alla tentazione di scendere in piazza a **festeggiare**. Ogni anno, dalle Alpi alla Sicilia, migliaia di **feste religiose** (dedicate alla **Vergine Maria**–come, ad es., le **Infiorate**–o al **Santo Patrono** della città), di **feste storiche** (**rievocazioni** di **eventi** significativi), di **sagre enogastronomiche** (**degustazione di vini e di prodotti tipici locali**) esaltano l'importanza delle **tradizioni** e testimoniano il piacere di **fare festa** degli italiani.

In molti casi, queste manifestazioni sono legate a fatti storici ben precisi e, proprio per questo, si ripetono da centinaia di anni; in altri casi, i legami con la storia sono meno stretti e le **feste popolari** sono solo il frutto dell'originalità e della voglia di divertirsi dei cittadini nel magico scenario delle loro città.

Nel corso del tempo alcune feste hanno assunto risonanza nazionale o addirittura internazionale: è il caso del **Carnevale di Venezia** o di quello di **Viareggio** (Toscana), della **Festa dei Ceri di Gubbio** (Umbria), della **Regata delle Antiche Repubbliche Marinare** (Venezia, Genova, Pisa, Amalfi) e, infine, della manifestazione forse più conosciuta in assoluto, vera e propria icona delle tradizioni italiane nel mondo: il **Palio di Siena**, che si corre due volte l'anno, il 2 luglio e il 16 agosto, nella splendida Piazza del Campo.

In generale le feste italiane hanno alcuni tratti in comune fra loro. Un ricco **corteo storico** con **personaggi** in **costume d'epoca** che appartengono alle «**contrade**» (i quartieri delle antiche città) attraversa le vie del centro al suono di trombe e tamburi. Spesso gli **sbandieratori** eseguono numeri di abilità con le bandiere. In occasione di queste feste è possibile trovare un po' dappertutto **bancarelle** che vendono **dolciumi**, prodotti tipici locali e **souvenir**.

Per la loro straordinaria ricchezza e varietà, le feste popolari italiane possono lasciare un ricordo indimenticabile nel visitatore occasionale, specie se straniero, e rivelargli l'importanza delle tradizioni per la gente d'Italia.

7. Rispondi alle domande

1. Che tipo di feste si celebrano in Italia?
2. Che cos'è una "sagra enogastronomica"?
3. All'origine delle varie feste popolari italiane c'è sempre un fatto storico ben preciso?
4. Quali sono le manifestazioni più conosciute in Italia?
5. Perché le feste popolari italiane possono essere interessanti per il turista straniero?

ALCUNE FRA LE FESTE PIÙ ORIGINALI D'ITALIA

La **Battaglia delle Arance** di Ivrea (Torino) si svolge l'8 febbraio nella cornice del Carnevale cittadino e si basa su un episodio storico (la rivolta del popolo contro il tiranno). Fino al 1850 circa era disputata non con il lancio di arance, ma di fagioli. Lo scontro avviene in piazza: le guardie del tiranno sfilano su un carro gettando arance contro il popolo a piedi, il quale è composto da 9 squadre vestite in costume. Naturalmente il popolo si difende gettando arance contro le guardie… Tutti possono partecipare alla Battaglia iscrivendosi a una squadra o al gruppo delle guardie sul carro.

Ogni 5 anni si svolge ad Anghiari (Arezzo) la **Scampanata**, un evento che ha origini antichissime (I o II sec. a.C.). Tutti i giovedì e le domeniche del mese di maggio, gli iscritti alla "Società della Scampanata" devono presentarsi entro le 6 del mattino nella piazza principale del paese, pena una singolare punizione. I ritardatari infatti devono salire su un carretto trainato per le strade del borgo in mezzo a musica assordante (che serve a «svegliare» i dormiglioni…). Le vittime sono bersagliate con sostanze alimentari di vario tipo (uova, farina, cioccolato ecc.) fino a diventare irriconoscibili. La prossima Scampanata è in programma nel 2010…

Il **Palio della Rana** di Fermignano (Pesaro e Urbino) si disputa la prima domenica dopo Pasqua nella via principale della città. Quattro concorrenti per contrada devono percorrere una distanza di 170 metri spingendo una carriola sulla quale si trova una rana viva. Vince il Palio chi arriva al traguardo per primo con la rana sulla carriola. Se l'animale salta a terra, il concorrente può fermarsi a raccoglierlo e continuare la corsa. All'inizio e al termine della gara, le rane vengono sottoposte a un controllo antidoping per evitare che i contradaioli diano loro sostanze proibite. Nei giorni che precedono il Palio, nelle strade della città, riccamente addobbate, si svolgono vari spettacoli, cortei storici e giochi tra contrade.

La **Festa dei Serpari** di Cocullo (L'Aquila) si celebra il primo giovedì di maggio in onore di S. Domenico Abate, ma in realtà ha origini pagane (in antichità era dedicata ad Angizia, divinità che proteggeva dal veleno dei serpenti). All'inizio della primavera, gli abitanti di Cocullo catturano nei dintorni del paese un gran numero di serpenti (ai quali tolgono i denti) e li conservano in vasi di coccio o sacchi di tela. Il giorno della festa, i cocullesi adornano il proprio corpo e la statua di S. Domenico con i serpenti catturati e sfilano in corteo nelle strade del borgo medioevale.

Nel 1571 alcuni artigiani calabresi arrivano a Ponti (Alessandria) in cerca di lavoro. Subito chiedono ospitalità al signore del posto che decide di fargli riparare un'enorme pentola rotta. Gli operai si mettono al lavoro e in breve tempo riconsegnano l'oggetto in perfetto stato. Per ricompensarli, il signore regala loro un'immensa quantità di farina di mais, e gli abitanti del borgo offrono uova, cipolle, merluzzo, vino. Per rievocare questo episodio, ogni anno, durante la penultima domenica di Carnevale, si svolge a Ponti la **Sagra del Polentone**. I cuochi del paese preparano in piazza una polenta del peso di una tonnellata (1.000 chili!), una frittata con 3000 uova, 300 chili di cipolle e 150 chili di merluzzo. Il tutto viene distribuito ai visitatori che ricevono anche l'ottimo vino rosso locale (il Dolcetto). Un bel corteo storico rievoca l'incontro fra il signore di Ponti e gli artigiani. Nel 2006 la Sagra ha celebrato la 434a edizione.

8. Indica con una crocetta le caratteristiche delle varie feste.

	festa religiosa	rievocazione storica	sagra gastronomica	evento annuale	corteo storico	gara fra contrade
Battaglia delle Arance	☐	☐	☐	☐	☐	☐
Scampanata di Anghiari	☐	☐	☐	☐	☐	☐
Palio della Rana	☐	☐	☐	☐	☐	☐
Festa dei Serpari	☐	☐	☐	☐	☐	☐
Sagra del Polentone	☐	☐	☐	☐	☐	☐

9. **Completa il quiz.** Le caselle in grigio danno il nome del tema di questa sezione.

1. Gli antichi quartieri delle città italiane si chiamavano __ .
   C __ __ ☐ ☐ ☐ __ E

2. Nei cortei storici gli __ fanno numeri con le bandiere.
   S __ __ __ ☐ ☐ __ __ __ __ __ __ I

3. Molte feste popolari italiane sono __ storiche.
   R __ __ __ __ __ __ ☐ ☐ ☐ __ I

4. A Ponti si celebra la Sagra del __ .
   P __ __ __ __ __ __ ☐ E

5. La Battaglia delle Arance rievoca la rivolta del __ contro il tiranno.
   P ☐ ☐ ☐ __ O

6. Il __ si svolge a Fermignano.
   P __ __ __ __ __ __ __ __ ☐ ☐ __ __ __ A

7. Per comprare souvenir, dolciumi o prodotti tipici locali cerco una __ .
   B __ __ __ __ ☐ ☐ __ __ A

   Soluzione
   ☐☐☐☐☐☐☐☐☐☐☐■☐☐☐☐☐☐☐☐☐

10. **Hai mai assistito a una festa popolare in Italia?** Se sì, racconta a un compagno che cosa hai visto. Nel caso contrario, parla delle feste del tuo paese. Se vuoi, puoi aiutarti con lo schema seguente:

   —Dove?
   —Quando?
   —Con chi?
   —Che tipo di festa era (religiosa, storica ecc.)?
   —Perché ci sono andato/a?

   —Era una festa annuale?
   —Che cosa mi ha colpito di più?
   —Come era organizzata?
   —Che cosa c'era da mangiare? E da bere?
   —Ho comprato qualcosa di speciale?

11. Rileggi le descrizioni di alcune fra le feste più originali d'italia...e scegli quella che più ti piace. Poi parlane con un compagno immaginando di avervi partecipato veramente... Racconta fatti, impressioni, incontri, situazioni, emozioni...

Conosci L'Italia

LA GASTRONOMIA REGIONALE

La **cucina regionale**, vale a dire la **gastronomia** tipica delle venti regioni italiane, è all'origine della grande varietà della **cucina nazionale**. Nel corso del tempo molti **cibi** e **prodotti tipici locali** si sono estesi all'intero territorio del Paese, come il **prosciutto di Parma**, le **lasagne** (Emilia), la **pizza** (Campania) ecc. Altre specialità, invece, si trovano solo nelle zone di origine: la **ribollita** (Toscana), i **vincisgrassi** (Marche), la **pasta con le sarde** (Sicilia), ecc.

La geografia dell'Italia è un fattore determinante per le differenze **culinarie** delle varie regioni. La cucina regionale è legata al **clima** e ai **prodotti locali**. A questo riguardo, l'uso dei **grassi alimentari** (di origine animale o vegetale) e della **pasta** è di primaria importanza. Nell'Italia del Nord il clima continentale impedisce la coltivazione dell'**ulivo**: in queste zone, il **burro** e il **lardo** sono i grassi tradizionalmente usati in cucina. Nell'Italia del Centro-Sud, al contrario, il clima mite consente la produzione dell'**olio d'oliva**, che è uno degli **ingredienti** fondamendali (insieme a pasta, frutta e verdura) della **dieta mediterranea**. Anche per quanto riguarda la **pasta** (già nota agli Etruschi e ai Romani) il clima ha un ruolo determinante. Al Nord si coltiva il **grano tenero**, che è alla base di due prodotti tipici della cucina settentrionale: la **pasta all'uovo** (lasagne, tagliatelle, tagliolini ecc.) e la **pasta ripiena** (tortellini, ravioli, cappelletti ecc.). Al Sud, invece, il clima consente la coltivazione del **grano duro**, con cui si produce la **pasta** comune (spaghetti, penne ecc.). Anche se ai giorni nostri è possibile trovare qualsiasi prodotto nei supermercati, la gastronomia italiana tradizionale risente fortemente di queste differenze.

In ogni regione esistono **tipi** (o **formati**) **di pasta** specifici. Se tutti conoscono gli spaghetti e le penne, molti forse non sanno che cosa sono i **bigoli** (Veneto), le **trofie** (Liguria), le **ciriole** (Umbria), gli **ziti** (Campania), i **malloreddus** (Sardegna), i **maccheroncini** (Sicilia) ecc.

E che dire dei **formaggi**? E dei **salumi**? E dei vari tipi di **pane**? E dei **dolci**? E dei **vini**? Insomma, la cucina italiana, grazie al contributo della gastronomia regionale, non teme il confronto con nessun'altra cucina del mondo. Buon appetito, allora!

12. Vero o falso?

    1. La cucina italiana è caratterizzata da una grande ricchezza di cibi e di ricette.   V   F

    2. Il clima influenza in maniera determinante la cucina regionale italiana.   V   F

    3. Il burro e il lardo sono grassi di origine vegetale.   V   F

    4. La pasta all'uovo e la pasta ripiena sono prodotti tipici della cucina del Nord Italia.   V   F

    5. Gli Etruschi e i Romani non conoscevano la pasta.   V   F

    6. Il grano tenero e il grano duro si usano indifferentemente per le stesse preparazioni.   V   F

    7. Ogni regione italiana ha i propri tipi di pasta.   V   F

13. Collega le espressioni della colonna di sinistra con quelle di destra.

    ____   1. olio d'oliva – pasta – frutta – verdura   (A) grassi alimentari

    ____   2. cibi e prodotti tipici locali   (B) dieta mediterranea

    ____   3. spaghetti – penne – bigoli – trofie   (C) pasta ripiena

    ____   4. lardo – burro – olio d'oliva   (D) cucina regionale

    ____   5. tortellini – ravioli – cappelletti   (E) tipi di pasta

    ____   6. tagliatelle – lasagne – tagliolini   (F) pasta all'uovo

14. Completa con le espressioni elencate qui sotto.

dieta mediterranea	tipi di pasta	ingredienti
pasta ripiena	grano duro	prodotti tipici locali
pasta	cucina regionale	pasta all'uovo

La gastronomia delle varie regioni d'Italia si chiama _____

_____ . Ogni regione ha i propri _____ . Due prodotti

caratteristici della cucina del Nord sono la _____ (tagliatelle, ecc.)

e la _____ (tortellini, ecc.). L'olio d'oliva è uno degli _____

fondamentali della _____ . Il _____ si usa nella

produzione della _____ comune (spaghetti, penne, ecc.). Nelle varie

regioni d'Italia esistono molti _____ .

DELIZIE REGIONALI

È il principe della cucina marinara toscana ed è una delle preparazioni a base di pesce più gustose della cucina italiana. Piatto tipico di Livorno, è composto da diverse varietà di pesce (per preparare un buon « _____ » si dice che occorrono tanti tipi di pesce quante sono le ‹c› contenute nel suo nome...). È una zuppa fra i cui ingredienti ci sono: salsa di pomodoro, aglio, fette di pane abbrustolito, cozze ecc.

È un dolce tipico del capoluogo della Campania. Si prepara durante il periodo pasquale e serve a celebrare il ritorno della bella stagione. Questi sono alcuni dei suoi ingredienti: grano cotto, ricotta, uova, zucchero...

Tipico piatto di pasta della cucina pugliese. Oltre che con acciughe salate e ottimo olio extravergine d'oliva, è condito con le foglie più tenere di una verdura dal sapore leggermente amaro...

È il piatto caratteristico della cucina della Garfagnana (un'area geografica nel nord-ovest della Toscana). L'ingrediente principale, da cui il piatto prende il nome, è il « _____ », un cereale molto caro agli antichi Romani che ne facevano largo uso. Fra gli altri ingredienti di questa deliziosa minestra, che si consuma generalmente nel tempo freddo, si possono menzionare i fagioli, il rosmarino, un filo di olio extravergine di oliva rigorosamente toscano...

È la specialità della Romagna. È sottile e di forma rotonda. Si mangia calda. È fatta di farina, acqua e sale. Si può riempire in mille modi, con prosciutto, salame, rucola, formaggio, nutella, marmellata...

Piatto tipico della cucina del Piemonte. È un antipasto o anche un piatto unico. È composto da una salsa che si consuma molto calda (da qui il nome della specialità...) insieme a verdure varie (peperoni, cardi, sedano, finoc-hi ecc.). Si mangia con vino giovane di vendemmia. Una vera prelibatezza!

15. Con l'aiuto delle precedenti descrizioni, abbina alle immagini i nomi delle specialità regionali.

piadina
cacciucco

bagna cauda
minestra di farro

pastiera napoletana
orecchiette alle cime di rapa

16. Insieme a un compagno organizza il menù di un pranzo o di una cena a base di
    specialità enogastronomiche regionali italiane...

    _____
    _____
    _____
    _____
    _____
    _____

17. Secondo te, quali sono le principali differenze fra la cucina italiana e la cucina
    del tuo paese? Esiste anche qualche punto in comune? Pensaci un attimo e poi
    parlane con un compagno.

18. **Quali sono i tuoi piatti italiani preferiti?** Parlane con un compagno e spiegagli
    perché.

LE REGIONI IN FESTA E IN CUCINA

19. Prova a completare questa tabella con le informazioni che conosci.

Regioni d'Italia	Piatti e prodotti tipici	Feste tradizionali

Ambiente, ecologia, stili di vita

1. Leggi l'intervista a Roberto Mollo, un ingegnere di Torino, sposato con due figli ancora piccoli, che un anno fa è andato a vivere a Bussoleno, un paese a 40 chilometri dalla città.

D   Quali sono i motivi per cui lei ha deciso di trasferirsi a Bussoleno?

ROBERTO   Mah, guardi, il motivo principale è stato l'allergia di mio figlio Marco. Si ammalava spesso e aveva sempre il naso chiuso e gli occhi gonfi per la polvere che respirava in città. E parlo dell'inquinamento dell'aria, dovuto soprattutto ai gas di scarico delle macchine e ai fumi prodotti dagli impianti di riscaldamento delle case.

D   Lei abitava in periferia?

ROBERTO   No, no, avevo un appartamento in centro, proprio dove il traffico è vietato alle macchine private, ma nella strada dove abitavo passavano sempre gli autobus, i taxi e soprattutto molti motorini che facevano un rumore infernale sia di giorno che di notte. In più, quando aprivamo le finestre, entrava in casa aria sporca piena di polvere.

D   Allora è stato il traffico il motivo principale per la sua scelta?

ROBERTO   Sicuramente! A un certo punto ho anche calcolato tutto il tempo che perdevo chiuso in macchina negli ingorghi del traffico durante le ore di punta, quando andavo o tornavo dal lavoro, ma anche il tempo che perdevo la sera a cercare un parcheggio e tutto questo mi rendeva spesso nervoso e irritabile.

D   Ma perché non andava al lavoro con i mezzi pubblici?

ROBERTO   Perché io lavoro alla Fiat, in uno stabilimento piuttosto lontano dal centro e con l'autobus arrivavo spesso in ritardo.

D   E ora che vive a 40 chilometri dalla città come fa per andare a lavorare?

ROBERTO   Beh! Ora faccio il pendolare e ogni giorno prendo un autobus che mi porta direttamente davanti al mio ufficio. Impiego 50 minuti all'andata e 50 al ritorno, ma non devo guidare e arrivo al lavoro tranquillo. Poi oggi con Internet, a volte posso lavorare anche da casa.

D   Anche sua moglie è contenta di questa scelta?

ROBERTO   Contentissima! Prima di tutto perché nostro figlio, respirando aria più pulita, ora sta decisamente meglio e poi perché abbiamo venduto il nostro piccolo appartamento in città e con gli stessi soldi abbiamo potuto comprare una casa più grande, con un bel giardino, quindi abbiamo avuto anche un vantaggio economico.

D   Nessuna nostalgia della città?

ROBERTO   No, anche se la vita in città è più stimolante, credo che la qualità della nostra vita sia molto migliorata. I bambini vanno in una scuola vicino a casa e fanno una vita più sana, a contatto con la natura. In paese, poi, conosciamo tutti e quindi sono migliorati anche i nostri rapporti umani. Insomma, oggi noi possiamo fare una vita con meno ansia e meno stress. E questo per noi è molto importante.

2. Vero o falso?

1.	Roberto abitava nella periferia di Torino.	V	F
2.	Nella zona a traffico limitato delle città non possono circolare le auto private.	V	F
3.	Nella zona a traffico limitato delle città non circolano i motorini.	V	F
4.	Nella strada dove abitava Roberto l'aria era abbastanza pulita.	V	F
5.	A Bussoleno l'aria non è inquinata.	V	F
6.	Oggi Roberto va al lavoro con la sua macchina.	V	F
7.	Ogni giorno Roberto percorre 80 chilometri.	V	F
8.	Il bambino soffriva di asma a causa dell'inquinamento.	V	F
9.	Secondo Roberto vivere in città ha molti vantaggi economici.	V	F
10.	Le case in città sono molto costose.	V	F

3. Elenca tutti i motivi per cui Roberto e sua moglie sono andati via da Torino e sono felici di vivere a Bussoleno:

_____

_____

_____

_____

_____

_____

_____

_____

4. Rispondi alle domande. Poi intervista un tuo compagno.

Oggi	Nel 2020	Nel 2040
Dove abiti? Ti piace la tua città, o il tuo paese? Perché?	Dove pensi che abiterai? Perché?	Dove ti piacerebbe vivere? Perché?

5. Inserisci queste parole nel testo. **Attenzione! Ci sono due parole in più.**

di scarico	pubblici	nervosa	di punta	treno	rumore
traffico	macchina	ritardo	ingorgo	ecologico	inquinamento

UN POMERIGGIO SUI VIALI DI FIRENZE

Ieri pomeriggio alle 5 ho finito di lavorare e ho preso la mia _____
per tornare a casa. Tutto è andato bene fino a quando sono arrivata sui viali. Qui
mi sono fermata perché generalmente, dalle 5 alle 6, è un'ora _____
e c'è sempre un sacco di _____ . Per i primi dieci minuti tutto
sembrava «normale» e io ho pensato «Uffa! Ecco il solito _____ .
Come sempre, arriverò a casa con mezz'ora di _____ !» Dopo 20
minuti, però, ho cominciato a diventare _____ e in più alcuni
automobilisti hanno cominciato a suonare il clacson delle loro auto facendo
un _____ infernale. Siccome faceva caldo, ho aperto il finestrino, ma
l'ho subito richiuso perché entrava l'odore insopportabile dei gas _____
delle macchine. Insomma, siamo rimasti fermi per 30 minuti e poi abbiamo
cominciato a muoverci piano piano. Alla fine ero davvero furiosa, ma anche
preoccupata, perché in questi momenti è davvero possibile «toccare con mano»
quanto sia grave, nelle nostre città, il problema dell' _____ . Proprio
per questo motivo ho pensato che, da domani, andrò al lavoro con i mezzi
_____ . Però peccato che a Firenze non ci sia la metropolitana!

Conosci L'Italia

I MOVIMENTI ECOLOGISTI

La situazione del degrado ambientale e dell'inquinamento, in Italia, è simile a quella degli altri paesi industrializzati, ma alcuni problemi presentano una gravità maggiore come, per esempio, l'intensità dell'inquinamento atmosferico delle città, causato principalmente da un sistema che si basa sul trasporto di persone e di merci con veicoli privati (il 75% del trasporto urbano si svolge con macchine, autobus e mezzi commerciali). In più, solo poche grandi città hanno la metropolitana.

Negli ultimi anni i problemi legati alla tutela dell'ambiente sono molto sentiti dagli italiani e sono nate diverse associazioni. Così, accanto ai grandi gruppi ambientalisti nazionali e internazionali come il WWF e *Greenpeace*, ci sono importanti organizzazioni come *Italia Nostra e Legambiente*, e nel 1990 è nato ufficialmente anche il partito politico dei Verdi.

Ci sono, poi, numerosi gruppi locali che si occupano di problemi ecologici e sociali e che, spesso, influenzano le scelte politiche. Infatti il problema dell'ambiente è uno dei punti principali sia della politica dei governi delle città che del governo nazionale.

In questi ultimi anni, sono stati presi diversi provvedimenti. Per esempio, in quasi tutte le città, le zone centrali sono state chiuse al traffico delle macchine private e gli abitanti del centro storico hanno un permesso speciale per circolare in auto. Si cerca anche di rendere i mezzi pubblici più efficienti, per convincere le persone ad usarli, e si costruiscono piste ciclabili per favorire l'uso della bicicletta in città. I governi e le associazioni ambientaliste sono anche impegnati a sensibilizzare i cittadini sul problema dei rifiuti e oggi tutti i comuni spendono molte energie per organizzare la raccolta differenziata. C'è ancora molto da fare, ma ormai questi problemi fanno parte della vita moderna e stanno lentamente influenzando lo stile di vita delle persone.

Rispondi alle domande.

1. Qual è la causa principale dell'inquinamento atmosferico nelle città italiane?

   _____

2. Perché nelle città italiane l'inquinamento è un problema particolarmente grave?

   _____

3. Quali sono le associazioni italiane che si occupano dei problemi dell'ambiente?

   _____

4. Quali misure hanno preso i governi delle città per limitare il problema ambientale?

   _____

COME AIUTARE L'AMBIENTE

«Con piccoli gesti quotidiani puoi aiutare l'ambiente. Se fai la raccolta differenziata, alcuni prodotti potranno essere riciclati e, poi, riutilizzati, e altri prodotti pericolosi non andranno ad inquinare l'ambiente in cui viviamo.»

6. Metti i differenti rifiuti negli appositi cassonetti.

| ① | ② | ③ | ④ | ⑤ |

| ◯ carta | ◯ plastica | ◯ vetro | ◯ pile | ◯ medicinali |

7. Scrivi nella tabella quali sono.

i materiali che si possono riciclare	i rifiuti pericolosi
_____	_____
_____	_____
_____	_____
_____	_____
_____	_____
_____	_____
_____	_____
_____	_____

LE INIZIATIVE DI LEGAMBIENTE

L'associazione ambientalista Legambiente ogni anno promuove alcune iniziative affinché le persone siano sempre più sensibili alla tutela dell'ambiente.

8. Collega le immagini ai titoli dei giornali.

___ **Goletta Verde.**
Anche quest'anno, come sempre dal 1985, è partita la campagna di Legambiente per controllare la qualità delle acque del mare vicino alle coste.

___ **Smog, la morsa non si allenta, domenica a piedi a Roma e a Milano.**
Blocco totale della circolazione delle auto per un giorno, a causa dello smog che in questi giorni sta soffocando un po' tutte le città italiane.

___ **Bimbimbici 2006.**
È il momento di Bimbimbici! Una giornata di festa e di gioco per i bambini in bicicletta che, domenica prossima, si svolgerà in 130 città italiane.

___ **Il Treno Verde di Legambiente** sarà in viaggio per 40 giorni e attraverserà 8 città per controllare l'inquinamento dell'aria e l'inquinamento acustico.

___ **Spiagge pulite.**
È il solito appuntamento alla vigilia dell'estate. Migliaia di volontari di tutta Italia, grandi e piccoli, si danno appuntamento in diverse località per pulire le spiagge dai rifiuti.

___ **Premiati i Comuni Ricicloni.**
Nel corso del Convegno su «Gli italiani e la raccolta differenziata» sono stati assegnati premi qualità ai sei comuni che fanno la migliore raccolta differenziata di carta e cartone. I comuni premiati quest'anno sono Parma, l'Aquila, Fano, Trento, Pesaro e Battipaglia.

9. Collega la parola allasua **definizione**.

_F_	1. Il gas di scarico	(A)	Il movimento continuo delle macchine
___	2. Il cassonetto	(B)	Lo sporco della civiltà moderna
___	3. L'ambiente	(C)	Quello che rimane inutilizzatoe che si butta via
___	4. Il traffico	(D)	Lo studio dell'ambiente
___	5. Ecologico /a	(E)	Quello forte che senti con le orecchie
___	6. La polvere	(F)	Quello che esce dalle macchine
___	7. L'inquinamento	(G)	Dove si mettono i **rifiuti**
___	8. I rifiuti	(H)	Si fa quando si riciclano i materiali
___	9. L'ecologia	(I)	Un blocco del **traffico**
___	10. Il rumore	(J)	Tutto quello che sta intorno a noi
___	11. Il riciclaggio	(K)	L'aggettivo di ecologia
___	12. L'ingorgo	(L)	Quella sostanza leggera che rimane sui mobili quando non si pulisce

10. Scrivi una lettera ad un amico parlando della situazione dell'ambiente. Vince chi usa più parole prese dalla colonna di sinistra dell'esercizio precedente.

Caro Dario,

_____

_____

_____

_____

_____

_____

_____

_____

_____

_____

_____

_____

_____

_____

_____

                                        Un abbraccio,

                                        _____

11. Inserisci le parole nel testo. **Attenzione ci sono 2 parole in più.**

vetro	rifiuti	vivesse	autobus	ecologico	centro
raccolta	pericolosi	aria	elettricità	inquino	cassonetto
bicicletta	ambiente	pile			

Ho 35 anni, sono una maestra elementare, sono sposata e ho un figlio di 3

anni. Da quando sono diventata mamma sono molto attenta ai problemi legati

all' _____ , perché vorrei che mio figlio _____ in

un mondo più pulito. Per prima cosa, in città, io mi sposto sempre con la

_____ . La uso anche per portare mio figlio all'asilo. Questo mi

dà molti vantaggi perché, pedalando, posso raggiungere tutte le strade del

_____ senza problemi, non _____ l'aria e faccio molto

movimento. Certo, andando in bicicletta non respiro _____ pulita,

ma io uso sempre una mascherina. Quando piove, poi, prendo l' _____ .

Un'altra cosa che faccio con molta attenzione è la _____ differenziata

dei _____ . Metto sempre in sacchetti separati la carta, il

_____ , la plastica e i rifiuti _____ come i medicinali

scaduti o le _____ usate. Cerco anche di risparmiare _____ .

Uso sempre lampadine a basso consumo e quando esco da una stanza spengo le

luci. Credo che oggi tutti dovremmo fare qualcosa per migliorare l'ambiente in

cui viviamo. Credo che sia un nostro dovere.

---

12. Dimmi come vivi e ti dirò quanta terra consumi.

LA NOSTRA IMPRONTA ECOLOGICA

Cosa mangiamo? Dove abitiamo? Quanta energia consumiamo? Quanti rifiuti
produciamo? Rispondendo a queste domande sui nostri consumi possiamo
misurare la nostra « impronta ecologica », cioè la superficie di pianeta necessaria
alla nostra vita.

1. Intervista un compagno e segna le sue risposte.

Ogni giorno vai a scuola

☐ in macchina

☐ in motorino

☐ in autobus o in treno

☐ a piedi o in bicicletta

Generalmente passi le vacanze

☐ non lontano da casa

☐ lontanissimo

Abiti in una casa

☐ grande

☐ di medie dimensioni

☐ piccola

Abiti

☐ da solo

☐ con un'altra persona

☐ con altre 2 persone

☐ con altre 3 persone

☐ con altre 4 persone

☐ con altre 5 persone

☐ con più di 5 persone

Le spese di riscaldamento / raffreddamento sono

☐ normali

☐ elevate

☐ basse

Mangi carne

☐ tutti i giorni

☐ spesso

☐ raramente

☐ mai

Produci una quantità di **rifiuti**

☐ media

☐ alta

☐ bassa

Fai la raccolta differenziata

☐ sempre

☐ qualche volta

☐ mai

2. In base alle risposte che il tuo compagno ha dato, pensi che la sua impronta sull'ambiente sia grande, media o piccola? Se è troppo grande, prova a dargli qualche consiglio per ridurla.

3. Ora, per saperne di più sull' **Impronta ecologica**, fai una ricerca in Internet e scrivi una relazione.

IL RITMO DELLA VITA: LEPRE O TARTARUGA?

13. Prendi informazioni e completa la tabella con: 0 = 0 ore

1 = 1 ora

2 = 2 ore

3 = più di 3 ore

Nella giornata quanto tempo impieghi per:	Tu	Le persone nel tuo paese	Le persone in Italia
mangiare	___	___	___
fare sport	___	___	___
stare con gli amici	___	___	___
stare con la famiglia	___	___	___
curare il tuo corpo	___	___	___
riposarti	___	___	___
Totale punti	___	___	___

Da 15 a 21 punti: ti piace «prendertela comoda» e goderti i piaceri della vita. Sei una vera tartaruga.

Da 8 a 14: il tuo ritmo di vita è abbastanza veloce, ma ti piace avere tempo anche per te. Sei una **tarta-lepre**.

Da 0 a 7: il tuo ritmo di vita è molto veloce. Vai sempre di corsa verso un obiettivo. Sei una vera lepre.

14. Controlla i risultati del questionario «lepre o tartaruga?» e completa le frasi.

1. Io sono una _____

2. La maggioranza delle persone nel mio paese sono _____

3. Penso che la maggioranza delle persone, in Italia, siano _____

Conosci L'Italia

GLI ITALIANI E LA CASA

Sembra che al primo posto fra i desideri degli italiani ci sia quello di possedere una casa e, infatti, circa l'80% delle persone sono proprietarie della casa in cui abitano.

Gli italiani amano la propria abitazione e la curano molto e, in generale, la casa è la prima spesa importante che una persona affronta nella vita, possibilmente con l'aiuto dei genitori.

Questo bisogno di possedere una casa è, sicuramente, legato al concetto di famiglia. Infatti, fino agli anni '50, la maggior parte degli italiani viveva in una grande famiglia, che era il centro intorno a cui ruotava tutta la vita di una persona.

Quando il paese è cambiato da agricolo a industriale e le persone si sono spostate dalle campagne nelle città o nei grandi paesi, le famiglie sono diventate sempre più piccole e, da quel momento, il centro della vita si è spostato verso la casa, che è diventata non solo una sicurezza, ma anche un legame con la propria storia e con le proprie radici. Per questo, per un italiano la casa è molto più di «quattro mura» in cui abitare.

Leggi e rispondi alla domanda. Secondo il testo che hai letto, che cosa rappresenta la casa per un italiano?

_____

_____

15. **Alcune persone parlano della loro casa.** Leggi i testi e decidi a chi appartiene la casa del disegno.

Maria

Vivo all'ultimo piano di una vecchia casa nel centro di Firenze. Era la casa dei miei nonni e sono davvero fortunata, perché per me sarebbe stato davvero impossibile comprare una casa così.

Luciano

Il mese prossimo mi sposerò e andrò ad abitare nella mia nuova casa. E' un appartamento piccolo, ma molto carino. Si trova al secondo piano di una casa moderna. Ha finestre grandi e due bei balconi. Per fortuna i miei genitori mi hanno aiutato a comprarla, perché con i prezzi di oggi sarebbe stato davvero impossibile comprarla.

Marco

Ho comprato una vecchia casa colonica in Umbria. E' una casa tradizionale con i pavimenti di cotto e i soffitti con le travi di legno, ma quel che mi piace di più è la cucina. È grande e, soprattutto, c'è un enorme camino in pietra serena che mi ricorda la casa dei miei nonni dove passavo le vacanze quando ero bambino.

Giuseppe

Ho 65 anni e vivo a Firenze da 30. Il mese prossimo andrò in pensione e, con mia moglie, andremo ad abitare in campagna, nella vecchia casa dei miei genitori che si trova a Greve, un paese nel Chianti. È un piccolo appartamento, proprio nel centro del paese e noi siamo felici di questa scelta, perché così possiamo lasciare il nostro appartamento in città a nostro figlio.

16. Ora pensa alla casa dei tuoi sogni e prova a disegnarla.

17. Adesso descrivila con le parole a un tuo compagno.

La geografia e il meteo

IN VIAGGIO CON L'INTERRAIL

Roma, 20 settembre 2005

Caro Piero,

sono Rita, del nuovo motore di ricerca www.voliamodappertutto.com. Quest'anno, in occasione del nostro primo anniversario, abbiamo sorteggiato un fortunato vincitore che girerà l'Europa in interrail. La fortuna ha baciato te!

Come sai, grazie all'interrail, ogni anno migliaia di giovani studenti italiani ed europei esplorano l'Europa in treno per un mese. Benvenuto nella comunità interrail!

Insieme a te, abbiamo selezionato altri sette giovani di sette paesi europei, che puoi contattare per organizzare il vostro viaggio insieme.

A presto,

Rita

---

1. **Abbina le due colonne.** I giovani sorteggiati da www.voliamodappertutto.com sono elencati nella tabella qui sotto. Collega le due colonne.

___ Zbigniew vive e studia in	(A) Inghilterra
___ Hans vive e lavora in	(B) Norvegia
___ Gunnar vive e studia in	(C) Germania
___ Mercedes vive e lavora in	(D) Polonia
___ Dimosthenis vive e studia in	(E) Francia
___ Rachel vive e lavora in	(F) Spagna
___ François vive e studia in	(G) Grecia

2. **Fantastico, ho vinto!** Immagina di essere Piero e di incontrarti a Roma con i tuoi nuovi amici. Con loro dovrai stabilire un itinerario in giro per l'Europa. Quali paesi desiderate visitare e perché? Discutete le diverse possibilità con l'aiuto dello schema riportato qui sotto.

	luogo di partenza	luogo di arrivo	durata del viaggio	luoghi da visitare	commenti
giorno 1	_____	_____	_____	_____	_____
giorno 2	_____	_____	_____	_____	_____
giorno 3	_____	_____	_____	_____	_____
Ecc...	_____	_____	_____	_____	_____

3. Ora scrivi il tuo diario di viaggio e segui questi suggerimenti.

Tappe del viaggio

_____

_____

_____

Luoghi da ricordare

_____

_____

_____

Nuovi amici

_____

_____

_____

Feste a cui sei stato

_____

_____

_____

DOPO L'INTERRAIL

I tuoi amici, conosciuti a Roma quest'estate, **chattano** tutti insieme al computer.

> **Gunnar**   5 marzo 2006 ore 4:31 pm
>
> Ciao Zbigniew! Qui ci sono meno 8 gradi ed è nuvoloso! Che tempo fa da te?

> **Zbigniew**   5 marzo 2006 ore 4:31 pm
>
> Oh, mio Dio! Qui a Cracovia fa ancora più freddo: ci sono 4 gradi, nevica da tre giorni e sono un po' depresso.

> **Hans**   5 marzo 2006 ore 4:31 pm
>
> Ciao Zbigny! Ciao Gunny! Sono Frieda, non buttatevi giù! Qui ad Amburgo *c'è una nebbia che si taglia con il coltello*, ma io sono felice, perché il mio capo mi ha aumentato lo stipendio.

> **Gunnar**   5 marzo 2006 ore 4:32 pm
>
> Che bello! Io invece sono senza un centesimo! Devo laurearmi da tre anni…sarebbe ora! Ma all'università di Oslo si sono rotti gli impianti di riscaldamento. Adesso c'è ghiaccio dappertutto e non posso laurearmi.

> **Hans**   5 marzo 2006 ore 4:32 pm
>
> Sarà vero? Che buffo!

> **Mercedes**   5 marzo 2006 ore 4:33 pm
>
> Hola a tutti! Domani mi viene a trovare mia nonna da Barcellona. Speriamo che ci sia il sole. Oggi qui c'è stato un tempo terribile e la grandine mi ha distrutto la macchina!

> **François**   5 marzo 2006 ore 4:33 pm
>
> Che disgrazia! Ma anch'io sono sfortunato. Pensa che oggi, prima di andare in ufficio, sono caduto in una pozzanghera. E indossavo il mio completo nuovo…

> **Dimosthenis**   5 marzo 2006 ore 4:34 pm
>
> Che buffo! *Qui invece c'è un sole che spacca le pietre!*

> **Rachel**   5 marzo 2006 ore 4:34 pm
>
> Non ci posso credere! Che fortuna! *Good afternoon, everybody!* A Londra il tempo oggi è cambiato 4 volte e adesso tira un vento gelido terribile!

4. Prova a continuare.

Piero   5 marzo 2006 ore 4:35 pm

_____

_____

_____

Rachel   5 marzo 2006 ore 4:35 pm

_____

_____

_____

François   5 marzo 2006 ore 4:35 pm

_____

_____

_____

5. Gradi Farenheit e Centigradi.

Ecco la tabella per calcolare la differenza di temperatura in gradi Farenheit
e Centigradi.

Centigradi in Fahrenheit: $°F = (°C \times 1,8) + 32$
Fahrenheit in Centigradi: $°C = (°F - 32) : 1,8$

Quanti gradi Farenheit sono?

1. ad Amburgo ci sono 3° C   _____

2. ad Atene 20° C   _____

3. a Parigi 15° C   _____

4. a Madrid 17° C   _____

6. **Che tempo fa da te?** Guarda le città elencate qui sotto e compila la tabella
relativa al tempo per il 5 marzo 2006. Nella colonna «Tempo previsto per oggi»
scrivi le condizioni meteorologiche delle città in cui abitano i tuoi amici, nella
colonna «tempo previsto per domani» immagina se ci sarà il sole, se pioverà, se
sarà nuvoloso, ecc., nella colonna «Temperatura» scrivi quanti gradi pensi che ci
saranno.

località	tempo previsto per oggi	tempo previsto per domani	temperatura
Amburgo	*nebbia*	_____	_____
Cracovia	_____	_____	_____
Londra	_____	*pioggia*	_____
Oslo	_____	_____	-8
la tua città	_____	_____	_____

Italiano di tutti i giorni

Due proverbi «meteorologici». Inserisci **la vocale** mancante.

1. C I __ L O   A   P __ C O R __ L L __ ,   P I O G G I A   A   C A T I N __ L L __ .
2. R O S S O   D I   S __ R A ,   B __ L   T __ M P O   S I   S P __ R A .

---

7. Abbina le due colonne in modo corretto.

____	1. C'è un caldo	Ⓐ	cane
____	2. C'è un sole	Ⓑ	stupenda, da favola.
____	3. C'è una nebbia	Ⓒ	infernale, soffocante
____	4. C'è un freddo	Ⓓ	universale!
____	5. C'è un tempo	Ⓔ	che Dio la manda!
____	6. È una giornata	Ⓕ	che spacca le pietre
____	7. Il mare è	Ⓖ	grossi come sassi!
____	8. C'è il diluvio	Ⓗ	che spazza via le case!
____	9. Piove	Ⓘ	che si taglia con il coltello!
____	10. C'è un vento	Ⓙ	una tavola.
____	11. Cadono chicchi di grandine	Ⓚ	da lupi!

8. Modi di dire «**meteorologici**». In italiano ci sono molti modi di dire che utilizzano termini presi in prestito dal tempo atmosferico. Eccone alcuni esempi. Sei in grado di capire cosa vogliono dire? Provate a indovinare il loro significato, da soli o con l'aiuto di un compagno. Vince chi ne indovina di più!

1. Cadere dalle nuvole
   A Essere sorpresi, meravigliati
   B Aver bevuto tanta birra o tanto vino
   C Una persona molto buona

2. Piove sul bagnato
   A Quando piove a Venezia
   B Quando una persona va sempre in piscina
   C Qualcosa che succede sempre a chi non ne ha bisogno

3. È un fulmine a ciel sereno
   A Notizia o avvenimento improvviso e meraviglioso
   B Notizia o avvenimento improvviso e spiacevole
   C Tempo minaccioso con carattere temporalesco

4. Avere la testa tra le nuvole
   A Essere molto alti
   B Prendere l'aereo almeno tre volte a settimana
   C Essere distratti, assorti nei propri pensieri

9. Adesso provateci voi!

   Cosa significa: *essere al settimo cielo?*

10. **Pronto? Che tempo fa da voi?** Divisi in gruppi di 4, immaginate che ognuno di voi studi o abiti in diverse regioni d'Italia. Organizzate una *conference call* su internet parlando del tempo, usando i proverbi, le espressioni idiomatiche e i modi di dire appena imparati.

    1. C'è un caldo infernale, soffocante.
    2. C'è un sole che spacca le pietre.
    3. C'è una nebbia che si taglia con il coltello!
    4. C'è un freddo cane!
    5. C'è un tempo da lupi!
    6. È una giornata da favola.
    7. Il mare è una tavola.
    8. C'è il diluvio universale!
    9. Piove che Dio la manda!
    10. Cadono chicchi di grandine grossi come sassi!
    11. C'è un vento che spazza via le case!

11. **Previsioni del tempo per domani in Italia.** Continua a parlare con i tuoi amici, guarda la cartina dell'Italia, e descrivi loro che tempo farà domani.

nelle regioni del nord:

_____
_____
_____

nelle regioni del centro:

_____
_____
_____

nelle regioni del sud:

_____
_____
_____

12. **Che cosa fare quando piove?** Guarda le immagini qui sotto e scrivi cosa fai quando…

_____

_____

_____

_____

_____

_____

13. Scrivi il nome delle capitali europee descritte dalle immagini.

_____   _____   _____   _____   _____

14. **Che tempo fa?** Che tempo fa a giugno…?

a Roma   _____

a Parigi   _____

a Copenhagen   _____

L'ISOLA CHE VA SU E GIÙ

In Italia c'è un'isola che va su e giù.

Storici, geologi, politici, diplomatici, vulcanologi stanno aspettando il suo ritorno, ma l'isola Ferdinandea sembra farsi gioco di tutti loro.

Ecco la storia: il 5 luglio del 1831, al largo di Sciacca (una città della Sicilia che si trova sulla costa fra Marsala ed Agrigento), tra tuoni e fulmini, dal mare in tempesta è emersa un'isola nera, un piccolo vulcano in eruzione.

Gli spagnoli

Ferdinando II di Borbone, in visita in Sicilia, ha mandato subito sul luogo una nave reale ed ha dato il suo nome all'isola: « Ferdinandea ».

Gli inglesi

Il capitano inglese Shenouse, era molto interessato a un posto così strategico, ed è arrivato con due navi per prendere possesso dell'isola, battezzandola « isola Graham ».

I francesi

Anche i francesi non si sono tirati indietro, sono sbarcati sull'isola e l'hanno chiamata « Giulia ».

Dunque l'isola aveva tre nomi, ed era contesa fra tre grandi potenze: ma poco prima di iniziare una bella battaglia navale fra tre nazioni, la natura ha preso una saggia decisione. Dopo soli cinque mesi, l'isola, così com'era apparsa, è sprofondata di nuovo dentro il mare.

Ancora oggi, a soli otto metri di profondità, si può raggiungere la vetta del vulcano. Ma chi e' il vero padrone dell'isola, gli spagnoli, gli inglesi o i francesi? La gente del posto ricorda che furono i pescatori di Sciacca a sbarcarvi per primi, con un peschereccio comandato da un certo Michele Fiorini: l'isola dunque era dei siciliani. La leggenda dice che non hanno piantato una bandiera, bensì un remo: l'isola veniva dal mare e al mare sarebbe tornata.

Ma ora passiamo alla cronaca. Il 5 febbraio del 2000, pochi anni fa, il tratto di mare dove l'isola è scomparsa ha cominciato a dare segni di vita.

Sono risprese subito le polemiche tra la Spagna, la Francia e l'Inghilterra.

Il Times e la CNN hanno scritto che un'isola britannica stava per riemergere dal mare. Il giornale La Repubblica del 1 ottobre 2000 dava notizia che Carlo di Borbone aveva rinunciato a ogni diritto sull'isola, a favore dello stato italiano.

L'isola è rimasta giù, ma se Ferdinandea decidesse di tornare in superficie, secondo il re Carlo, sarebbe dunque italiana. Una bella soddisfazione per i pescatori di Sciacca!

---

15. E tu cosa faresti se ti regalassero quest'isola?

_____

_____

_____

_____

Conosci L'Italia

Rispondi alle seguenti domande e scoprirai se davvero conosci l'Italia…

1. Città della Toscana
   - A Perugia
   - B Arezzo
   - C Terni

2. La regione di Napoli
   - A Basilicata
   - B Campania
   - C Puglia

3. Il fiume più lungo d'Italia
   - A Tevere
   - B Po
   - C Adige

4. È un'isola dell'arcipelago toscano
   - A Capri
   - B Elba
   - C Sicilia

5. La regione di Roma
   - A Umbria
   - B Lazio
   - C Marche

6. È una città della Lombardia
   - A Parma
   - B Milano
   - C Verona

7. Attraversa la pianura Padana
   - A Arno
   - B Po
   - C Tevere

8. Il Tevere scorre nel
   - A Veneto
   - B Lazio
   - C Molise

9. Capri si trova in
   - A Calabria
   - B Campania
   - C Umbria

10. La regione di Bologna
   - A Liguria
   - B Emilia Romagna
   - C Toscana

Bravo!

Risposta A = 0 punti	Da 8 a 10 punti: Conosci l'Italia molto bene.
Risposta B = 1 punto	Da 5 a 7 punti: Conosci l'Italia abbastanza bene.
Risposta C = 0 punti	Da 0 a 4 punti: Non conosci l'Italia.

16. Adesso scrivi le capitali dei paesi membri dell'UE (Unione Europea) che hanno adottato l'Euro come moneta dal 1 gennaio 2002.

    1. Italia   *Roma*
    2. Francia   P _ _ _ _ I
    3. Grecia   A _ _ _ E
    4. Irlanda   D _ _ _ _ _ O
    5. Lussemburgo   L _ _ _ _ _ _ _ _ _ O
    6. Olanda   A _ _ _ _ _ _ _ M
    7. Germania   B _ _ _ _ _ O
    8. Portogallo   L _ _ _ _ _ A
    9. Finlandia   H _ _ _ _ _ _ I
    10. Spagna   M _ _ _ _ D
    11. Belgio   B _ _ _ _ _ _ _ S
    12. Austria   V _ _ _ _ A

17. **Di dove sei?** Di quale stato sei? Scrivi un paragrafo presentando le caratteristiche del tuo stato, dando queste informazioni:

    popolazione
    _____

    economia
    _____

    maggiori città
    _____

    caratteristiche geografiche
    _____

    caratteristiche storiche
    _____

    arte e cultura
    _____

    sport
    _____

    clima
    _____

19. Programma un fantastico viaggio via internet con

www.voliamodappertutto.com

Prova subito il motore di ricerca numero due al mondo per trovare, paragonare e prenotare il tuo volo su oltre cento compagnie low cost in Europa e nel mondo.

Quasi dieci persone hanno già volato con noi, ma non sappiamo ancora se sono arrivate a destinazione.

Prenota subito il tuo volo low cost!

1. Scegli l'aeroporto di partenza:
    ☐ Genova, aeroporto **Cristoforo Colombo**
    ☐ Bologna, aeroporto **Guglielmo Marconi**
    ☐ Pisa, aeroporto **Galileo Galilei**
    ☐ Roma, aeroporto **Leonardo da Vinci**
    ☐ Venezia, aeroporto **Marco Polo**

2. Il mondo è grande. Scegli dove vuoi andare:
    ☐ Africa
    ☐ Asia
    ☐ America del nord
    ☐ America del sud
    ☐ Oceania
    ☐ Caraibi
    ☐ Europa
    ☐ Medio Oriente
    ☐ Una nazione a piacere di www.voliamodappertutto.com

3. Viaggio:
    ☐ andata e ritorno
    ☐ solo andata
    ☐ viaggio solo andata a sorpresa
    ☐ viaggio con ritorno in un altro luogo a sorpresa

4. Quando vuoi partire? Scrivi le date del tuo fantastico viaggio:
    andata: —————————————————— ritorno: ——————————————————

5. Passeggeri:
   ☐ adulti e bambini da 12 anni
   ☐ bambini da 2 a 12 anni non compiuti
   ☐ neonati da 0 a 2 anni non compiuti
   ☐ donne incinte
   ☐ innamorati che vogliono avere un bambino

6. Scegli qualе aeroporto preferisci:
   ☐ tutti gli aeroporti
   ☐ solo aeroporti serviti da compagnie low cost
   ☐ solo aeroporti serviti da compagnie molto costose

7. Attendi per favore.
   ☐ Stiamo verificando la disponibilità dei voli su oltre 100 compagnie aeree low cost, tradizionali o costosissime.
   ☐ La ricerca durerà soltanto pochi secondi, pochi minuti, poche ore o qualche giorno.

8. E adesso, quale risposta preferisci?

   Attenzione: in questo momento non siamo in grado di soddisfare la tua richiesta perché
   ☐ si sono rotti tutti i computer
   ☐ è pausa pranzo
   ☐ è andata via la luce

9. Ecco la tua prenotazione!

   Data di partenza: _____   Data di arrivo: _____

   Orario di partenza: _____   Orario di arrivo: _____

   Partenza dall'aeroporto di _____   Arrivo all'aeroporto di _____

Culture giovanili

LINGUAGGIO: TRE GENERAZIONI A CONFRONTO

Sonia, Giovanna e Michela (rispettivamente di 65 anni, di 40 anni e di 16 anni) *non si fanno i fatti loro* e vorrebbero che Giulia si innamorasse di Piero. Ecco come ognuna di loro ci racconta la storia:

La nonna di Piero

Sono la signora Sonia Marzullo, la madre di Giovanna e la nonna di Piero e Michela. Mi hanno detto che ieri, durante **il ricevimento** per i sedici anni di Michela, mio nipote Piero **si è dichiarato** a Giulia, la nipote di una mia vecchia amica. Prima che Piero cominciasse **a farle la corte**, Giulia **era fidanzata con** Marco, **un bellimbusto** pieno di difetti e terribilmente **superbo**, ma per cui tutte le donne **sospirano**. A dir la verità Giulia **ha ancora delle simpatie** nei riguardi di Marco, ma penso che si **stancherà** presto. Io penso che mio nipote Piero sia **di gran lunga meglio** di Marco, ma come posso persuadere Giulia di ciò?

La mamma di Piero

Sono la dottoressa Giovanna Di Blasi, la mamma di Piero e Michela. Mia madre si chiama Sonia Marzullo. Ieri durante la **festa di compleanno** di Michela, Piero ha cominciato a **ronzare attorno a** Giulia, la figlia di una mia amica. Giulia **ha una storia** con Marco, **un ragazzo di bella presenza** che **piace moltissimo** a tutte le ragazze e, anche se **è ancora presa da** Marco, penso che **si stuferà** presto! Marco è uno che **si dà delle arie** e Piero è **molto più in gamba** di lui. Adesso che Piero **le sta intorno**, Giulia avrebbe l'occasione di accorgersi che non c'è paragone fra i due e che mio figlio è molto meglio di Marco, ma **come posso farglielo capire?**

La sorella di Piero

Mi chiamo Michela, sono la sorella di Piero, siamo i figli di Giovanna e i nipoti di nonna Sonia. Piero e Giulia **si sono messi insieme** ieri sera al **big party** che i **genitors** mi hanno permesso di fare per i miei sedici anni. Prima di **mettersi con** mio fratello Piero, Giulia **stava con** Marco, un **figo pazzesco** che **piace un casino** a tutte e che **se la tira**. Adesso tutte le mie amiche **gli faranno il filo**, anche se lui **è ancora intortato da** Giulia. Mio fratello Piero è cento volte meglio degli altri, ma **come cavolo glielo ficco in testa** a Giulia? Quella è una che **si rompe** subito!

1. Nonna Sonia, Giovanna e Michela hanno raccontato la stessa storia in tre modi diversi. Concentrati sulle parti in grassetto e cerca di trovare delle espressioni corrispondenti nelle versioni dei vari componenti della famiglia.

Nonna Sonia	Mamma Giovanna	Michela
_____	_____	_____
_____	_____	_____
_____	_____	_____
_____	_____	_____
_____	_____	_____

L'IPOD DI PIERO

Ciao a tutti, mi chiamo Piero e oggi vi parlerò del mio iPod. La mattina, appena mi alzo, ascolto la musica rock, che mi carica per tutta la giornata.

Appena arrivo in biblioteca cambio genere: musica classica, Vivaldi, Puccini, Rota…che vanno bene per studiare. Il mio amico Luigi, invece, con la musica classica si addormenta e allora ascolta la techno. Dopo pranzo, quando bevo il caffè prima della lezione, ascolto un po' di rap italiano. Poi, in classe, spengo l'iPod, se no il professore di matematica lo butta dalla finestra!

Alla fine della lezione riaccendo l'iPod e torno a casa sullo skateboard ascoltando hip hop. A casa, dopo cena, preferisco la musica d'autore. Tutto, basta che non sento la voce di mia sorella!

2. Che musica ascolta Piero in questi momenti della giornata?

mattina _____

pomeriggio _____

sera _____

3. **E tu ascolti musica?** Quale tipo di musica ti piace?

_____

_____

_____

_____

_____

_____

GLI SMS, OVVERO...TUTTA UN'ALTRA LINGUA

In Italia è esplosa da qualche anno la moda degli SMS (esse emme esse). L'SMS è un breve messaggio di testo che viene mandato via telefono cellulare e che nel tempo, per questioni pratiche, ha assunto forme sempre più stilizzate e talvolta poco...comprensibili.

4. Leggi lo scambio di SMS riportato qui sotto e trova la «traduzione» corrispondente nella colonna di destra.

___ GIULIA: c6?	(A)	Sono rotto.
___ MARCO: ki 6?	(B)	Con chi sei?
___ GIULIA: giulia. cm stai?	(C)	Ci vediamo dopo.
___ MARCO: +o-	(D)	Anch'io
___ GIULIA: ke fai?	(E)	Che fai?
___ MARCO: sn r8	(F)	Con Chiara.
___ GIULIA: ankio	(G)	Più o meno.
___ MARCO: cn ki 6?	(H)	Ci sei?
___ GIULIA: cn kiara	(I)	Giulia. Come stai?
___ MARCO: c ved dopo	(J)	Anch'io ti voglio bene.
___ GIULIA: ok tvb	(K)	Chi sei?
___ MARCO: ankio tvb	(L)	Ok, ti voglio bene.

5. Adesso manda un SMS a Chiara per sapere cosa sta facendo.

Tu	Chiara
_____	*sn in biblio*
_____	*studio kimica*
_____	_____
_____	_____
_____	*xké?*
_____	_____
_____	*ok a + tardi*
	_____

IL GERGO GIOVANILE

Vuoi imparare a parlare come i giovani italiani, almeno capire quello che dicono?
Per cominciare, ecco un vocabolarietto con brevi dialoghi pronto per l'uso.

Abbiocco

NONNA SONIA	«Perché non studi, Michela?»
MICHELA	«Nonna, oggi ho l'abbiocco.»
NONNA SONIA	«Che cos'hai?»
MICHELA	«Ho sonno!»

Bollito

NONNA SONIA	«Piero, sta' dritto con la schiena!»
PIERO	«Sono bollito...»
NONNA SONIA	«E che sei, un pollo?»
PIERO	«Sono stanco perché ho studiato tutto il giorno.»

Bombarsi

MICHELA	«Sai, ieri Giulia si è bombata di birra.»
PIERO	«Non è vero, non era affatto ubriaca.»

Ci sto dentro

NONNA SONIA	«Vuoi che ti faccia le lasagne a cena?»
PIERO	«Ci sto dentro!»
NONNA SONIA	«Nelle lasagne?»
PIERO	«Nonna, ci sto dentro vuol dire che va bene!»

Dare buca

MICHELA	«Ma', Giulia ha dato buca a Piero.»
MAMMA	«Ma quando?»
MICHELA	«Ieri in pizzeria. Non ci è andata e non gli ha neanche telefonato.»

Da paura

PIERO	«Nonna, 'ste lasagne sono da paura!»
NONNA SONIA	«Non ti piacciono?»
MICHELA	«Nonna, sono fantastiche!»

Essere fuori

MICHELA   «Mamma, Giulia è proprio fuori…!»

NONNA SONIA   «E falla entrare, poverina!»

MICHELA   «No, vuol dire che è tutta matta!»

Lecchino

PIERO   «Ma perché Giulia si è messa con quel lecchino di Marco?»

MICHELA   «Hai ragione, è proprio un ruffiano, sempre attaccato ai professori.»

Mi rimbalza

MICHELA   «Paola è pazza di te.»

PIERO   «Mi rimbalza.»

MICHELA   «Non ci credo, hai sempre detto che è carina.»

Proffia

MAMMA   «Allora, cos'è questo brutto voto in matematica?»

MICHELA   «Mamma, è la proffia che non mi sopporta!»

Secchione

NONNA SONIA   «Che bravo Piero che studia sempre…»

MICHELA   «È un secchione.»

NONNA SONIA   «Non dire queste cose di tuo fratello!»

MICHELA   «Ma no, vuol dire che studia tanto!»

Tamarro

NONNA SONIA   «Quella Giulia si veste proprio male: la gonna blu, il maglione marrone, le scarpe da tennis e poi quei capelli tutti spettinati!»

MICHELA   «Sì, nonna, è proprio una tamarra.»

NONNA SONIA   «Sì, è proprio una tamarra…»

Tirarsela

MICHELA   «Quanto se la tira Giulia da quando è stata eletta Miss Kimmel Center…»

PIERO   «Giulia è bellissima, fa bene a vantarsi.»

Togo

MICHELA   «Mamma, ieri ho conosciuto un tipo toghissimo!»

MAMMA   «Che fa?»

MICHELA   «Canta in un gruppo rock.»

NONNA SONIA   «Sì, Giovanna, è proprio un tipo da sballo!»

6. Secondo te che cosa intende dire nonna Sonia con un «tipo da sballo?»

_____

_____

7. Adesso prova tu a scrivere un dialogo tra due ragazzi usando alcune delle espressioni che hai imparato sopra.

_____

_____

_____

_____

_____

_____

_____

_____

8. **Vediamo se capisci come parla un giovane italiano…** Unisci le espressioni riportate qui sotto alle immagini.

1   2   3   4

5   6   7

___ Sono bollito.

___ Sei proprio un lecchino!

___ Che abbiocco!

___ Quanto te la tiri!

___ Ma sei fuori?

___ Che togo!

___ Mi rimbalza.

L'italiano di tutti i giorni

MARINARE LA SCUOLA IN ALCUNE CITTÀ ITALIANE

—Cosa fai quando fuori è una bellissima giornata e vuoi andare in spiaggia?
—Oppure quando non hai studiato per il quiz di italiano?
—O quando tua cugina, che non vedi da tanto tempo, è in città e ha voglia di fare
  spese con te?
—E quando vuoi andare in sala giochi?
—Giocare a biliardo?
—A tennis?
—O semplicemente mangiare un gelato in piazza alle 11 di mattina?

Niente scuola!

I tuoi professori non saranno molto contenti, i tuoi genitori ancora meno, ma se
stai attento nessuno lo scoprirà…

Il linguaggio giovanile esprime in tanti modi un'attività molto comune tra gli
studenti un po' di tutto il mondo. In passato si diceva «marinare la scuola»,
adesso…

Aosta	→	schissare
Torino	→	tagliare
Bergamo	→	impiccare
Milano	→	bigiare
Mantova	→	fare sgrich
Bolzano	→	fare blau
Trento	→	bigiare
Verona	→	far berna
Genova	→	saltare
Reggio Emilia	→	fare fuga
Rimini	→	fare puffi
Firenze	→	fare forca
Roma	→	fare sega
Napoli	→	fare filone
Crotone	→	fare scimpalè
Messina	→	sparare
Cagliari	→	fare vela
Agrigento	→	fare luna

9. Oggi non sei andato a scuola perché è una giornata da favola e avevi voglia
   di…guarda le immagini qui sotto e descrivi la tua giornata.

10. Un Pinocchio di oggi.

Conosci la storia di Pinocchio? Pinocchio era un burattino di legno che voleva
diventare un bambino. Ma diceva sempre bugie e, quando lo faceva, gli cresceva il
naso. Ma soprattutto, se si comportava male, da bambino in carne e ossa tornava
a essere un burattino di legno.

Ora immagina un Pinocchio dei nostri giorni, un ragazzo come tanti, che studia
al liceo, ha degli amici, va al cinema e...marina la scuola. Raccconta un episodio
della sua storia utilizzando il gergo giovanile imparato. Cerca di inserire anche
alcuni personaggi come: Geppetto (il padre falegname), la fata turchina, il grillo
parlante (la voce della coscienza), il gatto e la volpe...

APPUNTAMENTO PER L'APERITIVO

Stasera Piero, Michela e i loro amici si sono dati appuntamento via SMS al bar di Vittorio per l'aperitivo. Ci vanno ogni settimana, dopo un pomeriggio passato in biblioteca, oppure, per chi lavora, alla fine di una giornata in ufficio. Ormai è diventata un'abitudine, ma prima che lo fosse per loro, l'aperitivo italiano era già una tradizione tutta italiana. Che cos'è, quindi, l'aperitivo?

L'aperitivo ha una storia che risale a più di duecento anni fa e ha origine a Torino. Qui, nel 1786, un inventore chiamato Antonio Benedetto Carpano aveva una bottega in centro, dove cominciò a produrre un vino bianco mescolato a erbe e spezie che divenne ben presto una bevanda tipica italiana: il *vermouth*. Prodotto in più di trenta varietà, prese il nome dal tedesco «Vermut», che significa assenzio. Questa bevanda divenne così famosa che il negozio di Carpano iniziò a lavorare ininterrottamente.

Il *vermouth* era una bevanda molto popolare anche perché era zuccherata, e quindi più appropriata per le signore che, verso sera, si trovavano a chiacchierare negli eleganti caffè della città.

Da allora, il *vermouth* è stato esportato in tutto il mondo ed è diventato uno dei simboli della «vecchia» Torino. Tra le imprese commerciali che hanno iniziato a esportarlo, c'è la Martini & Rossi che ne ha fatto il suo **cavallo di battaglia**. Così come in passato *vermouth* identificava il primissimo aperitivo, oggi *Martini* definisce il rito moderno del bicchiere prima di cena, possibilmente accompagnato da qualche **stuzzichino**. È buffo pensare che il vecchio *vermouth*, un vino speziato dall'origine e dal carattere così classici, non sia altro che il moderno *Martini*! Eppure niente è cambiato, se non le variazioni che si possono aggiungere al suo sapore inconfondibile.

Ma l'aperitivo non è, appunto, soltanto un tipo di bevanda alcolica. È un vero e proprio rito che gli italiani amano molto. Ritrovarsi al bar per un aperitivo è un'occasione di incontro meno impegnativa di una cena, dinamica ma allo stesso tempo rilassante, lo stacco dal lavoro per il riposo serale, e, nella Torino della fine del 1700, l'opportunità per intellettuali, visitatori, statisti di incontrarsi e discutere di politica e cultura.

Poi l'aperitivo è arrivato a Milano…e si è trasformato.

L'aperitivo **meneghino** è un rito che risale intorno al 1920, quando, come a Torino, ci si riuniva per un bicchiere di vino prima dei pasti. Ma a Milano l'aperitivo, un *cocktail* a base di Campari, veniva servito insieme a **stuzzichini** e piccole porzioni di cibi freddi, come patatine, olive, tramezzini.

Negli anni ottanta si importa dagli Stati Uniti l'usanza dell'*happy hour*, che consiste nel vendere le bevande a metà prezzo a una certa ora della sera. Generalmente ancora oggi l'*happy hour* dura una o due ore e coincide con il momento prima della cena.

In quel periodo qualche locale milanese inizia a offrire piatti caldi invece delle solite patatine, e dallo stuzzichino si passa a piatti sempre più sostanziosi: risotto, pastasciutta, salumi, carne, verdure. Un vero e proprio pasto.

Bisogna anche dire che in certe città italiane accompagnare l'aperitivo con un'offerta molto sofisticata di piattini è un'abitudine ben più antica dell'*happy hour*. A Venezia e in altre città del Veneto, per esempio, con l'aperitivo si consumano piccoli assaggi di pesce, prosciutto, verdure e altro, chiamati «cicchetti».

---

11. Adesso, insieme a un tuo compagno o una tua compagna, rispondi alle domande sul brano appena letto. Scrivi le risposte e prepara una breve presentazione da esporre in classe.

    1. Dov'è nato l'aperitivo?

       _____

    2. Qual è l'origine del suo nome?

       _____

    3. Quando e dove è iniziato a cambiare il rito dell'aperitivo?

       _____

    4. Come?   .

       _____

    5. Cos'è l'happy hour?

       _____

    6. Cosa sono i «cicchetti»?

       _____

12. Immagina di essere il proprietario di un nuovo locale molto alla moda, la cui specialità è un aperitivo di tua invenzione. Pensa a un cocktail particolare, dagli un nome, completa l'aperitivo con una scelta di stuzzichini e…cin cin!

    Nome dell'aperitivo

    _____

    Ingredienti dell'aperitivo

    _____

    Stuzzichini

    _____

13. **Indovina il film.** Leggi le quattro trame riportate qui sotto e indovina il titolo di ogni film.

1. Nel 1985, in una città californiana, un ragazzo che si chiama Marty McFly scopre che il suo amico scienziato, «Doc», ha inventato una macchina che può viaggiare nel tempo. Mentre prova la macchina, però, Doc viene ucciso dai terroristi a cui aveva rubato il plutonio per far funzionare la sua invenzione. Marty, che si trova lì, deve scappare e, alla guida della macchina del tempo, si trova all'improvviso nel 1955, senza il combustibile necessario a farlo tornare indietro. Mentre cerca di scoprire come ritornare al futuro, fa degli incontri sorprendenti: Doc 30 anni più giovane, suo padre e sua madre…

   _ _ T _ _ _ O   _ L   _ _ _ _ _ O

2. Una prostituta incontra un affascinante uomo d'affari, che la paga per passare la notte insieme. Il mattino successivo, lui le propone di trascorrere due settimane con lui, introducendola per la prima volta nell'alta società. In questo periodo i due imparano molte cose uno dell'altra e a poco a poco il loro rapporto inizia a cambiare…

   _ _ _ T _ _   _ O _ _ _

3. Per Natale, uno strampalato inventore di strani oggetti porta a casa al figlio Milly un cucciolo che ha preso in un vecchio negozio cinese. La creatura è diversa da tutti gli animali che si conoscono, è un Mogwai di nome Gyzmo, una specie di orsacchiotto affettuoso. Per Gyzmo bisogna rispettare tre precise regole: 1) sempre lontano dall'acqua, 2) lontano dalla luce diretta e 3) mai farlo mangiare dopo la mezzanotte, però…

   _ _ _ M _ _ _ _

4. In un paese siciliano subito dopo la seconda guerra mondiale il cinema è l'unico divertimento. Salvatore, un bambino, impara presto a proiettare i film. Quando diventa un ragazzo si innamora di Elena, una ragazza di buona famiglia. Salvatore parte militare e, tornato al paese, trova tutto cambiato. Rivede anche Elena, sposata con figli, e tra i due c'è un momento di rimpianto e di tenerezza, ma poi…

   _ _ O _ _   _ _ _ _ M _   _ _ _ _ _ D _ _

14. **Ora pensa a un film che conosci e raccontane la trama ai tuoi compagni.** Chi indovina per primo, racconterà la trama del film che ha scelto.

15. **Riordina il film.** «La vita è bella» è uno dei film italiani più conosciuti all'estero, e ha vinto 3 Premi Oscar nel 1999. Metti in ordine la trama.

____ Per proteggere Giosuè dalla verità, Guido inventa un gioco e gli fa credere che quello che stanno vivendo è una finzione, e il premio finale sarà un carro armato vero.

____ Dopo qualche incontro che sorprende Dora, i due si innamorano e si sposano.

____ Come primo lavoro, Guido fa il cameriere nell'albergo dove lavora suo zio Eliseo.

____ Sei anni dopo nasce Giosuè.

____ Siamo nell'Italia fascista del 1938. Guido, un giovane ebreo, e il suo amico Ferruccio cercano fortuna in città.

____ Ma la loro felicità non dura a lungo: a causa delle leggi razziali Guido e suo figlio vengono deportati in un campo di concentramento.

____ Mentre lavora come cameriere, Guido conosce una giovane donna che continua a incontrare per caso, Dora, che fa la maestra elementare nella scuola della città.

____ Dora raggiunge il marito e il figlio, senza però incontrarli mai.

16. Scrivi cinque frasi usando queste parole o espressioni legate al mondo del cinema.

interprete   _____

biglietteria   _____

personaggio   _____

programma   _____

all'aperto   _____

Il design

CASA E DESIGN

È finita l'era delle casalinghe disperate e annoiate! Adesso, grazie agli
elettrodomestici e utensili di design, fare i lavori di casa è elegante e divertente,
con l'aiuto di prodotti funzionali e attraenti. Il design entra nelle case italiane
e internazionali con moltissimi articoli, alcuni dei quali sono persino esposti
in noti musei di design, come pezzi rappresentativi di una nuova concezione
dell'utile. Se prima si univa l'utile al dilettevole, oggi si unisce l'utile all'elegante!

1. Rispondi alle seguenti domande.

   1. Come sono i nuovi prodotti usati dalle casalinghe?

     _____

   2. Cosa vuol dire «unire l'utile al dilettevole»?

     _____

   3. A casa tua ci sono prodotti di design?

     _____

2. Completa questa griglia.

aggettivi per le casalinghe	aggettivi per gli oggetti
_____	_____
_____	_____
_____	_____
_____	_____
_____	_____

3. **A cosa servono questi prodotti?** Abbina l'oggetto alla sua funzione.

___ grattugia		(A)	fare il caffè
___ tritaverdure		(B)	preparare l'aranciata
___ bilancia		(C)	pesare gli alimenti
___ contaminuti		(D)	tagliare il pane
___ spremiagrumi		(E)	pulire tutto
___ scolapasta		(F)	tagliare le zucchine
___ tagliere		(G)	scolare la pasta
___ aspirapolvere		(H)	grattugiare il parmigiano
___ caffettiera		(I)	calcolare il tempo di cottura

4. **Chi sono?** Qui sotto ci sono le definizioni di alcune professioni creative.
   Risolvi gli anagrammi.

    1. Senza di lui i film restano senza __ direzione.

        ASTRIGE   R __ __ __ __ __ __

    2. È lui che immagina i luoghi in cui abitiamo.

        TECHIRATTO   A __ __ __ __ __ __ __ __

    3. Inventa storie che ci appassionano.

        SCIRETTO   S __ __ __ __ __ __ __

    4 Interpreta ruoli femminili al cinema e a teatro.

        CIRETTA   A __ __ __ __ __ __

5. **Quali di questi mestieri secondo te è il più creativo?** Perché? Ordina i mestieri lungo la linea della creatività. Se vuoi puoi aggiungerne degli altri.

6. Conosci i nomi di qualche italiano che fa i mestieri visti sopra?

7. **Oggi Piero ha molte commissioni da sbrigare.** Ecco la lista: combinatele in modo logico e costruite delle frasi.

9 am	università	professore
10 am	macellaio	iPod
11 am	negozio di computer	fotocopie del libro di storia
12 pm	tabacchino	macinato per il ragù
1 pm	ufficio postale	passaporto
2 pm	questura	bollette del gas
3 pm	copisteria	patente
4 pm	motorizzazione	accompagnare Michela
5 pm	scuola di danza	comprare le pile

Es.: *Alle 9 di mattina Piero va all'università a parlare con il professore.*

1. _____
2. _____
3. _____
4. _____
5. _____
6. _____
7. _____
8. _____
9. _____

IL DESIGN ITALIANO

L'Italia crea molti prodotti che sono conosciuti in tutto il mondo grazie al loro design. In qualche caso il design diventa tanto importante che il nome del prodotto scompare e rimane solo il nome dell'azienda.

8. **Leggi queste definizioni e completa le parole corrispondenti.** Poi trova una marca italiana corrispondente al prodotto, se la conosci.

1. Fa il caffè.

   __ A __ F __ __ __ I __ __ __   →   _____

2. Piacciono molto alle donne, soprattutto nelle occasioni speciali.

   G __ __ I __ __ L __   →   _____

3. Ci sono quelle con il tacco, quelle con le stringhe, quelle basse, i sandali, le ballerine…

   __ __ __ R __ __   →   _____

4. In autostrada può raggiungere i 160 chilometri all'ora.

   __ __ __ __ M __ B __ __ __   →   _____

9. Adesso guarda queste immagini e abbina un aggettivo a ogni disegno.

(1) elegante
(2) spiritoso
(3) pratico
(4) comodo
(5) bello

10. **Associazione di idee.** A cosa ti fanno pensare questi oggetti?

motorino	→	*estate*	→	_____	→	_____	→	_____
vasi	→	_____	→	_____	→	_____	→	_____
automobile	→	_____	→	_____	→	_____	→	_____
caffè	→	_____	→	_____	→	_____	→	_____
diamante	→	_____	→	_____	→	_____	→	_____

11. **Il mio oggetto preferito.** Qual è l'oggetto che ti piace di più e che non lasceresti mai? E perché? Parlane con un tuo compagno o una tua compagna, descrivi le sue caratteristiche, e spiega perché è così essenziale per te.

_____

_____

_____

_____

_____

_____

12. Guarda le immagini qui sotto e uniscile all'elettrodomestico appropriato.

① contaminuti
② caffettiera
③ tagliere
④ grattugia
⑤ aspirapolvere
⑥ scolapasta
⑦ tritaverdure
⑧ spremiaglio
⑨ bilancia

13. **Chi sono?** Quale professione svolgono i personaggi qui sotto?
    Scrivi la definizione appropriata accanto a ogni immagine.

14. Raggruppa questi prodotti nelle categorie corrispondenti.

grattugia	bilancia	spremiagrumi
tritaverdure	aspirapolvere	scolapasta
motorino	caffettiera	24 ore
fotocopiatrice	posate	stilografica
auto	telefonino	lettore mp3
agenda	calendario	stereo
computer	bicicletta	poltrona
padella	macchina fotografica	

casa   tempo libero   trasporti   lavoro

_____   _____   _____   _____

_____   _____   _____   _____

_____   _____   _____   _____

_____   _____   _____   _____

_____   _____   _____   _____

_____   _____   _____   _____

Conosci L'Italia

L'AUTOMOBILE E GLI ITALIANI

L'uomo italiano ha una grande passione per le automobili. Per alcuni è un vero e proprio amore.

Le automobili italiane sono conosciute e amate in tutto il mondo per l'eleganza della loro linea, tanto da diventare dei veri status symbol.

Ma vediamo un po' di storia…

In Italia la produzione di automobili è iniziata nel 1895. Le maggiori case di produzione di automobili italiane sono tre: la Fiat, l'Alfa Romeo e la Lancia. Il mercato di queste case si concentra soprattutto sul territorio nazionale, ma l'Italia produce anche auto sportive conosciute in tutto il mondo. Avrai sicuramente sentito parlare, o visto, una Ferrari, una Maserati, una Lamborghini…

15. L'università vuole premiarti per i tuoi bei voti in italiano con una di queste tre macchine. Se prenderai un B+, vincerai la Cinquecento (n. 1), se prenderai un A-, vincerai la Maserati (n. 2), se prenderai un A (n. 3), vincerai la Ferrari.

Cosa farai se vincerai una di queste tre macchine?

_____

_____

Se vincessi la Cinquecento, dove andresti? E se vincessi la Ferrari?

_____

_____

16. **Dimmi che auto scegli e ti dirò chi sei.** Osserva le immagini delle tre automobili e scegli quella che ti piace di più.

    1. Quale auto hai scelto?

        A la Ferrari

        B la Maserati

        C la Cinquecento

    2. Perché l'hai scelta?

        A mi piace il colore

        B mi piace la forma

        C mi piace il film in cui l'ho vista

    3. A che cosa ti fa pensare l'immagine della Cinquecento?

        A alla Dolce Vita

        B all'industria italiana

        C a tua nonna

    4. Se dovessi scegliere tra una Ferrari con un motore molto delicato e una Fiat Cinquecento forte come una roccia, cosa sceglieresti?

        A la Ferrari con il motore delicato

        B la Cinquecento forte come una roccia

        C la Ferrari con un buon meccanico

5. Secondo te, un'automobile è...

   A un giocattolo

   B un semplice mezzo di trasporto

   C la testimonianza del benessere economico di chi la possiede

6. Ti piace guidare?

   A sì

   B no

   C solo se è una Maserati Biturbo

7. Che cos'è un'utilitaria?

   A una valigetta 24 ore

   B una macchina da città di dimensioni contenute

   C una persona che sa fare un po' di tutto

8. E una berlina?

   A un'auto familiare a cinque posti

   B un'abitante di Berlino

   C un cesto fatto di bambù

9. Che cos'è la carrozzeria?

   A la struttura esterna di un'auto

   B la corporatura di una donna procace

   C un'azienda che noleggia carrozze

10. Se potessi comprarti un'automobile, di quale nazionalità la vorresti?

   A giapponese

   B tedesca

   C italiana

Ora conta quante risposte A, B e C hai dato e leggi i risultati del test qui sotto riportati.

Maggioranza di A
Sei un conoscitore del mondo delle automobili e dimostri un gusto avventuroso e audace nei confronti della vita. Se dovessi essere un'auto, saresti senz'altro un'auto di lusso.

Maggioranza di B
Sei uno spirito pratico, una persona che tiene saldi i piedi per terra. Le sorprese non ti piacciono, anche se sai apprezzare le belle cose. Se fossi un'auto, saresti un'utilitaria (ma decappottabile).

Maggioranza di C
Sei decisamente una persona fantasiosa e piena di inventiva. Che un'auto sia costosa o meno non ti interessa: l'importante è che piaccia a te, e che faccia viaggiare anche la tua immaginazione. Se fossi una macchina, saresti un'auto d'epoca.

17. Quattro progetti, un'icona del futuro

Riflettori puntati sui quattro progetti finalisti, sviluppati dagli studenti del *Master in Design del Futuro*. Selezionati dal famoso architetto Bernardo Tiralacqua a Vienna per dare forma al bidè del futuro. Quale vincerà ed entrerà in catalogo?

Progetto di Laura Bevilacqua (Firenze)
Il nostro è un bidè diverso dagli altri. La qualità del progetto è data dall'originalità della sua forma. Il nostro bidè è infatti a forma di scolapasta. Tutto in legno, per cui non è possibile utilizzare l'acqua. Non abbiamo capito dove si mettono le gambe, ma può essere utilizzato come portafiori. I fiori devono essere finti. Il segreto della sua bellezza sta nel contrasto tra l'aspetto instabile del bidè, leggero e pieno di buchi, e la forza del legno.

Progetto di Stefania Pulito (Venezia)
Il nostro è un bidè che si impone per la purezza e la semplice perfezione del disegno. L'oggetto nasce interamente da un unico pezzo di plastica. All'interno ci sono sette fontane di acqua colorata. Il bidè è alto tre metri, quindi è inclusa una scala per poterci salire.

Progetto di Giorgio Lavatu (Cagliari)
Il nostro bidè è un oggetto sexy e ironico dalla presenza importante, quasi una scultura. È un bidè tutto trasparente e rotondo. La nostra idea si traduce in un bidè morbido e avvolgente, che ruba le forme alla moda. Questo simpatico bidè risponde all'esigenza contemporanea di trattare anche gli interni, domestici e non, come una scenografia.

1. E sei tu il quarto finalista! Parlaci del tuo bellissimo bidè.

_____

_____

_____

_____

_____

_____

_____

18. Tocca ancora a te…

Immagina di essere un giovane designer e di avere un prodotto da presentare alla prestigiosa *Fiera Internazionale di Design* di Milano. Puoi scegliere tra le categorie:

     attrezzi da cucina   arredamento   gioielleria   tecnologia

Descrivi il tuo prodotto tenendo conto di queste caratteristiche:

— *design*
— *funzionalità*
— *originalità*

Categoria: _____

Nome del prodotto: _____

Caratteristiche: _____

_____

_____

_____

UNITÀ DICIOTTO

La pubblicità

STORIA DELLA PUBBLICITÀ

Quando è nata la pubblicità?

La prima forma di pubblicità risale ai tempi dell'antica Roma: scritte sui muri delle città come Roma e Pompei, che invitavano la cittadinanza a partecipare a feste e spettacoli organizzati migliaia di anni fa.

Nel Medioevo, invece, la pubblicità non era tanto scritta, quanto parlata, o meglio: urlata. È a quest'epoca che risalgono infatti i famosi **banditori** al servizio perlopiù di commercianti, che leggevano bandi, o avvisi, in pubblico, oppure **reclamizzavano** un prodotto gridando le sue qualità a gran voce nei mercati della città. Ancora oggi in Italia è possibile trovare i discendenti di questi banditori, proprio al mercato: quante volte succede di camminare per i banchi del mercato rionale e sentire la voce grossa e potente di un fruttivendolo, un venditore di abiti, un commerciante di oggetti per la casa, che ci urlano nelle orecchie le straordinarie caratteristiche della loro merce? Questa pratica, accompagnata dall'uso di tamburi e trombette, è stata largamente diffusa fino agli anni Quaranta nei piccoli paesi italiani, quelli in cui la televisione non era ancora entrata nelle case di tutti.

Ma prima della televisione, il mezzo più usato per la **reclame** di un prodotto è stato la carta stampata. Con l'invenzione della prima macchina da stampa, diventa possibile raggiungere anche le persone più lontane. Il primo annuncio pubblicitario della storia risale al 1479, ed è opera di un editore inglese, W. Caxton, che pubblicizzò in questo modo i propri libri. In questo periodo nascono anche le prime **insegne pubblicitarie**, cartelli tipici di alcune attività che ogni commerciante appendeva fuori dalla propria bottega per distinguersi dagli altri.

Bisogna aspettare gli anni Trenta del 1600 per assistere alla creazione di un servizio pubblicitario vicino a ciò che conosciamo. Siamo in Francia, a Parigi, dove un imprenditore chiamato T. Renaudot fonda un giornale di annunci pubblicitari a pagamento. Vent'anni dopo, **sulla scia del successo** acquisito dal francese, esce in Inghilterra una gazzetta con le stesse caratteristiche.

Da questo momento in avanti la diffusione della stampa pubblicitaria si estende a tutto il mondo, in seguito alla produzione sempre più massiccia delle merci. Sono gli anni della rivoluzione industriale, quando l'aumento di prodotti offerti al pubblico è tale che diventa necessario «battere la concorrenza» e fornire quanta più informazione possibile nel modo più efficace. In questo periodo sono gli Stati Uniti che fanno molti progressi in questo campo, attraverso una creazione geniale: il catalogo. Un libro (in seguito arricchito di illustrazioni) che ha il compito di descrivere le caratteristiche dei prodotti proposti, in particolare, da produttori di sementi e case editrici.

Nella seconda metà del 1800 la pubblicità evolve e adotta due canali di comunicazione: i giornali quotidiani, che riportano prevalentemente inserzioni pubblicitarie, e i manifesti, che mostrano invece immagini e slogan. Molto spesso questi manifesti venivano dipinti da famosi artisti quali, ad esempio, Henri de Toulouse-Lautrec.

La prima pubblicità proiettata durante un film appare nel 1904 a Parigi, e da questo momento si sviluppa sempre di più, al punto che verso gli anni Venti del 1900 è già definita da regole precise. Queste regole, riportate nel primo trattato di tecnica pubblicitaria nel 1925, sono cinque. Secondo queste norme, un prodotto deve essere **visto**, **letto**, **creduto**, **ricordato** e, naturalmente, **comprato**.

A cavallo di questi anni, immediatamente dopo la prima guerra mondiale, la pubblicità cresce e migliora ulteriormente. Ora non sono utilizzati solo la carta e la radio, ma, grazie all'energia elettrica, **fanno la loro apparizione** le prime insegne luminose. È comunque la televisione che dà l'impulso maggiore allo sviluppo della pubblicità, e ancora una volta sono gli americani che perfezionano un'idea e fanno un passo in più: nel 1953 inventano lo *spot pubblicitario* e portano la pubblicità in TV. In Italia, questo concetto arriva quattro anni dopo, con il *Carosello*, una trasmissione quotidiana fatta di scenette e cartoni animati che avevano il compito di intrattenere il pubblico pubblicizzando un dato prodotto.

Siamo ormai alla fine del ventesimo secolo, quando arriva la prima vera minaccia allo sviluppo smisurato della pubblicità e della sua influenza sulla vita quotidiana: i primi videoregistratori, grazie ai quali, registrando un film, diventa facile saltare lo stacco pubblicitario. Che fare? I pubblicitari, che **ne sanno una più del diavolo**, inventano un'alternativa alla pubblicità classica: la sponsorizzazione. La pubblicità non spezza un programma, ma lo finanzia; non interrompe un film, ma lo introduce. Oppure il prodotto è piazzato direttamente dentro il film, è usato dai protagonisti.

E dopo? Qual è il passo successivo?

Dopo, come tutti sappiamo, è arrivato Internet…

---

1. Leggi il brano riportato qui sopra e, insieme all'insegnante e a un compagno o una compagna, rispondi alle seguenti domande.

    1. Ecco alcune parole ed espressioni sottolineate che hai trovato. Che cosa significano?

        banditori: _____

        reclame, reclamizzare: _____

        insegne pubblicitarie: _____

        sulla scia del successo: _____

        fanno la loro apparizione: _____

        ne sanno una più del diavolo: _____

    2. Quando è nata la prima forma di pubblicità?

        _____

        _____

3   Qual è stato, secondo te, il cambiamento più importante nell'evoluzione della pubblicità?

_____

_____

4. Quali sono le qualità che una buona pubblicità deve avere?

_____

_____

5. Quale parte di noi pensi che reagisca con più immediatezza a un messaggio pubblicitario?

_____

_____

6. Quali sono i mezzi più efficaci adottati dalla pubblicità?

_____

_____

7. Ti piace la pubblicità? Perché?

_____

_____

2. **Vediamo se lo sai...** Quando è stata inventata la prima macchina da stampa? Da chi?

_____

_____

_____

_____

3. Nel brano che abbiamo letto, sono riportate le cinque regole che definiscono una buona pubblicità: un prodotto deve essere visto, letto, creduto, ricordato e comprato. Quanta importanza ha, secondo te, ognuna di queste regole? Se dovessi pubblicizzare un prodotto di tua scelta, come useresti e applicheresti ognuna di queste cinque regole? Insieme a un compagno o una compagna discuti di questo punto.

SE CI FOSSE ANCORA IL CAROSELLO

PIERO	Nonna, ma cos'è il Carosello?
NONNA	Il Carosello è la prima forma di pubblicità che abbiamo avuto in Italia.
PIERO	E quando è nato?
NONNA	Uh, nonno e io abitavamo ancora a Torino, mamma aveva 13 anni, zia Rita e zio Paolo non avevano ancora comprato casa…
MICHELA	Nonna!
NONNA	Eh, un attimo di pazienza! 1957. Era il 1957. Aveva una bella **sigletta** all'inizio, com'è che faceva? Ah, sì… Ta-ta-ta-ta-ta-tataratatà…
MICHELA	Mai sentita.
NONNA	**E per forza**, è finito molti anni fa. Che peccato, era così bello… Iniziava con un teatrino, si alzava il sipario e c'erano tante belle scenette: Calimero, Jo Condor, Gringo e poi il Caballero misterioso. E si vedevano tutte le città d'Italia… Venezia, Napoli, Roma…
MICHELA	**Uffa**, nonna!
NONNA	C'era anche il **Girotondo**, che erano le pubblicità per i bambini. Vi sarebbe piaciuto tanto…
PIERO	Nonna, ma c'era tutte le sere?
NONNA	Sì, e ogni pubblicità durava due minuti.
PIERO	Due minuti?
MICHELA	Bello… E quand'è che è finito?
NONNA	Vediamo… Era l'anno che il nonno ha lasciato la Fiat e ha aperto il negozio in via Rossini, ma la casa non l'avevamo ancora comprata, e se l'avesse comprata allora l'avremmo pagata meno…
PIERO	Nonna, **stringi**.
NONNA	Dieci anni prima che nascessi tu, Piero. Questo me lo ricordo bene. E poi è arrivata la pubblicità, che non ti fa vedere neanche un film **per intero**. Eh, se ci fosse ancora il Carosello…

4. **Che cosa significano le espressioni sottolineate?** Trova il significato
corrispondente nella colonna di destra.

___ sigletta   (A) un movimento circolare fatto da bambini che si tengono per mano

___ e per forza   (B) dall'inizio alla fine

___ uffa   (C) canzoncina che apre e chiude una trasmissione

___ girotondo   (D) finisci il discorso

___ stringi   (E) certamente

___ per intero   (F) espressione di noia

5. **Lo slogan giusto.** Collega le immagini dei prodotti agli slogan appropriati.

___ Mentiglia. Il brivido che sveglia.

___ Cenerentola chi?

___ Virgola. Il dettaglio che mancava.

___ Così lo fanno solo gli italiani.

___ Una pelle di pesca.

___ Ora del break, ora di Chocoflake!

1

2

3

4

5

6

6. **Qual è la pubblicità che ti piace di più e perché?** Parla con un compagno o una
compagna della pubblicità che preferisci: perché funziona secondo te? Aiutati
con gli elementi riportati qui sotto.

Lo slogan è _____ .

Il nome del prodotto è _____ .

Le immagini sono _____ .

La musica è _____ .

Gli attori scritturati sono _____ .

Il messaggio è _____ .

7. Guarda le immagini di prodotti riportate qui sotto e trova un nome e uno slogan
    per ognuno. **Ricorda: deve essere un messaggio che convince subito!**

1. _____

2. _____

3. _____

4. _____

5. _____

6. _____

7. _____

8. _____

9. _____

10. _____

11. _____

(1)

(2)

(3)

(4)

(5)

(6)

(7)

(8)

(9)

(10)

(11)

8. **Una campagna pubblicitaria: «Evviva la Torta-contorta!»** Nonna Sonia ha inventato una nuova ricetta: la *Torta-contorta*. In famiglia sono tutti impazziti per questa nuova torta. Nonna Sonia ha subito spedito la torta a una famosa industria dolciaria che le ha subito risposto. Completa il testo con le parole della lista. **Attenzione! C'è una parola in più.**

cannoli   possibile   saluti   mondo   buonissima

Signora Marzullo,

Saremo brevi. Vogliamo solo dirle che la sua *Torta-contorta* è _____ .
Non c'è una torta come la sua in tutto il mondo. Vogliamo produrre la sua
Torta-contorta il più presto _____ , creare una campagna pubblicitaria
e venderla in tutto il _____ . Le manderemo il contratto domani
stesso. Nel contratto le offriamo 3,000 euro per avere la ricetta e poi le daremo 3
euro per ogni torta venduta. Aspettiamo la sua risposta.

Distinti _____ ,

Ditta *Mulino Allegro*

9. Il direttore della ditta *Mulino Allegro* ha fatto assaggiare la *Torta-contorta* di nonna Sonia ad alcuni cittadini. Provate ad immaginare che cosa hanno detto usando alcune delle seguenti parole ed espressioni.

forma	gusto	sapore	consistenza	fenomenale
squisito	incredibile	fantastico	meraviglioso	da leccarsi i baffi

Un commerciante: _____

_____

Un vigile urbano: _____

_____

Un turista: _____

_____

Uno studente universitario: _____

_____

10. A questo punto l'ufficio pubblicità della ditta *Mulino Allegro* ha deciso di chiedere
l'aiuto a un gruppo di giovani e ha fissato un incontro con voi per raccogliere
i vostri suggerimenti per creare una campagna pubblicitaria. Queste sono le
domande della ditta:

    1. Che cosa pensate della *Torta-contorta*?

    _____

    _____

    2. A chi dobbiamo rivolgerci con questa campagna?

    _____

    _____

    3. Come possiamo essere efficaci e convincenti?

    _____

    _____

    4. Quali mezzi dobbiamo adottare? (TV, manifesti, radio...)

    _____

    _____

    5. Ora lo slogan... Create uno slogan per la *Torta-contorta*. Il migliore sarà
premiato!

    _____

    _____

    6. Quale simbolo suggerite per la campagna? Disegnatelo qui sotto.

11. Inventiamo uno slogan pubblicitario per tutti i nuovi prodotti della ditta
«Lapietra». Completa le frasi, facendo attenzione ai verbi che richiedono una
preposizione.

Con l'appendiabiti «Lapietra» riesci **a/di** _____

E non ti dimenticherai mai **a/di** _____

Il bavaglino «Lapietra» è perfetto per cominciare **a/di** _____

I vostri bebè finiranno **a/di** _____

Pensate **a/di** _____ una lavagna «Lapietra»?

La lavagna «Lapietra» è fatta a posta per imparare **a/di** _____ .

Come si potrebbe vivere senza continuare **a/di** _____

Con la bellissima maniglia «Lapietra» non avrete più paura **a/di**

_____

Vi consiglio **a/di** _____

Grazie al portaombrelli «Lapietra» vi divertirete **a/di** _____

Come sarebbe la vita senza il temperamatite «Lapietra»? Cercate **a/di**

_____

Andate subito **a/di** _____

Se fa un freddo bestiale, hai bisogno **a/di** _____

Il paraorecchi «Lapietra» ti aiuta **a/di** _____

12. **Nuovo prodotto «Lapietra»!** Adesso prova a scrivere uno slogan su un prodotto «Lapietra» a tua scelta, con i verbi che non hanno bisogno di preposizione prima dell'infinito.

amare	desiderare	preferire	volere	potere
dovere	sapere			

_____

_____

_____

_____

_____

_____

_____

_____

13. **Un colloquio di lavoro in un'agenzia pubblicitaria.** Vediamo se sei creativo: potresti avere un futuro come pubblicitario! Per essere assunto nella famosa agenzia di pubblicità *Pangrattato* devi superare quattro difficilissime prove.

Prima prova

Conosci questo gioco? Si chiama «Nomi, cose e città». Adesso verifichiamo se sei abile con le parole. Completa questo schema in 15 minuti.

nomi	cose	città	animali	frutta	verdura	mestieri	prodotti
Agata	*accendino*	*Asti*	*aquila*	*arancia*	*aglio*	*architetto*	*Ajax*
C____	____	____	____	____	____	____	____
L____	____	____	____	____	____	____	____
M____	____	____	____	____	____	____	____
S____	____	____	____	____	____	____	____
P____	____	____	____	____	____	____	____
D____	____	____	____	____	____	____	____
T____	____	____	____	____	____	____	____
F____	____	____	____	____	____	____	____
G____	____	____	____	____	____	____	____
R____	____	____	____	____	____	____	____

Prova di nuovo con altre categorie. Completa questo schema in 10 minuti.

parti del corpo	oggetti della casa	regioni italiane	nazioni	fiumi, laghi o mari	verbi riflessivi	tipi di pasta
avambraccio	armadio	Abruzzo	Argentina	Adriatico	annoiarsi	agnolotti
C _____	_____	_____	_____	_____	_____	_____
L _____	_____	_____	_____	_____	_____	_____
M _____	_____	_____	_____	_____	_____	_____
S _____	_____	_____	_____	_____	_____	_____
P _____	_____	_____	_____	_____	_____	_____

Seconda prova

Per essere un pubblicitario devi essere bravo con le rime. Trova quattro parole
che fanno rima con questi prodotti alimentari.

Es.: *pane* → *cane, rane, sane, banane*

1. biscotto → _____ , _____ , _____ , _____
2. fusilli → _____ , _____ , _____ , _____
3. vino → _____ , _____ , _____ , _____
4. tortellini → _____ , _____ , _____ , _____
5. latte → _____ , _____ , _____ , _____

Terza prova

Per essere un pubblicitario devi avere un buon senso dell'umorismo.
Scrivi cosa ti fanno pensare queste immagini.

1. _____
2. _____
3. _____

Quarta e ultima prova

Inventa un jingle pubblicitario. Cambia le parole di una canzone conosciuta, come «O sole mio» e «La donna è mobile» , inserendo nuove parole. Le parole devono riferirsi a:

1. una lavatrice

   _____

   _____

2. un computer

   _____

   _____

3. un libro d'italiano

   _____

   _____

4. uno zaino

   _____

   _____

Complimenti!

Accidenti!

Benvenuto al «Pangrattato»

Dove il pubblicitario

È contento del salario.

Index